D1626877

Die Besten

DIE PREISTRÄGER AUS 25 JAHREN
INGEBORG-BACHMANN-WETTBEWERB

Die Besten

**Die Preisträger aus 25 Jahren
Ingeborg-Bachmann-Wettbewerb**

Herausgegeben und mit einem Vorwort
von Iso Camartin

Piper
München Zürich

Der Verlag dankt den Veranstaltern der Tage der deutschsprachigen Literatur – Landeshauptstadt Klagenfurt und ORF Kärnten – und dem Generalsponsor Telekom Austria.

ISBN 3-492-04349-6
© Piper Verlag GmbH, München 2001
Gesamtherstellung: Kösel, Kempten
Printed in Germany

Inhalt

Iso Camartin	Surprise oder Paukenschlag Ein Vorwort	7
Marcel Reich-Ranicki	Vorwort zur ersten Ausgabe der Klagenfurter Texte 1977	11
Gert Jonke	Erster Entwurf zum Beginn einer sehr langen Erzählung	17
Ulrich Plenzdorf	kein runter kein fern	31
Gert Hofmann	Die Fistelstimme	47
Sten Nadolny	Kopenhagen 1801	61
Urs Jaeggi	Ruth	73
Jürg Amann	Rondo	85
Friederike Roth	Das Buch des Lebens	96
Erica Pedretti	Das Modell und sein Maler	107
Hermann Burger	Die Wasserfallfinsternis von Badgastein	119
Katja Lange-Müller	Kasper Mauser – Die Feigheit vorm Freund	132
Uwe Saeger	Ohne Behinderung, ohne falsche Bewegung…	145
Angela Krauß	Der Dienst	159
Wolfgang Hilbig	Eine Übertragung	168
Birgit Vanderbeke	Das Muschelessen	179
Emine Sevgi Özdamar	Das Leben ist eine Karawanserei / hat zwei Türen / aus einer kam ich rein / aus der anderen ging ich raus	193

Alissa Walser	Geschenkt	207
Kurt Drawert	Haus ohne Menschen. Ein Zustand	216
Reto Hänny	GUAI	225
Franzobel	Die Krautflut	238
Jan Peter Bremer	Der Fürst spricht	256
Norbert Niemann	Wie man's nimmt	273
Sibylle Lewitscharoff	Pong	285
Terézia Mora	Der Fall Ophelia	294
Georg Klein	Auszug aus einem langen Prosatext	307
Michael Lentz	Neben dem Tod	317

Die Autoren 329

Copyright der Texte entsprechend der Reihenfolge in diesem Band: Marcel Reich-Ranicki: © Marcel Reich-Ranicki, 1977 ▪ Gert Jonke, aus: Der Ferne Klang. © Residenz Verlag, Salzburg und Wien 1979 ▪ Ulrich Plenzdorf, aus: kein runter kein fern. © Suhrkamp Verlag, Frankfurt am Main 1984 ▪ Gert Hofmann, aus: Die Fistelstimme. © Eva Hofmann, 2001 ▪ Sten Nadolny, aus: Die Entdeckung der Langsamkeit. © Piper Verlag, München 1983 ▪ Urs Jaeggi: © Urs Jaeggi, 1981 ▪ Jürg Amann, aus: Rondo und andere Erzählungen. © Arche Verlag AG, Zürich-Hamburg 1996 ▪ Friederike Roth: © Friederike Roth 1983 ▪ Erica Pedretti, aus: Das Modell und sein Maler. © Suhrkamp Verlag, Frankfurt am Main 1986 ▪ Hermann Burger: © Hermann Burger Erben, 2001 ▪ Katja Lange-Müller: © Katja Lange-Müller, 1986 ▪ Uwe Saeger: © Uwe Saeger, 1987 ▪ Angela Krauß: © Angela Krauß, 1988 ▪ Wolfgang Hilbig: © S. Fischer Verlag GmbH, Frankfurt am Main 1989 ▪ Birgit Vanderbeke: © Europäische Verlagsanstalt/Rotbuch Verlag, Hamburg, zuerst erschienen 1990 im Rotbuch Verlag ▪ Emine Sevgi Özdamar, aus: Das Leben ist eine Karawanserei hat zwei Türen aus einer kam ich rein aus der anderen ging ich raus. © Kiepenheuer & Witsch Verlag, Köln 1992 und 1994 ▪ Alissa Walser, aus: ... nicht meine ganze Geschichte. © Rowohlt Verlag GmbH, Reinbek 1994 ▪ Kurt Drawert, aus: Haus ohne Menschen. © Suhrkamp Verlag, Frankfurt am Main 1993 ▪ Reto Hänny: © Reto Hänny, 1994 ▪ Franzobel, aus: Krautflut. © Suhrkamp Verlag, Frankfurt am Main 1995 ▪ Jan Peter Bremer, © Jan Peter Bremer, 1996 ▪ Norbert Niemann: Wie man's nimmt. © Carl Hanser Verlag, München-Wien 1998 ▪ Sibylle Lewitscharoff: © Berlin Verlag, Berlin 1998 ▪ Terézia Mora, aus: Seltsame Materie. © Rowohlt Verlag GmbH, Reinbek 1999 ▪ Georg Klein, aus: Barbar Rosa. © Alexander Fest Verlag, Berlin 2001 ▪ Michael Lentz: © Michael Lentz 2001. Alle Rechte vorbehalten S. Fischer Verlag GmbH, Frankfurt am Main

Iso Camartin

Surprise oder Paukenschlag?
Ein Vorwort

In seinem ersten Londoner Sommer – wir sind im Jahr 1791 – schrieb Joseph Haydn in der offenbar inspirierenden Umgebung einer Bankiersfamilie in der Grafschaft Hertfordshire eine Symphonie, die in England unter dem Namen »The Surprise«, im deutschsprachigen Raum als jene »Mit dem Paukenschlag« bekannt ist. Das Werk wurde in der darauffolgenden Saison am 23. März 1792 in London uraufgeführt – ein großer Erfolg schon damals, und diese Symphonie sollte eine der beliebtesten unter allen über hundert Werken dieser Gattung des Meisters aus Wien werden. Die Namensbezeichnungen verdankt sie einem Einfall im Andante, wo nach einem kinderliedähnlichen und zurückhaltend scheu vorgetragenen idyllischen Thema plötzlich ein Fortissimo-Knall dazwischen fährt, der die gedankenverlorenen und seligen Erinnerungen sich überlassenden Zuhörer mit Sicherheit blitzartig in die Realität des Konzertsaals zurückholt. Dafür ist das Wort »Paukenschlag« wirklich am Platz, auch wenn an diesem Knall nicht nur die Kesselpauke, sondern das gesamte Orchester beteiligt ist. Die wirklichen Experten haben jedoch schnell erkannt, daß nicht nur dieser vergnüglich grobe Einfall den Überraschungscharakter dieses Werks ausmacht, daß vielmehr die ganze Symphonie ein Kunstgebilde aus unerwarteten musikalischen Elementen ist – und daß deshalb der englische Name »Surprise« die bessere Bezeichnung für dieses Wunderwerk sprühender Einfälle ist als der deutsche Titel, der nur gerade den Knall markiert. Denn in der Tat ist Haydn in der Sommerfrische Englands mit dieser Symphonie so etwas wie das künstlerische Prinzip der Überraschung gelungen, Von einem glücklichen Einfall zum anderen, von einer witzigen Idee und hellen

Freude zur nächsten. Überraschungen von Takt zu Takt, von Satz zu Satz, im Rhythmischen, im Thematischen, in Melodie und Harmonie. Ein Reichtum der Verwandlungen, Verschiebungen, Verfeinerungen. Ein spielerisches Anecken gegen Erwartungen und Regeln und ein beinah unbremsbares Austoben des Spieltriebs. Da führt ein für damalige Verhältnisse schon alter Mann uns Staunenden vor, was das bedeutet, ein wahrer Meister der Überraschung zu sein, ein Surprise-Künstler par excellence!

Hätte man für die hier versammelten Texte der Preisträgerinnen und Preisträger des Ingeborg-Bachmann-Wettbewerbs einen gemeinsamen Nenner zu suchen: Ich wüßte keinen genaueren als den der »Surprise«. Mit und ohne Paukenschlag. In einer bestimmten Art und Weise sind alle diese Texte Überraschungsträger, oder sie verdienen die Auszeichnung gar nicht. Wer immer in Klagenfurt antrat, wußte, daß mit Kopie und Imitation, mit Nachzeichnung und noch so gekonntem sich Anschmiegen an Vorbildern allein nicht durchzukommen war. Irgendwo mußte die Einbruchstelle für Unerwartetes, Neues, bisher nicht Gehörtes zu entdecken sein. Irgendwo mußte man Aufhorchen können ob des Überraschenden, das einem da entgegenkam. Nicht daß von Jahr zu Jahr nicht auch alte und sattsam bekannte Weisen zu hören gewesen wären. Einer der tödlichsten Flintenschüsse von Seiten der Jury auf einen vorgetragenen Text war ja immer der Satz: »Das habe ich doch schon anderswo viel besser gehört! Das haben wir bei der Autorin X längst viel eindringlicher gelesen.«

Ein schwaches Plagiat: das ist das sicherste Todesurteil für einen Text. Die Frage wäre demnach: Wo sind die Überraschungselemente dieser preisgekrönten Texte genau lokalisierbar? Wo haben sie ihr Unerhörtes, ihren Paukenschlag, ihre *Surprise*? Wo sind wir benommen (sur-pris), überwältigt, begeistert, wenn wir sie jetzt wieder lesen, nebeneinander und vielleicht auch gegeneinander? Wo sind die Spuren und Ingredienzien eines Neubeginns auffindbar? Wo die Elemente einer bisher nicht angetroffenen Aufgeregtheit, einer bisher nicht so empfundenen Verstörung?

Um den hier gesammelten Texten Gerechtigkeit widerfahren zu lassen, darf man keinen zu knalligen oder paukenschlagartigen Begriff des Neuen und Überraschenden haben. Was literarisch als neu gelten muß, kann sehr diskret, in großer Unauffälligkeit und Verstellung daherkommen. Es kann ein einziges Detail betreffen, das freilich durch die Art seiner Andersbehandlung ein wichtiges und unerläßliches wird. Es kann eine Sache des Themas sein – eher selten – oder eine des Tones, eine des Vordergrunds oder des Hintergrunds, eine der dramatischen Entwicklung oder der Stimmung. Literarische Texte sind so komplexe Gebilde, daß manchmal erst beim zweiten oder dritten Gang durch ihre Zeilen das Offensichtliche und das Verborgene zueinander in die richtige Schwingung geraten. Gesagt oder halb verschwiegen, deutlich ausgesprochen oder nur vage markiert, die Möglichkeiten des Spiels mit Bedeutungen sind vielfältigster Natur. Die erste Zeile eröffnet ein Universum, das – bei gelungener Fortführung – gerade aufgrund der unerwarteten Momente zu einem unverwechselbaren wird. Nicht überall kann man sich in gleicher Weise angesprochen fühlen. Doch etwas Rufendes und Lockendes, weil bisher Unerfahrenes, muß uns aus diesen Texten entgegenkommen, sonst haben sie ihre Auszeichnung nicht verdient.

Wer je Mitglied der Jury war in Klagenfurt, hat selbst mit einer gewissen Verwunderung feststellen müssen, welche Eigendynamik die Zusammensetzung des Gremiums für die Bewertung der Texte entwickelt. Von Zufall in der Ermittlung der Preisträger kann man dennoch nicht sprechen, denn dafür sind die Auseinandersetzungen und die Debatten um Textqualitäten zu explizit und die Beteiligten zu professionell gewesen. Es sind dennoch vielleicht nicht immer die überraschungsreichsten Texte der Lesenden ausgezeichnet worden. Man könnte sogar sagen, daß da und dort der Paukenschlag des einen Textes die *Surprise*-Qualitäten eines anderen kurzfristig übertönt hat. Von einem Fehlentscheid würde ich freilich nur dort sprechen, wo der *Surprise*-Charakter eines Textes gänzlich fehlt oder wegen mangelhafter Beschaffenheiten seiner Teile unentdeckbar bleibt. Die vorliegende Anthologie gibt eine wunderbare Möglichkeit, eine Art Gralssuche nach der *Surprise* zu beginnen. Es wäre kein müßiges Spiel, unter den hier versammelten Texten den überraschungsreichsten zu ermitteln.

Ziemlich genau zehn Jahre ist es her, seit einer der größten Hexenmeister der literarischen *Surprise* im deutschsprachigen Raum uns verlassen hat. Sein Name: Wolfgang Hildesheimer. Von seinen *Lieblosen Legenden* bis zu seinem *Marbot*: ein Überraschungserlebnis nach dem anderen. Und was für Surprisen! Keine der schnellen und der lauten Art, sondern listig ausgeheckte, kunstvoll eingeschleuste, diskret ausgelegte Überraschungsfallen, in die man geradezu hineindrängte, weil sie uns etwas eröffneten, das mehr mit dem Wünschen als mit dem Wissen zu tun hatte. Phantasie sollte nicht Fiktion produzieren, sondern Wirklichkeit. Eine Wirklichkeit freilich, die uns die Augen öffnete, weil sie auch das Mögliche einschloß. In Abwandlung eines berühmten Klee-Diktums liebte Hildesheimer zu sagen: »Literatur gibt nicht das Erfahrene wieder, sondern macht erfahrbar.« Es ist einer der höchsten Ansprüche, den man an literarische Kunst stellen kann. Er hat ihn eingelöst – und als dies ihm nicht mehr möglich schien, hörte er mit dem Schreiben auf und wandte sich der Kunst der Collage zu.

Es ist ein seltsames Phänomen, daß jemand uns mit unangenehmen Botschaften und Einsichten so zu überraschen vermag, daß wir mehr davon wollen, weil irgendwie unser Glück und unser Wille, uns in der Welt der Tatsachen einzurichten, davon abhängt. Beim Lesen von Hildesheimer passiert derartiges mit Regelmäßigkeit. Er öffnet uns die Augen für Überraschungen der unangenehmsten Art. Und doch spürt man von Anbeginn, daß diese schlechten Neuigkeiten eine Dringlichkeit eigener Qualität haben, die man für sein Leben nicht mehr außer acht lassen möchte. – Nicht überall, aber doch an zahlreichen Stellen blitzt in den Texten der hier versammelten Preisträgerinnen und Preisträger etwas auf, das von vergleichbar verstörender Dringlichkeit ist. Überraschungen eben nicht nur über das Gelingen der Kunst, sondern über den unerträglichen Zustand der Welt. Ein rollendes Dröhnen manchmal, ein vernehmbar heranziehendes Unheil, ein Augenblick des Schreckens – so wie es sogar der alte Haydn noch einsetzte im Schlußsatz seiner Surprise-Symphonie. Wir leben in keiner Welt, die sich nur auf gute Surprisen gefaßt machen darf. Davon jedenfalls erzählen die Texte der Preisträgerinnen und Preisträger des Ingeborg-Bachmann-Wettbewerbs in unmißverständlicher Weise.

Marcel Reich-Ranicki

Vorwort zur ersten Ausgabe der Klagenfurter Texte 1977

Dieses Buch dokumentiert ein literarisches Ereignis, das, zumal in Österreich, verunglimpft und offen bekämpft wurde, lange bevor es überhaupt stattgefunden hatte. Später, nach den Lesungen von 23 Autoren aus der Bundesrepublik, der DDR, Österreich und der Schweiz, nach den sofort erfolgten Äußerungen der Jury zu diesen 23 Arbeiten, nach der Verleihung der beiden Preise und des Stipendiums, später also schlug die Stimmung um: Trotz vieler Einwände und Vorbehalte, die übrigens eher Einzelheiten betrafen, war sich die Mehrheit der Beobachter und Berichterstatter doch einig, daß diese im Rahmen der Klagenfurter »Woche der Begegnung« erstmalig veranstalteten »Tage der deutschsprachigen Literatur« als eine zumindest nützliche Einrichtung zu begrüßen seien.

Im äußersten Winkel des deutschsprachigen Raums ist der Versuch, in Gegenwart des Publikums und vor den Mikrofonen des Rundfunks und den Kameras des Fernsehens einen literarischen Wettbewerb durchzuführen, eindeutig gelungen. Nicht die Pessimisten haben recht behalten, sondern die Optimisten. Schon hört man, daß einzelne Autoren und Verleger, die es 1977 für richtiger hielten, nicht nach Klagenfurt zu kommen, nunmehr bereit seien, 1978 mitzumachen. Und das ist überaus erfreulich.

Also alles schön und gut? Sind die Zweifler und Skeptiker widerlegt worden? Nein, so einfach ist es eben nicht: Was sich im Juni 1977 in Klagenfurt abgespielt hat, war schon fragwürdig. Und davon soll hier offen die Rede sein.

Als fragwürdig muß man zunächst einmal die Jury bezeichnen, die über die vorgelesenen Texte zu urteilen und über die

Preise und das Stipendium zu befinden hatte. Berufen wurden die Mitglieder dieser Jury von den beiden Initiatoren und Organisatoren des Klagenfurter Wettbewerbs, von Humbert Fink, der im Namen der Landeshauptstadt Klagenfurt handelte, und von Ernst Willner, dem Repräsentanten des Österreichischen Rundfunks.

Schon auf den ersten Blick ist erkennbar, daß man sich bemüht hat, die Jury aus deutschen, österreichischen und schweizerischen Schriftstellern und Kritikern, aus Vertretern verschiedener Generationen, aus Anhängern unterschiedlicher, ja gegensätzlicher literarischer Richtungen und Tendenzen zusammenzustellen. Aber waren jene, die meinten, es handle sich hier um eine etwas willkürlich berufene Jury, ganz im Unrecht?

Überdies wurde einzelnen Juroren von Berichterstattern vorgeworfen, sie hätten verblüffende oder geradezu abwegige Urteile gefällt. In manchen kritischen Artikeln über das Klagenfurter Treffen ist die Kompetenz dieser Juroren angezweifelt oder direkt bestritten worden. Sind solche Beanstandungen der Berichterstatter ganz falsch oder ungerecht? Waren alle Klagenfurter Juroren vorbildliche Richter, gegen die nichts zu sagen wäre?

Fragwürdig war beim Klagenfurter Wettbewerb ferner die Auswahl der eingeladenen Autoren. Es stimmt nicht, daß die beiden Organisatoren ganz selbständig darüber entscheiden konnten, wer sich um den Ingeborg-Bachmann-Preis bewerben durfte: Alle Einladungen erfolgten im Einvernehmen mit der Jury, jeder Juror hatte das Recht, geeignete Autoren vorzuschlagen und die Streichung solcher zu beantragen, deren Teilnahme ihm nicht angebracht schien. Doch läßt sich nicht verheimlichen, daß auf die endgültige Liste der Lesenden auch der Zufall Einfluß hatte, daß man viele interessante Autoren in Klagenfurt vermissen mußte – und gemeint sind hiermit nicht nur jene, die nicht kommen wollten oder konnten, sondern auch jene, die man einzuladen vergessen hat – und daß einige zu hören waren, deren Arbeiten den Qualitätsansprüchen dieses Wettbewerbs nicht ganz oder überhaupt nicht entsprachen.

12 Fragwürdig war schließlich und vor allem die Prozedur dieses Wettbewerbs. Jeder Autor konnte höchstens dreißig Minu-

ten lesen. Wer mit einer Kurzgeschichte nach Klagenfurt gekommen war, der hatte weniger Kummer. Doch schon die Verfasser von Erzählungen mußten ihre Arbeiten in der Regel in einer gekürzten Fassung vortragen. Daß die Romanciers noch schlechter dran waren, liegt auf der Hand: Sie durften nur mit einem Ausschnitt aufwarten – und man sagt natürlich nichts Neues, wenn man feststellt, daß auch und gerade in guten Romanen einzelne Episoden viel von ihrem Reiz und ihrer Bedeutung verlieren, wenn sie aus dem Zusammenhang gerissen und isoliert dargeboten werden.

Den Juroren war es nicht möglich, sich darüber, was sie soeben gehört hatten, lange Gedanken zu machen. Nach dem letzten Satz jeder Lesung mußte sich die Jury sofort äußern. Den dreizehn Juroren standen ebenfalls höchstens dreißig Minuten zur Verfügung. War es unter diesen Umständen überhaupt möglich, die gebotenen Prosastücke gründlich und sorgfältig zu beurteilen?

Hinzu kommt ein Umstand, der schon die Kritik auf den Tagungen der »Gruppe 47« – und mit ihr wurde das Klagenfurter Treffen oft verglichen – erschwert hat: Indem ein Autor seine Prosa laut vorliest, stützt er sie mit außerliterarischen Mitteln. Doch neben Schriftstellern mit starker rezitatorischer Begabung gibt es natürlich auch solche, deren Unfähigkeit auf diesem Gebiet erstaunlich groß ist. Während also die einen die Wirkung ihrer Texte steigern, verderben die anderen den Eindruck, den sie bei gewöhnlicher Lektüre erwecken könnten. Überdies eignen sich manche Arbeiten vorzüglich zur akustischen Darbietung, andere hingegen können eigentlich nur mit dem Auge wahrgenommen werden. Die Juroren sollten indes weder über die Möglichkeiten des Autors als Vortragskünstler befinden noch darüber, ob sein Produkt die Qualitäten eines Rezitationsstücks hat.

Aber so wichtig und richtig dies alles auch sein mag, so gewiß sind öffentliche literarische Tagungen und Wettbewerbe nur dann durchführbar, wenn alle Teilnehmer, also ebenso die Autoren wie die Juroren, bereit sind, einiges in Kauf zu nehmen und sich auf Kompromisse zu einigen.

13

Keine Jury ist gegen den Vorwurf oder den Verdacht einer mehr oder weniger willkürlichen Zusammenstellung gefeit.

Vielleicht stimmt es auch, daß in Klagenfurt nicht alle Juroren ihrer Aufgabe ganz gewachsen waren. Doch gerade hier trügt der Schein oft. Es gibt Literaturkenner, die rasch reagieren und effektvoll formulieren. Anderen fehlt der rhetorische Glanz, sie äußern sich nur zögernd und bedächtig. Aber es ist keineswegs sicher, ob jene oder diese in einer Jury nützlicher sind, auf jeden Fall meine ich, daß man weder auf die einen noch auf die anderen verzichten sollte.

Noch begreiflicher scheinen die Einwände gegen die Auswahl der eingeladenen Autoren. Nur sollte man bedenken, daß man bei allen Wettbewerben mit Absagen gerade von jenen rechnen muß, auf deren Teilnahme man besonderen Wert legt. Die einen haben Terminschwierigkeiten, andere verfügen über kein geeignetes Prosastück, wiederum andere möchten sich nicht einer öffentlichen Sofortkritik aussetzen. Und natürlich gibt es Autoren, die nicht kommen wollen, weil ihnen die Veranstalter mißfallen oder die Juroren oder die Statuten, oder weil sie überhaupt nichts von literarischen Wettbewerben halten, die in der Tat nie ganz gerecht sein können und immer etwas dubios sein müssen.

Anders verhält es sich mit dem Vorwurf, man habe auch solche Autoren zugelassen, deren Leistungen unter dem erwarteten Qualitätspegel geblieben seien. Gewiß doch, aber ein ausgeglichenes Niveau würde eher gegen als für die Veranstalter sprechen.

Ein solches Treffen soll nämlich einerseits neue Arbeiten bekannter Schriftsteller präsentieren, andererseits will es noch nicht etablierten Autoren die Möglichkeit geben, auf ihre Versuche aufmerksam zu machen. Da indes die vorgelesenen Prosastücke keineswegs vorher geprüft werden – dies käme ja einer Vorzensur gleich –, ist jede Einladung mit einem gewissen Risiko verbunden, das bei Anfängern oder zumindest Nicht-arrivierten besonders groß scheint. Der Ingeborg-Bachmann-Wettbewerb ohne Fehlschläge würde indes nicht etwa von der Qualität der Veranstaltung zeugen, sondern nur bedeuten, daß man von Experimenten nichts wissen will und das Risiko scheut.

Am wenigsten kann man wahrscheinlich die Prozedur rechtfertigen. Aber läßt sie sich verbessern? Hier geht es nicht um die 30-Minuten-Begrenzung für die teilnehmenden Autoren. Auch bei Manuskriptwettbewerben ist oft ein Maximalumfang der eingereichten Arbeiten vorgeschrieben. Und wer nicht mit einer Geschichte, sondern mit einem Ausschnitt aus einem Roman aufwartet, nimmt den sich daraus eventuell ergebenden Nachteil freiwillig in Kauf. Sehr möglich übrigens, daß sich der Ingeborg-Bachmann-Preis, wie bereits vermutet wurde, mit der Zeit zu einem Erzählungspreis entwickeln wird.

Nein, die Crux liegt woanders: Nichts ist angreifbarer als die Arbeitsweise der Jury. Jeder Literaturkritiker weiß, wie fragwürdig das Gewerbe ist, dem er nachgeht. Er muß Urteile fällen, ohne einen Kodex zu haben. Diese fundamentale Schwierigkeit literarischer Wertung ist in der mündlichen Sofortkritik noch deutlicher sichtbar und noch stärker spürbar: Ohne Übertreibung kann man sagen, daß schriftlich verfaßte Kritiken immer solider und treffender sind als improvisierte Kunsturteile. Denn natürlich kann eine unter Zeitdruck stehende Improvisation zu voreiligen und oberflächlichen, zu ungenauen und oft auch überspitzten Äußerungen verführen. Allerdings wurde in Klagenfurt die Arbeit der Juroren wenigstens insofern etwas erleichtert, als sie, anders als einst bei der Gruppe 47, sich nicht nur auf ihr Gehör zu verlassen brauchten: Unmittelbar vor jeder Lesung erhielten sie den Text, später konnten sie ihre Soforturteile anhand der Manuskripte überprüfen.

Waren nun die Juroren in Klagenfurt einigermaßen gerecht? Ich wage nicht diese Frage zu bejahen. Eher will es mir scheinen, daß man dies vielleicht nicht unbedingt von den Juroren, wohl aber von der Jury sagen kann. Die einzelnen Äußerungen waren häufig situationsbedingt. Zu hören war eben nicht eine Reihe von mehr oder weniger gut begründeten Urteilen, sondern eine Debatte: Was ein Juror sagte, knüpfte meist an die Ausführungen seines Vorgängers an, die jetzt ergänzt, korrigiert und bisweilen auch widerlegt wurden. Relevant und maßgebend war stets das Gesamturteil der Jury, das aus der Summe mehrerer Ansichten bestand. Und wenn viele Juroren beherzt und entschieden über einen eben vorgelesenen Text sprachen, so taten sie es wahrscheinlich im Bewußtsein, daß sie nicht so sehr ein Urteil fällten, als zu einem Urteil beitrugen. Wie auch immer: die Arbeit der Jury – das ist der entscheidende, viel-

15

leicht sogar der wunde Punkt des Klagenfurter Wettbewerbs. Nur daß es eine makellose Jury ebensowenig geben kann wie Patentlösungen für die Wertung literarischer Arbeiten.

Aber was hat denn nun eigentlich im Juni 1977 in Klagenfurt stattgefunden? Ein Fest der Literatur? Ein Wettbewerb mit zwei Preisen und einem Stipendium? Ein Dichtermarkt? Eine Art Börse? Wirklich eine Arbeitstagung? Oder gar eine literarische Modenschau? Es war, glaube ich, alles auf einmal – und das ist gut so.

Die Literatur braucht das Gespräch und den Meinungsaustausch, die Resonanz. Dies ist natürlich um so wichtiger, als eine literarische Hauptstadt des deutschsprachigen Raums längst nicht mehr existiert. Diese Hauptstadtfunktion vermochte wenigstens an drei Tagen im Jahr die Gruppe 47 auszuüben. Es gibt sie nicht mehr seit 1967. Unsinnig wäre es und auch unmöglich, in Klagenfurt die Gruppe 47 etwa kopieren zu wollen. Aber es scheint, daß man mit dem Ingeborg-Bachmann-Wettbewerb dort eine Institution ins Leben gerufen hat, die unter ganz veränderten Vorzeichen und auf andere Weise ebenfalls eine Art Hauptstadtfunktion erfüllen kann. Dies bleibt zu hoffen und zu wünschen.

Immerhin ist es schon jetzt diesem Wettbewerb gelungen, die Aufmerksamkeit einer breiteren Öffentlichkeit in den deutschsprachigen Ländern auf die Literatur unserer Tage und auf die Arbeit einer Anzahl von Autoren (keineswegs nur auf die der drei Preisträger) zu lenken. Machen wir uns nichts vor: Die Literatur muß heutzutage mehr denn je ihr bloßes Dasein verteidigen. Dies versucht der Klagenfurter Wettbewerb: Er will der Literatur eine Öffentlichkeit verschaffen. Und er will der Öffentlichkeit zur Literatur verhelfen.

Gert Jonke

Erster Entwurf zum Beginn einer sehr langen Erzählung

Burgmüller empfand das Gebäude, in dem er seit kurzem erst wohnte, als ein durch die Vorstadtdächer die Hügel stadtauswärts pflügendes Schiff, welches er soeben betreten, als er vom täglichen Spaziergang zurück die Treppen stiegenhausaufwärts im letzten Stock im großen Wandspiegel sich auftauchen sah, der zwischen seiner und der Wohnungstür gegenüber auf der Mauer hing. Habe ich den Wohnungseingang oder eine Türe daneben im Spiegel aufgesperrt, fragte er sich, ins Zimmer tretend, von dem eine landschaftliche Übersicht dieses spät versinkenden Nachmittags sich ihm bot, welcher vom Himmel ins offene Feuer hereingeflossen war. Er sah die Luftschleier überm fernen Wald aufblitzend verschwommen zittern, Sprünge und Risse dunstig hervorbrechend, den Wind zwischen Telegrafenmasten verwirrt blinkende Strahlenbündel glitzernd ordnen zu rollenden Lichthäufen zusammenblasen, dann durch die Ebene bis zum Horizont jagen, wo sie entweder zerschellten oder dahinter auf die andere Seite hinunterstürzten. Ein schimmernd grau gestreifter Föhn strich über den im Gegenlicht schwarz geschliffenen Waldrand hinweg, an dem die Vögelschwärme sich stießen und abgesplittert von einem durchsichtiggeglühten Ballon, der abwärtsschwimmenden Sonne vorübergleitend aufgesaugt wurden, die so grell blaßhäutig schrumpfend beinahe zerdrückt von dick qualmenden Wolkenreifen, welche von einem die Dämmerung jetzt einleitenden Lichtsturm endlich zersprengt in Rauchfetzen dem Stadtrand entgegenverstreut wurden. So begann der sich nähernde Abend hauseinwärts zu strömen, in dem mit äußerster Hingabe Burgmüller innerlich aufatmend befreit sich lösend verfangen hatte, durchs Fenster ins Zimmer herein ihm schlauchartig entgegengeschoben ein langsam dunkelnder bunter Lichtpelz, der ihn wohltuend einhüllte, bis nur mehr sein erregt konzentrierter Kopf noch herausragte, sein restlicher Körper beinahe abgeschaltet oder aus dem Hautkäfig heraus sich stülpend, alles bislang so Unüberwindliche schien gleich umsichtig ihm nun entgegengeebnet, so wartete er weiter gespannt auf alles gleich darauf noch folgende...

Das schrille Türklingeln unterbrach die Konzentration, an die Fortsetzung eines Konzeptes war nicht mehr zu denken, und darüber erschrocken fuhr Burgmüller betroffen aus dem Sessel hoch und legte den langen Weg durch den Vorzimmerkorridor in sehr schnellen Schritten zurück; vermutlich wollte er schon durch den deutlich hackenden Rhythmus seines Ganges so unmißverständlich als möglich den Grad seiner Verärgerung rechtzeitig vorausankündigend unterstrichen zu Gehör gebracht wissen, und ganz entgegen sonstiger Gepflogenheiten, denen gemäß er jedes plötzliche Läuten läuten gelassen im Zimmer sitzen geblieben wäre, öffnete er die Wohnungstüre, obwohl er weder wissen wollte, wer draußen stand, erst recht nicht, welche Anliegen, Anforderungen ihm gegenüber womöglich anzubringen erhofft würden; Burgmüller erwartete niemand und nichts mehr an diesem Tag, Anmeldung lag keine vor, Besuche ohne vorherige Anmeldung auch solche von Freunden waren nicht möglich, das hatte er sich verbeten und abzustellen gewußt, und der einzige triftige Grund wider alle Regeln seiner nur ihm selbst für sein künftiges Überleben sich mühsam ganz verrückt zurechtgezimmerten Vernunft, die Türe gleichwohl geöffnet zu haben, war wohl jener, das vor der Wohnungstüre stehende Subjekt unbedingt in aller Offenheit zu fragen, *was eigentlich bilden Sie sich denn ein,* um einer solchen Person den Grad der Unangemessenheit ihres Tuns in seinen Augen sofort schonungslos offenlegend klar erkennbar werden zu lassen, wie man sich zu derartig gedankenloser Handlung auch nur unterstünde, so ähnlich alle weiteren Burgmüller unterlaufenen diesbezüglichen Sätze bei mehrfach erfolgtem Gebrauch des Wortes *impertinent;* noch während er abschließend die Wohnungstür wieder zuschlagen wollte, ohne die Silbe einer darauf erwiderten Erklärung vielleicht entschuldigender Natur abzuwarten, stieg ihm ein schamhaftes Unbehagen hoch, weil erstens das nicht seinem Wesen entsprechende Verhalten seiner Person ihm selbst sofort sehr lächerlich bewußt geworden, und zweitens, seine ihm so ungemäße Ansprache, wie Burgmüller erst in diesem Augenblick zu erkennen in die Lage kam, jemandem entgegengerichtet, den er am wenigsten erwartet hätte; denn vor der Tür stand nämlich (keine Person sondern) *ein drei Meter hoher Kleiderschrank.* Der Kasten verstellte Burgmüller gut die Hälfte seines Eingangs, einem Kleiderschrank gegenüber hatte er den Ausdruck seines Ungehaltenseins entgegenzubringen sich die günstige Gelegenheit nicht nehmen lassen, er lauschte dem zitternd vibrierenden Nachhall seiner durchs Stiegenhaus von Stockwerk zu Stockwerk vom Keller bis in den Dachstuhl hinein herumgeschleudert rollenden Ansprache.

Burgmüller betrachtete den so unverrückbar vor ihn hingestellten Besucher genau, der Schrank stand an der Mauer zwischen seiner Wohnungstür und der gegenüber vermutlich sehr kurz erst, nicht länger als einige Stunden, wahrscheinlich Minuten. Wo ist denn der Spiegel, fragte ich Burgmüller, denn bis zum erst kürzlich erfolgten Eintreffen des Kastens hing, wo der Kasten jetzt stand, dahinter auf der Mauer der Spiegel, in welchem Burgmüller erst kürzlich noch aufgetaucht war. Vielleicht nach wie vor hinterm Kasten vom Kasten verdeckt, dachte er, doch sicher hatte man den Spiegel abgenommen, ehe der Kasten an diese Stelle gerückt worden war. Warum man den Spiegel wohl abzunehmen veranlaßt gewesen sein könnte, dachte Burgmüller nach, der Spiegel an der Mauer hätte doch den gleichzeitig da stehenden Kasten keineswegs ausgeschlossen.

· Wahrscheinlich hatte man befürchtet, der Spiegel werde durch einen vor ihm aufgestellten ihm, dem Spiegel, die Sicht verstellenden Kasten zerdrückt, ihn deshalb vor der Aufstellung des Kastens abgehängt, vielleicht längst schon anderswo wieder aufgehängt. Oder hatte sich der Spiegel auf dieser Wand schon lange nicht mehr wohlgefühlt, wäre er vielleicht auch bald schon erblindet, war deshalb durch den Kasten ersetzt worden. Wäre denn der Spiegel, so dachte Burgmüller weiter, durch diesen vor ihn hingestellten Kasten wirklich in eine solche Gefahr geraten, daß man ihn vorher abzuhängen veranlaßt aus Verantwortung gezwungen, oder war der Kasten nur ein fadenscheiniger Vorwand gewesen, um das Verschwinden des Spiegels begründen zu können, um den Satz, man habe den Platz für den Kasten gebraucht, deshalb den Spiegel abhängen müssen, vorrätig zu haben, oder wurde der Kasten aufgestellt, um ein Verschwinden des Spiegels verheimlichend die spiegellose Stelle auf der Mauer mit dem Kasten zu verdecken. Vielleicht wäre nicht der Spiegel durch den Kasten sondern vielmehr der Kasten durch den hinter ihm hängenden Spiegel gefährdet gewesen, weil der Spiegel so glatt und man auf ihm so leicht ausrutschen könne, und womöglich würde auch oder gerade ein Schrank von solcher Größe bei jeder auch nur leicht streifenden Berührung mit der Spiegelfläche dahinter sofort abgleitend umfallen und durchs Stiegengehäuse hinunter abwärtsrumpelnd an der Kellertüre erst zerschellen.

Nachdem er den Kasten zur Begründung vorhin so überstürzt beschimpft hatte, begann Burgmüller jetzt, mit seiner Nachbarschaft am Rande der Türschwelle sich abzufinden, indem er zunächst ihn von außen beklopfte, dem hohlen Klang seiner inneren Leere nachforschend. Als er den Schrank nach seinem Fassungsvermögen zu untersuchen beginnen, ihn öffnen wollte, wurde er eines auffallenden Raschelns gewahr, oder war es ein Knacken oder auch Knarren.

Burgmüller wußte nicht, ob ihm die Gestalt im grauen Arbeitsmantel aus dem Kasten, den er gerade öffnete, heraus entgegengetreten oder vielleicht seitwärts hinterm Kleiderschrank hervor oder herbeigesprungen war, eine Pullmannmütze weit ins Gesicht gezogen, jedenfalls war die arbeitsmantelgraue Figur auf jeden Fall irgendwoheraus oder von irgendwoher derartig blitzartig hervorgetreten aufgepflanzt in die Höhe geschossen, daß Burgmüller zunächst nur eine verwischte kurz nur vorhersehbare Bewegung wahrnehmen konnte: es handelte sich um ein plötzlich erfolgtes Zurückschlagen eines grauen Arbeitsmantels, worauf plötzlich eine Hand in einen Hosensack sich versenkend eine riesige Schneuzfahne hervorholend vermerkbar wurde, ja, es ist anzunehmen, daß der Mann zunächst einmal kräftig sich schneuzte. Nach der Rückführung der zerdrückten Schneuzfahne sah Burgmüller diesmal die Hand aus einem der Arbeitsmantelsäcke wieder zum Vorschein kommen, darauf einen Zeigefinger den unteren Rand einer Nase entlang nachwischend, hernach den so verfahrenen Zeigefinger im Arbeitsmantel abwischend einigemale abstreifend herumwetzen. In einem hocherfreuten Tonfall, als wäre ihm durch diese doch noch erfolgte Begegnung mit Burgmüller, der er so lange schon eine halbe Ewigkeit entgegengewartet (vielleicht meinte er auch, die längste Zeit schon im oder auch hinterm Kasten lauernd), unendlich schwieriges gerade im allerletzten Moment noch einmal erspart geblieben, wie gut, rief der Mann zu Burgmüller, wie gut, ach hervorragend, Sie doch heute noch angetroffen in der glücklichen Lage mich zu befinden, wissen Sie, ich dachte, Sie seien womöglich gar nicht zu Hause, aber wie fein, denken Sie nur, wie fein für mich, Sie doch jetzt noch hier antreffbar vorzufinden, denken Sie, ich mußte Sie zunächst als momentan durchaus abwesend vermuten, doch wie schön jetzt dafür Ihrer doch heute für mich noch erreichbaren Person gegenüber, haben Sie denn vorhin gar nichts gehört?, nein?, oder hat Ihnen aufgrund einer Ihrer so kostbar konzentrierten Beschäftigungen gar nichts vernehmbar werden können?, vielleicht waren Sie auch durch irgendeinen Umstand solang verhindert gewesen, die Türe zu öffnen, und jetzt erst konnten Sie dahingelangen, mir doch noch aufzumachen!, habe ich Sie denn wohl nicht gestört?, das hoffe ich wohl sehrsehr, Ihnen nicht bei einer Ihrer womöglich aufgrund einer derartigen Unterbrechung schon nicht mehr fortsetzbaren Tätigkeit über den Weg gelaufen zu sein, das läge allen meinen eigentlichen Absichten zutiefst zuwider, doch wie schön jetzt, Sie als doch noch hierher aufgerafft mir so entgegenbemüht sich vorfinden zu lassen!!

Sie also, unterbrach Burgmüller den Mann, waren es, der vorhin, ich weiß jetzt nicht mehr vor wie vielen Minuten, hier bei mir geklingelt hat?

Ich glaube mich durchaus nicht bei Ihnen klingelnd sondern vielmehr ganz vorsichtig leise an Ihre Tür klopfend in Erinnerung zu wissen, erwiderte der Fremde, wenn ich Sie jetzt ganz kurz nur darum ersuchen dürfte, mir entweder so rasch als möglich – es bleibt mir ja leider gerade für die mir immer am **21** sympathischesten Menschen immer nur die allerkürzest bemessene Zeit – bei Ihnen Einlaß gewährend innerhalb der geborgenen Abgeschlossenheit Ihrer sicher bewundernswert gestalteten Privaträumlichkeiten oder aber auch hier heraußen im Stiegenhaus, ganz wie Sie wollen, und für Sie, das sollen Sie ruhig wissen, bin ich auch überall woandershin zu gehen bereit, mir ist das ganz gleich, wohin wir, wohin Sie gehen wollen, um mir Ihre sehr geschätzte Antwort auf einige meiner Fragen gnädigst gewähren zu wollen die paar Sekunden Zeit aufbringen werden, deren für mich unumgehbare Aufschlußreichhaltigkeit für meine sogleich anschließende Tätigkeit von einschneidender Bedeutung sein wird.

Sie haben also vorhin ganz bestimmt nicht bei mir geklingelt, fragte Burgmüller den Mann nochmal, wissen Sie, ich glaube nämlich durchaus, Sie klingeln gehört zu haben.

Ich wollte zwar, antwortete der Fremde, zugegebenermaßen durchaus zunächst bei Ihnen klingeln, habe in solcher Hinsicht nichts unversucht gelassen, bin aber in meinerseitig diesbezüglicher Anstrengung leider nicht sehr weit gekommen, weil, wie Sie selber durch einen raschen Blick dorthin sich überzeugen können und sollten, sehn Sie, abgebröckelt, Ihre Klingel von der Tür ganz deutlich weggebröckelt, wahrscheinlich vorher zerdrückt, eingequetscht, und unglaublich schwerer Gegenstand muß draufgefallen, auf Ihre Klingel hinaufgeworfen worden sein. Wie schade, sagte der Mann zu Burgmüller, ansonsten habe er solche praktischen Dinge wie Türklinken und Türklingeln und ähnliches stets griffbereit bei sich mit sich führend, doch leider ausgerechnet heute nicht, wissen Sie, sonst hätte ich Ihnen sofort eine neue Klingel auf Ihre Wohnungstüre hinaufschraubend behilflich werden können, was für ein Pech, heute leider außer dem Schraubenzieher sonst gar nichts, doch würde ich Sie trotzdem sehr dringend ersuchen, mir einige Fragen zu beantworten, die für Sie von größter Nebensächlichkeit sein werden.

Burgmüller bat den Mann ins Zimmer, erklärte ihm aber sofort, daß er außerstande sein werde, ihm irgendwas zu beantworten. Von mir können Sie keine Auskünfte erhalten, sagte er, weil ich einfach nichts weiß!

Sie brauchen gar nichts wissen, erwiderte der Mann.

Ich weiß nichts über dieses Haus hier, erklärte darauf Burgmüller, ich weiß nichts über die Menschen hier, ich will auch gar nichts wissen, weil mich absolut nichts interessiert, ich bin in dieser Gegend vollkommen fremd und will hier so fremd wie nur möglich bleiben, weil die Fremdheit und Gleichgültigkeit in dieser Gegend, diesem Haus und auch allen Leuten gegenüber wie auch die Fremdheit und Gleichgültigkeit der Leute und der Gegend mir gegenüber einer geistigen Disziplin entsprechen, die ich mir zumindest vorübergehend aufzuerlegen mich gezwungen gesehen habe, um über einige ganz bestimmte Punkte leichter klarwerdend hinwegzukönnen. Da mich hier absichtlich nichts interessiert, wird Ihnen Ihre Begegnung mit mir kaum etwas nützen können.

Und wie Sie können werden, erwiderte der Mann, denn alles, was ich wirklich von Ihnen wissen wollte, ist doch nur das...

Burgmüller sah den Mann einen Stoß verschiedenfarbiger Zettel hervorholen, die er bat, am Tisch oder Boden auflegen zu dürfen. Ich bitte Sie sehr, sagte der Fremde, jetzt alle diese vor Ihnen liegenden Zettel zu betrachten. Burgmüller schaute auf die Zettel, las aber die auf den Zetteln aufgedruckten Texte, so gut er konnte, nicht: es handelte sich um kurz und bestimmt abgefaßte Aufforderungen, eine ganz bestimmte Örtlichkeit, vermutlich eines der größten Häuser in der Stadt, irgendwie, überhaupt oder regelmäßig aufzusuchen, sich dort umzusehn, herumzubewegen, in solcher Hinsicht keinen Zwang sich anzutun oder so ähnlich.

Können Sie sich, fragte der Fremde, daran erinnern, seit Sie hier wohnen schon einmal dem einen oder anderen oder gar mehreren dieser Zettel irgendwann begegnet zu sein in der letzten Zeit, ist Ihnen dergleichen schon einmal im Leben untergekommen?

Ich kann Ihnen nur antworten, entgegnete Burgmüller, daß ich weder beurteilen kann, ob mir einer dieser Ihrer Zettel oder womöglich mehrere schon einmal untergekommen, noch, ob mir einer oder mehrere der Zettel überhaupt noch nie oder jetzt zum ersten Male zu Gesicht gekommen, weil ich längst schon vergessen hätte, ob mir sowas bereits oder überhaupt noch nie unter die Augen gekommen, denn bereits jetzt, während Ihre Zettel hier vor mir noch deutlich sichtbar liegen, habe ich sie gleichzeitig längst schon wieder vergessen, ich kann

Ihnen also weder dahin noch dorthin folgen und ersuche Sie, mich bald wieder hier von Ihren Zetteln mich erlösend mir selbst zu überlassen!

Sie werden doch wohl wissen, sagte der Fremde, und das möchte ich gern von Ihnen hören, da uns gerade in diesem Fall Ihre Aussage ein großes Anliegen sein wird, weil wir schon immer der Ansicht gewesen, daß wir jeden einzelnen anhören müssen, auch die noch so leiseste Stimme darf nicht überhört werden, und Sie werden sich doch bitte noch daran erinnern können, ob gerade in der letzten Zeit einer oder mehrere Zettel durch Ihren Briefschlitz in Ihre Wohnung hereingeworfen wurden oder nicht, und dazu würde ich wirklich Ihre Antwort von dringlichster Bedeutung für uns alle einstufen müssen.

Vollkommen zwecklos, entgegnete Burgmüller, leider auch diese Frage ganz aussichtslos, Sie fragen mich wirklich, ob mir eine Ihrer Zettelbotschaften schon durch den Briefschlitz hereingeflattert sein könnte. Leider kann ich Ihnen dazu nur mitteilen, daß *keine einzige* Ihrer sicher mit dem besten Willen abgefaßten und auch wirklich die besten Wünsche verheißend erfüllbar verkündigenden Zettelbotschaften durch den Briefschlitz hereingeflattert sein könnte, *weil ich über keinerlei Briefschlitz an meiner Türe verfüge,* schauen Sie, bitte, überzeugen Sie sich doch selbst, es handelt sich bei meiner Wohnungstüre um eine in meinem Auftrag kürzlich erst neu eingesetzte Spezialanfertigung *ohne* Briefschlitz, gezwungenermaßen verfügte ich, hier eine ausdrücklich briefschlitzlose Wohnungstüre einzusetzen, glauben Sie mir, das hat mich einiges gekostet, sodaß Ihre armen Zettel zu mir auch nicht den kleinsten Schlitz, an mich herangelangen zu können, vorfanden, denn mir kann man durch die Türe nicht so einfach etwas hereinstecken, weil ich darauf bestehen muß, selbst darüber entscheiden zu dürfen, was mich erreichen soll, was mir eher fernbleiben sollte, und was unbedingt von mir abgewandt zu bleiben hat. Ich habe inzwischen durchaus schon Mitleid mit dem beklagenswerten Schicksal Ihrer sich zu mir heran derart bemühenden, mich aber doch nicht zu erreichen befähigten Zettelwirtschaft, aber sehen Sie, auch das ist eine der vorübergehend disziplinären Maßnahmen mir selbst gegenüber, daß ich es mir nicht erlaube, irgendeine Post zu empfangen; daß ich auch gar nicht gewillt wäre, eine solche entgegenzunehmen, und dazu auch gar nicht in der Lage, ist wieder ein anderes Kapitel. Meine Eigenschaft als Postempfänger lasse ich vorübergehend ruhen: Ich habe deshalb veranlaßt, daß die gesamte an mich gerichtete Post vorübergehend, und zwar vollkommen automatisch, in ein kleines Dorf auf der Insel Grönland verschickt, mir nachgeschickt wird; ich habe der hiesigen Post eine meinerseitige Übersiedlung in dieses winzige grönländische Dorf mitgeteilt mit der Bitte, mir sämtliche an mich gerichtete Post ausnahmslos dorthin umgehend nachzuschicken. Die Leute am Postamt handeln sehr gewissenhaft meinen grönländischen Anweisungen entsprechend. Zwar habe ich den Namen des grönländischen Fischernestes längst schon wieder vergessen, in dem ausschließlich und nirgendwo sonst ich erreichbar gelte, und in einem ganz bestimmten Sinn auch durchaus erreichbar bin, wo ich in meinem Leben natürlich noch niemals gewesen und auch niemals sein werde; so hatte ich mir durchaus absichtlich auf der Landkarte einen mehrsilbig komplizierten sehr schwer merkbaren ungewöhnlich langen Ortsnamen ausgesucht, und natürlich könnte ich jederzeit bei der Post nachfragen oder nachfragen lassen, wie der Ort heißt, in dem ich momentan erreicht werden kann! Aber wozu? Ich werde mich hüten! Ich selbst habe mir durchaus keine Nachricht nach Grönland nachzuschicken! Ich will mich dort nicht erreichen! Ich habe nicht den geringsten Anlaß, mir selbst einen Brief in die arktische Wüste hineinzuschreiben! Wissen Sie, das einzige, das ich von der näheren Bezeichnung dieses Ortes mit der mich erreichbar bezeichnenden Anschrift ganz sicher weiß, sind die zwei Worte »poste restante«, sonst nichts, Grönland poste restante. Ich würde also auch für mich selbst, hätte ich mich danach zu richten, einen Großteil der bislang vergangenen und auch künftigen Zeit so gut wie unerreichbar geblieben sein, und Sie können also auch diese mir von Ihnen oder Ihren Vorgesetzten in sicher lobenswertester Absicht zugedachten Zettel im besten Falle poste restante in irgendeinem Fischerdorf auf Grönland mir zur werten Kenntnisnahme nachgeschickt in einem Postfach dort lagernd vermuten, ich lade Sie herzlich dazu ein, dort Ihren mir zugedachten

Zetteln nachzuforschen und nicht hier, mich selbst bekommen
Sie dort nicht hin, berichten Sie mir bitte, wenn Sie zurück
sind, wie und ob Sie Ihre Zettel dort in einem vernachlässigt
heruntergekommenen nach Lebertran stinkenden Fischereiha-
fenpostfach aufgespürt haben oder nicht, unterstehen Sie sich
aber, mir meine anderweitige Post von dort womöglich mitzu-
bringen, die hat dort weiter bestens aufgehoben zu bleiben, bereits wochenlang lagernd, vermutlich werden die in jenem
Postamt tätigen grönländischen Angestellten durchaus Schwierigkeiten mit der Lagerung meiner vermutlich zu Bergen sich
häufenden Briefe haben, Platzschwierigkeiten bei der Einord-
nung der unzähligen an mich gerichteten Nachrichten, doch ist
gerade das ein Problem, für welches ich mich hier momentan
überhaupt nicht zuständig fühle!

Sie haben mich gründlich mißverstanden, erwiderte der
Mann, diese Zettel zu verschicken haben wir weder in der Vergangenheit noch gegenwärtig die Dienste der Post in Anspruch
genommen, sondern einen Teil des haus- und firmeneigenen
Personals damit beauftragt, und meine Aufgabe besteht in diesem Zusammenhang darin, genauestens untersuchend zu kon-
trollieren und herauszufinden, wie ordentlich oder nachlässig,
wie häufig oder selten, wie sachgerecht und vor allem auch *wie
vielleicht überhaupt nicht* in der Zettelverteilung verfahren
wird, ich bin, daran ist nicht zu zweifeln, der Revisor, nicht für
Sie sondern unseres diesbezügliches Personal der Zettelrevisor,
und was Sie selbst betrifft, so handelt es sich bei Ihnen um den
letzten, der aus dem mir unterstellten Bezirke noch zu befragen
übrig geblieben gewesen war, lange, Sie würden sich wundern,
wie lange schon ich der nun endlich erfolgten Begegnung nur
vergeblich entgegenhoffen konnte, denn was Sie mir mitzutei-
len haben, einfach wegzulassen, glaube ich mir nicht leisten zu
können, und als letzte der Stimmen hat Ihre Meinung zusätzlich ein gewisses nicht zu unterschätzendes Abschlußgewicht,
die Gesamtheit des Ergebnisses in die eine oder andere Richtung hin noch zurechtrückend, deshalb ist Ihre Aussage so
wichtig, nach deren Anhörung ich die ausführlichen Untersu-
chungen in diesem Bezirk beenden bzw. auf der anderen Seite
damit wieder von vorne beginnen kann. Von Ihnen und Ihrer
Aussage hängt es jetzt z. B. durchaus sehr ab, ob jener junge

Mann, der für die Verbreitung unserer Zettelnachrichten gerade in diesem Haus hier zuständig ist, aber wie ich vermute, nicht mehr lange zuständig sein wird, weil er so gut wie keine Verteilerwirkung zeitigen konnte, aus unserem Hause hinausgeworfen wird oder nicht. Da unser Haus an einer möglichst intensiven und vollständigen möglichst so gut wie die gesamte Bevölkerung des Landes umfassenden Verbreitung aller Zettel bestrebt ist, welche der Ausdruck des persönlichen Gespräches unseres Hauses mit jedem einzelnen Menschen, werden meistens, das ist nicht vermeidbar, wesentlich mehr Zettel gedruckt als in der gesamten Bevölkerung mehrfach verteilt werden können. Daß ein Großteil der im Volke verteilten Zettel, nachdem sie schon ausgiebig von den Leuten gelesen und nicht mehr aufbehalten werden, in der Folge darauf auch noch in der Altpapierverwertung eine gewisse Rolle spielt, ist auch ganz natürlich. Gerade im Laufe der vergangenen Jahre ist in unserem Hause die Herstellung der Zettel derartig gestiegen, daß man sich zu fragen begann, wohin eigentlich soviele Zettel verteilt werden konnten, deren Stückzahl an der Zahl der Einwohner des Landes gemessen bei der größtmöglichen Verteilung unter die Leute einen mindestens zwanzig- oder dreißigfachen Sättigungsgrad der Bevölkerung mit vollständig verbreiteten Zetteln ergeben hätte. Trotzdem schien alles darauf hin zu deuten, daß die Menge der bislang bereits hergestellten Zettel noch immer nicht ausreichend war, viele unserer Zettelverbreiter konnten nie genug Zettel bekommen, welche sie derart flink in Kürze schon wieder verteilt, daß man vor der Wahl stand, ihren mit solcher Geschwindigkeit gesegneten Zettelverteilergeist als vorbildliche Leistung zu loben oder solchen nie stillbaren Ehrgeiz, noch mehr Zettel und Zettel zur Verteilung anzufordern bedenklich zu finden. Viele Mitarbeiter forderten die Zettel längst nicht mehr in Stückzahl sondern in hunderten von Kilo vereinzelt sogar in Tonnen aus der Druckerei an, die mit den ständig wachsenden Bedürfnissen in der Zettelnachfrage den Druck der Millionen und Millionen Zettel sich bald schon nicht mehr zu bewältigen in der Lage sah, bis eines Tages meine höchstpersönlichen Nachforschungen die Tatsache aufdeckte, daß weit über etwa 90% aller unserer Zettel, und zwar ohne den sonst üblichen vorhin erwähnten Umweg über unsere

Kunden, sondern umweglos direkt und zwar durch und über einige der in der Zettelverbreitung am tüchtigsten Angestellten unseres Hauses aus unserem Haus heraus, sofort aus der Druckerei, jawohl, *also noch druckfeucht umgehendst ohne Zeitverlust gleich in die Altpapierverwertung* befördert zu werden pflegen. Fast alle der in unserem Haus hergestellten Zettelerzeugnisse dienen nur dazu, wieder zerstört und grundsubstaniell einer völlig anderen Weiterverarbeitungsindustrie zuzukommen, die Zettelherstellung unseres Hauses stellt sich so zum einem Großteil ihrer Kapazität als eine direkt vorbereitende *Zulieferindustrie von qualitätsmäßig neuwertigem Papier eigens für die Altpapierverwertung* heraus, wobei die tüchtigsten Zettelverteilungsangestellten als Verbindungsleute, eigentlich als Verkäufer auftreten, deren Freunde in der Altpapierverwertung zwar die Bezahlung des vollen Altpapierwertes verbuchen, aber nur die Hälfte unseren Zettelverteilern zukommen lassen, die andere Hälfte als privaten Nebenverdienst für sich behalten; unsere Verteiler können auch mit der Hälfte zufrieden sein, sie bekommen die Ware, welche sie verkaufen, kostenlos aus unserem Hause bereitwilligst geliefert, wohin sie wollen in jeder Menge, denn auch der Transport der druckfeuchten neuen Zettel aus der Druckerei gleich in die Anlagen der Altpapierverwertung hinein, und zwar durch unseren hauseigenen Fuhrpark, funktioniert klaglos. Man trägt sich jetzt in unserem Haus ernsthaft mit der Absicht, die Produktion der Zettel einzustellen, weil eine Einschränkung der Produktion auf die Anzahl der in der Bevölkerung tatsächlich verteilbaren Menge auf ungeahnte technische Schwierigkeiten stoßen würde. Ich besuche Sie also heute im Auftrage unseres Hauses mit meiner nunmehr höchstwahrscheinlich letzten die Zettelverbreitung auslaufend betreffenden Aufgabe und richte an Sie nun die letzte der noch offenen Fragen: Bestehen Sie unbedingt weiter darauf, von unserem Hause mit Informationszetteln auch über den heutigen Tag hinaus versorgt zu werden? Oder würden Sie die Zukunft auch ohne die Versorgung mit Zetteln aus unserem Hause zu bewältigen sich zutrauen?

28 Keine Zettel, erwiderte Burgmüller, keine Zettelwirtschaft.

Er sei wirklich sehr froh, daß die Geschichte mit den Zetteln bald nun vorbei, sagte der Fremde, obwohl es immer wieder viele viele Leute, mehr als man vermuten würde, geben werde, die den Zetteln, die jetzt schon bald nicht mehr ins Haus geflattert kämen, nachtrauern würden, und ich fürchte, erklärte er zum Schluß, viele werden sich bald wieder die Zeiten der durch die Türen flatterenden Zettel herbeisehnen und manchmal wehmütig zum Eingang in den Briefschlitz hineinschielend, nichts heftiger wünschen als das Herbeiflattern eines Zettels durch einen Türspalt, doch so bald, das kann ich Ihnen verraten, wirds keine Zetteln mehr geben, das wird vielleicht sehr-sehr lange noch dauern, bis eines Tages die Zetteln endlich wieder heimlich ins Vorzimmer hereinzuhuschen beginnen werden!

Der Fremde verabschiedete sich zwar traurig, aber nicht ohne einen Hoffnungsschimmer aus den Augen herausleuchtend, Burgmüller glaubte zu merken, daß insonderheit dieser Mann es ohne die Zettel hinkünftig nicht mehr so gut als bislang zu haben befürchtete.

Er begab sich zurück ins Zimmer, die Sonne längst schon versunken, wollte zwischen verdoppelter Dämmerung zurückfinden in der Beobachtung langsam durchbrechender Dunkelheit, wieder sich hinzugeben der ihn vorhin umhüllenden Abendlandschaft mit ihren Lichthäufen, die über die Ebene an den Waldrand gerollt und dort zerschellt waren oder rauchig im Föhn sich wieder erhoben, auch jetzt immerhin vereinzelt noch einige dieser Lichtbündel wie brennende Tiere durch die Steppe hüpfend. Im Unterholz des Horizonts, der die Nacht nicht mehr zurückhalten konnte, unter der ihn einreißenden Finsternis zusammenbrach, welche jetzt die gesamte Ebene überflutete, hatte DER WALDBRAND begonnen, jetzt aus fernen Hügeln schon hervorflackernd glühende Straßen vor sich herschiebend leise zischende Glutnester, die zitternd pulsierend wie verlorene Signale herumblinkend die überall kreisenden Rauchschwaden verzierten. Langsam schob er sich weiter dem Stadtrand entgegen, schon hatte er das Ufer der Steppe erreicht und entzündet, die sich knisternd herbeigleisenden Grassträucher der Ebene glühend durch die Nacht zuckend die dort nistenden Vogelschwärme, welche hochflatternd aus dem sie einschließenden Feuer sich zu erheben versuchten, doch meistens sich kurz darauf schon in der Finsternis über den Flammenzungen verirrt hatten und sanken, die Flügel erschöpft zusammengeklappt, zurück, stürzten ab in die Funkenflut der Steppe. Burgmüller wurde der Nachbarbewohner gewahr, die entweder vor den Toren oder an geöffneten Fenstern sich versammelt ganz lebhaft herumdisputierend einander entgegengestikulierten. Aus dem zu ihm hochsteigenden Gemurmel hörte er die Sätze heraus »im Wald das Feuer gefangen« »schade ums viele Holz, das hätte man also doch viel lieber rechtzeitig vorher noch abholzen und auch viel lieber selber noch einheizen sollen«.

Jetzt schien auch der Fluß dort drüben schon Feuer gefangen zu haben, man hörte ihn aufgekocht dampfen, denn unzählige Flammenschmetterlinge, aufgescheucht hochgeblasen aus brennenden Büschen wurden in die rotaufschimmernden Stromschnellen geschüttet.

Ulrich Plenzdorf

kein runter kein fern

sie sagn, daß es nicht stimmt, daß MICK kommt und die
Schdons rocho aber ICH weiß, daß es stimmt rochorepocho
ICH hab MICK geschriebn und er kommt rochorepochopipoar
ICH könnte alln sagn, daß MICK kommt, weil ICH ihm ge-
schriebn hab aber ICH machs nicht ICH sags keim ICH geh hin
ICH kenn die stelle man kommt ganz dicht ran an die mauer
und DRÜBEN ist das SPRINGERHAUS wenn man nah rangeht,
springt es über die mauer SPRINGERHAUS RINGERHAUS
FINGERHAUS SINGERHAUS MICK hat sich die stelle gut
ausgesucht wenn er da aufm dach steht, kann ihn ganz berlin
sehn und die andern Jonn und Bill und die und hörn mit ihre
ANLAGE die wern sich ärgern aber es ist ihre schuld, wenn sie
MICK nicht rüberlassn ICH hab ihm geschriebn aber sie haben
ihn nicht rübergelassn aber MICK kommt trotzdem so nah
ran wies geht auf MICK ist verlaß sie sagn, die DRÜBEN sind
unser feind wer so singt, kann nicht unser feind sein wie Mick
und Jonn und Bill und die aber MICK ist doch der stärkste
EIKENNGETTNOSETTISFEKSCHIN! ICH geh hin dadarauf
kann sich MICK verlassn ich geh hin Mfred muß inner kaserne
bleibn und DER hat dienst ICH seh mir die parade an KEIN
FERN und dann zapfenstreich KEIN RUNTER und dann das
feuerwerk und dann MICK parade ist immer schau die ganzen
panzer und das ICH seh mit die parade an KEIN FERN dann
zapfenstreich KEIN RUNTER dann feuerwerk KEIN RUNTER
dann MICK KEIN RUNTER arschkackpiss ICH fahr bis
schlewskistraße vorne raus zapfenstreich stratzenweich samariter grün frankfurter rot strausberger grün schlewski grau vorne
raus strapfenzeich stratzenweich mit klingendem spiel und
festem tritt an der spitze der junge major mit seim stab der
junge haupttambourmajor fritz scholz, der unter der haupttri-

büne den takt angegeben hat mit sein offnes symp warte mal symp gesicht und seim durchschnitt von einskommadrei einer der bestn er wird an leunas komputern und für den friedlichn sozialistischen deutschen staat arbeitn denn er hat ein festes ziel vor den augn dann feuerwerk dann MICK ICH weiß wo die stelle ist ubahn bis spittlmarkt ICH lauf bis alex dann linje a kloster grau märk mus weiß spittlmarkt vorne raus SPRINGER-HAUS MICK und Jonn und Bill und die aufm dach EIKENN-GETTNOSETTISFEKSCHIN rochorepochopipoar!

Schweigen. Sonne. Rote Fahnen. Die Glockenschläge der neunten Stunde klingen über der Breiten Straße auf. Und da beginnt mit hellem Marschrhythmus unter strahlend blauem Himmel der Marsch auf unserer Straße durch die zwanzig guten und kräftigen Jahre unserer Republik, unseres Arbeiter- und Bauernstaates, die großartige Gratulationscour unserer Hauptstadt zum zwanzigsten Geburtstag der DDR auf dem traditionellen Marx-Engels-Platz in Berlin. Auf der Ehrentribüne die, die uns diese Straße immer gut und klug vorangegangen sind, die Repräsentanten der Partei und Regierung unseres Staates, an ihrer Spitze Walter Ul jetzt komm sie aber bloß fußtruppn panzer noch nicht *NVA mit ausgezeichneter Kampftechnik, die unsere gute Straße hart an der Grenze des imperialistischen Lagers sicher flankiert, bildet den Auftakt der Kampfdemonstration. Die Fußtruppen der Land- und Luftstreitkräfte sowie der Volksmarine, in je drei Marschblöcken, ausgerichtet wie straffe Perlenschnüre, paradieren mit hellem Marschtritt unter winkenden Blumengrüßen der Ehrengäste an der Haupttribüne vorbei* Mfred wird sich in arsch beißn, daß er da nicht bei ist er ist bloß BULLE BULLN marschiern nicht – Aber Junge, dein Bruder ist kein Bulle, er ist Polizist wie viele andre – MAMA – Wenn er nochmal Bulle zu seinem, dann weiß ich nicht was ich! Den Bullen kriegst du noch wieder! – Mfred der B B marschiern nicht B sperrn bloß ab B lösn auf B drängen ab B sind B Mfred rocho ist rochorepocho B rochorepochopipoar wenn ICH dran bin mit armee und dem, geh ICH als panzermann, wenn sie mich nehm das ist die einzige scheiße, wenn man GESTÖRT ist sie nehm ein nicht zur armee aber wenn man sich freiwillig meldet, müssn sie ein nehm *Dann werden die Motorgeräusche stärker, voller: Silberglänzende*

Panzerabwehrraketen auf auf Schützenpanzerwagen, Geschoß-
werfer, Panzerabwehrkanonen, die schlanken Rohre schützend
zum Himmel gerichtet, sind die nächsten, die unter dem Win-
ken und Rufen der Tausende begeisterter Betrachter unsere
Straße herauffrollen. Die Bedienungen dieser Technik erreichten
bei allen Gefechtsschießen Höchstnoten. Dann zittert die Luft.
Schwere modernste Kettenfahrzeuge rasseln heran und dröh-
nen: Panzerverbände, darunter erstmalig gezeigte gewaltige
Brückenlegepanzer und Raketentruppen, deren Spezialfahr-
zeuge teilweise mit drei Raketen bestückt sind, donnern in
exakter Formation über den Asphalt ICH kenn ein den habn sie
auch genomm wenn man die prüfung besteht, ob man normal
ist wenn man weiß, was die hauptstädte sind von polen tsche-
chen ungaren sowjetunion und die warschau prag budapest
und moskau als panzermann würden Mfred laut sagn, du bist
ein B und er könnte nichts machen panzermann ist mehr als B
bleibt B aber panzermann ist panzermann ich möchte panzer
sein silberner panzer dann würdich alle B niederwalzn und
DEN auch vielleicht nicht alle B aber Mfred ganz sicher aber
vielleicht Mfred auch nicht ICH würde meine schlankn rohre
auf ihn richtn und sagn, sag das du ein B bist, auch wenn er
dann schon studiert aber B bleibt B und wenn ers sagt, muß er
noch gegn mich boxn zwei rundn er muß immer gegn mein
panzer boxn und ICH würde bloß dastehn und stillhaln bis ihm
seine knochn blutn und IHN würdich vielleicht auch nicht um-
walzn ICH würde meine schlankn rohre auf IHN richtn und
sagn, hol sofort MAMA zurück und sag, daß sie nicht haltlos ist
und daß sie die schönste Frau ist und dassich ein taschenmesser
habn darf zwei drei tausendmilljonen, wennich will und dassich mit links schreibn darf und dassich kein kronischer BETT-
NÄSSER bin und nicht GESTÖRT und keine haltung und faul
und dassich tischler werdn kann und dann fragich IHN, ob ER
sich ändern will und wenn ER ja sagt, sagich, das muß ER erst
beweisen ER muß zum ballspiel damit aufhörn, seine stinkendn
zigarettn zu rauchen, daß eim zum kotzen wird, wenn man in
sein zimmer kommt dadamit muß ER anfangen, und dann muß
ER aufhörn, sich beim essn die sockn auszuziehn und zwischn
den zen zu puln zen schreibt man mit ha und dann seine stulle
anfassn und ER muß mir WESTKAUGUMMIS kaufn und ER

33

muß aufhörn damit, daß in der wohnung nichts aus WESTN sein darf und daß der WESTN uns aufrolln will MICK will kein aufrollen und Bill und die und Jonn und ER muß jedn tag dreimal laut sagn, in WESTN kann man hinfahrn, wo man will, in WESTN kann man kaufn, was man will, in WESTN sind sie frei MAMA IST IN WESTN – Eure Mutter hat die Republik verraten, wir sind jetzt ganz auf uns, wir drei. Jetzt zusammen halten. Haushalt gemeinsam. Manfred wird sich weiter um seinen Bruder wie schon, und er wird weiterhin gut lernen und noch besser wie in der letzten. Jetzt gerade und mit keinem Ärger in der Schule, klar?! Er geht zur Hilfsschule. Wer sagt? Frag ihn doch. – Mfred der B und VERRÄTER – Er geht zur Hilfsschule? Wer hat das veranlaßt? Mama. – Verräter – Seit wann?! Seit wann ist er auf dieser Schule?! Seit der dritten. Seit er sitzengeblieben ist. Warum weiß ich das nicht? Wa – rum – ich – das – nicht – weiß?! Mama hat es verboten. – VERRÄTER – Ich will das Wort Mama oder Mutter für diese Frau nicht mehr! – MAMA – Diese Frau hat ihn also hinter meinem Rücken in diese Schule! Deswegen also seine guten Leist in der letzten! Da kommt er mit! Das werden wir ja! Das hat er sich so! Sich vor normalen Leistungen drück! Hinter meinem Rück! Diese Frau und dann sich ab! Das mach ich rück! Wo ist diese Schule? Wie heißt der Direk? Brade? – vater Brade schafft keiner, nicht mal die 4c und die schaffn jedn lehrer – Als hilfsschulbedürftig im Sinne des Paragrafen neunzehn des Gesetzes über das einheitliche warte mal über das ein das sozialistische Bildungssystem und der fünften Druchführungsbestimmung zu diesem Gesetz sind alle schuldbildungsfähigen schwachsinnigen Kinder. Mein Sohn ist nicht schwachsinn – der lauscher an der wand hört seine eigne schand – im Irrtum. Bei Ihrem Sohn sind alle Merkmale einer ausgeprägten intellektuellen Schädigung. Mein Sohn ist nicht geschädigt! Einfach faul, von früh auf, keine Haltung. Ihr Sohn ist nicht faul, und er hat sogar eine relativ gute Merkfähigkeit für ein schwachsinn. Schwachsinn ist doch nur eine Folge kapita warte mal also kapita wo soll im Sozialismus der Nährboden für Schwachsinn! Wo ist im Sozialismus der Nährboden für Krebs? Krebs ist eine Krank. Schwachsinn ist auch eine Krank. Lediglich die Ursachen für Krebs sind. Die Ursachen für Schwachsinn sind auch noch nicht, mein lieber Mann. Kein korrekter Vorgang hinter meinem Rück als Vat. Das ist nicht selten aus Furcht und wir sind nicht ver die Unterschriften beider Eltern. Bei mir braucht keiner Angst, das ist eine Intrige dieser Frau, politisch, aus Haß gegn, sie wußte um meine Tätig, ich bin beim, und dann hat diese Frau die Republik im Wissen, daß mir die weitere Tätigkeit beim nicht, verlange ich die sofortige Rückschulung. In der päda Praxis konnten solche Rückschulungen bisher nur in äußerst seltenen so etwa bei groben Fehlern in der Aufnahmedia warte mal dia, liegt bei ihrem Sohn keinesfalls vor, mein lieber Mann. Wie ich bereits sagte, arbeiten die Hilfsschulen mit speziellen Lehrplänen. Ein zu uns über Kind kann daher die ohnehin vorhandenen Rückstände nicht nur nicht – hilfser bleibt hilfser – sondern die Leistungsunterschiede zur Oberschule vergrößern sich rasch und schließen eine spätere Rück – hilfser bleibt hilfser rochorepochopiapoar – Das ist alles der Einfluß dieser – MAMA hat auch nie kapiert, warum bei 35 minus e ist gleich siebzehn, e gleich 18 ist, oder sie hat es kapiert, weil siebzehn und e 18 ist aber sie weiß auch nicht, wie man darauf kommt, warum man e auf die andre seite bringn muß auf welche andre seite überhaupt und warum e auch d sein kann e kann doch nicht d sein und was dabei variabl kain und abl sind variabl abl und kain sind sind sind arschkackpiss alle wußtn das, bloß ICH nicht sitzenbleiber schweinetreiber sitzenbleiber fünfenschreiber – ausgerechnet er nicht, das kann doch bloß daran, daß er zu faul. Einfach zu! Nie hat es das! Sieh dir meinen Vater an. Unter dem Kapitalismus nicht mal als Arbeiterjunge. Die Familie ernährn und wie hat er sich hoch. In den Nächten mit eisernem und morgens um vier. Von mir will ich ganz. Aber nimm seinen Bruder. Leistungen sehr, wenn auch noch. Keine Klagen, weil vom ersten Tag an. – Mfred der B ich bin hilfser aber Mfred ist B es muß ja auch hilfser gebn aber B muß es nicht gebn ICH hatte schon immer jagdchein – Jagdchein schreibt man mit sch. Er soll nicht immer die Endungen verschlucken, deswegen schreibt er auch falsch. Geht das nicht in seinen Kopf? Sprich mir nach: *reden, singen, laufen.* Das schreibt er jetzt zehnmal. – arschkackpiss repochopiapoar MICKMAMA – Der Junge kann doch nichts dafür, wenn er nicht alles begreift. – MAMA – Du hast für alles eine Entschuldigung, was den Jungen. Ich hab auch nicht alles begriffen und bin trotzdem ein halbwegs anständiger Mensch geworden. Du immer mit deinem halbwegs, heute sind die Anforderungen, dir würde es auch nichts schaden, wenn du, manches muß man eben einfach, sich hinsetzen und pauken, das Einmaleins kann man nicht begreifen, das muß man bis es einem in Fleisch und Blut. *Er* ist Arbeiterjunge und *er* kann. Daß ich hier richtig verstanden werde. Ich will hier keinen Gegensatz zwischen Arbeitern und Söhnen von Frisören – frösen von sisören frönen von sisören frisen von sösören sösen von frisönen – Schließlich sind wir alle eine große Gemeinschaft und wenn er so weiter, landet er noch in der Hilfsschule. Ein Fleischmann und in der Hilfs. Wir heißen Fleischmann und nicht Fleichmann. Seinen eigenen Namen wird er doch noch! Wie es in deiner Familie, weiß ich natürlich. Bitte laß meine Familie aus dem Spiel! – MAMA – Ich werde dafür, daß er, sagen wir in zwei Jahren, auf Durchschnitt zwokommafünf und Manfred wird ihm dabei helfen, noch besser als. Schließlich seid ihr Brüder. In Ordnung Manfred?! Ich wünsche eine deutliche Ant! Da wird eben gesessen und gearbei und nicht mehr runter und kein fern und jeden um sechzehn Uhr wird bei mir und angetanzt die Schularbeiten der ganzen und die Leistungen durchgesprochen, solange bis es, und dann werden wir ja *Schon dröhnen am Firmament über der Straße unserer Arbeiter- und Bauerngeschichte Böllerschüsse. Seidene Banner der Arbeiterklasse und unserer Republik schweben durch die Sonnenstrahlen herab. Und ringsum hinter dem Platz, auf dem die Marschmusik des abmarschierenden Spielmannszuges und des Musikcorps der NVA verklungen war, hört man ein Summen, Singen, Rufen – die breite und bunte Front der Berliner Bevölkerung zieht zur Gratulationscour auf der Straße heran. Die Straße ist voller* Manfred wird das beaufsichtigen, Einwände? – ZWOKOMMA-FÜNF KEIN RUNTER KEIN FERNkalernkalorumkapitalismuskonzentrationsmängl sind ein tüpiches zeichn – und in zwei Jahren wird mich kein Lehrer mehr in die Schule und ich wie dumm dastehen, und mein Sohn ist versetzungsgefährdet, und die Schule bereits schon lange signalisiert und Information gegeben, und ich weiß nichts. Jeder Brief wird mir in Zukunft und jede Arbeit vorgelegt – vorgelege das sind, wenn man vor-

gelege dien sie erhöhn sie sind eine zusatzeinrichtung zur erhö-
hung der drehzahl der welle zum ballspiel bei drechselbänkn
bei der verarbeitung sehr spröder holzartn zum ballspiel kiefer
die würde ja splittern es emfpiehlt sich, bei kiefer kernholz zu
nehm, wenn überhaupt zum drechseln eher von den einheimi-
chen hölzern buche esche also kurzfasrige hölzer dabei geht es
auch mit kiefer wenn man aufpaßt kiefer ist gut – daß die
Schule meine Dienststelle informiert, daß der Sohn des Nossen
Fleich schlechte Leist, erziehungsschwierig außer Werkcn, ich
weiß. Wegen seinem Holzfimmel – filzhommel folzhimmel –
keine Illusi warte mal Illu. Ich habe nicht und mein Vater hat
nicht in den schweren Jahren, damit unsere Kinder Tischler!
Damit ich hier richtig verstanden, das richtet sich nicht gegen
Tischler. Es muß und es soll auch Tischler. Aber sollen die mal
Tischler, die solange immer Doktor. Wobei ich nichts gegen
Doktoren. Doktoren muß es. Sie sind sogar die Verbündeten,
aber wir orientieren sowieso daß im Zuge der technischen –
sisiwo – wenig intelligenzintensive Tätig zum Beispiel Tischler
durch weitgehende Mechani beziehungsweise Substi neuer
Werkstoffe wie zum Beispiel Plaste – schlaste klatschte klaste
pflaste klaschte von plaste kriegt man krebs plastekrebs – und
da soll er Tischler werden? Sein TASCHENMESSER gibt er sofort ab und das ganze Holz kommt aus dem Kell. Plaste hat
Zukunft, und das hört auch auf, daß er nicht von Plaste essen.
Wir alle essen von Plaste, und es bekommt. Nimm Manfred!
Ißt er etwa nicht? Und außerdem ist es hyg. Er wird sich daran
gewöhnen, an Rechtschreiben hat er sich auch und sehr gut.
Und noch ein Punkt: das Bettnässen. Das hört nun auch auf.
Zehn Jahre und nicht wissen, wann man auf Clo. Meine Meinung hierzu, daß wir ihm das Linksschreiben abgewöhnt und
er jetzt aus Protest ins Bett. Er soll sich zusammennehmen,
oder ihr geht zum Arzt. Es gibt gegen alles ein *ihre Freiheit rin-*
genden Völkern. Die DDR ist richtig programmiert. Sie hat in
aller Welt Freunde und ein hohes Ansehen. Unsere Straße war
nie eine glatte Chaussee. Schwer war der Anfang, voller Mühen
und Entbehrungen. Aber sie ist gepflastert mit dem entschlosse-
nen Willen von Millionen. Zeugnis der Befreiungstat der So-
wjetunion ein T vierunddreißig mit der russischen Aufschrift:
Tod dem Faschismus. Dann ganz groß fotoko würdich auch bei

mir vorne draufschreibn, wenn ich panzer wär und dann würdich meine schlankn rohre auf IHN richtn und befehln, rufn sie sofort aus, tod dem faschismus das würde ER bestimmt machn und dann würdich sagn, sagn sie, daß sie ein faschist sind das würde ER nicht machn und dann würdich mit meine schlankn rohre auf IHN losfahrn und dann würde ER wegrenn aber ICH würde IHM nachfahrn und wenn er in ein haus rennt oder in seine DIENSTSTELLE, würdich davor in Stellung gehn und sagn, gebt IHN raus oder ICH schieße das ganze haus in klump und sie würdn IHN rausgebn, weil sie sich ihr schönes haus nicht für ein faschistn kaputtmachn lassn würdn und dann würdich IHN vor mir hertreibn bis vor Mfreds kaserne und würde sagn, gebt Mfred den B raus und sie würdn vielleicht auf mich schießn aber ihre kugln komm durch mein silbernen panzer nicht durch und sie müßtn Mfred rausgebn rocho und dann zwingich IHN, mit Mfred zwei rundn zu boxn, bis ER auf die bretter geht rochorepocho und immer, wenn Mfred nicht richtig zuhaut, weil er IHM nichts tun will, lang ich ihm eine mit meine zwei schlankn rohre, daß er umfällt rochorepochopipoar ER hat nur kraft aber Mfred ist im verein er weiß wo er hinhaun muß, daß es gemein ist bloß im verein darf er nicht aufn magn und die ohrn immer auf die ohrn – Jedenfalls, da hat deine Mutter recht, Manfred, daß du ihn haust, das muß! Das ist nicht! Dazu hat hier nur einer das, klar? Wenn er anfängt. Stimmt das? Wie ein Idiot geht er plötzlich auf mich los. Stimmt das? – wenn Mfred mich nicht rausläßt wennich aufs clo muß – Das mit Mfred macht er auch bloß um mich zu ärgern. Warum spricht er seinen Bruder nicht mit seinem Namen? Der Idiot und dann wundert er sich. – hier sagt ja niemand mein nam – Aber das ist doch nicht wahr. Junge. – MAMA ja du aber die nie – Was heißt denn hier die? Ich soll nie? Also? Das macht er immer so, der Idiot, sagt keinen Ton! Laß den Idiot! – MAMA – Und das mit dem Clo sagt er auch nur, um sein Bettnässen auf mich zu schiebn, zehn Jahre und nicht wissen, wann er aufs Clo muß, das ist doch nicht normal. Jetzt sag mal wirklich, läßt Manfred dich nicht aufs Clo, wenn du mußt? – MAMA MAMA MAMA wenn er da ist, darf ich nur aufs clo, wenn er bestimmt er stellt sich einfach vor die tür – Der spinnt! Aber wenn wir da sind, kann sich Manfred doch

nicht. Ich sag ja, der spinnt. Nachher bin ich noch Schuld, daß
er eine Fünf nach der andern schreibt. – wenn ihr da seid und
ICH geh aufs clo, ohne ihn zu fragn, haut er mich später – Der
spinnt. Der fängt an. Er geht wie ein Idiot auf mich los. Du
sollst den Idiot lassen, ich hab das schon mal gesagt! – MAMA –
Daß du gegen mich bist, weiß ich. Deine Mutter ist nicht gegen
dich, Manfred. Aber was er hier vorbringt, ist natürlich. Und
von Manfred als dem Älteren und Reiferen hätte ich erwartet,
daß er nicht. Jedenfalls wollte ich so nicht verstanden werden,
daß Manfred ihn so beauf. Und in Zukunft will ich da keine
Klagen mehr. Und was das Hauen anlangt, folgender Vorschlag. Ich stifte ihm auch ein paar Boxhandschuhe und damit
kann er in Zukunft auf Manfred losgehen und dabei lernt er
gleich etwas von der Technik. Das kann nicht schaden. Sag
Manfred! – Mfred – Gut, eine Runde. Sag Manfred! – Mfred –
Gut, zwei Runden. Sag Manfred! – Mfred – Gut, drei Runden. – immer auf die ohrn EIKENNGETTNOSETTISFEK-
SCHIN MICKMAMA SPRINGERHAUS vorne raus MICK und
Jonn und Bill und die mit ihre ANLAGE auf dem ICH muß
glotzen *Straße gehört der Jugend. Ein über tausendköpfiger
Fanfarenzug von Jung- und Thälmannpionieren, die Besten
ihrer Freundschaften, führt die nächsten Marschblöcke an.
Mädchen und Jungen mit blütenweißen Blusen schwenken mit*
ich glotz mir das hier zuende an ob da auch hilfser bei sind von
uns keine samariter grau strausberger grün schlewski grau ich
fahr durch scheiß zapfenstreich schilling grau alex um auf a
märkmus weiß kloster grau spittelmarkt vorne raus SPRIN-
GERHAUS MICK MICK ist größer als die andern man sieht ihn
sofort auch ist MICK blond seine haare gehn ihm bis auf die
hüftn sie sind auch wellig wenn wind ist, stehn sie ab wie bei
MAMA er hat auch so kleine hände sie riechen süß nach WEST-
KREM und sie sind warm mit den klein gerilltn huckln, wenn
sie mich anfaßt und die nägl glänzn und sind lang und vorn
rund sie soll aufpassn, daß sie nicht kaputtgehn beim gitarre-
spieln er soll lieber ein plättchen nehm, sonst kann er mich
nicht mehr aufm rückn krauln wenn die anfälle komm das ist
schön holz ist schön messer sind schön schlafn ist schön trinkn **39**
– Er darf einfach nicht mehr soviel trinkn, dann wird er auch
nicht mehr ins Bett nässen – träum ist schön blütenweiße blusn

sind schön weiße blusn sind schön blusn sind schön die denkn ICH kann nicht mehr träum, weil sie MAMAS BLUSE habn, Mfred und DER – Ist dieses Kleidungsstück bekannt? Aha. Um was für ein handelt es sich? Sehr richtig, eine Bluse. Eine Mädchenbluse. Welchem Mädchen gehört beziehungsweise hat sie? Er weiß es nicht. Manfred, wo hast du diese Bluse? In seinem Bett unter der Matratze. Was hat es also mit dieser Bluse? Nichts, sie liegt in seinem, aber er hat nichts. Sieh mich an! Was hat es mit dieser Bluse?! Er legt sie immer unters Kopfkissen. Und dann? Er schweigt. Nun gut, fünf Tage kein und kein und dann werden wir ja! Ich glaube, die Bluse gehört Mama dieser Frau. – Mfred der B und VERRÄTER – Ach sie gehört! Das ist ja abnorm. Das ist ja perv! Wie kommst du zu dieser Bluse von dieser Frau? Geklaut wird er sie haben, damals noch. – VERRÄTER – Stimmt das? Gut, weitere fünf Tage kein und kein und außerdem kein. Was ist noch von dieser Frau? Rede! Wir durchsuchen dich sowieso–sisiwo wisiso sosowie sisowie MAMAS TASCHENTUCH das findn die nie das schluck ICH runter rocho ICH brauches bloß anzufassn dann kommt MAMA rochorepocho sie kommt und holt mich nach WESTN rochorepochopipoar sie kommt vom Springerhaus über die MAUER und ihre haare gehn ihr bis auf die hüftn die gitarre hat er bei sich keiner kann ihr was er ist stark ein schlag auf die gitarre und alle falln um und sie nimmt mich bei der hand mit den klein gerilltn huckln und sie sagt entschuldige bitte, daß ich erst jetzt komme ich mußte mir erst ein haus und ein auto kaufn es hat zwei zimmer für dich eins zu schlafn und eins da steht eine hoblbank und soviel holz wie du willst aber zuerst fahrn wir nach italien oder wohin und dann hopsich mit ihr über die MAUER keiner macht was sie habn angst, weil MICK so groß ist oder sie sehn uns nicht es ist nacht sie will mich rübertragn aber ICH sag ihr, gib mir bloß ein finger ich spring alleine wie früher springerhaus fingerhaus und er macht es und ich spring und Jonn und Bill und die fangn an zu spieln EIKENNGETT-NOSETTISFEKSCHIN rochorepochopipoar und ICH mach für jedn eine gitarre für MICK die beste ICH bin hilfser und blöd und alles und hilfser brauchn sie in WESTN auch nicht aber gitarrn machn kann ich aus dem bestn holz aus linde ICH hab jetzt ein zimmer und holz und eine hoblbank und ICH bin der

GRÖSSTE GITARRNMACHER in WESTN aber nicht für stars für alle die sich keine kaufn könn aber spieln wolln ICH nehm auch kein geld nur von stars außer von MICK und Jonn und Bill und die schdons das ist es, was die armen so erbittert und die reichn auf die barrikade treibt MAMA *unsern bestn freund aus. Sprechchöre rufen mit kräftiger Stimme: Mit der Jugend jung geblieben* wennich in WESTN bin, darf Mfred nicht mehr B bleiben mit bruder in WESTN wie damals bei IHM, als MAMA da durfte ER auch nicht mehr da mußte ER die DIENSTSTELLE wechseln deswegn haßt er MAMA es ist bloß wegn vater Brade dem schreibich, daß es nicht wegn ihm ist wenn alle so wärn, wärich noch da und frau Roth und herr Kuhn und unsre ganze schule und alle hilfser außer eberhard-chen es ist wegn MAMA *leuchtet das Blau der FDJ die Straße herauf. Tausendzweihundert Musiker ziehen an der Spitze der drei Marschblöcke mit zwanzigtausend FDJotlern heran. Die eng geschlossenen Reihen der Marschformationen vermitteln ein anschauliches Bild von der Kraft der Jugend, von unserem Tatendrang. Rhythmisches Klatschen von den Tribünen begleitet sie. Da verhält der Zug vor der Ehrentribüne. Die Hymne der Republik steigt, von den vielen Tausend gesungen, in den Himmel. Die mächtigen neuen Bauten ringsherum werfen das Echo zurück. dann zieht auch die letzte, die machtvolle Marschformation der FDJ auf der sonnenhellen Straße hinaus – hinaus ins dritte Jahrzehnt unserer* die gehn in Richtung Springerhaus nachher fängt MICK schon an ICH muß los die wern mich sehn zu hell arschkackpiss auch egal hauptsache ICH bin bis neun wieder da wenn DER vom dienst kommt, schlägt er mich tot soll ER doch auchegal ICH geh zu MICK wenn nicht, das ist verrat ICH kenn die stelle ICH nehm die u oder tram? ICH nehm die u samariter grün oder die tram heißt japanich baum tram tram bäume und wald? tramteramteram-teramtramtram MAMA ICH kann japanisch französich mong cher mongmon mong frer gastrong schpukt mir warte mal schpukt mir schpukt mir also schpukt immer in die bulljong englich scheißampel mit ihr ewiges rot ICH nehm die u die u die diudiudidudibu *Fahrgäste ohne gültigen Fahrausweis zah-* **41** *len außer dem Fahrpreis laut Tarif 5 MDN Nachlösegebühr. Modehaus Dorett. Bei Augenqual nur Zapletal. Schöner unsere*

Hauptstadt – Mach mit. DDR 20 DDR 20 DDR 20 DDR 20 DDR 20. Weiße Schiffe Frohe Stunden. DDR 20 DDR 20 DDR 20. Ich bin zwanzig. Unsere Besten. Besteigen und Verlassen fahrender Züge lebensgefährlich. Bitte benutzen Sie auch die hinteren zuch kommt der zuch kommt schön neu der zuch fährt nach alex über strausberger weiß ich doch bin nicht vons dorf *Nicht öffnen während der Fahrt! Lebensgefahr!* Du ißt mich nicht, du trinkst mich nicht du tust mich nicht in kaffe rein du bist mich doch nicht krank MAMA vorm schlafngehn zwei tablettn mit etwas flüssichkeit wenn vom arzt nicht anders – Mein Gott, Junge, warum hast du das bloß getan? – MAMA nicht wegn dir es ist aber besser so – Lebensgefahr! Schwester halten sie. Wieviel tabletten waren. Wie kommt das Kind überhaupt? Haben sie das Testament, er hat ein testament, er wollte – liebe MAMA es ist besser so meine sachn sind alle für dich du kannst nun auch weg – Aber, Junge, ich will doch nicht weg von dir, ich laß dich doch nicht allein. Stimmt es, daß er eine Klassenarbeit bei – Mfred der B und VER-RÄTER – Deine Arbeit ist wieder, Fleischmann. Alle andern. Ich weiß nicht mehr was ich. Fünfenschreiber. Der Idiot spinnt doch mal wieder. Der hat garantiert den Film gestern mit dem Selbstmord gesehn. Du bist jetzt mal ruhig! Dir haben wir es doch. Du solltest doch. Hab ich nicht gesagt, kein fern?! Was hat er gestern? Keine Ahnung, soll ich vielleicht. Ruhe! Raus! Schon immer gesagt, daß der Einfluß des Westfern *Notbremse! Handgriff bei Gefahr ziehen* Leistungen des einzelnen nun mal das Maß für alles in unserer Gesellschaft. Wenn ich auch zugebe, daß manchmal mit allzugroßer Härte erzwungen, statt mich rein zeitlich mehr um ihn. Aber meine Aufgaben als. Trotzdem der Meinung, daß hier ein Fall von extremer Drückebergerei. Indizien wie KLASSENARBEIT sprechen. Nicht zulassen. Will aber jedenfalls bis auf Wider dahingehend modi, daß runter möglich, wenn Manfred. Kein fern bleibt bestehen, sein Taschenmesser kann er wieder, wenn er sagt von wem *Bitte benutzen Sie auch die hinteren Wagen, sie sind* von Eberhardchen Ich hab jetzt vielleicht tausend mark schuldn bei ihm oder warte mal dritte Klecker dann vier jahre hilfs am tag eine mark für das messer das sind das sind wenn der mich sieht zwanzig stück hat er verpumpt das sind am tag zwanzig mark –

Gut Fleischmann! – das jahr hat dreihundert warte mal also
zwölf monate der monat hat war das schon schlewski? samariter grün strausberger grün schlewski grau also das sind dabei
war sein vater heilich die bibl oder die heiliche schrift – Mein
Vater hat nur heilige Schriften. Sag bloß, du hast noch nichts
von der bibl, ehj? – und adam erkannte sein weib eva und sie
gebor IHM zwei söhne kain und abl sind variabl abl und kain
wieso kannte er sein weib nicht? warte mal kain und abl und sie
wurdn bauern und da gingn sie zu IHM und brachtn IHM von
den früchtn des feldes also korn und rübn und junge schafe abl
war schäfer und kain bauer und da sagte ER, was abl hat, gefällt
mir die jung schafe aber was kain hat nicht warum nicht? ICH
wußte gleich, daß ER was gegn abl hat abl war auch der kleinere bruder von beidn und da war kain ergrimmt und ER sagte,
warum bist du ergrimmt? kain sagte, weil es ungerecht ist und
ER sagte, was ungerecht ist, bestimme ich klar? und da war kain
noch mehr ergrimmt und das wußte ER und da schlug kain abl
tot, der gar keine schuld hatte und da fragte ER, wo ist abl und
kain sagte, keine ahnung soll ich vielleich vielleicht warte mal
soll ich vielleicht meines Bruders hüter sein? aber ER wußte
es schon, daß abl tot war von kain und verfluchte kain und
schickte ihn in die wüste und kein geld und nichts und da sagte
kain, die schlagn mich tot und da sagte ER, das stimmt und ER
machte ein zeichn an kain wahrcheinlich tinte und da durfte
keiner kain totmachn, weil ER nämlich gar nichts gegen kain
hatte die steckten unter einer decke sondern gegen abl und kain
konnte wegziehn und heiratn und alles und abl war tot was
daran heilich sein *Alexanderplatz* raus umsteign oder ICH lauf
den rest esbahn rathaus geradeaus springerhaus auf dem dach
MICK EIKENNGETTNOSETTISFEKSCHIN rochorepochopi-
poar oder ich fahr? *Benutzen Sie bitte auch die hinteren Wagen,
sie sind schwächer besetzt.* DDR 20 oder ich lauf *DDR 20* wennich mit links an der treppe, laufich links ist wo der daum
rechts ist MAMA *DDR 20* ICH lauf ist auch besser, wenn die
bahn steckn oder ich fahr? ICH lauf ICH hab gesagt ICH lauf
also lauf ich lauf jäger lauf jäger lauf jäger lauf mein lieber jäger
DDR 20 ist ranzich dreißich ist warte mal ist vierzich ist wür-
zich fünfzich ist fünfzich warte mal *DDR 20 DDR 20 DDR 20
DDR 20 DDR 20* masse licht masse leute masse fahn – Eins,

43

zwei, drei, wenn die Partei uns ruft sind wir – hier kommich
nicht durch den fahrn – haben früh erfahren der Arbeit Frohn-
gewalt in düstern Kinderjahren und wurden früh schon alt –
masse ausländer hau du ju du im gummischuh slihp ju werri
well in jur bettgestell? o werri matsch wat ju sei ist kwatsch
MAMA ICH kann englisch *Wir sind auf dem richtigen Weg!*
Folgt dem Beispiel unserer Besten! Stärkt die Republik mit
Höchstleistungen in Wissen rathaus bitte melden ICH kann sie
nicht sehn hallo *Druschba – Freundschaft Druschba – Freund-*
schaft – Drusch masse leute wenn die alle zu MICK masse licht
rathaus ICH kann sie nicht sehn ICH bin geblen esbahn esbahn
ist gut esbahn mussich durch esbahn fressbahn *auch der Rhein*
wieder frei. Brechen den Feinden die Klauen, Thälmann ist im-
mer dabei ernst thälmann ist der war der die faschistn habn
ernst thälmann sie habn in buchnwald ernst thälmann spricht
zu den bauern der sich warte mal der sich aufn stock stützt
thälmann grüßt freundlich thälmann holt ihn ein und grüßt
freundlich thälmann unterhält sich gern mit einfachn menschn
was ich über ernst thälmann *DDR 20 DDR 20 DDR 20 DDR*
20 die DDR ist richtig programmiert. PLAN der berliner...
Geschlossene Veranstaltung. Der Musterschüler. Nathan der...
Trabrennbahn Karlshorst DDR – Sozialismus DDR – Sozia-
lismus. Eins, zwei, drei, vier Klasse – die könn brülln *Sieger der*
Geschichte B sind auch hier Mfred B sperrn ab laß sie was ich
über den neuen fernsehnturm der neue fernsehnturm in der
hauptstadt der ddr berlin sagan mein kind sorau der wind wien
berlin wieviel städte das sind vier MAMA masse leute masse
licht das sehn sie auch in WESTN in WESTN habn sie kein so
hohn fernsehnturm wie der fernsehnturm in der hauptstadt der
ddr ist mit seinen mit seinen warte mal zweitausenddreihun-
dertvierunddreißig metern der größte in rathaus bitte komm
ich seh sie jetzt danke rathaus *Erfolg haben ist Pflicht! Die so-*
zialistische Menschengemeinschaft ist unser größter Erfolg!
Schöner unsere Hauptstadt – Mach mit DDR 20 masse fahn
masse lärm *grüßen wir den Vorsitzenden des ... haben Platz*
genommen die Mitglieder des ... hurra hurra hurra und die
44 *Kandidaten des ... und den Sekretär des ... wir begrüßen den*
Stellvertreter des Vorsitzenden des ... hurra hurra hurra und
den Stellvertreter des Vorsitzenden ... weiterhin den Vizepräsi-

denten des ... drei, vier, Klasse! Wenn die Partei uns ruft ... und andere hervorragende Persönlichkeiten ... den außerordentlichen Botschafter ... und die Delegationen ausländischer Jugendorganisationen unter ihnen mit besonderer Herzlichkeit... Liebe Freunde und Genossen! Liebe Berliner! PGH Hans Sachs schöne schuhe *Bowling* bowling ist, wenn also bowling ist warte mal das ist ein verfahren zur arschkack schon dunkl ist ja schon dunkl scheiß masse licht schon dunkl wars der mond schien helle als ein auto blitzeschnelle langsam um die ecke drinnen saßn B was machn die hier fahrn auto laß sie ICH muß renn schon dunkl MICK ICH komm! drinnen saßn drinnen saßn warte mal stehend leute schweigend ins gespräch MAMA als ein totgeschossner hase überm über also er lief geradeaus springerhaus B masse B – Hau ab hier, Kumpel! – wieso ICH – Hau ab, ist besser. Die lochn uns ein! – Wieso MICK – MICK ist nicht, keiner da. – MICK kommt – Siehst dun? War alles Spinne. Die drübn habn uns beschissn! MICK kommt du spinnst der haut ab schön lange haare hat er bis auf die hüfte wenn wind ist, stehn sie ab da sind welche masse leute B auch B sperrn ab lösn auf drängeln ab Mfred was machn die mit den leutn was machn die leute Nosse Unterleutnant! der leutnant von leuten befahl sein leutn nicht eher zu MAMA die wolln uns nicht zu MICK – Die habn uns beschissn, Kleiner! MICK hat mir ich will zu – Wie alt bistn du? Hau ab hier! Das ist ernst! – was machn die B drängeln ab ICH WILL NICHT WOHIN SOLLN WIR – Spree oder was? Die machen ernst. Aufhörn! Power to the people. Ist doch Scheiße. Gehn Sie weit. Wohin denn? Laßt uns raus! I like MICK! Halt doch die Klap, Kump. Die haben was gegen uns. Ich auch gegn die. Ruhe. Fressen halten! Sie können uns hier nicht! Gehn Sie weit! Mir ist. Geh zu Mama, Bauch waschen. – die habn die habn ja knüppl die habn ja knüppl draußn was wolln die – Dreimal darfste raten! Die wolln uns! Ruhe bewahren! Nicht provozieren! Gehn Sie weiter! Wohin denn? Lassen Sie uns! Hat kein Zweck, die. Wir solln in die Ruine! Die wolln uns in die Ruine. Nicht in die Kirche schiebn lassen! Damit Sie uns! Aufhörn! Amen! Friede sei mit euch! – kirschners kleener karle konnte keene kirschen kaun MAMA die wolln uns in die machn ernst die drängln uns in die kirche ICH kenn die die hat kein dach mehr die haun uns

45

die haun uns in die kirche die haun auf die köpfe aufhörn die dürfn nicht MAMAMICK – Hautse, hautse immer auf die Schnauze! Ruhe! Haltet die Fressen. Was haben wir denn? Nicht wehren! Säue! Genossen, wir! Halten Sie den Mund! – MAMA wir sind drin ICH war noch nie inner kirche darf keiner kein was tun wir sind heilich lieber gott die haun auch mädchen die haun alle die haun die dürfn doch nicht – Nicht wehren! Hinlegen! Legt euch hin! Hände überm Kopf! Wehren! Wehrt euch! Singen! Wacht auf verdammte dieser... Deutschland Deutschland über... Power to the people ... – die singn oh du lieber augustin alles ist MAMA DIE HAUN MICK – Wir müssen brülln! Alle brülln, dann hörn sie uns draußen! Brüllt! – arschkackpissrepochopipoaaaaar Mfred! da ist Mfred der B! er haut inner kirche darf keiner kein Mfred! manfred! MANFRED! HIER! ICH! ICH BIN HIER DEIN BRUDER! Nicht haun mehr ICH BIN HIER! MANFRED! HERKOMM! Hier nicht haun MAN du sau

Gert Hofmann

Die Fistelstimme

Auszug aus dem gleichnamigen Roman

Lieber Herr, da tritt, auf dem Höhepunkt meiner Gedankenlosigkeit, plötzlich ein leichtgekrümmter, hohlwangiger, wahrscheinlich nicht ganz gesunder, langer, jüngerer Mensch in einer grauen, von den Ärmeln her allmählich zerfallenden Jacke hinter einer Säule hervor und stellt sich mir in den Weg. Mein erster Gedanke, daß ich ja Gott sei Dank nicht viel zu verlieren habe, mein zweiter, daß ich nun jeden Augenblick *auf Slowenisch* angesprochen und nichts verstehen werde. Da spreche ich ihn, schreibt der neue Lektor, schon lieber selber an.

»Was wollen Sie von mir?« frage ich und bleibe stehen, und der junge Mensch, der dunkle rotumränderte Augen mit flatternden Lidern und langes strähniges schwarzes Haar hat, entschuldigt sich sofort. »Entschuldigen Sie *die Angst,* die ich Ihnen gemacht habe«, sagt er und will näher kommen. »Woher wissen Sie das?« frage ich, und es gelingt mir, schreibt der Lektor, ihn mir mit Hilfe meiner ausgestreckten Rechten vorerst vom Leibe zu halten. Da macht der junge Mensch eine ungeschickte Verbeugung und stellt sich mir in ordentlichem, wenn auch viel zu hartem Deutsch vor. Jakob Ilz, Student. Und hält mir über die Distanz, die ich mit meiner Rechten geschaffen habe, zur Begrüßung seine braune knochige, mit Nikotinflecken und breiten abgenagten Nägeln besetzte Hand hin, läßt sie aber so schlaff herunterhängen, daß ich nicht weiß, ja, wie faßt du die denn nun an, und sie schon mit zwei Fingern *von oben,* wissen Sie, anfassen und bloß am Gelenk schütteln will. Doch greife ich dann von unten zu und biege sie mir zum Drücken hoch. »Student?« frage ich, und Ilz, der denkt, ich glaube ihm nicht, holt sofort sein grünes Studentenbuch, in das,

47

wie er mir erläutert, alle Vorlesungen, die er einmal besucht hat, hineingeschrieben sind, aus seiner Jacke hervor und zeigt mir alles. Ja, er heißt wirklich Ilz. »Während Sie«, sagt Ilz, »die uns in unseren Vorlesungen bereits angekündigte neue deutsche Lehrkraft sind.« Und schließt sich mir nun ungebeten auf meinem Weg die Treppe hinab und durch die Halle hindurch an und tritt dann auch neben mir durch das hohe Portal auf den breiten Treppenaufsatz ins Freie hinaus, wo wir dann eine Zeitlang ratlos nebeneinander im Nebel stehen, und jeder hofft, der andere hat noch etwas zu sagen. Schließlich sagt Ilz: Nicht nur er, sondern auch seine Freunde möchten mich kennenlernen. Alle wollten sie wissen, wie ich bin und wie ich aussehe und spreche, und ob ich jung bin oder alt und wie sympathisch oder nicht. »Na, und wie bin ich?« frage ich. »Sie sind«, sagt Ilz, »in dem mittleren Alter oder gehen doch langsam auf das mittlere Alter zu. Und auch wie Sie gekleidet gehen, will man wissen.« »Und wie gehe ich gekleidet?« frage ich. »Wie Sie wissen«, sagt Ilz, »gehen Sie weder besonders elegant noch besonders unelegant gekleidet, sondern irgendwo in der Mitte.« Ich trüge, sagt Ilz, schreibt der Lektor, ein für die Jahreszeit vielleicht etwas zu leichtes braunes Jackett, ein graues Wochentagshemd, braune Schuhe... »Jaja«, sage ich, »das weiß ich ja, ich habe es heute morgen ja selber angezogen.« »Was die Kollegen aber besonders wissen möchten«, sagt Ilz, »ist: Wie *prüfen* Sie? Denn Sie werden doch prüfen, nicht?« Und als ich, weil man mir von Prüfungen nichts gesagt hat, nicht gleich antworte, fragt er gleich noch einmal: Nicht, zu den Prüfungen werden Sie doch herangezogen? Ihn und die Kollegen würde es interessieren, *wie* ich prüfe, auch *was* und *wie lange*. Deshalb hat er im dritten Stock auf mich gewartet, lieber Herr. So daß mir nun klar ist, schreibt der Lektor, daß ich einen, verstörten und akademisch nicht sehr erfolgreichen, dafür innerlich aber gefährdeten und gehetzten und, wenn im Augenblick auch wahrscheinlich noch nicht verrückten, so doch bis zum Zerreißen gespannten Menschen vor mir habe. Dem ich nun die Hand auf den Arm lege und zu dem ich sage: Herr Ilz, ich kenne Ihre Situation genau und weiß alles über Sie, aber ich bin heute morgen todmüde hier angekommen und habe bereits ein langes Gespräch geführt, das aus bestimmten Gründen aber noch einmal wiederholt werden muß. Und daß mich das, so leid es mir täte, bereits völlig ausgeleert hat. »Denn tatsächlich bin ich«, sage ich, »so wie Sie mich in meinem mittleren Alter und in meinem braunen Jackett vor sich sehen, innerlich leer, ganz leer und deshalb für Sie völlig nutzlos.« Ein Gespräch, wie es ihm vorschwebe, könnte dieser Leere wegen im Augenblick also nicht stattfinden. Und was meinen Prüfungsbegriff angeht, lieber Herr, so weiß ich ja selber nicht, was ich für einen habe. Weil mir ja gar nicht gesagt worden ist, daß ich prüfen soll. Und als ich sehe, daß Ilz daraufhin verzweifelt in seinen Taschen wühlt, ohne eigentlich etwas zu suchen, lege ich ihm die Hand auf den Arm und sage: Sie müssen sich aber keine Gedanken machen, Herr Ilz. Falls ich prüfe, prüfe ich nicht schwer. Und als er daraufhin aufatmend die Hände aus den Taschen zieht, füge ich sofort hinzu: Wenn ich natürlich auch nicht leicht prüfe. Dann sage ich: So, jetzt wissen Sie, wie ich prüfe und wie ich aussehe und wie ich bin. Und jetzt muß ich weiter. Und wo Ilz denn nun hinginge, ob er wieder nach oben in den dritten Stock …

Geehrter Herr, was mich betrifft, muß ich nun in die Stadt. Das ist mein erster Morgen hier, ich habe viel zu besorgen. Zum Beispiel brauche ich Schreibmaterial, oder besser, sage ich, *harte Stifte.* »Bei uns«, ruft Ilz sofort, »gibt es Dutzende von Geschäften mit harten Stiften.« Ob er mir eins zeigen solle. Oder ob er mir vielleicht überhaupt die Stadt Ljubljana zeigen, mich auf die eine oder andere *Sehenswürdigkeit* dieser Stadt aufmerksam machen und mir vielleicht *danach* die Freunde vorstellen soll. Da könnten sie sich dann vielleicht in dem Gasthaus »Pod Lipzo« zusammensetzen und etwas essen und trinken und dabei vielleicht über meinen *Prüfungsbegriff…* Falls ich einen hätte. »Und falls es Ihre Zeit erlaubt und unsere Gesellschaft«, sagt er, »in Ihnen keine Abneigung oder Widerwillen, oder muß man das viel stärkere Wort *Ekel* hier gebrauchen, hervorruft.« »Aber ich bitte Sie«, sage ich und lege ihm schnell noch einmal die Hand auf den Arm. So stehen wir provisorisch vereint einen Augenblick oben auf der Treppe, während die Studenten kommen und gehen und wegen der morgigen Prüfungen, wie ich nun sehe, tatsächlich ganz bleich und verstört sind. Dann schaue ich auf meine Uhr und sage: Also gehen wir!

49

Ilz will mir nun, schreibt der neue Lektor, sofort alles erklären. »Jetzt sind wir noch in der Askerceva«, sagte er, »aber passen Sie auf, gleich gehen wir links in die Gradisce hinein.« »Aha«, sage ich. »Es ist Ihnen doch recht«, fragt er, »wenn wir dann gleich links in die Gradisce hineingehen?« »Warum nicht?« sage ich. »Und es ist Ihnen recht, wenn ich Ihnen die Namen von den Stadtteilen und den Straßen sage, in die wir hineingehen?« fragt er. »Immerzu«, sage ich, »immerzu.« Und so gehen wir, geehrter Herr, Arm an Arm in den Nebel hinein, und Ilz erklärt mir seine Stadt. »Wie ich bereits ausgeführt habe«, sagt er, »ist dies die Gradisce, aber wenn wir hier weitergehen, kommen wir auf unsere Hauptstraße, die Titova.« Dann weist er mich auf der gegenüberliegenden Straßenseite auf ein vom Nebel verhohlenes gelbes Gebäude oder auch nur Gebäudeteil hin und sagt: »Und das, Herr Doktor, ist unser Nationaltheater, welches wir *Drama* nennen und welches unter den Arkaden liegt. *Pod Arkadami*, sagen wir.« »Aha«, sage ich, »das also ist Ihr Nationaltheater.« »Und sehen Sie gleichfalls die Arkaden?« fragt Ilz. »Ja«, sage ich, obwohl ich natürlich auch die Arkaden nicht sehe. Und Sie müssen sich nun vorstellen, wie wir mit hochgeschlagenen Jackenkragen, klammen Fingern und zusammengebissenen Zähnen weitergehen, und ich denke, schreibt der Lektor, wie groß im Oktober in dieser Stadt die Anforderungen und die Belastungen sind und daß schon ein Gang die Gardisce hinab die letzten Reserven kostet. Jeder dritte hustet, jeder zweite spuckt, jeder einzelne ist am Ende. Lieber Herr, da kommen wir an ein Café, an dessen Fensterscheiben junge Leute sitzen. »Und das ist ein Café«, sagt Ilz. »Aha«, sage ich, »das ist also ein Café.« »Ein Café«, sagt Ilz, »das viel von Studenten besucht wird.« »Aha«, sage ich, und da fällt mir endlich etwas ein, was ich ihn fragen könnte. Die Studentin, wissen Sie, die vor einigen Tagen aus dem Fenster im fünften Stock, wissen Sie... »Herr Ilz«, sage ich, »warum ist gestern oder vorgestern oder meinetwegen auch vorvorgestern in Ihrer Universität eine Studentin aus dem Fenster gesprungen?« »Was sagen Sie da?« ruft Ilz und bleibt sofort stehen. »Kommen Sie, kommen Sie«, sage ich, »deswegen brauchen Sie doch nicht stehenzubleiben.« Und ich ziehe ihn weiter. Lieber Herr, doch er besteht darauf, daß er nichts davon weiß. »Herr

Ilz«, sage ich, »vor mir brauchen Sie doch keine Komödie zu spielen«, aber da *schwört* mir Ilz, daß er von der Sache nichts gehört hat. »Ob es vertuscht werden soll?« frage ich und erzähle ihm, auf welche Weise ich die Geschichte erfahren und daß ich sogar selbst an dem Fenster gestanden und auf die Stadt hinabgesehen habe. Ich kann mich also gar nicht täuschen. »Also wieder ein Selbstmord«, sagt Ilz. »Was wollen Sie damit sagen?« frage ich. »Nichts«, sagt er. »Es ist bloß so rausgekommen. Bei uns hat es weder gestern noch sonst... Obwohl...« »Ja?« »... die Versuchung...« »Ja?« »... welche«, sagt er, »von einem hochgelegenen und zufällig offen stehenden Fenster ausgeht! Und nun gar von einem Fenster in dem von uns allen natürlich am inständigsten gehaßten und gefürchteten Gebäude! Die Menschen unserer Rasse«, sagt Ilz, »wenn nicht die Menschen überhaupt, leben ja immer, wenn sie auch nur selten davon sprechen, nur wenige Schritte neben der Verzweiflung, wenn nicht in der Verzweiflung drin.« »Sie wollen sagen, daß *Sie* in der Verzweiflung leben, nicht?« frage ich. »Vielleicht«, sagt Ilz. »Warum leiden Sie so an Ihrem Leben?« frage ich. »Wahrscheinlich«, sagt er. »Sie fürchten die Prüfungen?« frage ich. »Ja«, sagt er. »Und nun stehen Sie wieder vor einer Prüfung?« frage ich. »Ja«, sagt er, »nun stehe ich wieder vor einer Prüfung.« »Und wann findet sie statt?« frage ich. »Morgen früh um acht«, sagt Ilz. »Sie brauchen sich um mich aber keine Gedanken zu machen«, sagt er. »Mein Zimmer liegt zwar im vierten Stock, aber ich halte mein Fenster Tag und Nacht aufs peinlichste verschlossen. Und damit ich nicht auf die dummen Ideen komme, habe ich mir letzte Woche eine Sicherheitskette gekauft, die eigentlich für die Verkettung von Fahrrädern ist, die ich aber für die Verkettung meines Fensters verwende, so daß bei mir auch in der größten Verzweiflung nichts aufgerissen werden kann. Denn selbst durch ein verkettetes Fenster erzeugt so ein Blick in die Tiefe natürlich einen *Sog*. »Sog«, sagt er, »kann man das sagen?« »Ja«, sage ich, »Sog kann man sagen.« Und das Wort *Sog* hat dann, geehrter Herr, die ganze Gradisce und einen Teil der Titova hinauf, also ungefähr bis zum Reisebüro »Kompas«, zwischen uns in der Luft gelegen. **51** Zwar bin ich mit den Bemerkungen über die vielen Unfalltoten hier und den unsichtbaren slowenischen Herbsthimmel, der ja einen ganz grauenhaften Winter ankündigen muß, sage ich, gegen das Wort *vorgegangen,* habe es aber nicht beseitigen können. Bis wir dann an einem von bunten, allerdings verrotteten Blumenrabatten umsäumten, mit alten Kastanienbäumen bestandenen, natürlich gänzlich vernebelten flachen Platz der Habsburgerischen Art, also altmodisch, mit hübschen Laternen und Holzbänken, auch Tauben, kommen. »Und, das ist unser Revolutionsplatz«, sagt Ilz, und ich sage: Aha, das also ist... Und da, mitten auf dem Revolutionsplatz, das Wort *Sog* ist nun aufgebraucht, und etwas Wind kommt eben auf, ohne den Nebel aber zu vertreiben, so daß er alles bloß durcheinanderquirlt, auch die Passanten, lieber Herr, meist älter, die Köpfe meist gesenkt, quirlt er durcheinander, und Ilz, schreibt der Lektor, greift plötzlich nach meinem Arm und zieht mich, als ob er mich von etwas wegziehen wollte, zu sich heran. Nun kann ich, sehr geehrter Herr, trotz des Nebels nichts wahrnehmen, von dem ich weggezogen werden müßte, und das sage ich auch. »Wovon ziehen Sie mich denn weg, Herr Ilz?« frage ich und will mich losmachen, aber Ilz läßt mich nicht los. »Oder wollen Sie mir etwas anvertrauen?« frage ich. Und als Ilz auch zu dieser Frage schweigt, denke ich: Oder will er dich etwa stützen? Bis ich merke, daß Ilz mich auch nicht stützen will, sondern vielmehr stützt sich Ilz, schreibt der neue Lektor, unter der Last von irgendwelchen drängenden Vorstellungen oder Gedanken, die ich natürlich nicht kenne, deren Gewicht ich aber spüre, bei der Überquerung seines Revolutionsplatzes auf mich, den neuen Lektor. Und so haben wir schweigend den Revolutionsplatz überquert, der Student Ilz tief in Gedanken, ich unter Atem-, auch Gehschwierigkeiten, letzteres wegen meiner Schuhe, die ich mir vor meiner Abreise rasch noch viel zu klein gekauft habe, ersteres unter der Last von Ilz, ein langer schwerer Mensch. Da, unter einem Kastanienbaum, sagt Ilz plötzlich, er will mich etwas fragen. »Dann fragen Sie, fragen Sie!« rufe ich. Ob er mich aber auch nicht belästige mit seiner Frage. Ich, gereizt, weil ich nun so einen großen Teil des Ilzschen Körpergewichts mitzutragen habe: Wenn Sie mich belästigen, werde ich es Ihnen schon sagen. »Da stelle ich die Frage also jetzt?« sagt er. »Immerzu«, rufe ich, »immerzu!« »Also, die Frage ist«, sagt Ilz, »haben Sie, Herr Doktor, auch manchmal das Bedürfnis, sich an einem anderen Menschen anzulehnen?« »Anzulehnen?« frage ich. »Oder aufzurichten?« sagt Ilz. Er sagt: In bestimmten Perioden seines Lebens ginge er und suche einen Menschen, an dem er sich »anlehnen, später hochziehen kann. Falls das Wort *hochziehen* richtig ist.« »Ja«, sage ich, »hochziehen ist richtig.« »Nun kann man sich aber«, sagt Ilz, »an den meisten Menschen gar nicht hochziehen.« Beispielsweise sei es ihm noch nie gelungen, sich an *einem Professor* hochzuziehen. Wenn er mit seinen Schwierigkeiten zu einem Professor käme, würde er von ihm, sobald sich vor ihm *entblößt* habe, nur noch *tiefer in den Dreck gestampft*. Statt auf Verständnis stieße man auf Erstaunen, wenn man seine Signale gäbe und sich als Mensch zu erkennen gäbe, welcher in Schwierigkeiten ist. »Sie sind in Schwierigkeiten?« frage ich. »Und wenn man«, sagt Ilz, »statt in einer rein wissenschaftlichen Sprache über einen rein wissenschaftlichen Gegenstand zu sprechen, plötzlich in einer menschlichen, also erbärmlichen Sprache, über einen menschlichen Gegenstand, also über sich selber, spricht.« »Was sind das denn für Schwierigkeiten?« frage ich. »Andererseits«, sagt Ilz, »ist mir auch nicht entgangen, daß Ihre Fragestellung gleichfalls wissenschaftlich ist. Sie als Deutscher«, sagt er, »denken natürlich überhaupt wissenschaftlicher als ich, ja, selbst Ihre Lebensführung ist wahrscheinlich wissenschaftlich, während ich immer bloß Angst habe, was ja an sich schon unwissenschaftlich ist. Wenn ich«, ruft er, »mein Leben doch auch auf so eine wissenschaftliche Basis stellen könnte! Und das«, sagt er und bleibt plötzlich stehen, »ist ein Papierladen!« »Aha«, sage ich, »das ist also ein Papierladen.« Und stoße die Ladentür auf. »Bitte, nach Ihnen«, sage ich. »Neinnein«, sagt Ilz, »ohne Zweifel ich nach Ihnen!« Ein düsteres, muffiges Ladenloch mit einer muffigen, düsteren Person hinter dem Ladentisch müssen Sie sich nun vorstellen, lieber Herr. Und der beschreibt Ilz, schreibt der Lektor, nun offenbar sehr eindringlich, was gebraucht wird: harte Stifte. Doch da stellt sich heraus: Der Laden hat keine harten Stifte. »Nun, es ist ja auch nur ein kleiner Laden«, sage ich, und wir gehen weiter. Und ich lasse, schreibt der Lektor, den Studenten Ilz nun absichtlich vor mir hergehen, weil ich ihn, nachdem ich ihm von vorne und von den Seiten ja schon gesehen habe, auch einmal von hinten sehen will. Wie traurig die Kleider an ihm herunterhängen, denke ich, schreibt er, aber sofort fällt mir ein: An dir hängen, wenn du dich nur sehen könntest, die Kleider ja wahrscheinlich genauso traurig herunter! Wie oft, schreibt der Lektor, hat man mich nicht schon auf den deprimierenden Eindruck hingewiesen, den ich von hinten mache. Ilz ist seine Jacke zwar zu eng, aber trotzdem hängt sie an ihm herunter. Auch mir sind meine Jakken meist zu eng, und es ist reiner Zufall, daß mir die Jacke, die ich heute anhabe, nicht zu eng, sondern zu weit ist. Ob sie an mir herunterhängt, ist mir nicht bekannt. »Sie kommen vom Land, nicht?« frage ich. »Ja«, sagt Ilz, »ich komme aus einer Bauernfamilie in Dolenisko und bin leider in ärmlichen Verhältnissen geboren und groß geworden. Aber dann hatte ich einen Lehrer, der wollte eine gute Tat an mir tun. Geh, was mir nicht gelungen ist, in die Stadt und studiere, wovon ich immer nur geträumt habe, an der Philosophischen Fakultät, sagte er. In die Stadt gehen«, sagt Ilz, »aber natürlich wollte ich in die Stadt gehen.« Mit achtzehn Jahren geht Ilz also in die Stadt, findet bei einem Scherenschleifer in der Laknerjeva ulica unter dem Dach für eine unbegreifliche Monatsmiete ein feuchtes, wahrscheinlich gesundheitsschädliches, fast auch schon sargähnliches Loch von einem Zimmer und fängt, voller Pläne, wie man sich denken kann, in dem Sarg ein philologisches Studium an. Alles Illusionen, lieber Herr, wie sich nun gleich herausstellt. Damals hat er zwei Freunde, die in der Stadt auch neu sind, gleichfalls voller Pläne. Doch da bringt sich der eine auf eine sehr unnatürliche Art plötzlich um. Da hatte er dann bloß noch einen. »Und abends haben wir uns«, sagt Ilz, »über unsere Biergläser weg angeschaut und uns immer wieder die Frage: Ja, warum denn, mein Lieber? gestellt.« Bis der zweite Freund plötzlich in seinem Entsetzen über den Selbstmord des ersten das Studium und alles hinwirft und der ersten Frau, die ihm über den Weg läuft, ein Kind macht und sie heiratet und wegzieht und im tiefen Süden Kellner wird, sich im tiefen Süden auflöst. So daß Ilz, schreibt der Lektor, nun niemanden hat, mit dem er die Frage, warum der erste sich umbringt, weiter erörtern kann. »Es freut sich hier aber alles auf Ihre wissenschaftlichen Vorlesungen«, sagt er, »alles ist sehr gespannt. Hoffentlich erwarten Sie nicht zu viel von uns, besonders nicht von mir.« Und dann bleibt er plötzlich stehen und sagt: »Ich kann es Ihnen ja sagen, Herr Lektor. Mein Studium ist etwas, aus dem ich nun nicht mehr heraus-, durch das ich aber auch nicht hindurchkann.« Die Schwierigkeiten des Studiums, die erst klein gewesen seien, seien jetzt so groß, daß er über diesen Schwierigkeiten das Studium gar nicht mehr erkennt. »Es gibt ja gar kein Studium mehr«, sagt er, »es gibt nur noch Probleme.« Aber auch *sich zurück aufs Land retten* kann er nicht, weil ihn die Stadt verdorben hat und er verlernt hat, auf dem Land zu leben. Die Stadt sei für ihn eine Falle gewesen, und die sei nun zugeschnappt. »Schnapp«, sagte er, »hat die Stadt gemacht.« Auch das Studium der Philologie, besonders der deutschen, sei eine Falle gewesen. »Schnapp, hat das Studium der deutschen Philologie gemacht. In einem Augenblick der Gedankenlosigkeit«, sagt er, »wirft sich jemand wie ich so einem Studium der deutschen Philologie in die Arme, und dann schnappt das Studium plötzlich zu.« Und nun ist er schon zweimal durch das Diplomexamen gefallen, und dreimal darf man nur. Und in der Stadt kann er nicht leben, und auf dem Land kann er nicht leben. »Hören Sie, wie meine Lebensfalle von allen Seiten zuschnappt? Herr Lektor«, sagt er, »was Sie tun, hat *Gründe,* während ich immerzu Dinge...« Er sagt: Wenn ich vor einer Entscheidung stehe... »Vor welcher?« frage ich. »Das ist nur ein Beispiel«, sagt er. »Wofür?« frage ich. »Zur Erläuterung meiner inneren Person«, sagt er, »welche, was nach außen nicht sichtbar ist, stets in alle Fallen geht.« Und das Beispiel geht so, lieber Herr. Auf Grund von ernsthaften Überlegungen, soweit ihm solche möglich sind, beschließt Jakob Ilz, eine Sache *nicht* zu tun. Immer wieder überdenkt er die Sache und beschließt, sie *nicht* zu tun. Seine Überlegungen ermüden ihn, zehren ihn aus, er schläft schlecht oder gar nicht. Es ist klar, er tut die Sache nicht, er tut die Sache nicht! Trotzdem fragt er sicherheitshalber alle Bekannten (und auch Unbekannte) nach ihrer Meinung in seinem Fall, und alle bestätigen seine alten und versehen ihn mit neuen unwiderlegbaren Argumenten, daß er die Sache nicht tun darf. Sogar nachts im Schlaf entwickelt er neue Argumente dagegen, traumhafte, zugegeben. Zuletzt läßt er von einem zeichnerisch begabten Freund, der nicht weiß, was er zeichnet, das Problem graphisch darstellen. Der Freund zeichnet nach seinen Angaben und auf seine Kosten und glaubt, daß er das Innere einer umfassenden Apparatur, die nun bald zusammenbricht, zeichnet. Was er in Wirklichkeit aber zeichnet, ist sein Dilemma, lieber Herr. Und die Darstellung bestätigt, was er schon weiß: Sie spricht *dagegen,* daß er die Sache tut. »Ich bedanke mich, rolle die Zeichnung zusammen, stecke sie zu mir und gehe hin und tue die Sache dann trotzdem und leide dann, verstehen Sie«, sagt Ilz, »jahrelang an ihren unglückseligen Folgen, die sich augenblicklich in der Reihenfolge, die ich vorausgewußt habe, einstellen. Aber ich langweile Sie, nicht?« sagt er. »Während es für mich natürlich gut ist, wenn ich rede, weil ich für mein morgiges Examen mein Deutsch natürlich üben muß.« Im ersten Jahr hätten sie acht, im zweiten elf, im dritten dreizehn, »und im vierten Jahr, Herr Doktor, stellen Sie sich das vor«, sagt er, »da haben wir dann siebzehn Examen.« Dabei würden die Fragen von den Professoren aus den Ecken des Prüfungszimmers gleichzeitig *herausgeschossen,* er weiß das, er hat ja selber schon oft genug in der Mitte dieses Zimmers gesessen und nicht antworten können, und wenn er morgen wieder nicht antworten kann, wird er sich eben auch *töten* müssen. Ich bleibe sofort stehen, schreibt der Lektor. »Was sagen Sie da?« frage ich. »Ich bitte«, sagt Ilz ruhig, bleibt aus Höflichkeit aber auch stehen, »habe ich Sie *erschreckt?* Oder sagt man besser *erschrocken?* Ich wollte Sie nicht erschrocken haben.« »Ein Scherz ohne Zweifel«, sage ich. »Aber nein«, sagt Ilz. Bei dem Charakter, den er habe, würde er sich nie erlauben, mit einem Menschen, den er schätze, über so etwas zu scherzen. Andererseits sei er aber auch nicht verrückt, wie man nun vielleicht annehmen könnte, und falls er diesen Eindruck mache, würde dieser Eindruck täuschen. Und da er in seinen Taschen nun wieder nach etwas sucht, aber das, was er sucht, nicht findet, komme ich, schreibt der Lektor, zu dem Schluß: Ilz ist eben nervös, das ist alles! »Aber selbstverständlich bin ich nervös«, gibt Ilz auch sofort zu, »schauen Sie doch bloß meine Hände! Ist das nicht lächerlich, wie sie zittern? Und wie naß sie sind! Andererseits bin ich in meinem Kopf aber entsetzlich klar und trocken und erkläre in aller Trockenheit, daß ich mich umbringe, falls ich morgen zum dritten Mal...« Auf diese Weise würde es, so oder so, sein *letztes* Examen sein. »Sind Sie nicht neugierig, *wie* ich mich umbringe?« fragt Ilz. »Ob ich...« rufe ich. »Ja«, sagt Ilz, »*das Wie.*« Nachdem der Entschluß einmal gefaßt sei, würde das Wie zum Problem. Pistole, dächte man und verwende Wochen, die man besser auf das Verbidiomatikstudium verwenden sollte, auf das Pistolenstudium. »Sowie auf das Studium des menschlichen Körpers und seiner betreffenden Stellen.« Das Herz scheide *wegen Weitläufigkeit* nach kurzem Studium aus. »Bleibt der Kopf, wo das Bewußtsein sitzt, das vertilgt werden soll, doch der Kopf ist groß«, sagt Ilz. Schon an und für sich in der Natur sei so ein Kopf ja groß, doch verglichen mit einer Pistolenkugel würde er *gigantisch.* »Und nicht jede Partie des gigantischen Kopfes ist zu gebrauchen, nicht? Denn wir wollen uns ja umbringen, Herr Doktor, nicht, und mit einem Schlag unser rastloses Gehirn zur Ruhe legen. Wir wollen uns doch nicht mit dem Loch im Kopf begnügen. Wir wollen doch nicht als das Gespött der Leute vom Schauplatz getragen werden und womöglich noch Jahre, womöglich noch Jahrzehnte *in der Paralyse* über einen weiteren Fehler in unserem Leben nachdenken müssen. Daß in die falsche Kopfpartie geschossen worden ist.« »Wissen Sie«, sage ich, »Sie sprechen so ausgezeichnet Deutsch, Sie können ja gar nicht...« »Auf jeden Fall«, sagt Ilz, »ist es dem Laien verborgen, in welchem Teil des Kopfes das Bewußtsein nun eigentlich sitzt. Also wird der innere Kopf studiert, der Kopf studiert, der Kopf! Ich bitte: Das ist aber nun gar nicht so einfach, den inneren Kopf zu studieren.« Man sei dabei auf die Hilfe von Leuten angewiesen, die mit dem Inneren von Köpfen schon Erfahrung hätten. »*Fachleute,* wissen Sie.« Und diese Fachleute hätten in ihren Fachbüchern ja auch viel über den Kopf zu sagen, sagten es aber leider auf eine so dunkle Art, daß man es nicht versteht. »Eine einfache Antwort auf die einfache Frage: *Wohin,* Herr Fachmann, muß ein Mensch denn schießen, *was* in seinem Kopf muß er denn treffen, damit er endlich tot ist, findet man in den Büchern nicht.« Zwar wüchse das Wissen über den Kopf, doch wüchse auch der Zweifel, ob man wirklich hineinschießen soll. Deshalb ist er zu einem anderen Schluß gekommen. »Nämlich?« frage ich. »Erhängen«, sagt er. »Erhängen?« rufe ich. »Erhängen«, sagt er. »Mit dem Präfix ›er‹, welches den Wechsel eines Zustands in

57

einen andern bezeichnet und wie erdolchen, erdrosseln und ersticken, zu den Ingressiva für ›töten‹ gehört.« Ob *erhängen* richtig sei. »Ja.« »Und *aufhängen*«, fragt Ilz, »wie ist es denn mit ›aufhängen‹? Aufhängen mit dem Präfix *auf,* das in effektiver oder resultativer Aktionsart den Abschluß einer Handlung bezeichnet.« »Aufhängen ist auch richtig«, sage ich. »Aha«, sagt Ilz. »Also werde ich mich morgen, falls ich durch das Examen falle, *auf*hängen oder *er*hängen, beides ist richtig.« Er wird, sobald ihm der Professor sagt, daß er nicht bestanden hat, seine Hefte, die sämtliche Geburts- und Sterbedaten der deutschen Dichter sowie sämtliche Regeln und Ausnahmen der deutschen Wort- und Satzlehre enthalten, zusammenlegen und dann schnell nach Haus, schnell nach Haus! Und dort wird er sich in seinem Sarg an dem Türbalken, »an welchem ich mich bis jetzt zwecks Körperübung immer nur aufgeschwungen habe, an meiner Wäscheleine, an welcher bis jetzt immer nur meine Hemden gehangen haben, *auf*hängen. Oder *er*hängen, beides ist richtig.« Und das«, sagt er, »wird morgen sein. Morgen ist der Tag. Oder ist: ›Morgen wird der Tag sein‹ besser?« »Beides ist gut«, sage ich. »Und ließe sich«, sagt Ilz, redet, fiebrig, pausenlos, »hören Sie, jetzt fällt mir aber etwas Wichtiges ein.« Eine außerordentlich wichtige Frage sei in seinem Kopf ganz plötzlich aufgetaucht, die er sofort stellen müsse. »Ließe sich«, fragt er, »im Deutschen vielleicht gleichfalls sagen: *Morgen war der Tag?* Herr Doktor«, sagt er, »*jutri je bil dan.* Auf Slowenisch kann man das nämlich sagen. Aber auf Deutsch?« Ilz sagt: Diese Frage muß von Ihnen außerordentlich gut überlegt sein. Es hängt von der Antwort sehr viel ab. Es hängt von dieser Antwort, ruft er, eigentlich alles ab. Deshalb stelle ich die Frage lieber noch einmal. Sie lautet so: In welchem Fall ist es in der philosophisch wie wirtschaftspolitisch so überaus wichtigen deutschen Sprache gleichfalls zulässig, zu erklären: *Morgen war der Tag?* Lieber Herr, ich erkläre ihm: Wenn Sie mir eine Geschichte, sagen wir: Ihre *Lebensgeschichte,* in kleinen Etappen erzählen und dabei an einen bestimmten Punkt kommen, können Sie von diesem Punkt aus sagen: Morgen *war* der Tag. »Aha«, sagt Ilz, »wenn im Leben der Punkt kommt. Wenn der Punkt kommt. Der Punkt.« Er sagt: Da kann man also in vielen, vielleicht in allen indoeuropäischen Sprachen sagen: Morgen etcetera. Erstaunlich. »Warum?« »Erstaunlich.« Ich: Aber so sagen Sie mir doch, Herr Ilz, warum das so erstaunlich ist. Und vor allem, Herr Ilz, beruhigen Sie sich doch! »Aber, Herr Doktor«, ruft Ilz, »ja merken Sie denn nichts? ja merken Sie denn gar nichts?« Und bleibt wieder stehen. Ich soll näher kommen. Ich gehe aber aus einer unbestimmten, wenn wahrscheinlich auch ganz unbegründeten Furcht nicht näher. Da faßt mich Ilz wie auf dem Revolutionsplatz wieder am Arm, stützt sich aber diesmal nicht auf mich, sondern zieht mich bloß näher, hält mich fest. Und als ich nahe genug bin: Die *consecutio temporum,* flüstert er mir ins Ohr. Und legt einen Finger auf den Mund. Und dann, unter Kopfschütteln, unter Pausen: Morgen. Punkt. War. Punkt. Der Tag. Präteritum, flüstert er, aber dann plötzlich das hier völlig unerwartete, logisch auch gar nicht erklärliche Futuraladverb. Ob ich das logisch gar nicht erklärliche Futuraladverb denn nicht bemerkt hätte. Es hieße ja, daß *morgen* der Tag *war.* Und das hieße, daß das Künftige von einem in der Sprache liegenden Punkt her (wieder Punkt, wieder Punkt!) immer schon präterital sei. Und daß dieser Punkt immer denkbar ist, *immer schon mitgedacht ist.* »Und auf die von der Sprache her immer schon mitgedachten Punkte kommt es für mich als Philologen an.« Es ließe sich daraus nur ein Schluß ziehen. »Soll ich den Schluß ziehen, Herr Doktor?« »Ja«, sage ich, »ziehen Sie den Schluß!« »Gut, da ziehe ich den Schluß jetzt also«, sagt Ilz. Und will den Schluß jetzt also ziehen, kann dann aber nicht. Und nicht nur den Schluß kann Ilz nicht ziehen, auch reden kann er, sei es, weil ihm der zum Reden nötige Gedanke, sei es, weil ihm die gleichfalls nötige Luft fehlt, nicht. Schließlich sagt er: Wie aus der Logik aller indogermanischen Sprachen hervorginge, sei die allgemein angenommene Zeitlinie, auf der wir uns bewegten und bei welcher es sich, wie jeder weiß, ja sowieso nur um eine Fiktion handle, »was ich nun bewiesen habe, oder nicht?« fragt er, »oder nicht?« Lieber Herr, aus Verkennung des inneren Sprachgesetzes sei die Linie *falsch gezogen.* Insofern die »innere Sprachstruktur ein ganz anderes Bild von der inneren Zeitstruktur« gäbe. Die Tatsache, daß man einen Satz, wie »Morgen war der Tag« *überhaupt äußern* kann, *seine syntaktische Möglichkeit* widerlege unsere Zeitvorstellung. Und auf diese

59

syntaktische Möglichkeit käme alles an. Und er macht ein paar Schritte, und bleibt wieder stehen, wirft die Haare aus der Stirn und sagt: Für mich als Philologen ist die syntaktische Möglichkeit, die in dem Satz: ›Morgen war der Tag!‹ liegt, der sprachlogische Beweis für meine Unendlichkeit. Lieber Herr, da erschrecke ich natürlich und bleibe, schreibt der Lektor, nun gleichfalls stehen. »Der Satz ist für Sie der Beweis für was?« frage ich. »Morgen«, flüstert Ilz, »war der Tag.« »Aber, Herr Ilz«, sage ich, »Sie werden sich auf Grund dieses angeblichen Beweises doch nicht aufhängen wollen? Keine vorschnellen Entschlüsse!«, rufe ich. »Alles überdenken! Benutzen Sie den Kopf, den Kopf! Besprechen Sie alles mit Freunden!« Nun hat Ilz aber, worauf er mich mit Recht aufmerksam macht, schreibt der Lektor, nachdem der eine sich schon umgebracht und der zweite geheiratet hat, keine Freunde mehr, mit denen er den Satz besprechen könnte. »Aber dann«, sagt er, »hänge ich mich ja auch nicht auf Grund dieses Satzes auf, sondern auf Grund von ganz anderen Unverständlichkeiten, oder muß ich Unzumutbarkeiten sagen, was ist besser?« Weiß auf Grund seiner Einsicht in die indoeuropäische Sprachlogik dann allerdings auch, daß er sich gar nicht aufhängen *kann*. Weil das Sichaufhängen, schreibt der Lektor, nicht auf der Zeitlinie liegt. Und greift wieder in seine Jackentasche, ein Griff ins Leere, lieber Herr. »Herr Ilz«, sage ich wieder. »Was suchen Sie?« Ilz fragt wieder: Was ich suche? Ich greife wieder nach seinem Arm und sage: Herr Ilz: Was Sie suchen, darüber müssen Sie sich völlig klar sein, ist ja gar nicht in Ihrer Tasche. »Herr Doktor«, sagt Ilz, »meinen Sie?« »Herr Ilz«, sage ich, »also nun ganz ehrlich: Was suchen Sie ihn Ihrer Tasche?« »Herr Doktor«, sagt Ilz, »was soll ich denn in meiner Tasche suchen?« »Geben Sie also zu, Herr Ilz«, sage ich, »daß es gar nicht in Ihrer Tasche sein kann?« »Bitteschön«, sagt Ilz, »wenn Sie so entschieden dieser Meinung sind.« Und nimmt seine Hand aus der Tasche heraus und vertraut sie nun mir an, so daß ich, lieber Herr, diesen feuchten, wahrscheinlich auch leicht angeschmutzten, aber noch erstaunlichen Gegenstand dann entgegennehme und längere Zeit stumm betrachte.

Sten Nadolny

Kopenhagen 1801

5. Kapitel des zu diesem Zeitpunkt noch unfertigen Romans »Die Entdeckung der Langsamkeit«

Das Buch schildert den Lebensweg einer historischen Figur, des englischen Seefahrers, Arktisforschers und späteren Gouverneurs einer Sträflingskolonie Sir John Franklin, der 1845 zu einer weiteren Expedition ins arktische Eis aufbrach und dabei mit Schiff und Mannschaft unterging. Der Roman soll, obwohl er auffindbare biographische Details respektiert, keine historische Biographie sein. Die extreme Langsamkeit der Hauptfigur ist von mir erfunden, ebenso alle Gedanken und Intimitäten, welche die historische Nachprüfung offen läßt. Das gilt auch für John Franklins Teilnahme an der Seeschlacht von Kopenhagen 1801. Erzählt wird durchweg bis auf wenige Ausnahmen aus der Sicht der Hauptfigur. Insofern ist es kein »historischer Roman«: Politik und strategische Betrachtungen spielen eine untergeordnete Rolle.

»Johns Augen und Ohren«, schrieb Dr. Orme an den Kapitän, »halten jeden Eindruck eigentümlich lang fest. Seine scheinbare Begriffsstutzigkeit und Trägheit ist nichts anderes als eine übergroße Sorgfalt des Gehirns gegenüber Einzelheiten aller Art. Seine große Geduld...« Den letzten Satzanfang strich er wieder.

»John ist ein zuverlässiger Rechner und versteht es, Hindernisse durch sonderbare Planungen zu überwinden.«

Die Kriegsmarine, dachte Dr. Orme, wird für John eine Qual werden. Das schrieb er aber nicht hin. Schließlich war die Kriegsmarine der Adressat.

John kennt kein Selbstmitleid, dachte er.

Aber er senkte die Feder nicht aufs Blatt, denn: von einem Lehrer bewundert zu werden, nützt selten, und schon gar nicht in der Kriegsmarine.

Wenn der Kapitän den Brief vor der Ausreise überhaupt noch las. John selbst war es, der unbedingt zur Kriegsmarine wollte. Und daß er zu langsam war, und daß er erst fünfzehn war...

»Unglück liegt nicht in der Luft«, dachte er, »es steckt in den Schuhen.« Dann knüllte er den Brief in den Papierkorb, stützte das Kinn und begann zu trauern.

Nachts lag John Franklin wach und wiederholte die allzu schnellen Vorgänge des Tages in seiner eigenen Geschwindigkeit. Das waren eine Menge. Sechshundert Mann in so einem Schiff! Und jeder hatte einen Namen und bewegte sich. Dann: die Fragen! Es konnten jederzeit Fragen kommen. Frage was für Dienst tun Sie: Antwort unteres Geschützdeck und Segelausbildung in Mr. Hales Abteilung.

Sir. Nie das »Sir« vergessen! Gefährlich!

Alle Mann achteraus zum Straf... Straf-voll-zug. Das mußte doch zu sprechen sein! Strafvollzug.

Alle Mann Segelsetzen.

Waffen empfangen.

Klar Schiff zum Gefecht, eine Sache des Überblicks.

Alles geladen, Sir. Ausfahren, Belegen.

Untere Batterie klar zum Gefecht. Und unbedingt alles, was kam, immer genau voraussehen!

Schreiben Sie den Mann auf, Mr. Franklin! Ay ay, Sir – Name – Schreiben – schnell!

Die rote Farbe der Innenräume soll Blutspritzer, soll Blutspritzer – verhindern! Unauffällig machen! Der gestreute Sand soll das Ausrutschen im Blut verhindern. Gehörte alles zum Gefecht. Lassen Sie backbrassen und so weiter, das saß...

Die besten Empfehlungen vom Kapitän. Sie möchten bitte unter Deck kommen, Sir.

Segel: Großroyal, Kreuzroyal, Vorroyal. Eins tiefer hakte es schon! Den Höhenwinkel von Nachtgestirnen konnte er feststellen, – den er gar nicht brauchte! So etwas wollte doch keiner wissen. Aber: welches Tau gehört wohin? Wo sitzt der Klüverbaum am Stampfstag oder umgekehrt? Wanten und Parduhnen, Falle und Schoten, dieser ganze unendliche Hanf, rätselhaft wie ein Spinngewebe. Er zurrte immer dort mit, wo schon andere zurrten, aber wenn es dann falsch war? Er war Midshipman, er galt als Offizier. Also nochmal: Großsegel, Großmarssegel, Großbramsegel…

»Ruhe da unten!« zischte der in der Koje über ihm. »Was soll das Geflüster in der Nacht!«

»Reffbändsel, Besangaffel«, flüsterte John.

»Sag das nochmal!« sagte der obere sehr ruhig.

»Vorstag, Stampfstock, Stampfstockgeien, Stampfstockstagen.«

»Ach so«, knurrte der andere.

Es ging auch mit geschlossenen Lippen. Nur auf die Bewegungen der Zunge konnte nicht verzichtet werden. Wenn er sich etwa vor Augen führte, wie man vom Fuß des Fockmastes über Vormars, Vor-Stengen-Eselshoofd und Vorbramsaling in den Vortopp gelangte und dabei immer außen um die Püttings herumkletterte, weil nur das als seemännisch galt.

Konnte er Fehler sehen? Konnte er sehen, woran es lag, wenn es nicht weiterging, weil die Fahrt aus dem Schiff war? Und was tat er, wenn ein Teil des laufenden Gutes unklar kam?

Er merkte sich auch alle Fragen, die bisher unbeantwortet waren. Es galt ja, sie genau im passenden Moment zu stellen, und deshalb mußten sie sitzen. Ein Gigsegel war was ganz besonderes, warum? Sie fuhren gegen die Dänen, warum nicht gegen die Franzosen? Er mußte auch all diejenigen Fragen sofort erkennen können, die ihm, John Franklin, gestellt werden konnten. Frage was für Dienst tun Sie oder Frage wie heißt Ihr Schiff, Midshipman, wie heißt der Kapitän! Wenn man nach der Eroberung von Kopenhagen an Land ging, da liefen Admiräle herum, vielleicht sogar Nelson selbst! Schiff Seiner Majestät »Polyphemus«, Sir. Kapitän Lawford, Sir. Vierundsechzig Kanonen. In Ordnung.

Ganze Flotten von Wörtern hatte er auswendig gelernt, und Batterien von Antworten, um sich zu rüsten. Beim Sagen wie beim Tun mußte er auf alles, was kam, schon vorbereitet sein. Wenn er erst kapieren mußte – das ging zu lang hin. Es war wie damals, als er die Äste des Baums von unten her auswendig gelernt hatte, um ihn blind und darum schnell besteigen zu können. Wenn eine Frage für ihn nur noch war wie ein Signal, und wenn er ohne Zögern das Geforderte hinausschnarrte wie ein Sittich, dann blieb die Beanstandung aus, die Antwort ging durch. Er schaffte es! Ein Schiff, vom Meer begrenzt, war lernbar. Zwar konnte er nicht das, was sie »laufen« nannten. Und dabei bestand der ganze Tag nur aus Laufen, Weiterlaufen und Befehle übermitteln, von einem Deck ins andere, – lauter enge Niedergänge! Aber er hatte sich alle Wege gemerkt, sogar aufgezeichnet und jede Nacht repetiert, die ganzen zwei Wochen über. Das lief sich von selbst, wenn keiner unvorhergesehen entgegenkam. Dann freilich half nichts, weiter ging's ohne feinere Steuerung, die Entschuldigungsformel war geübt. Bald hatten die anderen gelernt, daß sie besser auswichen. Die Offiziere lernten ungern.

»Sie müssen sich das so vorstellen«, hatte er vor drei Tagen mühsam zum fünften Leutnant gesagt, der ihm, Folge einer doppelten Rumration, sogar zuhörte, – »jeder Schiffsrumpf hat seine höchste Geschwindigkeit, die er nie überschreitet, was immer Sie takeln, bei jedem Wind. So ist das auch mit mir.«

»Sir. – Ich werde mit ›Sir‹ angeredet!« antwortete der Leutnant nicht ohne Wohlwollen.

Erklärungen hatten meist nur Befehle zur Folge. Am zweiten Tag hatte er einem anderen Leutnant dargestellt, alle raschen Bewegungen hinterließen für sein Auge einen Strich in der Landschaft. »Entern Sie auf in den Vortopp, Mr. Franklin! Und – ich möchte einen Strich in der Landschaft sehen!«

Inzwischen ging es besser. John streckte sich zufrieden in der Koje. Seefahrt war erlernbar. Was seine Augen und Ohren nicht konnten, das tat sein Kopf in der Nacht. Geistiger Drill glich die Langsamkeit aus.

Blieb nur die Schlacht. Die konnte er sich nicht vorstellen. Kurz entschlossen schlief er ein.

Durch den Sund war die Flotte hindurch. Bald war man in Kopenhagen. Wir zeigen es ihnen!« sagte ein gestandener Mann mit hohem Schädel. John verstand den Wortlaut gut, da er mehrmals wiederholt wurde. Zu ihm sagte derselbe Mann: »Los, feuern Sie die Leute an!« Da war etwas mit dem Großmarssegel, man war im Verzug. Es fiel der wichtige Satz: »Was soll Nelson denken?« Beide Sätze merkte er sich für die Nacht, ferner schwierige Vokabeln wie Kattegat, Skagerak, Farbenschapp und Kabelgatt. Nach Empfang der Rumration erfuhr er auf eine sorgfältig gestellte Frage, daß die Dänen seit Wochen dabei seien, Kopenhagens Küstenbefestigungen zu verstärken und Verteidigungsschiffe auszurüsten. »Oder glaubst du, die warten, bis wir an der Ratssitzung teilnehmen?« John verstand das nicht gleich, aber er hatte sich angewöhnt, alle Antworten, die in Frageform gegeben wurden und in hoher Tonlage endeten, mit der automatischen Erwiderung »Natürlich nicht!« zu quittieren, was den Gegenfrager augenblicklich zufriedenstellte.

Nachmittags waren sie da. Nachts oder morgen in der Frühe würde man die Batterien und Schiffe der Dänen angreifen. Nelson kam heute vielleicht noch aufs Schiff und sah sich alles an. Und was sollte er denken! So ging der Tag hektisch zuende, mit viel Geschrei, flachem Atem und angehauenen Knöcheln, aber ohne Angst und Zorn. John hatte das Gefühl, mithalten zu können, denn er wußte stets, was kommen konnte. Eine Antwort war ja oder nein, ein Befehl führte nach oben oder nach unten, eine Person war »Sir« oder nicht »Sir«, sein Kopf prallte gegen laufendes oder stehendes Gut. All das befriedigte durchaus. Ein neues, schwieriges Wort war einzuüben: »Trekroner«. Das war die stärkste Küstenbatterie vor Kopenhagen. Wenn die anfing, so hörte er sagen, dann fing die Schlacht an.

Nelson kam nicht mehr. Das untere Geschützdeck war klar, die Herdfeuer gelöscht, der Sand gestreut, und alle Mann dort, wo die Rolle sie hinordnete. Einer, direkt am Rohr, fletschte dauernd die Zähne. Ein anderer, der Kugelschieber, öffnete und schloß vielleicht hundertmal die Hand und besah jedesmal prüfend die Fingernägel. Mittschiffs schreckte einer hoch und rief: »Ein Zeichen!«, so daß die Köpfe zu ihm herumfuhren. Er zeigte nach achtern, aber da war nichts. Niemand sagte ein Wort. Und John hatte, während die Erfahrenen fieberten oder erstarrten, einen der Augenblicke, die ihm gehörten, denn er konnte die schnellen Vorgänge und Laute ignorieren und sich solchen Veränderungen zuwenden, die für andere, ihrer Gemächlichkeit wegen, kaum noch wahrnehmbar waren. Während man auf den Morgen und die Kanonen des Trekroner zuschlich, genoß er die Bewegung des Mondes und die Verwandlungen der Wolken am fast windstillen Nachthimmel. Unverwandt sah er durch die Stückpforte, sein Atem wurde tief. Er sah sich als ein Stück Meer. Erinnerungen begannen vorbeizutreiben, Bilder, die langsamer wanderten als er selbst. Eine Gemeinde von Schiffsmasten sah er, die eng zusammenstanden, und dahinter die Stadt London. Immer wenn Schiffe so nah und ruhig versammelt waren, gehörte eine Stadt dazu. Viele hundert Takelagen hingen wie eine langgestreckte, gekritzelte Wolke über den Ufergebäuden. Auf der London Bridge drängten sich die Häuser, als wollten sie partout ins Wasser und dabei sein, zögerten nur im letzten Moment. Ab und zu fiel wirklich ein Haus von der Brücke herab, immer wenn man nicht hinsah. Ganz andere Gesichter hatten die Häuser in London als zuhaus im Dorf. Hochtrabend, unwirsch, oft protzig, manchmal wie tot. Einen Brand hatte er auch gesehen, in den Docks, und eine Dame, die sich aus einem Laden fast alle Kleider zur Prüfung ans Kutschfenster bringen ließ, denn sie wollte nicht mit den Schuhen in den Dreck. Der Kaufmann hatte noch andere Kunden, aber er blieb ungerührt am Wagenschlag und beantwortete alle Fragen ganz freundlich. Er war so ruhig, daß John ihn als Bundesgenossen ansah, obwohl er deutlich witterte: dieser Mensch war schnell. Es gab eine Art Kaufmannsgeduld, die war angenehm, aber nicht mit seiner verwandt. In der Kutsche saß noch ein Mädchen. Weißarmige, magere, etwas verlegene, rothaarige englische Mädchen waren einer der acht oder zehn Gründe, weshalb es sich lohnte, die Augen offen zu halten.

Thomas hatte ihn weggezogen nach Art aller älteren Brüder, die sich um jüngere kümmern müssen und vor Ungeduld einen Haß bekommen. Den Dreispitz hatten sie gekauft, den blauen Rock, die Schnallenschuhe, die Seekiste, den Dolch. Ein Volontär erster Klasse hatte sich selbst einzukleiden. Als sie das Denkmal auf dem Fishstreet Hill bestiegen, zählte er dreihundertfünfundvierzig Stufen. Ein kalter Frühling, überall roch es nach Kohlenrauch. In der Ferne sah man Schlösser, die sich an grüne Parks klammerten, als brauchten sie besonders viel Luft. Einen Epileptiker betrachtete er, der entweder mit der Stirn schlug oder weit weg starrte. Wegelagerer solle es geben, hörte er, aber in Tyborn stehe ein Galgen. Als Midshipman, sagte der ältere Bruder, habe man sich wie ein Gentleman zu benehmen. Auf dem Markt sahen sie dann noch einen Streit um einen Fisch. Dieser Fisch war vielleicht künstlich aufgeblasen worden, vielleicht aber auch nicht.

Von überall her sah man die Masten der Schiffe mindestens ab den Bramrahen aufwärts. Die tausend Kamine der Stadt waren alle eins tiefer. Daß Schiffe sich mithilfe des Windes nach wohlüberlegten Plänen über das Meer bewegen konnten, war kaum zu begreifen, auch wenn man Robertson's Navigation auswendig konnte. Segeln war etwas Königliches, und die Schiffe sahen auch so aus. Er wußte ja, was dazu gehörte, um die ganze Leinwand zum Stehen zu bringen. Vorher mußte man die Schiffe bauen, das ganze gebogene, versplintete und verschraubte Holz, sorgsam gerieben und kalfatert und gelabsalbt, exakt bemalt, oft beschlagen mit Kupferteilen. Die große Ehrwürdigkeit eines Schiffs kam von den vielen Stoffen und Verrichtungen, die zu seinem Bau nötig waren.

Bumm!

Das war der Trekroner, und die Schlacht!

Benehmen wie ein Gentleman! Beim Geschütz so wenig wie möglich im Weg stehen. Vom Batteriedeck zum Achterdeck rennen und zurück. Befehle möglichst sofort verstehen oder, wenn nicht möglich, energisch Wiederholung erbitten. »Hört mal, Männer«, rief der Offizier mit dem hohen Schädel, »sterbt nicht für euer Vaterland.« Pause. »Sorgt dafür, daß die Dänen für das ihre sterben!« Schrilles Gelächter, ja, das war Anfeuern! Im übrigen wurde die Schlacht wohl recht schwer. Der Trekroner und die anderen Geschütze trafen in einem fort. Für einen, der immer etwas spät reagiert, geht bei solchen Stößen jeder Halt verloren. Am schlimmsten waren die eigenen Breitseiten. Das Schiff schien jedesmal einen Satz zu machen. Die gute Ordnung ging weiter, wie er sie gelernt hatte. Nur war ihr Zweck jetzt, dem Gegner das Chaos zu schicken, und das kam wieder zurück, mit jener Plötzlichkeit, die John nicht liebte. Von einem Augenblick zum anderen trug die schwarze Kanone an der Seite einen widerwärtig gleißenden tiefen Kratzer, fast eine Furche, wie von einem ausgerutschten maßlos kräftigen Werkzeug. Das ekelhafte Schillern dieser Metallwunde prägte sich tief ein. Im Moment stand niemand mehr aufrecht. Wer konnte denn noch aufstehen? Die Handgriffe waren eingelernt, jetzt stockte die Zuarbeit, denn die Hälfte war nicht mehr dabei. Dann das Blut. So viel davon schwimmen zu sehen machte besorgt. Schließlich fehlte es ja irgend jemandem, es lief aus den Menschen heraus, überall. »Keine Betrachtungen! Ans Rohr!« Das war der, der vorhin »ein Zeichen« gerufen hatte. Plötzlich war die Stückpforte viel weiter geöffnet als je zuvor. Das dort fehlende Holz bedeckte mittschiffs mehrere Körper. Wem gehörten die?

An Deck erfuhr er, drei von zwölf Schiffen säßen auf Grund, die »Polyphemus« aber nicht. An der Seite eines anderen Schiffs ganz in der Nähe quoll weißer Rauch auf. Das Bild blieb in Johns Auge stehen. Auf der »Polyphemus« fuhr vielerlei zerrissenes Holz blitzschnell über das Deck, dabei kreisend und mähend. Mit Bekümmerung sah John, wie selbst die sonst so ruhigen Offiziere, die niemals auszuweichen brauchten, ganz würdelos beiseite sprangen. Natürlich handelten sie richtig. Es blieb eine entwürdigende Bewegung. Er überbrachte die Meldungen.

Jetzt sahen alle Niedergänge ganz anders aus. Hindernisse standen aus der Wand, Balken lösten sich von oben und pendelten in Höhe seiner Stirn. Da er weder ausweichen konnte noch stehenblieb, empfing er von dem splitternden Schiff Kratzer, Stiche und Beulen, die ihn nach der Schlacht aussehen lassen sollten wie einen Helden. Er versuchte sich jederzeit zu benehmen wie ein Gentleman. Ein Auge konnte man leicht verlieren, Nelson hatte auch nur eins. Was dachte Nelson jetzt? Er stand irgendwo auf dem Achterdeck des »Elephant«. Nelson würde immer alles erfahren.

Die Pumpen waren zu hören, vielleicht brannte es? Oder machte das Schiff Wasser? An Deck taumelten die Leute herum wie betrunken. Der Kapitän saß auf einer Kanone und rief: »Laßt uns alle zusammen sterben!« Vorher hatte es ja anders geheißen. Neben dem Kapitän fehlte plötzlich der Kopf eines Zuhörers, und damit der Zuhörer selbst. John wurde unglücklich. Er geriet bei allen schnellen Veränderungen in Verwirrung, seien es Sitzordnungen, Verhaltensweisen oder Koordinatensysteme. Das ständige Fehlen von immer neuen Leuten war schwer auszuhalten. Er empfand es zudem als tiefe Erniedrigung für einen Kopf, wenn er als Folge der Handlungen ganz anderer Menschen so ohne Vorrede seinen Körper einbüßte. Es war eine Niederlage und nicht etwa eine Ehre. Ein Körper ohne Kopf, was für ein trauriger, ja lächerlicher Anblick!

Als er wieder im Geschützdeck war, gab es jäh eine scharfe Helligkeit und großes Getöse: ein Schiff in der Nähe war explodiert. Er hörte »Hurra«, dazwischen immer wieder einen Schiffsnamen. Mitten im Hurra aber kamen ein durchdringendes Knarren und Krächzen und ein Stoß: ein dänisches Schiff legte sich längsseits. Und durch die zerrissene Stückpforte sprang einer herein.

John fing das Bild eines hellen, fremden Stiefels auf, der plötzlich hereinfuhr und Halt fand, eine schnelle, bedrohliche Bewegung, über der John, weil das Bild in ihm stehenblieb, alle weiteren Vorgänge nicht sofort erfaßte. Sein Kopf dachte automatisch »Wir zeigen es ihnen!«, denn dies war die Situation, an die er gedacht hatte, als er dem Satz zum erstenmal begegnet war. Das nächste, was er sah, war der geöffnete Mund eben dieses Mannes und seine, Johns, Daumen an dessen Hals. Irgendein Zufall hatte den anderen zum Unterliegen gebracht, jetzt konnte er ihn fassen, er! John war durch sein Klettern sehr, fast übermäßig kräftig. Wenn er einen gepackt hatte, gab es kein Entkommen. Nun sah John an der unteren Peripherie seines Blicks die Pistole auftauchen. Das lähmte sofort. Er sah gar nicht hin, behielt lieber seine starken Daumen im Auge, als könnte er ihnen damit den Sieg über die Pistole erzwingen, die sich, nicht zu leugnen, auf seine Brust richtete. Im Kopf begann sich eine einzige Sorge gegen alle anderen durchzusetzen, sie wuchs und wuchs. Sie hielt keinerlei Grenzen ein, sie explodierte: der konnte sofort abdrücken und ihn töten, daß er sterben mußte oder langsam brandig zugrunde ging! Das war jetzt da, kein Ausweichen möglich. Es stand bevor und war nicht abzuwandeln. Ganz klar fühlte John plötzlich, wo sein Herz saß, wie jeder, der weiß, daß der Tod perfekte Sache ist. Warum konnte er jetzt nicht die Pistole wegschlagen oder sich zur Seite werfen? Unerfindlich, er konnte nicht! Er hatte den an der Kehle und dachte nur wie versteinert, daß einer, der erstickt ist, keine Pistole mehr abfeuert. Daß aber einer, der noch nicht erstickt ist, sondern am Ersticken, weil ihn ein anderer würgt, die Pistole erst recht abfeuert, solange er noch kann, ja, das wollte John vielleicht denken, konnte aber nicht, denn hier spielte sein Gehirn bereits tot. Lebendig blieb nur die Vorstellung, durch fortgesetztes äußerstes Würgen jener Kehle die Gefahr zu bannen. Der andere schoß immer noch nicht.

Es war ein Mann, für einen Soldaten alt, bestimmt über vierzig. John hatte noch nie auf jemandem gekniet, noch nie auf jemanden heruntergesehen, der sein Vater hätte sein können. Die Kehle war warm, die Haut weich. John hatte noch nie einen so lange angefaßt. Jetzt war das Chaos wirklich da, die Schlacht war innerhalb seines Kopfes. Denn die Nerven, die zu seinen Fingern gehörten, fühlten während des Zudrückens ein Entsetzen über diese Wärme und Weichheit. Sie fühlten, wie die Kehle – schnurrte!! Sie vibrierte, zart und elend, ein tief elendes Schnurren! Die Hände waren entsetzt, aber der Kopf, der die Erniedrigung des Getötetwerdens fürchtete, dieser Verräterkopf, der dabei noch falsch dachte, er tat, als verstünde er nichts.

Die Pistole fiel herunter, die Beine hörten auf zu treten, der Mann rührte sich nicht mehr. Schußwunde an der Schulter, helles Blut. Die Pistole war nicht geladen! Hatte der Däne nicht noch irgend etwas gesagt, hatte er sich ergeben? John saß da und starrte dem Toten auf die Kehle. Gefürchtet hatte er die Erniedrigung des gewaltsamen Todes. Aber selber einen Organismus zu zerdrücken, verspätungshalber, weil seine Angst nicht schnell genug gewichen war, das hieß fast mehr als den Kopf verlieren. Es war eine Demütigung, eine Ohnmacht, und niederschmetternder als die andere. Jetzt, da er überlebt hatte und sein Kopf wieder alle Gedanken zulassen mußte, ging die Schlacht im Inneren weiter, Hände, Muskeln und Nerven rebellierten.

»Ich habe den umgebracht«, sagte John und bebte. Der Mann mit dem hohen Schädel sah ihn aus müden Augen an. Er blieb unbeeindruckt. »Ich konnte nicht aufhören, zuzudrücken«, sagte John. »Ich war für das Aufhören zu langsam.«

»Schluß!« antwortete der Hochschädel heiser, »die Schlacht ist vorbei.« John zitterte immer mehr, aus dem Zittern wurde ein Schütteln, seine Muskeln zogen sich an wechselnden Stellen zusammen und bildeten schmerzende Inseln, als wollten sie damit das Innere panzern oder etwas Fremdes herauspressen mitten durch die Haut. »Die Schlacht ist vorbei!« rief der, welcher vorhin das Zeichen gesehen hatte. »Wir haben es denen gezeigt!«

Sie steckten neue Bojen aus. Die Dänen hatten alle Markierungen des Wasserwegs entfernt, damit die englischen Schiffe auf Grund liefen. Langsam rückte das Boot, ganz in der Nähe des zerschossenen und geborstenen Trekroner, am Rand einer Untiefe vor. John saß teilnahmslos auf der Ducht und starrte zum Land. Langsamkeit ist tödlich, dachte er. Wenn für andere, dann um so schlimmer.

Er wollte ein Stück Küste sein, ein Uferfelsen, dessen Handlungen immer genau seiner wirklichen Geschwindigkeit entsprachen, nämlich gar keiner! – Ein Ausruf ließ ihn nach unten blicken: im klaren, flachen Wasser lagen zahllose Erschlagene auf dem Grund, etliche mit blauen Röcken, viele mit geöffneten Augen nach oben sehend. Schrecken? Nein. Natürlich lagen die da.

Er selbst gehörte ja dazu, stehengebliebenes Uhrwerk, das er war. Weit mehr gehörte er zu jenen als zu den Bootsgasten. Schade nur um die viele Arbeit. Er glaubte einen Befehl zu hören, verstand ihn aber nicht. Kein Mensch verstand nach diesem Kanonendonner einen Befehl. Er wollte um Wiederholung bitten, glaubte aber dann doch zu verstehen. Er richtete sich auf, stand auf, schloß die Augen und fiel um, ganz allmählich wie eine zu steil gestellte Leiter. Als er im Wasser war, fand sich ganz ungebeten die Frage ein: was wird Nelson denken? Der Verräterkopf war auch hier zu langsam, er wollte von der Frage nicht ablassen. So fischten die anderen ihn wieder heraus, bevor er überlegen konnte, wie man ertrank.

Nachts betete John in seiner Koje sämtliche Segel von der Fock bis zum Kreuzroyal an die hundert Mal vor und zurück. Er sagte vom Vorroyalstag bis zu den Kreuzroyal-Parduhnen das stehende und von der Besanbaumschot bis zur Fockroyalbrass das laufende Gut auf. Er beschwor alle Rahen von Kreuztopp bis Vortopp. Er machte Klarschiff mit allen Stengen, allen

Decks, Quartieren, Dienstgraden – nur er selbst war unentwirrbar unklar gekommen und blieb es lange Zeit.

»Ich vermute«, sagte Dr. Orme, als sie sich wiedersahen, »daß du über seinen Tod – traurig bist.« Recht langsam sagte er das. John brauchte Zeit zum Verstehen, dann begann sein Kinn zu zittern. Wenn John Franklin weinte, dann dauerte das einen Augenblick, und seine Augenblicke waren etwas länger. Er heulte, bis es ihm in der Nase und in den Fingerspitzen kribbelte.

»Du liebst doch das Meer«, begann Dr. Orme wieder. »Das muß nichts mit Krieg zu tun haben.«

John hörte auf zu weinen, weil er nachdachte. Er studierte dabei seinen rechten Schuh. Sein Auge folgte unablässig dem schillernden Viereck der großen Schnalle: oben nach rechts, Seite nach unten, unten nach links, Seite nach oben, und kehrte mehr als zehnmal zum Ausgangspunkt zurück. Dann heftete er den Blick auf Dr. Ormes flaches Schuhwerk, das keine Lasche und keine Schnalle trug, sondern den Spann freiließ und vorn mit einer Schleife besetzt war. Schließlich sagte er: »Mit dem Krieg, da habe ich mich geirrt.«

»Wir haben Frieden«, sagte Dr. Orme. »Es wird keine Schlachten mehr geben.«

Urs Jaeggi

Ruth

Aus dem Roman »Grundrisse«

Über den Roman: Albert Knie ist Architekt, Stadtplaner, um die Vierzig, in Berlin heute. Statt ins Büro geht er eines Morgens in die Stadt, er sitzt mit den betrunkenen Pennern im Park, er beginnt, seine Tage wie ziellos zu verbringen, er geht mitten am Nachmittag mit seiner Tochter Ruth ins Kino, er arbeitet gelegentlich als Hilfsarbeiter, er zieht um in eine baufällige Wohnung.
Die jahrzehntealten Gewohnheiten, auf denen Alberts Existenz ruhte, verflüchtigen sich. Mit ihnen löst sich auf, was den Sinn bisher ausmachte. Nur die lauten und lautlosen Auseinandersetzungen zwischen Ursula und Albert dauern noch an.

Spät nachts hört Albert ein Klingeln; es wiederholt sich, als er den Hörer nicht abnimmt. Am Telefon meldet sich dann niemand. Ein Knacken. Albert legt den Hörer neben den Apparat und wählt, um den Summton abzustellen, eine drei, die erste Zahl seiner Rufnummer. Ruth hat sich aufgerichtet im Bett, mit offenen Augen, obwohl sie nicht wirklich wach wurde. Sie hatten einen großen Teil der Nacht miteinander geredet. Bleib noch an meinem Bett sitzen, hatte Ruth jedesmal gesagt, wenn er aufstehen wollte, um an den Schreibtisch zurückzugehen. Es ist gemütlich. Zusammen in einem Zimmer. Zum ersten Mal war Ruth über Nacht in der Charlottenburger Wohnung geblieben. Hat alles in seinem Zimmer durchstöbert, in seinen Zeichnungen und Notizen gewühlt und selbst einen Zettel geschrieben: *Pipo liebt sich. Aber Pipo ist wirklich lieb.*
Die Botschaft berührte ihn peinlich. Ruth beugte sich über ihn, kitzelte sein Gesicht mit einer Haarsträhne. »Du mußt

73

nicht alles ernst nehmen. Ich mein' ja bloß, weil du alle deine Zeichnungen und Notizen so sorgfältig aufbewahrst.« Sie sah blaß aus, überanstrengt, aber die Weichheit und Regelmäßigkeit ihres Gesichtes blieben unzerstört. Eine Tochter. Ein Kind. Während er das Abendessen vorbereitet hatte, eine Pizza und einen gemischten Salat, den sie nicht aß, redete Ruth unaufhörlich auf ihn ein. Gut geht es dir, sagte sie. Du machst, was du willst. Du tust etwas, aber das, was du tust, macht dir Spaß. Ich *muß* in die Schule, bin einem Frühruin ausgesetzt, aus dem es kein Entkommen gibt.

Offensichtlich war etwas im Gange. Ruth musterte ihn gründlich, Vernichtungswut in den Augen. Wieder die alten Sprüche. SCHULE ALS GEFÄNGNIS. Schule als langjähriger, gräßlich inszenierter Hinrichtungsvorgang. »Ich halt's nicht mehr aus, es kotzt mich an. Warum, warum muß ich in die Schule?«

Ruth lag zusammengekrümmt im Bett. Unruhig. Sie war nackt unter die Decke gekrochen. Gegen drei Uhr morgens, als ich noch immer nicht schlief, stand sie auf, um das Fenster zu öffnen. Mir ist zu heiß, sagte sie, ohne richtig wach zu werden. Sie legte, während ich noch am Schreibtisch saß, von hinten kurz ihren Arm um meinen Hals. Was machst du um diese Zeit, eigentlich gehört jetzt jeder für ein paar Stunden in die Decken. Ihr Weghüpfen.

Ich war glücklich darüber; Ruth suchte mein Gespräch. Sie dehnte das Sprechen aus, bis in den Schlaf hinein, und noch während sie schlief, schien sie weiterzureden. Wenn du ein Lehrer wärst, hatte sie vor dem endgültigen Einschlafen gesagt, ich weiß nicht. Entweder wärst du auch so stur wie die anderen, oder ein Weicher, einer, den wir nicht ernst nehmen, eine Art nette Vogelscheuche. Lehrer sind einfach unmöglich. Sie tun mir *leid*.

Allein die Worte Lehrer oder Schule schienen ihr immer wieder die Luft zu nehmen und neuen Haß zu wecken. Sei froh, mit dieser Anstalt nichts zu tun zu haben. Ich hab dich lieb, so wie du bist, genau so.

Nachher setzte sie sich für eine Weile an den Schreibtisch. Sie kritzelte, wie sie es häufig tat, einen Brief. »Sehr geehrter Herr

Knie«, las ich, »leider muß ich Ihnen mitteilen, daß Ihre Tochter Ruth in der heutigen Mathestunde starb. Mit Zustimmung aller Kollegen habe ich sie erschossen. Die Begräbniskosten übernimmt die Schule. Mit vorzüglicher Hochachtung. Der Klassenlehrer.«

In meinem Zimmer brannte jetzt nur noch eine mit einem alten handgestickten Vorhang überdeckte Japanlampe. Ursula hat mir eine Negermaske geschenkt, obwohl sie weiß, daß ich Negermasken nicht mag. Diese wirst du mögen, hatte sie gesagt. Unter der wuchtigen Stirn, die sich nach innen wölbte, sah man in zwei kreisrunde Augenhöhlen, die suggestiv in den Raum griffen. Ein fragendes, schmerzhaft schönes Gesicht, das jetzt, in meinem Zimmer, genau auf der Höhe des in den Raum hineingestellten Büchergestells, hängt. Das aus schwarzen Schnüren gebastelte Haar fällt links und rechts über das oberste Regal. Auf dem von W. Lebenow entworfenen Situationsplan von Berlin, erstellt 1888, der daneben aufgespannt ist, klebt eine von mir gezeichnete Skizze von Ruth.

Ruth in Schwarz und in Weiß. Er hält sorgsam Wache über ihren Schlaf, spürt Wärme, Vertrautheit und das Anderssein, die Distanz. Ihr Entgleiten. Sie setzt sich in den letzten Monaten auf eine ganz natürliche Weise ab, fängt an, sich ihr Leben vorzustellen, als eigenes, selbstgewähltes. Langsames Abkoppeln mit selbstgefundenen Winkeln, Nischen und Geheimnissen.

Ein langer Abschied, hätte er gesagt, obwohl ihn die Assoziation, die dieser Satz in ihm weckte, ärgerte. Es fällt ihm keine bessere Umschreibung ein – *ein langer Abschied.*

Ich hatte den Wecker gestellt, um Ruth rechtzeitig für die Schule wach zu bekommen. Unter dem Tisch und über den Stühlen verstreut ihre Kleidungsstücke, die sie jetzt, mürrisch verschlafen, zusammentrug und langsam anzog. Ruth ist erwachsen, eine Frau, obwohl das altersmäßig nicht stimmt. Sie war ein Kind, *mußte* ein Kind sein. Dreizehnjährig gab es mich fast nur als Fußball- und Lesesüchtigen. Fußballspielend tobte ich mich auf dem Pausenfeld unseres Schulhofes voll aus; gewinnen, die andere Partei schlagen, aber darum allein ging es nicht. Herumrennen, Einsatz bis zur körperlichen Totalerschöpfung und daneben das Sicheingraben in Texte, ferne und fremde Gedanken, das Sichverlieren in dem, was man um sich herum spürte.

Ruth war kein Kind mehr –

Sie sah weder Ursula noch mir in einer augenfälligen Weise ähnlich, und doch sagte ich zwischendurch immer wieder: Mein Kind. Unser Kind. Ruths Gesicht, als sie, unendlich langsam und noch in den Schlaf befangen anfing, die notwendigen Morgenrituale auszuführen, naß, das Kinn weiß von Zahnpasta. Mir war flau. Ich freute mich auf den Kaffee und trieb Ruth zur Eile. Nach einer Weile, als ich sämtliche Fenster weit aufgerissen hatte, kroch sie langsam aus sich heraus, bewegte sich flink durchs Zimmer, suchte Hefte und Bücher zusammen, um sie wütend in ihre Tasche zu stopfen. Ein in Tücher, viel zu weite Pullover, Hemden und Pluderhosen eingewickeltes Wesen. Auf der aus Armeebeständen stammenden Khakihose, die unten von der Fahrradkette an mehreren Stellen aufgerissen war, hatte sie mit bunten Filzstiften Sterne, Peace-Embleme und Parolen gekritzelt.

ENERGIA NUKLEARE – NO GRAZIE

Ruth sagt: Ich darf jetzt im Geo-Unterricht über Folterungen in einem lateinamerikanischen Land einen Kurzvortrag halten. Freut mich, sagt sie. Gut. Aber eigentlich hätte dies die Lehrerin machen müssen... Bei mir hören die uninteressierten Schüler weg. *Natürlich, die Ruth.* Man wird mir nicht glauben!

Munter und ein wenig beleidigt schaute sie mich an. Nervöses Trommeln auf meinem Arbeitstisch. Verbuch es als Erfolg, trotzdem, sage ich, die Klassenlehrerin scheint eure kleine Gruppe ernst zu nehmen. – Ja, wenn ich wenigstens einen Film zeigen könnte, Bilder, damit sie das Elend sehen müssen, aber so.

Nachher schwenkt ihr Gespräch noch einmal, wie am Vorabend, auf die Demonstration gegen das Energieprogramm und den Nachrüstungsbeschluß der SPD auf dem Bundesparteitag ein. Ruth zittert, auch äußerlich, wenn sie ihre Argumente vorbringt. Als Radikale, überzeugt und konsequent, hat sie eine Vorstellung von Erlösung, vom Ganzen, vom Richtigen. Ich kann es deutlicher nicht sagen, es nützt auch nichts, wenn ich sie an das Erreichte zu erinnern versuche. Eure Argumente finden immer mehr kompetente Vertreter, sage ich, immer mehr Anhänger, die eure Sorgen und Ängste teilen. Geduld!

Geduld! Ruths Gesicht versteinert; nicht das geringste Zeichen von Zustimmung. Kein Wort. Keine Bewegung.

Natürlich liebe ich sie –

Stille draußen, Stille im ganzen Haus. Ruth und ich hatten ausgemacht, beim Bäcker Mohnbrötchen zu kaufen und im WIRTSHAUS nebenan, das rund um die Uhr offen hat, einen Kaffee zu trinken. Aus dem Küchenfenster heraus sehe ich, wie auf dem Balkon gegenüber eine Frau in einem schwarzen Morgenmantel Kniebeugen macht. Ich zähle bis auf vierunddreißig. Nachher blickt die Frau, die Arme auf die Brüstung gestützt, interesselos in den Hof. Im Briefkasten, der sonst meist leer ist, weil alle wissen, daß ich Einwurfsendungen nicht herausnehme, lag heute morgen ein Brief. Ruth hat geschwänzt und ihr Schwänzen auf Befragen der Klassenlehrerin sofort zugegeben.

Keine Verlogenheit mehr, sagt Ruth. Keine Lügen. Du wirst verstehen, sagt Ruth, ich muß mir ab und zu ein paar Stunden freinehmen. An diesem Tag *konnte* ich die beiden letzten Stunden nicht mehr aushalten, es ging nicht.

Ruth büffelte an den Nachmittagen, zusammen mit ihrer Freundin, türkische Vokabeln. *Cezm lâtin rekamlarinin kücülülmüs...*

»Ich weiß nicht, ob unsere Aussprache richtig ist, wir werden es lernen.«

Auf der Straße lag eine dünne Schicht Schnee, noch weiß. Die ersten Autos zogen schwarze, regelmäßige Spuren. Ich hatte Ruth zur S-Bahn gebracht. Sie winkte mir, als der Zug losfuhr. Ihr Anblick so erbarmungswürdig, daß ich ihr am liebsten zugerufen hätte, sie solle wieder aussteigen. Das Gesicht hinter dem Fenster, mir zugekehrt, zeigte eine eigentümliche Verachtung. Ich blieb noch eine Weile stehen, dann trank ich auf dem Bahnsteig neben einem kaputten Typen, der mich um einen Schnaps anbettelte, meinen fünften Kaffee. Der andere, das Hemd voller Flecken, die Knöpfe ausgerissen, brütete, als ich für uns beide bestellt hatte, stumpf vor seinem Bier und dem Schnaps. Ich war über das Schweigen froh. Selbst bei Ruth überkam mich manchmal das Bedürfnis, ihre Nähe wegzudrängen, den Berührungen auszuweichen, obgleich es seit langem keinen Zweifel gab: Mit niemandem war ich lieber zusammen als mit ihr.

Auf dem Weg zurück in die Wohnung blieb ich vor einer Schule stehen. Aus einem offenen Fenster kreischten hohe und tiefe Stimmen. Ruth und ich hatten uns verspätet, es war jetzt schon zehn Uhr. Du brauchst mir keine Entschuldigung zu schreiben, hatte sie gesagt. Ich mach das schon.

BONN FORDERT ENDE DES KRIEGES IN AFGHANISTAN, las ich am Kiosk. Ein Mann rempelte mich beim Weitergehen an, ohne sich zu entschuldigen. Ich reagierte nicht, rief ihm auch nichts nach. Mein Fuß stieß, als ich schnell, fast eine Flucht, weiterging, an einen Pflastersteinhügel. Ein merkwürdiges Gelüst, einen Stein zu nehmen und Richtung Schule zu werfen, ergriff mich mit aller Gewalt, aber die Angst, mit meinem Wurf ein Schulkind zu treffen, hielt mich zurück. Planlos ging ich weiter, ging eine Weile, um zu gehen, einfach die Bewegung und das Hängenbleiben der Augen in den vielen Brandmauern, an denen ich vorbeikam. In den Tapetenfetzen und Farbflecken konnte man ablesen, wie vorher, in der jetzigen Leere, Leute gewohnt hatten. Neben den Müllcontainern zertrampelte Kisten, Konservenbüchsen, Flaschenscherben, Eierschalen, ausgelaugte Teeblätter und zerfetzte Zeitungen. In manche Parterre-Wohnung, die als Büroraum oder Kindertagesstätte diente, konnte man hineinsehen. Ich sah, wie auch die älteren Kinder meist herumkrochen und nicht standen oder gingen.

Beim Betreten eines Hinterhofes kam mir ein Revierpolizist entgegen, dick und seltsam unförmig, mit aufgeschwemmtem Gesicht und einem Lächeln in seinen Lippen. Wir nickten einander zu. Bullen sind wie Lehrer, sagt Ruth. Sie stehen auf der anderen Seite, da können sie so freundlich und zuvorkommend sein, wie sie wollen.

DER KOB HAT NICHTS IM KOPP

Meine Erschöpfung und Erkältung. Ich setzte mich im Schloßpark eine Weile auf eine Bank. In großen dicken Blasen schoß Schleim aus der Nase; ich spürte, als der Hustenanfall nachließ, einen angenehmen Schwindel. Eine alte Frau mit Hängebacken und scharfen Falten am Hals setzte sich neben mich. Das Haar schütter, die Augen ausgelaugt, verschwommen hinter gewaltigen Tränensäcken. Ich hab's satt, ich mach nicht mehr mit, sagte sie vor sich hin, ohne eine Antwort zu erwarten. Sie kraulte pausenlos einen kleinen Hund. All die Leute, die lachen und ihr Lachen nach einer Weile stehen lassen, aus Gewohnheit und weil sie nicht wissen, wie in dieser Verlängerung eine Geste ein eben noch hübsches Gesicht, das gar nicht besonders hübsch zu sein braucht, wieder verschließt, weil das stehengelassene Lachen für niemanden mehr bestimmt ist.

Mein Hals schmerzte wie nach einem Krampf. Langsam ließ ich ein paar Mal meinen Kopf rotieren, stand auf und ging, wieder hustend, einige Male im Kreis um die Bank herum. Im WIRTSHAUS wartete ich, im *Tagesspiegel* lesend, auf Robert. Über der Eingangstür zu einer populären Bar im New Yorker Finanzdistrikt hängt neben dem »Welcome«-Schild neuerdings ein Schild von gleicher Größe mit der Aufschrift »Sorry, no Iranians«. New Yorker Feinkost-Restaurants führen keinen iranischen Kaviar mehr, selbst nach Perserteppichen wagt niemand mehr zu fragen. Keine Perser! Ob Arbeiter oder Student! Amerika spielt verrückt, sagt der mitlesende Wirt, vielleicht wird es tödlich. – Wir machen es mit den Türken auch nicht viel anders, sagte ich im selben Moment, als Robert endlich kam, leicht schwankend, obwohl er nichts getrunken hatte. Mein Kopf tut mir weh, wie wahnsinnig, seit Tagen. Gleichwohl machte er, draußen vor dem Lokal, Sprünge in die Luft, Verbeugungen, Verrenkungen, schwingende Bewegungen mit einer imaginären Keule, er schien einen Drachen hochsteigen zu lassen, sorgfältiges Aufwinden der Schnur und langsam wieder Schnur geben. Steig, Drache, steig. Hab' Räume gefunden für uns, rief Robert mir zu, hüpfend und kurze Schreie ausstoßend. Endlich. Freu dich. Es geht los.

Osterferien. Die Schule ist tot, verschieden für drei Wochen am 29. März. Ruth ist nicht über den Berg, wie erwartet. Fünf in

Physik, Mathematik und Französisch, eine Note eindeutig politisch.

Erziehungsdiktatur, sagt Ruth, als könnte sie damit die Noten auf dem Blatt wegwischen. Apathie und Aufruhr müssen bestraft werden ... Klar doch! »Ruhestörer, Rädelsführer«, sage der Geschichtslehrer, »Aufwiegler!«. Die Schule sei keine Kampfstätte, sondern Ort des Dialoges, der Verständigung. Und Hort der Wissensvermittlung.

Ruths Wut an diesem Tag fröhlich –

Sie singt vor sich hin, das Gorlebenlied, ihr Singen ist laut genug, um das Getöse von draußen, aus der Kraftfahrzeug-Werkstatt, zu übertönen.

WE DON'T NEED NO EDUCATION

Dann lacht Ruth los, ihr Lachen ist nicht zu stoppen. Unser Geschichtslehrer trägt die gleichen Pullover wie du, exakt die gleichen. Sie umklammert meinen Kopf, versucht mich aus dem Sessel herauszukippen. »Nehmen wir einmal an«, sagt sie, »Sie bäten mich um etwas, das unmöglich ist, und dennoch würden Sie mich darum bitten: Was könnte ich tun?«

Sag. Sag irgendwas!

In seiner Sturm- und Drangperiode sei der Geschichtslehrer im SDS gewesen, erzähle er, aktiv, ein kritisch Revoltierender, deshalb wisse er Bescheid, ihm könne niemand, er habe im Prinzip Verständnis, könne verstehen ... Die klassenlose Gemeinschaft, die schulfreie Gesellschaft, überhaupt Utopisches ...

Ruth sagt: Schön. Aber wie er sich heute verhält. Abstriche machen, sage er. Man müsse im Leben Abstriche machen. Realist: Ich bin Realist. Er versuche gar nicht, seine Feigheit zu verbergen.

Ruths Gesicht reglos, ihre Wut steigert sich wieder neu. »Und möchtest du dir im Unterricht immer wieder anhören müssen, wie der Physiklehrer, stolz auf seine Erzählkünste, genüßlich Folterszenen schildert.«

Eine gekrümmte Glasscherbe schlitze dem Gefolterten den Brustkorb auf, Blut schieße heraus. Mit der gleichen Übersicht und Langsamkeit hole der Folterer sein Messer aus der schwarzen Lederjacke, der Schnapper raste ein. Sorgfältig schneide ein Gehilfe dem Opfer die Fingernägel heraus, presse die Blutstummeln in eine Schale mit ätzender Flüssigkeit. Das Becken des Gepeinigten schlage auf dem Tisch auf und nieder, der Folterer spreize der Gefolterten mit einem dünnen Strick die Schenkel. Von oben, über dem Schragen, setze ein verborgener Mechanismus eine Eisenstange in Bewegung, die sich neben dem Nabel des Opfers in den Bauch bohre. »Katharsis«, rufe eine Stimme, die aus der Wand zu kommen scheine: »Katharsis!«, die Gepeinigte sei längst stumm. Bewußtlos. Der Folterer entfache nachher mit Stroh rund um Schragen ein Feuer, dünne Rauchfäden stiegen hoch. Geruch nach geröstetem Fleisch...

Ruth sagt: »Möchtest du das, möchtest du dauernd solche Geschichten hören? Sag? Wie lang soll ich dem ausgeliefert sein?«

Ihre Faust ballt sich. »Wenn wenigstens gesagt würde, wer foltert und wer gefoltert wird. Und warum.«

Ich hätte ihr gern geholfen. Folterungen finden überall statt, versuche ich hilflos zu sagen. Wir schweigen. Ein leichter Wind weht diesige Spätnachmittagsluft ins Zimmer. Unruhe streift über Ruths Gesicht. »Ich muß jetzt gehen.« Sie steckt einen rostigen Eisenstab in die Tasche, einige ineinander verknüllte Papiertaschentücher, einen Fünfzigmarkschein und ihr gelbes Portemonnaie. »Das reicht«, sagt sie und stopft noch rasch einige Klamotten und ein paar Bücher in den Rucksack.

Ich begleite Ruth zum Bahnhof Zoo. Sie schmiegt sich an mich, umhalst meinen hochgeschlagenen Mantel. »Zu zweit wissen wir viel und tun wir vieles«, sagt sie. In der Bahnhofshalle hangelt sich ein Betrunkener der schmutzverklebten Kachelwand entlang. Er kotzt, im Torkeln, in langen wilden Stößen, schleppt seinen Körper weiter, halbnackt, ohne Hemd, das als Turban um den blutenden Kopf gebunden ist.

SCHEISS-STADT ... SCHEISSWEIBER!

Sein fast zahnloser Mund schreit es unflätig. Nie wieder! Ein Aufbäumen des Körpers, bevor er gegen die Kacheln poltert und am Boden aufschlägt. In Stößen bricht Rotes aus dem Mund, eine Lache breitet sich aus. Zwei Polizisten schleifen die Mann-Ruine nach draußen in ihren Dienstwagen. »Blutende Gespenster wie der Betrunkene gehen lediglich ein paar Schritte weiter als die anderen«, sage ich Ruth, die ungeduldig nach ihrer Freundin Ausschau gehalten hat und den Vorgang erst jetzt bemerkt.

»Sie führen Krieg mit sich selber. Die bewußtlosen und tödlich Getroffenen als Nachhut einer andern Welt. Und Vorhut.«

Nein, Phantasie allein nützt nichts!

Ich begleite, als die Freundin kommt, die beiden nicht durch die Schranke. Ohne ersichtlichen Grund bleibe ich noch eine Weile auf der obersten Treppenstufe stehen. Mein Verdacht, Warnungen wären am Platz, hätte Ruth nur verstimmt. »Nürnberg. Unterstützt unsere autonome Indianerkommune, kommt mal vorbei«, hatte auf dem Flugblatt gestanden. »Wir können selbst entscheiden wann, was und wie lange wir lernen, und zwar das, was wir wirklich zum Leben brauchen, nicht für irgendeinen Zeugniswisch...«

Ich: Ach, Ruth, das bist doch nicht du! Es kann doch nicht sein, daß du solche Ergüsse nicht belachst!

Sie: Laß uns die Neugier. Pädophile und Schulverweigerer sind auch Menschen, und weder Ursula noch ich haben, als sie die Reise ankündigte, gesagt: Das nicht. Bloß nicht!

»Wir wollen nicht für ein Papier Jahre unseres Lebens einfach so verschenken, verhetzen. Zu Erwachsenen sollen wir gemacht werden, die fürs Geld leben und für ihren Konsum oder für einen Gott. – Erwachsensein – NEIN DANKE...«

(Ich ertrage das NEIN DANKE nicht mehr, weil in dieser Negation, die nur die ersten Male originell wirkt, nichts auf Zukunft hin lebt.)

»Unsere Lehrer und Erzieher, die Krone der Schöpfung, versetzen uns in einen dauernden Kriegszustand. Tag für Tag wird uns Angst gemacht, du schaffst es nicht, sie erklären ihr Wissen für heilig, lassen uns keine Luft zum Atmen.« Ende des Flugblattes. (Mit dreizehn habe ich Karl May gelesen und Friedrich Glauser).

Vielleicht ist die Katastrophe aufhaltbar, hat Ruth in Wendland gesagt; vielleicht können wir die Krebszellen der Zerstörung aufhalten, es muß doch möglich sein.

Das Überleben lernen: Warum nicht?

Ruth hat sich, als sie die Treppe zum Bahnsteig B hochstieg, nicht mehr umgedreht. Arm in Arm mit ihrer Freundin hüpfte sie nach oben. Liebe heißt loslassen können.

Lebensangst. Weltangst. Tief eingenistet. Meine Angst vor

den Scharfschützen auf den Dächern, die warten und irgend jemand im Visier haben, meine meist verdrängte Angst, daß aus Unachtsamkeit, aus *menschlichem Versagen,* ein Atomkrieg ausgelöst werden könnte. Die trostlose Ahnung, in meinem Leben noch einmal in eine Katastrophe hineingerissen zu werden, geplant oder zufällig. Gründe gibt es mehr als genug. Draußen reihe ich mich ein unter die Wartenden. Friere im Bus, der mich an die Sophie-Charlotten-Straße zurückbringt, friere nachher noch lange in meinem Zimmer.

Auch Ursula und ich fahren für ein paar Tage weg. Ausgemacht ist Solothurn. Der letzte Schnee, naß-flockig. Bleigrauer Himmel. Entlang dem Jura Nebelschwaden, rauchende Fabrikkamine. Alles proper. Noch bröckelnde Fassaden scheinen nicht Zeichen des Verfalls, sie sehen aus wie seltene Museumsstücke. Abschürfung, klaffende Risse und Runen. In den Putz geschriebene Gesichter.

HAPPY DAYS schrieb Robert, bevor er sich erschoß, in seine Notizen. »Nicht eine Sekunde loslassen!«

»Geschieht nichts, läßt sich nichts ändern?« hat Ruth gefragt, als der weggeschleifte Säufer seine Obszönitäten ausstieß: ZÜNDET DIE FOTZE STADT AN! LEGT FEUER!

»Geschieht nichts?«

»Wenig.«

»Und doch ist Widerstand möglich?«

Bevor Ursula und ich losreisen, habe ich bei der Senatsverwaltung zugesagt, im kommenden Sommer einen Sanierungsauftrag zu übernehmen. Wiedereinstieg. Viel ist nicht erreichbar. Sanierung bedeutet Zerstörung, zunächst nur Zerstörung. Nichts Neues ohne Zerschlagung des Alten. Aber irgend etwas tun. Etwas tun.

Phantasie allein genügt nicht.

Vielleicht ist alles noch einmal ein Anfang vom Ende. Möglich. Ruth wird, wenn sie von meinem Auftrag hört, sagen, es sei doch wieder nur der gleiche Dreck. Sicher. Aber so wie ich mich fühle, scheint einiges machbar. Das Schlimmste verhüten. Probieren. Es nochmal probieren. Kein blinder Vernichtungsidiot und kein wahnwitziger Fortschrittstrottel... Und dann?

Mach es! Krieg baut sich auf im Land. Durchschauen allein hilft nichts. Albert sucht und kreist um das Wort Wut. »Ja, Widerstand ist möglich.« In die Ritzen eindringen, den Riß vergrößern. Einigeln. Der nächste Schritt, der übernächste...

Und dann?

RETTET DIE HOFFNUNG

Ruth hat den Satz, in ihrer krakligen Schrift, unter die letzte Deutscharbeit geschrieben.

Und dann?

Wir sind gefahren und gefahren. Ohne Rast. Jetzt sitzen Ursula und ich auf der obersten Stufe der Sankt-Ursen-Kathedrale. Solothurn ist nach Mitternacht tot. Normalerweise befand ich mich in der Stadt, in der ich aufgewachsen bin, in einer Art Verstörung. Heute nicht. Ich konnte reden, konnte sagen, was ich sagen wollte, und Ursula redete, ihre Sprache war meine Sprache, das Gefühl von Glück und Unheil, Erschöpfung und Euphorie.

Der Morgen begann zu grauen. Hinter uns, im Osten, ein schwaches Rosa am Horizont. Bilder vom grellen Abendhimmel über Charlottenburg rotieren in meinem Kopf, das saugende Rot, ungelenk mit Farbe besprühte Wände, einstürzende Abbruchhäuser, brennende Autos, zuckende Blaulichter. Sirenen. Ich war Zeuge und Beteiligter. Gegenwart in einem verwirrenden Netz. Wahnsinn, wie ein Fieber. Ich will nicht den Verstand verlieren. So nicht. Noch einmal versuchen, aus sich herauszugehen.

Ursula legte ihre Hand auf meinen Arm. Die Gedankenfetzen rutschten ins Vage, Bodenlose. Was bleibt gegen die großen Untergänge, die sich abzeichnen? Was können wir tun? Welche Möglichkeiten haben wir?

Der Tag kam. Die ersten Rufe der Vögel. Zögernd. Später fingen sie an, im Konzert zu locken und zu werben. Ich lausche und antworte. Rufe in die Gasse hinunter: »Keine Sekunde loslassen!«

84   Keine Sekunde loslassen –

Jürg Amann

Rondo

Erzählung

Und sei also auf seiner Flucht von zu Hause plötzlich wieder zu Hause gewesen. Sei wieder vor der Tür gestanden, von der er geglaubt gehabt habe, daß er sie endgültig und ein für allemal hinter sich zugemacht habe. Zugeworfen habe. Zugeschlagen habe. Habe geklingelt. Schreibt, ich habe geklingelt. Schreibt, ich bin wieder vor dieser Türe gestanden, vor dieser bekannten, mir zur Genüge bekannten Holztüre, die immer so schwer in den Angeln zu bewegen gewesen ist, zu schließen gewesen ist, aufzumachen gewesen ist. Schreibt, ich habe wieder geklingelt, habe wieder die Klingel gedrückt, auf diesen Knopf über dem Schild gedrückt, auf dem wie für die Ewigkeit unser Name eingraviert ist. Und habe darauf gewartet, daß mir die Mutter wieder die Türe aufmacht. Aber die Mutter machte die Türe nicht auf. Auch nach dem zweiten, auch nach dem dritten Klingeln noch nicht. Wie sehr ich auch an der Türe horchte, mich an die Türe preßte, mein Ohr an die Türe legte, kein Laut drang aus dem Innern des Hauses. Und von der Mutter, die immer die Zuflucht für ihn gewesen sei, sei nicht das Geringste zu hören gewesen. So daß ich, schreibt er, nachdem ich noch mehrmals geläutet, in Wahrheit die Hand auf der Läute gelassen, sekundenlang, tatsächlich die längste Zeit Sturm geläutet hatte, hinter das Haus ging. Um unser Haus herum, das ein stattliches Haus ist, ein großes, zweistöckiges, gut gegen das Wetter geschütztes, auch gut über die Jahre gekommenes sogenanntes Kriegsjahrgangshaus. Durch unseren Garten, in dem ich immer so ungern gearbeitet hatte, Gras geschnitten, Sträucher geschnitten, Unkraut gejätet. Oder die Beeren gepflückt. Das Gras war geschnitten, das Unkraut gejätet, die Bäume und Sträucher waren von kundigen Händen gestutzt. Und zwischen den Sträuchern, am Abhang, blühten die Lilien. Er habe natürlich, bei diesem Wetter, bei diesem Sommer, bei diesem Sonnenschein, auf ein offenes Fenster gehofft. Aber die Fenster seien alle geschlossen gewesen, die Fensterläden von innen verriegelt, die Lamellen schräg gegen den Sommer und gegen die Sonne gestellt, die Vorhänge zugezogen. So daß nichts zu sehen gewesen sei als auf dem Glas die von den Lamellen gleichmäßig zerschnittenen und zerstückelten Bilder des Gartens. Und nichts zu hören als aus den Bäumen das sinnlose Pfeifen der Vögel. Und unter den Sohlen das Knirschen von Kies. Und an den Fensterläden das Aufschlagen der Steinchen, die er geworfen habe, gegen die Fenster im ersten Stock, hinter denen die Schlafzimmer lagen. Und das dumpfe Geräusch im Gras, wenn sie, ohne Wirkung, zurückfielen. Er sei wieder zurückgegangen, sei um die Ecke gebogen, kam vor das Haus. Da stand die Türe weit offen. Im Türrahmen, im Halbdunkel des Eingangs, im Rollstuhl die Mutter. Er schreibt, meine Mutter. Sie sei schwer in den Kissen gesessen, den Oberkörper nach vorne gebeugt, das Kinn auf der sich hebenden und senkenden Brust, die verkrümmten Hände an den Speichen der Räder. Sie habe ihn angeschaut. Sie habe ihn ausgeforscht. Obwohl von unten herauf, habe sie ihn von oben herab nicht aus den Augen gelassen. Langsam, ohne daß man die Bewegung wahrnehmen konnte, drehte sie an den Rädern. Langsam rollte sie rückwärts. Langsam verschwand sie im Dunkel des Hauses. Ich folgte, schreibt er. Ich grüßte. Sie wollte wissen, wo ich gewesen sei, schreibt er. Ich antwortete nicht. Statt dessen drückte ich mich an ihr vorbei, wobei ich sie, die mir den Weg abschnitt, die mir den Gang versperrte, beinahe umgestoßen hätte in ihrem Stuhl, rannte die Treppe hinauf, das Stiegenhaus hinauf, immer drei Tritte auf einmal, und in mein Zimmer, das noch immer als das Zimmer aus meiner Kindheit mitten im Haus lag. Das er noch immer, wann immer er daran denke, im Stillen als sein Zimmer bezeichne. Auch wenn er auf der anderen Seite der Welt sei. In dem er sich also auch jetzt wieder sogleich verschanzt habe. Ich habe mich in meinem Zimmer vor meiner Mutter verschanzt, schreibt er, ich habe die Türe ins Schloß geworfen, ich habe den Schlüssel im Schloß gedreht, ich habe mich mit dem Rücken gegen die Tür gelehnt. Ich hielt mir die Ohren zu, schreibt er, aber natürlich hörte ich jedes Geräusch. Das Zimmer sei dunkel gewesen. Abgedunkelt, schreibt er, wie das ganze Haus, durch diese ständig geschlossenen Läden. Seit dem Beginn ihrer Krankheit habe die Mutter immer mehr angefangen, alles Licht aus dem Haus auszusperren, die Läden auch tagsüber geschlossen zu halten, sei sie immer mehr dazu übergegangen, keinen Unterschied mehr zu machen zwischen dem Tag und der Nacht, heute und morgen, Sommer und Winter. Immer dämmere sie, auch an den schönsten Tagen, auch in der heitersten Jahreszeit, nur vor sich hin. Einen Augenblick lang habe er in sich den selbstverständlichen Impuls gespürt, auf das Fenster zuzugehen, das Fenster zu öffnen, die Fensterflügel weit auseinanderzuschlagen und die Läden mit großer Kraft auf- und gegen die Hausmauer zu stoßen, die er übrigens noch vor wenigen Jahren selber gemalt habe, der Mutter zuliebe, um Geld einzusparen; aber im nächsten Augenblick habe ihm dazu die Kraft gefehlt. Mir hat die Kraft gefehlt, schreibt er, unerklärlich, unbegreiflich, auch für mich selber, sobald ich nicht in dem Haus bin, einfach die Kraft gefehlt, die es dazu gar nicht braucht. Natürlich rief sie nach mir. Ich gab keine Antwort. Natürlich sandte sie in regelmäßigen Abständen ihre Wehklagen aus. Ich ließ mich nicht rühren. Sie schrie. Ich blieb stumm. Zu gut kannte ich all diese Töne. Zu oft hatte sie mir mit dieser Tonleiter der Schmerzen schon in den Ohren gelegen. Inzwischen, schreibt er, habe er sich auch an das Dunkel wieder gewöhnt gehabt. Er sei von der Türe zurückgetreten, ins Innere des Zimmers hinein, habe sich auf das Bett gelegt, das mit frischem Bettzeug bezogen gewesen sei, er habe die Augen geschlossen. Von Zeit zu Zeit sei noch ein Schluchzen zu ihm herauf gedrungen. Dann sei es still geworden im Haus. Ich lag auf dem Rücken, schreibt er. Ich war müde. Ich hätte gerne geschlafen. Mit den Händen tastete ich, wie in den Kindheitsnächten, die Furchen der Wände ab. Ich spürte den Wunsch nachzugeben, nachzusehen stärker werden in mir. Die Augen aufzuschlagen, vom Bett aufzustehen, an die Türe zu gehen, nach ihr zu horchen. Hielt aber stand. Habe standgehalten, schreibt er, habe der Versuchung, wie sehr sie mich auch bedrängte, je länger es still blieb im Haus, je mehr Zeit verstrich, trotz allem nicht nachgegeben. Ich ging nicht zur Türe. Ich stand nicht auf. Ich hielt die Augen geschlossen. Gegen Abend sei plötzlich ein Schlag zu hören gewesen. Ein schwerer, harter Schlag. Dann wieder nichts. Dann drang ein Wimmern die Treppe herauf. Jetzt sei er aufgesprungen, schreibt er, als ob er nur auf das Zeichen gewartet hätte. Flog durch das Zimmer, drehte den Schlüssel im Schloß, war auf dem Flur, rannte hinunter. Da lag sie, die Mutter, am Fuß der Treppe. Und habe sich hilflos in sich zusammengekrümmt. Der Rollstuhl war umgekippt. Die Kissen begruben sie. Sie wollte zu Bett gebracht werden. Jetzt, schreibt er. Auf der Stelle, schreibt er, von mir, schreibt er, will sie zu Bett gebracht werden. Wo ist der Vater? frage ich, schreibt er. Fort, sagt die Mutter. Wie fort? frage ich, schreibt er. Im Bett, sagt die Mutter. Jetzt? frage ich, schreibt er, um diese Tageszeit schläft er? Er schläft doch immer, wenn ich ihn brauche, schreibt er, habe die Mutter gesagt. Und du weißt das. Trotzdem habe er nach seinem Vater gerufen. Trotzdem rief ich nach ihm, schreibt er. Vater! rief ich, wo bist du? Der Vater gab keine Antwort. Noch einmal, Vater, wo bist du, wo er denn sei, nichts, keine Erwiderung. Tatsächlich schien er zu schlafen. Er habe das ja gekannt, habe es aber immer wieder einfach nicht glauben können. Einfach nicht glauben wollen. Es war nicht zu fassen, schreibt er. Aber es war so. Es sei so gewesen. Er habe also der Mutter unter die Arme gegriffen, habe sie mühsam am Boden in eine sitzende Lage gebracht, habe sie aufgerichtet. Sie sei schwer gewesen, habe sich schwer gemacht, er habe ihr Gewicht unterschätzt, sei auf ihren heruntergekommenen Anblick hereingefallen. Aufgerichtet, schreibt er, war sie noch immer eine mächtige Frau. Obwohl sie den Kopf habe hängenlassen. Obwohl sie sich habe gehenlassen. Obwohl sie sich habe fallenlassen, immer wieder, in seine Arme. Er habe sie gegen die Wand gelehnt. Er habe die Krükken geholt. Er habe ja gewußt, wo sie sie immer versteckt gehabt habe. Da sei sie schon wieder zusammengesunken gewesen, von der Wand abgerutscht, ein Haufen Elend, am Boden. Sei auf dem Boden gesessen, mit hängenden Schultern, den Oberkörper nach vorne gebeugt, die Last, die sie sich selber gewesen sei, auf den Handballen abgestützt. Hilf mir, schreibt er, habe sie ihm befohlen. Halte mich, schreibt er, habe sie ihn gebeten. Ich kann allein nicht mehr stehen. Meine Beine tragen mich ja nicht mehr. Und dein Vater läßt mich im Stich. Aber er habe sie ja gehalten. Aber er habe ihr ja geholfen. Natürlich, habe er ihr gesagt, ich helfe dir ja. Ich lasse dich nicht im Stich. Du mußt dich nur festhalten an mir. Du mußt dich nur abstützen auf mich. Was kann denn geschehen? Und mit den Füßen habe er währenddessen die Kissen beiseite geräumt. Dem Rollstuhl habe er einen Tritt versetzt. Steh auf, schreibt er, habe er ihr gesagt. Daß sie jetzt aufstehen müsse, habe er von seiner Mutter verlangt. Und seine Mutter sei aufgestanden, schneller, als er es von ihr habe erwarten können, schneller und leichter, als er sich das jemals vorgestellt habe. Natürlich habe sich ihr Gesicht dabei zu einer einzigen Maske des Schmerzes, zu einer Schmerzensgrimasse verzerrt. Natürlich sei sie wieder in ihr ewiges Wimmern verfallen. Natürlich habe sie wieder Anstalten gemacht, vornüber zu kippen. Er habe ihr aber rasch die Krücken unter die Achseln geschoben, so daß sie plötzlich erstaunt ihm gegenüber gestanden sei. Laß mich nicht los, sagte sie, schreibt er. Aber er habe sie ja nur einen Augenblick lang losgelassen. Nur diesen Augenblick. Jetzt sprang er ihr wieder bei. Jetzt sei er ihr wieder beigesprungen, jetzt sei er ihr beigestanden, schreibt er. Ich half ihr die Treppe hinauf, so gut ich nur konnte. Blieb hinter ihr. Ging hinter ihr her. Langsam, geduldig, Stufe für Stufe. Schob. Bückte mich, hob ihre Beine, die einerseits abgemagert, andrerseits aber mit Wasser gefüllt waren, mit diesem typischen Altersbrand, eins nach dem andern, setzte ihr immer einen Fuß über den andern, stemmte gleichzeitig die Schultern gegen den hin und her schlagenden Leib, der immer wieder zurück, rücklings die Treppe herunterfallen wollte, der keine Knochen, der keine Muskeln, der kein Rückgrat zu haben schien, stützte sie in den Hüften, faßte sie in den Steiß, drückte sie, drängte sie aufwärts. Darüber, schreibt er, wurde es Nacht. Und er habe endlich, auf halber Höhe, in diesem zwielichtigen Haus das Licht anmachen dürfen. Sie habe ihm zugestimmt. Erschöpft habe sie mit dem Kopf genickt. Der Schweiß, vermischt mit Farbe, sei ihr aus den ermatteten Haaren über Stirn und Wangen den Hals herunter in ihre Kleider geflossen. Die Augen seien tief in den Höhlen gelegen. Die Frau, die seine Mutter gewesen sei, habe gekeucht und geschnauft. So daß ihr stoßweises Keuchen und Schnaufen doch endlich, dachte ich, schreibt er, den Vater hätte aufwecken müssen. Aber der Vater zeigte sich nicht. Der Vater dachte im Traum nicht daran, in Erscheinung zu treten. Ich kann nicht mehr, stieß die Mutter hervor. Du kannst, entgegnete ich. Es geht nicht, jammerte sie. Es geht, gab ich zur Antwort. Und so immer fort, schreibt er, und immer weiter, tief in die Nacht hinein, eine halbe Stunde, eine Stunde, zwei Stunden, er wisse es nicht, er könne es nicht angeben, er habe, schreibt er, die Orientierung vollkommen verloren. Alles um ihn herum vollkommen verloren. Alles um ihn herum vollkommen vergessen. Aus dem Blick, aus den Augen gelassen. Endlich waren wir oben. Am Ende des Treppenhauses. Am Ende des Korridors. In ihrem Zimmer, das Wand an Wand neben dem meinen lag. Allein, schreibt er. Die Tür war hinter uns zugefallen. Er sei erschrocken. Er habe daran gedacht, wie er früher, als der Vater noch bei ihr geschlafen habe, vor zwanzig Jahren, manchmal Geräusche herüber habe dringen hören, durch die Mauer oder durch den nach beiden Seiten seine Warmluft durch verstellbare Klappen abgebenden Kamin, die wie das Weinen der Mutter geklungen hätten. Sie stand in der Mitte des Zimmers, das ihr Schlafgemach war, neben der Hälfte des Ehebetts, die ihr geblieben war, deren schwere, dunkle Holzumrandung noch immer alles beherrschte. In diesem Geviert, schreibt er, zwischen diesen Brettern war ich von ihr geboren worden. Mit den Füßen voran. Daran dachte ich jetzt. Das Bettzeug war aufgeschlagen, das Leintuch war schmutzig. Vertiefungen drückten den Körper ab, der hier sonst lag. Am Kopfkissen waren Spuren von Blut. Nasenblutenreste, aller Wahrscheinlichkeit nach, vermischt mit verkrustetem Schleim. Ich hatte, schreibt er, mit einem in mir gegen die Mutterliebe aufkommenden Ekel zu kämpfen. Mit einem Abscheu. Mit einem Widerwillen, schreibt er, den er nur mit der größten Anstrengung vor der Mutter habe verborgen halten können. Die Luft sei stickig gewesen. Drückend und stumpf. Es habe nach Medikamenten gerochen. Nach Desinfektionsmitteln und Kampfer. Er sei fast zu Boden geschlagen worden von diesen Gerüchen, von dieser Luft. **90** Schnurstracks sei er auf das Fenster zugegangen, das hier wie im ganzen Haus natürlich geschlossen gewesen sei, habe es aufsperren wollen, die Vorhänge zur Seite ziehen, die Fensterläden aufschlagen, die Nachtluft hereinlassen. Es war nicht erlaubt, schreibt er. Noch auf dem Weg dahin sei er durch einen Ruf der Mutter an seinem Vorhaben gehindert worden. Bleib stehen, rief sie. Er sei stehengeblieben. Die Fenster bleiben geschlossen. Hier muß aber wieder einmal gelüftet werden, sagte ich, schreibt er. Hier wird nicht gelüftet. Nicht, solange ich hier befehle, habe die Mutter gesagt. Weil sie sonst friere. Ich werde ersticken, schreibt er, habe er ihr geantwortet. Du wirst nicht ersticken, habe die Mutter gesagt, ich werde erfrieren. Er habe es aufgegeben. Es sei nichts zu machen gewesen. Er sei gegen die Mutter nicht angekommen. Dreh dich um, habe sie von ihm verlangt. Er habe sich umgedreht. Schau mich an, habe sie ihm befohlen. Er habe sie aber nicht angeschaut. Er habe zuerst auf den Boden, dann auf die Verbindungstüre zum Zimmer des Vaters gestarrt. Jetzt zieh mich aus, schreibt er, sagte die Mutter, als ob es die selbstverständlichste Sache der Welt wäre. Allein kann ich das nämlich nicht mehr. Und dein Herr Vater zieht es ja vor zu träumen. Ich bin, schreibt er, vorwärts getaumelt, ein paar Schritte, dann wieder zurück, dann wieder vorwärts, haarscharf an ihr vorbei, an die Türe des Vaters. Dort blieb ich stehen, schreibt er. Ich stützte mich gegen die Wand. Ich legte das Ohr ans Holz. Ich horchte. Ich hörte, wie sich der Vater im Bett von der einen Seite auf die andere drehte. Er schnarchte, schreibt er. Tatsächlich schnarchte er. Tatsächlich, schreibt er, schlief er den Schlaf des Gerechten. Zieh mich aus, sagte die Mutter. Ich rüttelte an der Türe des Vaters, schreibt er, aber die Türe war abgeschlossen. Komm, sagte die Mutter, dein Vater will nicht gestört werden von uns. Ich drehte mich um. Ich hätte die Türe des Vaters einschlagen mögen, den Vater hätte ich schlagen mögen, seine Ausrede, die Schlafsucht, hätte ich mit den Fäusten aus seinem Kopf schlagen wollen. Statt dessen, schreibt er, half ich der Mutter still aus den Kleidern. Den Reißverschluß den Rücken herunter habe er aufgemacht. Das Häkchen an ihrem Kragen aufgehakt. Die Krücken, als sie sich rechts und links aus den Ärmeln herausgeschält habe, habe er ihr abwechslungsweise gehalten. Den Rock, aus dem sie mühsam und mit viel Umständen herausgestiegen sei, habe er vom Boden aufgehoben und in den von Röcken, die sie nie mehr getragen habe, so weit er sich zurück besinnen könne, überquellenden Schrank gehängt. Den Unterrock, der mit Spitzen besetzt gewesen sei, habe er ihr, während er gleichzeitig wieder die Stöcke habe halten müssen, über den Kopf und über die erhobenen Arme gezogen, dann auf das Bett geworfen. Zuletzt nahm ich die Halskette von ihrem Hals. Nackt sei sie vor ihm gestanden, schreibt er, nur noch mit Hose und Brustwehr bekleidet, in ihren Krückstöcken wie eine Gekreuzigte hängend. Er habe sich weggedreht, habe sich von ihr abgewendet, habe an ihr vorbeigeschaut, so gut er es gekonnt habe. Aber ich mußte ihr doch, schreibt er, das Nachthemd noch über die Schultern werfen und über die Arme und über die Krückstöcke herunterzerren und vorn, über der Brust und an den Handgelenken, nachdem sie dann in die Ärmel geschlüpft war und ich ihr die Krückstöcke unter dem Hemd hervorgeholt hatte, die Hemdknöpfe zuknöpfen. Und mußte sie an den Ellbogen fassen und sie an das Bett heran führen und ihr vor dem Bett die Krückstöcke abnehmen. Dabei, schreibt er, sei er natürlich wohl oder übel mit ihrer Wäsche auch in Berührung gekommen, die, wie er habe feststellen müssen, nicht die sauberste Wäsche gewesen sei, auch nicht die modischste Wäsche, das habe sich, schreibt er, nicht ganz vermeiden lassen. Die Mutter setzte sich auf den Bettrand. Stell doch die Stöcke weg, sagte sie, schreibt er. Ich lehnte die Stöcke gegen den Nachttisch. Siehst du die Salbe dort? fragte sie. Dort, auf dem Nachttisch? Diese hier? fragte ich. Die andere, sagte sie. Diese dort, diese. Aber der Nachttisch war voll von Dosen und Tuben und Flaschen. Wähl eine aus, sagte sie, es kommt auf die Hände an, nicht auf die Salbe. Ich nahm eine Tube in die Hand. Setz dich aufs Bett, sagte sie. Da, neben mich. Er habe sich neben sie auf die Bettkante gesetzt. Sie habe sich zur Seite gedreht. Ihm den Rücken entgegengewölbt. Reibe mich ein, habe sie ihm befohlen. Er habe sich Salbe auf die Handfläche gequetscht und sich, unter dem Filz ihrer Haare, an ihrem Nacken zu schaffen gemacht. Sie habe einen Schrei ausgestoßen. Tu ich dir weh? habe er sie gefragt. Es ist kalt, habe sie nur gesagt, aber es wird mich ja wärmen. Also habe er weitergemacht, schreibt er, habe er weiter gerieben. Tiefer, habe die Mutter gesagt. Er habe also, mit der Hand unter das Tuch des Nachthemds fahrend, tiefer gerieben. Knöpf mir das Nachthemd auf, leg mir die Schultern frei, reib mir den Rücken ein. Er habe ihr das Nachthemd aufgeknöpft, er habe ihr die Schultern freigelegt, er habe ihr die Schultern eingerieben. Warte, habe die Mutter gesagt, laß mich das Gestell ausziehen. Sie habe versucht, sich das Gestell auszuziehen, unter dem Hemd. Hilf mir doch, sagte sie, schreibt er, ich kann es nicht, ich habe keine Kraft in den Fingern. Er habe also an ihrem Gestell herumgenestelt, habe die Häftchen gelöst, habe die meterlangen Schnürsenkel durch die Ösen gezogen, habe endlich das Gestell unter dem Hemd auseinandergebrochen. Jetzt zieh es heraus, habe die Mutter gesagt. Er habe es also, ihr das Hemd fast zersprengend, herausgezogen. Nun ist es gut, sagte sie, schreibt er. Und das Gestell leg aufs Bett. Er habe das Gestell also aufs Bett gelegt. Und dann mach weiter, habe die Mutter gesagt. Er habe weitergemacht, habe ihr das Fett, von dem ein penetranter Geruch ausgegangen und ihm in die Nase gestiegen sei, in die vertrocknete, schlaffe, in leeren Beuteln herunterhängende Haut eingerieben. Tiefer, habe sie aber gesagt. Er habe tiefer gerieben. Tiefer, habe sie wieder gefordert. Er sei ihrer Aufforderung nachgekommen. Tiefer, befahl sie. Er habe tiefer und tiefer, vom Nacken über die Schultern den Rücken hinunter, gerieben, bis zu den Hüften, bis ans Gesäß. Während das Nachthemd, schreibt er, bis zu den Ellbogen gerutscht war. Nun ist es genug, sagte die Mutter. Nun ist es genug, sagte ich, schreibt er. Er sei aufgestanden, erschöpft, erledigt, ganz außer Atem gekommen, habe die leergepreßte Tube beiseite, zurück auf den Nachttisch gelegt. Habe um Luft gerungen. Sein Blick sei auf das leere Gestell gefallen, das neben dem dünnen Stoff des Unterrocks steif auf dem Bett gelegen habe. Das also trägt meine Mutter, dachte ich, schreibt er. Als ob sie gewußt habe, woran er denke, habe sie es aber mit einer schnellen Bewegung der Hand, zusammen mit dem Unterrock, zu Boden gefegt. Wo es nach zwei, drei Schaukelbewegungen als etwas ihm vollkommen Fremdes, Fremdartiges, Urzeitliches liegengeblieben sei. Dreh dich um, schreibt er, habe die Mutter gesagt. Aber bevor er es habe tun können, habe sie mit einem schnellen Griff unter das Nachthemd die Unterhose ausgezogen, habe sie die Unterhose unter dem Nachthemd hervorgezogen, über die Knie, über die Beine heruntergestreift, auf den Stuhl in der Ecke geworfen. Ein großes, weites, zerlumptes Stück Stoff, aus seiner Form geprengt, an einem losen Gummiband aufgehängt, schreibt er, mit den bekannten Wasserrändern an den bekannten Stellen. Dann legt sie sich hin, schreibt er. Dann legt sie sich auf den Rücken. Ich, schreibt er, muß sie an ihren Beinen packen, die in den Stützstrümpfen stecken, und muß sie an ihren Beinen auf das Bett hinauf drehen. Ich tue es auch, schreibt er, ich packe sie an den Beinen und drehe sie ganz auf das Bett hinauf. Du mußt mir die Beine spreizen, sagt sie. Sie darf die Beine nicht mehr geschlossen halten. Ihre Gelenke ertragen die geschlossene Stellung nicht mehr. Ich spreize ihr also die Beine. Ich packe sie an den Knöcheln und lege die Füße weit auseinander. Zieh mir die Strümpfe aus, sagt sie. Und ich ziehe ihr also die Strümpfe aus. Diese dicken, elastischen Strümpfe, die bis über die Knie hinauf um ihre Beine herum wie Gummihäute gespannt sind. Ich stehe am Fußende des Bettes und beginne an diesen Strümpfen zu ziehen. Weiß aber nicht, wo ich beginnen soll. Soll ich der Mutter zwischen die Zehen greifen, soll ich versuchen, die Gummihaut an ihrem unteren Ende zu fassen, oder soll ich ihr gleich an die Schenkel, soll ich versuchen, die Haut oben, an ihrem oberen Ende, an ihrem Bund, mit den Fingern in sie hineinschlüpfend, zu fassen und umzustülpen und über sich selber, von oben nach unten, herabzuziehen? Beides versuche ich, eins nach dem andern, abwechslungsweise, immer von neuem. Greife hin, lasse fahren, greife von neuem hin. Aber die Strümpfe wollen nicht abgehen. Was ich auch immer versuche, ob mit der einen, ob mit der andern Methode, die Strümpfe gehen nicht ab. Rutschen nicht, lassen sich auch nicht umstülpen, entziehen sich meinem Griff. Au, schreit die Mutter. Du tust mir weh. Ich tue ihr weh. Ich tue der Mutter weh. Ich ziehe und zerre an ihr. Hänge an diesen Strümpfen, die ich ihr über die Füße ziehen will. Aber die Strümpfe geben nicht nach. Dehnen sich aus, ziehen sich in die Länge, lassen sich in die Länge ziehen, werden dünner und dünner, aber geben nicht nach. Aber ich gebe nach. Spüre, wie meine Kräfte nachlassen. Lehne mich gegen die Schwäche nach hinten. Stemme mich mit den Knien gegen die Bettlade. Aber mein Rumpf beugt sich nach vorne, wird über die Bettkante, über die Brüstung nach vorne gerissen, auf ihre Beine zu, auf die gespreizten Beine der

Mutter zu, wenn ich nicht loslasse, wenn ich nicht auf der Stelle diese Stützstrümpfe loslasse, werde ich von diesen Stützstrümpfen zwischen die Beine der Mutter geschleudert, zwischen die offenen Beine der Mutter gerissen, ich spüre den immer stärker werdenden Zug, ich wehre mich noch, ich sträube mich noch, aber das Ende ist abzusehen, schon kommt es näher, kommt auf mich zu, mir schwindelt, schon wird es schwarz, schon wird es mir schwarz vor den Augen, ich sehe nicht hin, aber ich sehe es, aber ich sehe das Loch, aber ich sehe das schwarze Loch. Da werden die Knie weich, da lasse ich los, da schlage ich rücklings hin. Aber bevor mir die Augen zufallen, bevor mich die Ohnmacht befällt, bevor ich in das schwarze Loch hinabfalle, sehe ich noch, wie die Mutter vom Bett aufspringt. Wie sie über mir steht. Wie sie sich über mich beugt. Als ich erwachte, schreibt er, lag ich auf meinem Bett, auf dem Rücken, mit einer Wolldecke zugedeckt. Neben mir, riesenhaft, auf ihre Krücken gestützt, den Morgenrock über die aufragenden Schultern geworfen, stand meine Mutter und schaute auf mich herab. Ich fühlte mich krank. Ich war geblendet. Das Sonnenlicht stach mir ins Auge, fiel durch die weit geöffneten Fenster ins Zimmer, lag hell auf den Wänden. Von draußen hörte man Vögel. Was ist geschehen? fragte ich, schreibt er. Nichts, sagte die Mutter. Nichts ist geschehen. Morgen ist es geworden. Aufstehen sollst du. Ich habe uns schon das Frühstück gemacht. Ich stand auf, schreibt er. Und wie ich aufstand, schreibt er. Schüttelte die Müdigkeit von mir ab. Schleuderte die Wolldecke weit von mir fort. Stieß die Mutter weit von mir weg. So daß ihre Krücken zu Boden krachten. Stürzte davon, schreibt er. Rannte die Treppe hinunter. Hätte beinahe den Vater, der im Schlafrock im Flur stand, über den Haufen gerannt. Riß die Haustüre auf. Schlug die Haustüre hinter mir zu. Sah mich nicht um, schreibt er. Floh, schreibt er. Und bin also auf meiner Flucht. Und sei also auf seiner Flucht von zu Hause plötzlich wieder zu Hause gewesen.

Friederike Roth

Das Buch des Lebens

Romanauszug

Es handelt sich bei diesem Text um zwei Auszüge aus Das Buch des Lebens. Ein Plagiat, *und zwar aus der 1. Folge, die unter dem Titel »Liebe und Wald« erscheinen wird; die 2. Folge trägt den Titel »Erben und Sterben«, die 3. Folge wird »Wiese und Macht« heißen.*

Diese Bekenntnisse und diese Geständnisse und das Gelächter
hinter den Türen: man will der Sache doch auf den Grund gehen
      öffnet die Türen zu einem Saal voller Bilder.
      Wir treten hinzu, rückwärts und vorwärts.
      Wir kennen die Bilder.
      Sie sind uns fremd:
die Geburten auf Alabaster, die Kreuzigungen aus Korallen-
stämmchen, die Schlachten und die Tummelplätze der Kriege
(wer jederzeit stets marschbereit zum Aufbruch in die Ewigkeit), die Sanduhren und die Himmelsgloben – am Schluß steht
man da und weiß wieder alles und nichts, erinnert sich
      hinab ins Tal der Jahre hinab (da war immer wieder ein
      Jahr, das das blutigste Jahr war seit Bestehen der Welt)
und blättert aufs Neue durch die Seiten der Liebe:
Einst fehlte nichts, und jetzt fehlt alles.
Der schönste Traum – daß nichts sich wiederhole – im Sterben
träumst du ihn.

Eine einfache Geschichte einfach erzählen? Ach, guter Mann,
Sie haben die Sache beim Schopfe gepackt. Eine Liebes-
geschichte vielleicht? Vom ersten, damals wie immer als heilig
empfundenen Kuß eine Folgerichtigkeit des Erzählens bis hin

zur Trennung von Tisch und Bett, zum Schnitt zwischen Kopf und Herz?

Mir bricht der Schweiß aus.

Nachts

höre ich die Katzen schrein als wärens Kinder. Dann schlaf ich wieder ein (Katzen schrein/schlaf ich ein/Katzen schrein/so schlaf ich ein). Und früh, ganz früh, seh ich die Blätter, wie sie auf dünnen Zweigen schaukeln.

Wir wissen alle nicht mehr, was wir einmal wollten: so geht dann alles wie von selbst. So viele Bitten; so viele Flüche.

Wir suchen vierblättrigen Klee.

Der Wind kommt aus dem Schnee.

Eine einfache Geschichte einfach erzählen?

Wirklich, mein Guter. Sie machen mir Spaß. Fast glaub ich, daß Sie ausgestorben sind. Aber ich werde Sie weiterverwenden und Ihnen etwas erzählen.

Als ich noch klein war (Kindersöckchen, Ringeltauben) und vieles bloß ahnte

dahinsauste in majestätischen Reisen (ein Schloß kennt jedes Kind) und alles wollte, was es nicht gibt, nur Blödsinn nur Blödsinn, und immer den Himmel im Blick und voll Rührung vor denen »welche sterben, wenn sie lieben«, entzückt von Taugestiebe-Wörtern in allerkürzester Zeit hinwegflog über Krieg und Frieden und Glück und Unglück und allerhand sonstig Verheerendes untermengt mit wunderlichen Geschichten:

dieser späte feuchtwarme Sommer, und in der Waldlichtung wir – erinnerst du dich? Bloß die Fliegen gingen uns auf den Leim. Wenn das alles ist, dachte ich kurz, dann ist wirklich nichts dran an der ganzen Geschichte von Sommer und Liebe und Wald. Und es war alles. (Plötzlich lag er im Bett und das Licht war gelöscht und er war eingepackt bis über beide Ohren und schnarchte natürlich ein bißchen.)

Lange schon nicht mehr sind diese Tränen unsere ersten Tränen; unser Jauchzen ist alt und unser Gejammer beständig. Lächerlich sind die Erinnerungen geworden und die Träume verdorben. Redet man also und redet und findet keinen Punkt, schaukelt und gaukelt sich weiter, entdeckt schlußendlich dann den Reiz der Arabeske.

»Und es gab einen Tag, da blühte...« – ich tauge nicht mehr für solche Geschichten, in denen die Engel den Heiligenschein und die Nonnen den Schleier verlieren.

Versuchen wir es dennoch und trotzdem:

Wie fing dann alles an?

Immer war später alles ganz anders.

...

...

...

Damit fing alles an.

Dabei war alles ganz anders.

Wenn schon

sollten wir von Else beispielsweise reden,

unserer schönen, gemeinsamen Freundin.

Else ach Else.

Else war von Kunstbesessenheit zerfressen.

Else ach Else:

Sie sitzt da und rauft sich die Haare.

Ja.

Sie sitzt da und rauft sich die Haare.

Unsere schöne Freundin hat sich der Kunst verschrieben.

Eines Tages fiel die Kunst über sie her:

> Alles umsonst? Das darf nicht sein. Ich laß das nicht zu. Das ganze Gerenne, diese endlosen Gespräche, die Schweißausbrüche und die schlaflosen Nächte, die Erklärungen, von denen keiner je auch nur ein Wort versteht, all diese furchtbaren Liebesgeschichten, der ganze Rattenschwanz an Abtreibungen und Verfluchungen, dieser lächerlich alltägliche Alltag, was alles da dranhängt und drinhängt, Kleinkram und Mittelmaß und vom Geld will ich gar nicht erst reden.

> Alles umsonst? Das darf doch nicht umsonst gewesen sein. Etwas, das alles das hinter sich läßt, etwas, das bleibt...?

So also ergriff die Kunst Else und nahm sie schließlich ganz und gar in Besitz. Und also war sie besessen. Ein wundersam schimmerndes Gefieder ließ sie sich wachsen und wollte fliegen weit, weit hinaus über Alltag und krämerisches Mittelmaß – aber sie flatterte nur kurz auf und nur das Gefieder schimmerte schön:

Ich denke an einen Wald; ja, ich denke an einen richtigen Wald. Sehr dicht soll er sein, mit Ästen, Zweigen und Blättern. Nicht so ein Pappwald – verstehst du? – wie die Bühnenwerkstätten ihn herstellen können; die können ja viel, die fertigen dir Wälder an, die echter aussehen als richtige Wälder. Aber genau das will ich nicht: bloß keinen Wald, der echter als ein echter Wald wirkt. Ich will schon einen richtigen Wald, aber ich will keinen Wald, der wirkt wie ein Wald – verstehst du? – schon einen Wald, aber einen Wald auf der Bühne. Die Leute sollen nicht denken, sie seien wirklich im Wald; aber sie sollen sich fühlen, als wären sie wirklich im Wald.

Man darf ihn also nicht herstellen, den Wald – denn so entsteht keine Fremdheit – verstehst du?

Else ach Else.

Ohne Genaueres zu wissen (Ich seh nichts mehr. Ich hör nichts mehr. Und möcht doch so gerne Nachtwächter sein), redete sie unentwegt von Kunst, in der sie eine Art Heilmittel gegen Allesumsonst erkannt zu haben schien.

Else ach Else.

Schon das platteste Leben ist ja nicht einfach; das der Kunst geweihte Leben aber ist teuflisch. Kunstanstrengung – darf man denn das angesichts der Plattheit des Lebens? Mit dieser Frage quälte unsere schöne Freundin sich lange. Natürlich fand sie die Antwort:

Seit es Menschen gibt, machen sie Kunst. Punkt.

Seit es Menschen gibt, machen sie Kriege, sagte die Großmutter immer, um der Politisiererei des Opas ein Ende zu machen. Aber die Großmutter (sie wollte nie sterben) war nicht besessen vom Krieg; von Kunst allerdings auch nicht. Großmütter sind also das eine; und die schönen, kunstbesessenen Freundinnen das andere. Seit es Menschen gibt, machen sie Kunst. **99** Punkt. Weitere Rechtfertigungen gingen auch wirklich zu weit und führten bloß wieder ins alte lähmende Fahrwasser zurück.

Machen wir also Kunst. Punkt. Die Lage bleibt dennoch kniff-
lig, denn das Ergebnis all dieser besessenen Anstrengungen soll
sich ja als wahrhaft kunstvoll erweisen, sozusagen wertbestän-
dig, dauerhaltbar, feuerfest und überlebenstüchtig sein. Auf der
Stelle würde unsere schöne Freundin sich umbringen nämlich,
wenn ihre Kunst keine Kunst wäre. Wann aber wird darüber
wohl das letzte Wort gesprochen sein?
Else ach Else.
Sie sitzt da und rauft sich die Haare.

> : Du kommst ja, wenn du nur ein wenig nachdenkst,
> immer zu den alten Fragen.
> : Ach Else.
> : Das ist aber wahr.
> : Natürlich.
> : Du hörst mir nicht zu.
> : Wenn es immer die alten Fragen sind ...
> : Sie stellen sich jedesmal neu.
> : Na schön.
> Und wie lauten sie diesmal?
> : Was ist der Mann? Was ist die Frau? Und was ist das
> Boot? Vor allem das Boot.

Damit waren wir also zum hundertsten Mal beim alten Thema.
Unsere schöne Freundin wollte nämlich etwas auf die Bühne
stellen und es – was Es war, blieb unbestimmt, in jedem Fall war
es irgend etwas mit Kunst – es sollte mehr und vor allem anders
sein als alles bisher Dagewesene; Es sollte gewissermaßen Alles
sein und andererseits auch wieder Nichts, und zwar beides
gleichzeitig: Es sollte alle Vergangenheit und alle Zukunft enthalten und in der Gleichzeitigkeit von Vergangenheit und
Zukunft ein Spiegel des Hier und Jetzt sein; Es sollte ein prä-
zises Bild unserer Gegenwart geben (die sowieso keiner zu
fassen vermag), ohne jedoch vordergründig gegenwartsbezo-
gen zu sein. Es war eine Art Ei des Kolumbus in des Pudels
Kern.

> : Ach arme Else.
> : Alles ist nie und eine Ruhe nirgends.

> : Das wissen wir aber doch.

Das Stück selbst handelte davon, wie ein Mann und eine Frau
in einem Boot sitzen und rudern und dabei reden. Zwar habe

sie das Stück noch nicht ganz verstanden, ahne aber, daß es alle Möglichkeiten enthalte und nach einer kongenialen Umsetzung geradezu schreie; daß es die alten Fragen auf noch nie dagewesene Weise neu stelle und für diese neu gestellten alten Fragen die einzig richtige Antwort bereit habe, nämlich keine:

Was ist ein Boot? Tagundnacht hat mich diese Frage beschäftigt, was ist ein Boot, das hat mir graue Haare gemacht.

Kaum dreißig und schon auf verlorenem Posten mit grauen Haaren, nein dankeschön bitteschön, es wird wirklich Zeit. Ein Boot ist ja nicht einfach ein Boot. Im Leben, im normalen Alltag, ist so ein Boot ganz alltäglich. Aber das hier ist doch kein Leben.

Das Boot war eine harte Nuß.

Was bedeutet dieses Boot in diesem Stück hier und heute und jetzt für uns? Boat people, schoß es mir durch den Kopf, und der Damm war gebrochen. Flucht ist das Thema, das Boot ist gar kein Boot, sondern ein Zeichen, ein Zeichen für Flucht. Eigentlich liegt das auf der Hand, schon die Arche war ja gewissermaßen ein Boot; das habe ich jetzt gelesen in irgendeiner Zeichentheorie, ich habe überhaupt alles über Zeichen gelesen. Das meiste, das uns umgibt, sind nämlich Zeichen; wir können sie bloß nicht deuten. Ich habe überall und in allem nur noch Zeichen gesehen; vor allem natürlich Boote. Ich habe das Boot als DAS ZEICHEN erkannt. Mit einem Boot gelangst du ans andere Ufer: Aufbruch ins Neue – aber ist das Andere wirklich das Neue?

Unsere schöne Freundin sagte Boot, und dabei dachte sie an alles: an Geborgenheit, an Flucht, Rettung, Gefahr, an Kentern, Scheitern, Schaukeln, Hin- und Hergeworfensein, an Liebe und Tod.

Was ist ein Boot?

Else ach Else.

Der Mann und die Frau rudern, so steht es geschrieben. Das heißt: der Mann und die Frau plagen sich zu Tode am Leben. Sie sammeln Kleingewinne zu einem größeren Gewinn und haben am Ende ehrlich verloren. Aber wie setzt man das um?

Unsere schöne Freundin raufte sich die Haare.

Damals dachte sie zum ersten Mal an den Wald. Wild, wie sie dachte, und kühn assoziativ flatterte sie ein bißchen auf und ließ ihr Gefieder schön schimmern.

: Ich lasse den Mann und die Frau in den Wald gehen.

: Aber Else, was für ein Wald?

: Ich lasse den Mann und die Frau in den Wald gehen und dort sich verlieren. Ich weiß bloß das Ende noch nicht. Lasse ich sie zuschneien oder ein bißchen verrückt werden am Schluß? Verrücktwerden könnte sehr poetisch sein. Sie singen traurige Lieder von enttäuschter Liebe und fröhliche Lieder vom Glück.

Wundervolle Zeilen habe ich dafür gefunden:

Bäume ... ahndevoll gepflanzt / als die wunderbarsten Träume / morgens rötlich mich umtanzt...

Ja. Ich lasse den Mann und die Frau in den Wald gehen.

: Was für ein Wald?

Habe ich das nicht schon lange erzählt?

So fings immer an. Kaum war man noch so sehr am Anfang, war man schon mittendrin; hingerissen und durcheinander.

: Aber wir wissen ja die Richtung nicht.

: Hauptsache weiter. Die Richtung stimmt immer.

Ein Mann und eine Frau, die in einem Boot sitzen und rudern und reden: richtig interpretiert bedeutet das: es gibt nichts als den Wald, und die Menschen verlieren sich in diesem Wald.

Ich habe monatelang an dieser Idee gearbeitet. Erst mußte ich die Leitung des Hauses überzeugen. Ich habe Wochen in Bibliotheken verbracht, tausende fotokopierter Seiten habe ich Blatt für Blatt zusammengetragen: alles über Wälder und Bäume und Mythen und Baumsymbole und den Wald als Metapher. (Gedichte über Bäume und Wälder: du ahnst nicht, wie viele es davon gibt; bestimmt so viele wie über die Liebe. Manchmal ist beides gekoppelt – Liebe und Wald, Baum und Treue; in Gedichten geht alles. Die Leute sind verrückt genug, wenn sie zu dichten anfangen. Wenn sie erst aber Bäume bedichten, sind sie vollkommen übergeschnappt.)

Aber schließlich habe ich alle von der Notwendigkeit meines Waldes überzeugt. Und damit ging es erst los. Ich brauchte statt der Bühnenarbeiter ja Waldarbeiter, aus dem Bühnenboden sollte ein satter Waldboden werden. Fürs Bühnenbild und die Beleuchtung mußten Forstfachleute her; man kann nicht mit Scheinwerfern in einen echten Wald reinklotzen. Überhaupt Licht: Wie sind die Lichtverhältnisse morgens im Wald, mittags und abends? Nachts ist es dunkel; das war kein großes Problem – aber ein Mond ab und zu: Ich wollte unbedingt ab und zu einen Mond.

Wie hieß denn noch einmal das wunderbare Stück mit dem Mond? Diesen Mond werde ich nie vergessen.

Aber der Mond wäre später.

Zuerst mußte ich den Bühnenboden in einen brauchbaren Waldboden verwandeln. Das durfte kein Provisorium sein. Die Bäume mußten regelrecht wurzeln. Also war während der Vorbereitungs-, Probe- und Spielzeit meines Waldstückes die Bühne sonst nicht bespielbar: entweder der Wald und nichts als der Wald – oder kein Wald. Meingott, bis die das alle kapierten! Du kennst das: diese Eifersüchteleien und das Sichzurückgesetztfühlen. Jeder hält sich und das, was er gerade spielt, für bedeutender als alles andere – die alte Geschichte, dagegen kommst du nicht an.

Mühsam mußte ich ihnen beibringen, daß dieser Wald – obwohl ich ihn ja erfunden hatte – nicht nur mein Wald war, daß dieser Wald uns alle etwas anging, daß es UNSER WALD war; der Wald, in dem sich die Menschen verlieren oder was immer, war das Theater, und dieses Theater in dieser Stadt war der Wald, diese Stadt in diesem Land, heute und hier war der Wald – und was wollte ich zeigen: keinen Kleinkram, kein Mittelmaß, keine Kinkerlitzchen – einfach nur Wald.

All dieses Nachfragen, hat Kunst überhaupt noch Sinn heutzutage oder nimmt man lieber gleich einen Strick, soll man tottraurig sein oder über alles nur lachen, das flaue Gefühl, das man bei allem, was man macht, hat angesichts der gesamten Misere, das ganze Untergangs-

und Dennochundtrotzdemgeschwätz, all das und alles andere und überhaupt alles wird völlig überflüssig durch den Wald. Der Wald im Theater war die einzige Möglichkeit hier und heute und die einzige Antwort, und ich hatte sie erfunden.

Der Mann und die Frau und das Boot müssen verschwinden.

Ein Mann und eine Frau: da ist nämlich schon alles gesagt. Ein Mann und eine Frau: mehr kann man nicht sagen.

Darin liegt eine Schwäche. Es ist alles gesagt. Es bleibt kein Spielraum. Wo alles gesagt ist, bleibt keine Luft. Ein Mann und eine Frau sitzen in einem Boot. Was willst du da zeigen? Wie sie rudern und reden? Ich habe dem Mann seinen Text gegeben, ich habe der Frau ihren Text gegeben, und ich ließ sie reden, und es war langweilig, sterbenslangweilig war es. Ein Mann und eine Frau und sie reden und rudern. Das kannst du wirklich überall sehen. Das ist Alltag. Mit Kunst hat das überhaupt nichts zu tun.

Ich war ganz verzweifelt; ich hatte keine zündende Idee. Dann fiel mir ein interessantes Buch in die Finger. An Zufälle glaube ich nicht. Wenn du besessen bist, wirklich besessen, dann ziehst du die Dinge an. Du wirst zum Magneten und ziehst alles an, was du brauchst. Es ging um die Geschlechter und daß in jeder Frau etwas von einem Mann und in jedem Mann etwas von einer Frau steckt. So furchtbar neu ist das nicht. Aber es stimmt.

Also ließ ich eine Frau den Mann und einen Mann die Frau spielen. So, dachte ich, wäre in dem Mann etwas sichtbar gemacht von der Frau, die er auch ist, und in der Frau könnte etwas mitschwingen von einem Mann. Aber hinterher war alles wie vorher. Die beiden fragten mich nur, wo denn ihr Boot geblieben sei und warum sie plötzlich nicht mehr rudern sollten.

Ich habe alles versucht.

Ich habe alles erklärt:

Du kommst also herein und gehst dorthin. Oder dorthin. Von mir aus auch andersrum. Es ist ganz und gar gleichgültig. Hauptsache kommen und gehen. Und reden natürlich, reden ist wichtig, unaufhörlich reden reden, egal was, vollkommen gleichgültig was, das endlose Gerede allein schon ist bedeutend genug, das Reden ist vorher ist nachher ist immer und überall.

Jawas? Jawas? Herrgott, irgendwas mit Liebe und solche Sachen. Darüber läßt sich nun wirklich wahrhaftig endlos reden und es bleibt immer spannend.

Sie verstanden kein Wort.

Ich habe es wieder und wieder versucht:

: Du gehst von rechts nach links und machst eine Geste.

: Was für eine Geste?

: Irgendeine. Egal.

Und du gehst von links nach rechts und machst auch eine Geste.

: Was für eine Geste?

: Irgendeine. Auf jeden Fall eine andere aber.

Und geht bitte nicht so, als würdet ihr gehen, um eine Geste zu machen. Geht so, als würdet ihr einfach nur gehen, und macht dann diese Geste. Nichts sonst. Auf dieser Seite wird ein himmelhoher Baum mit dunklem Laub stehen, auf der anderen einer mit zarten hellen Nadeln und glänzenden Zapfen: nach hinten verlaufend dann dürre, nervige Kiefern; ganz hinten die festen, die immergrünen Eichen. Irgendwo abgesetzt, ganz vereinzelt, denke ich mir eine steile, schwarze Zypresse.

Kein Wald sieht so aus; das war die Antwort. Ich wurde so wütend. Die Realität ist mir doch egal. Die Realität ist sowieso immer schon da, allhie schon da wie der Igel. Dann macht halt eure Geschichten und kocht euer Süppchen aus Krieg und Frieden, Sumpfdotterblumen und Zivilisation, Hühnerschändern und Gesundheit und Krankheit.

Kein Wald sieht so aus – gütiger Gott, wenn ich so etwas höre.

Ein Wald auf der Bühne gehorcht anderen Gesetzen. Ich schrie.

Ich schrie, daß der Wald, indem er als Wald, als nichts
sonst, als schlichter, einfacher Wald bloß sich auf der
Bühne befindet, natürlich sofort zum Zeichen wird
und die Bühne selbst zum Signal. Das Ganze ist eine
Metapher, ist überhaupt DIE METAPHER für das Ver-
hältnis von Leben und Kunst hier und heute und immer und jetzt.

Das wurde mir schlagartig klar, als ich es sagte; während ich schrie erst

Sie schrie so erbärmlich.

wußte ich plötzlich, so plötzlich wie der Himmel zerreißt...

Else ach Else.

Wann denn sagte zum ersten Mal der Dichter, daß es den Himmel zerriß, und warum denn zerriß es einst alle die Himmel,
die schwebenden und die schweren, die gnadenlos klaren und
die gnädigen trüben?

Ich hatte recht mit dem Wald.

Else ach Else.

Wir sind so stumm, wenn wir schreien. Einmal eines Nachts
flog mir ein Leuchtkäfer ins Zimmer, der glühte und glühte gegen die Wände dieses fürchterlich klein gewordenen Zimmers;
angeglüht gegen die eine Wand glühte er zu auf die andere.

Erica Pedretti

Das Modell und sein Maler

Ein Maler, der Hodler zitiert und, wie Hodler, seine Geliebte zeichnet und malt, auch dann noch, wenn sie krank wird, wenn sie stirbt. Was denkt er sich dabei? Und was empfindet, was denkt sie?

Das Modell, sächlich, das stimmt. Stimmt ganz genau: eine Sache. Die Sache hat mit mir, Valerie, nichts zu tun, mit dem, was ich fühle, was ich mir denke, mit der, die ich bin, gar nichts zu tun, und mit meinem Körper, mit meinem Gesicht nur ganz oberflächlich: Umrisse, Linien, Proportionen, Farben, Valeurs. Die wissen gar nicht, wovon sie reden, wenn sie immerfort von Liebe reden. Das hat mit Liebe wenig, vielleicht nichts zu tun. Selbst wenn sie mal dagewesen ist, die Liebe, und das war sie ja, und flackerte sie nicht immer wieder mal auf? doch, zu Zeiten fast täglich, so verschiebt sich dieses verlangende Interesse, weg von mir und aufs Papier. Die Liebe zu mir ist zum Anlaß geworden, zu nichts mehr, sie hat seine eine Liebe neu entfacht, darf seiner wahren Liebe Modell stehn. Ein frierendes Modell, das zuschaut, wie sein Gesicht, der Körper, Umriß, Linien, Flächen, Strich um Strich neu entstehen, auf einem Bogen Papier auferstehen. Ich höre, wenn ich nicht hinsehe, den Stift kratzen, Pause, Kratzen. Nein, er schaut nicht mich an. Es ist der Verlauf einer Linie, ich weiß, es ist meine linke Hüfte, die Franz jetzt fixiert. Sobald er zu zeichnen anfängt, sobald er auch nur ans Zeichnen oder Malen denkt, versinke ich, bin ich für ihn nicht mehr vorhanden. Bin nicht mehr, bin nichts wesentlich anderes als ein Berg, ein Tisch, ein angeschnittener Apfel. Eine Frage von schwer zu reproduzierenden Farbflecken, Glanzlichtern,

Linienverläufen. Und das ist so deutlich spürbar, sichtbar wie der Wechsel in der Beleuchtung einer Landschaft.

Franz sagt: rede, sag doch was, sagt er, wenn er nicht arbeitet. Und manchmal auch beim Zeichnen, ja selbst dann. So als käme es ihn leichter an, als käme der Strich unbefangener, ungehemmter aus ihm, aus seiner Hand, wenn er von eigenen Vorstellungen, von seiner Zielstrebigkeit abgelenkt, ihrem Reden, wie Musik, lauscht. Das Wort tönt etwas eigenartig, aber es handelt sich, das spürt sie, um Lauschen, er hört sie, doch er hört ihr nicht zu. Er schaut jetzt auf meinen Mund, merkt sie und versucht, den ausführlich begonnenen Bericht über den gestrigen Arztbesuch abzukürzen, jetzt auf die Frisur, den Haaransatz und, darüber durchscheinend wie ein Schleier, das Haar vor der Wand, ihre Wörter kommen zögernd, leiser, jetzt schaut er durch mich hindurch, mein Gesicht ist ein ganz bestimmter Ton, Farbton, eine Helligkeit, ein ganz bestimmter Tonwert, Valeur heißt das, vor der Tapete.

Er antwortet für Valerie, beantwortet seine eigenen Fragen, und sie kennt ihn und lächelt wie über ein etwas vorlautes, auf sich selbst konzentriertes, sich vor ihr, durch sie bestätigendes Kind.

Und doch hatte er so viel Erfahrung, hatte so viel erlebt, so viel so intensiv gearbeitet wie kaum ein andrer. Er lehrte sie die richtigen Antworten, und sie war bereit zu lernen. Glücklich und stolz teilte sie seine Ansichten und bemerkte, wie der, den sie liebte, sich bei ihr wohlfühlte.

Auf seine Erfahrungen, seine Ansichten und Antworten, werde ich, das heißt wird Franz, sobald er mehr Zeit hat, und dazu wird es bald kommen, noch genauer eingehen, das alles wird sie wiederholt und ausführlich zu hören bekommen.

Valerie lernte ihren Maler kennen, und nicht nur das, sie lernte ihn auswendig wie ein Buch, bald konnte sie ihn, welche Seite auch immer, zitieren. So wie sie wußte, was er von ihr wollte, und wie er es wollte, so wie sie, wie von selbst, in den richtigen, das heißt in den von Franz gewünschten Posen einrastete. Nicht immer ganz leicht, so schnell macht mir das keine nach.

Wie sie das, was sie jetzt eigentlich tun wollte, was sie meinte, tun zu müssen, vor sich herschob, ein Stichwort, »Modellstehen«, im Geist notierte, das sollte vorerst genügen, daran will ich denken und an alles, was dazugehört, alles Drumrum später an diesem Wort ans Licht ziehen, nicht jetzt, später sag ich mir, jetzt hier in seinem Atelier sitzen bleiben und schauen, was er tut, wie er Pinselstrich an Pinselstrich setzt, mir die eigenen Bilder, die hier nicht hingehören, verscheuchen, und mich auf seine Arbeit konzentrieren. Was ist? Was hast du? fragte er, merkte, daß ihre Gedanken abschweiften, obwohl sie jetzt hinter ihm saß, er mit dem Hinterkopf doch nicht sehen konnte, nahm er wahr, weiß der Teufel wie, so gehts doch nicht, vorwurfsvoll, und überstrich eine Stelle.

So als malte ich mit. Und das freute mich natürlich, warum *natürlich*? frag ich mich jetzt, machte mich stolz, es ist zwar mühsam, sich ständig auf das, was auf der Leinwand geschieht, konzentrieren zu müssen, ermüdend, aber auch aufregend, manchmal gehts dramatisch zu, doch manchmal, oft, ist es quälend. Als ginge etwas von mir in das Bild ein, ein Bild, das nicht von mir war, zu dem ich jetzt auch nicht Modell saß, ein Stilleben, das nichts mit mir zu tun zu haben schien, dessen Gelingen aber, so sagte Franz, von meinem Dasein, an diesem Tag, abhing.

Die Leute an einem warmen Augustabend, es hatte mich aus der Wohnung getrieben, und planlos lief ich durch die Gassen, sie saßen auf den Wirtshausterrassen, halblaute Gespräche, gedämpft vereinzelte Lacher, und beim Vorbeigehn erkannte mich jemand, grüßte mich von einem der Tische im Halbdunkel unter den Kastanien einer, rief mir zu, ob ich mich nicht zu ihnen, einer Gruppe junger Leute, die ich nur von fern, vom Sehen kannte, setzen wolle, doch ich, unruhig, wollte weiter, nicht eintauchen in dieses laue Aquarium, in dem alle sich schattenhaft zu bewegen schienen.

Wie lange kann es so weitergehn, so gut gehn, wie lange noch die Gedanken von überallher wie Töne auf mich zufliegen, wie Melodien, ihren, wenn auch anfangs noch unbekannten, undurchschaubaren Sinn, eine mir zwar unbekannte, doch am Ende wohl erkennbare sinnvolle Ordnung zu haben scheinen. Wie lange werde ich noch so, wie mit erhobenem Kopf, mit offenen Augen, hellhörig, wach und aufs äußerste aufnahmefähig sein.

Der Duft, verführend, zum Flanieren verlockend, aus dem Schatten des Gebüschs, alter Rosensträucher, Rhododendren, aus den vor den ultramarinblauen Abendhimmel gehaltenen blühenden Akazien auf der Seepromenade, und die Sommerkleider der vor dem Geländer langsam auf und ab Spazierenden leuchteten in der Dämmerung. Jeder Atemzug kostbar, jeder Augenblick als wär er haltbar, als könnte man die Bewegungen als Choreographie, die Farben, den Duft wie eine schöne Komposition erhalten, für sich, und nicht nur für sich, behalten.

Sie, Valerie, sah seine Farben, seine Farbakkorde, seine Zeichnung in dem, was sie anschaute, überall sah sie nur noch seine Bilder. Und wenn, ausnahmsweise, einmal nicht: die Flanierer vor dem nächtlichen See unter einem leuchtend ultramarinblauen Himmel, für einmal ganz überraschend neu, frisch, mein und mir ists wie ein Seitensprung, und selbst den würd er mir mit einem Anderen eher verzeihn, so als würd ich ihm, indem ich etwas Eigenes, etwas, das ihm fremd ist, wahrnehme, in gewisser Weise untreu.

Diese verschwiegenen Eigenheiten. Wenn sie, was sie fremddenkt, ausspricht, wendet er sich enttäuscht ab, verletzt, daß sie nicht immer, ohne Ausnahme, sich von dem, was er sieht, was er denkt, was er empfindet, überreden läßt. Was heißt überreden, er redet nicht gern, daß sie nicht spontan, also ohne weiteres so sieht, fühlt, denkt wie er, sie ein Stück von ihm, eine Erweiterung, Bereicherung seiner Person.

Eine Persönlichkeit, lächelt sie, zu Hause. Sie hat ja Zeit, genügend Zeit, oder zuviel? noch lange nicht zuviel Zeit, ihn sich vorzustellen, wenn er nicht da ist, wie meist, ihn sich bildhaft vor sich zu stellen. Seine Erscheinung kommt ganz von selbst, kommt über den Gartenweg, durchs Stiegenhaus, zur Tür herein, da sitzt er, wie vorgestern, das bärtige Gesicht erwartungsvoll, aufmerksam ihr zugewandt, und sie redet mit ihm, so stellt sie sich vor, läßt heute ihren Part nicht aus. Was hätte sie ihm nicht alles zu sagen, ihm, Franz, der sie belebt, für den sie jetzt lebt, wieviel hätte sie ihm von sich, von der, die sie vor ihm war, von dem, was sie bis dahin erlebt hatte, sagen wollen.

Ungesagt, zumindest nicht gehört, von Franz nicht und auch von niemandem andern gehört, wurde das, was einmal gewesen war, was in ihrem Kopf weiterlief in den leeren Stunden, wie ein nicht anzuhaltender Film, der vorwärts und, gleich darauf, das Vorhergehende auflösend, rückwärts lief, zum Hirngespinst, zu einer unwahrscheinlichen, nur von ihr phantasierten Geschichte, die es nie wirklich gegeben, so jedenfalls nicht gegeben hatte. Und an deren Wahrheit sie selber zu zweifeln anfing: War sie nicht längst das Opfer ihrer Phantasien geworden, was war sie denn damals, wer war sie früher gewesen? Hatte es sie so, wie sie zu sein meinte, überhaupt gegeben? Und wenn sie sich nicht sicher war, daß es sie je gegeben hatte, wie war es denn möglich, daß es sie jetzt gab? Vielleicht, ja höchstwahrscheinlich, war sie eine ganz andere Fremde, natürlich war sie für Franz eine andere, und mit ihm auch für sich selbst anders als ohne ihn, jetzt allein war sie weder für sich selbst, noch für einen Außenstehenden, einen Fremden, die, die sie in geselligeren Zeiten, oder mit Franz zusammen, als sein Modell, oder als seine Geliebte zu sein schien. Aber war sie vielleicht nur mit Franz wirklich, nur dann lebendig, und schien, wieder allein, bloß in ihren Vorstellungen von sich selbst zu existieren? Dreh dich, dreh dich, Rädchen, Valerie für sich und die Valerie von Franz waren nicht miteinander vereinbar, es sei denn, Franz hätte, und wärs auch nur einmal gewesen, das, was sie als ihr Eigenstes betrachtete, was sie beschäftigte, zur Kenntnis nehmen können.

Es war nicht das, was sie beschäftigte, was sie von ihm unterschied, woran ihm lag: *Nach der Einheit trachten, nach einer starken und machtvollen Einheit, das heiße nichts anderes, als einer Sache zur größten Klarheit verhelfen, das heiße, eindeutig ausdrücken, daß dieses Ding voll Anmut ist und jenes voll Stärke.* Betrachtete sie seine Bilder, die Bilder, zu denen sie Modell gestanden hatte, so fand sie sich nicht immer anmutig. Soll ich das sein? Sollte ich tatsächlich so verkrampft, vertrackt aussehn? Manchmal, am Anfang, schien ihr, glichen ihre Bilder eher ihm. Und wenn er tatsächlich richtig sah? Mehr und mehr wurde sie zu ihrem, zu seinem Bild, bewegte sich so, stellte sich so, wie sie sich dargestellt vorfand.

Warum hast du nicht geschrieben, zumindest geschrieben, ich hätte deinen Brief lesen und wiederlesen können.
Aber warum bist du denn nicht gekommen, ich habe den ganzen Tag auf dich gewartet und mußte am Abend einsehn,

daß du nicht im Sinn hattest, deinen Sonntag mit mir zu verbringen. Wie zahm, wie brav. Mehr mutet sie ihm nicht zu. Mehr wäre eine Szene. Wer macht gerne Szenen. Wer würde um Szenen willen geliebt? Bleib ruhig und sprich nicht alles aus. Erinnert mich ans Spital. Alles, was du einen ganzen Tag lang morgens gehofft, bis abends befürchtet hast. Abends mußte ich einsehn, daß du nicht im Sinn gehabt hast, hab Einsehn. Ich bin müde vom Warten. Alles mögliche lernt man, aber Warten lernt man nicht. Sollte Pflichtfach sein in den Schulen, so wie das Turnen, durch regelmäßiges Training wirst du zunehmend stärker, wäre wichtiger als Rechnen, Geschichte, Geographie, zumindest für Mädchen, für Frauen. Warten können, oder lernen, nicht mehr zu warten. Das erinnert sie, an was sie nicht erinnert werden will. Die Wartezeiten, verrückt vor Angst und dabei ungeduldig, als würde das Erwartete diese Warterei lohnen, und wußte doch, sie wartete auf etwas Schmerzhaftes. Warten aufs Nachtmahl, weil noch nicht feststand, daß sie morgen operiert würde. Warten auf Verlust. Warten auf den Arzt. Was für ein Mensch wird das sein? auf ein Gespräch mit diesem hoffentlich vertrauenerweckenden Fremden, weil noch nicht feststand, für sie zumindest, wie operiert werden würde. Die quälenden Fragen. Bis morgen. Was heißt stundenlang?

Hinter ihr, aber heute vorbei, ein schwerer Tag, mehrere Tage, kaum durchzustehn, endlos, bleiern schien diese Zeit. Von der ich heute kaum mehr reden kann, denn um davon sprechen, einen schlechten Zustand darstellen zu können, muß es mir wieder besser gehn. Doch wie ich, deprimiert, mir nicht vorstellen konnte, daß ich mich je hätte richtig freuen können, so unmöglich ist es mir in guten Zeiten, das Unglück, das Leiden, als wirklich wahr zu erinnern. War denn darin nicht auch die Möglichkeit, ja das Wissen von vergangenem und somit auch zukünftigem Glück, also immer noch Hoffnung, enthalten? So erscheint mir, wenn es mir gut geht, alles Reden vom Unglück und Leiden unwahr, als würde ich Geschichten erzählen, ich komme mir selber als Erfinderin des Unglücks vor.

112

So gut wie heute wird es auch morgen, übermorgen noch gehn. Wenn nicht, so will sie ihr heutiges Wohlbefinden nicht mit vielleicht, hoffentlich, doch überflüssigen Befürchtungen verderben.

Und Franz ist nach längerer Abwesenheit wieder einmal gekommen, Grund zum Feiern, Grund zur Freude. Wie sie ihn kannte, war er um so besserer Laune, ermutigender, bestärkender, je besser es ihr ging, je hoffnungsvoller sie sich gab.

Erinnert mich wieder, bleib ruhig und spricht nicht alles aus, hab doch Einsehn mit deinem Arzt. Meine Ängste, alle ausgesprochenen Befürchtungen vertreiben ihn nur, bedrücken auch Franz, und dann sitzt er da, schweigend, oder er beginnt zu zeichnen, nervös, das will nicht/nein/nicht wie ich will/so gehts nicht/alles daneben/kannst du nicht doch einmal paar Minuten lang/so/ja/nein/ ruhig/Herrgott hierher hast du vorhin geschaut/stimmt jetzt fast/noch mehr nach links

Fieberhaft zeichnet er das, was er beim Hereinkommen mit einem ersten Blick aufgenommen hat, ab, zeichnet es aus seinem Kopf heraus, übersetzt seine Angst aufs Papier, raus aus ihm, dieses Dahinsiechen, ihre sichtbare Todesangst raus aus dem Gehirn, wo alles zerstörerisch weiterwirkt, langsam tötet, solange es nicht irgendwie gebannt, sichtbar gemacht und damit kontrollierbar wird.

Ich hab so noch allemal überlebt, ich atme noch, zeichne noch, zeichne mein Grauen, meine Todesangst auf, nein, das ist es noch nicht einmal, ich komme Angst und Grauen zuvor: zeichnend fürchte ich nichts, nichts außer meinem Unvermögen, das, was meine Augen wahrnehmen, aufs Papier zu bringen. Wie seine Augen, ein Leben lang geschult, seine Hand, ein Leben lang geübt, ihn nicht im Stich lassen würden, das hofft er, das hoffe ich, so weiß er, daß Zeichnen und Malen seine Waffen, die bewährtesten Mittel sind, um sich von dem, was jetzt so nah, unter seinen genau registrierenden Blicken vor sich geht, abzusetzen. Indem ich das Leiden aufzeichne, das Sterben darstelle, distanziere ich mich. Ganz deutlich lebe ich ja: ich bemühe mich, ich arbeite verzweifelt an etwas, das gar nicht leicht ist, und ich freue mich an allem, was mir gelingt. So konzentriert arbeiten bedeutete ihm konzentriert leben, es war nicht er, es war die Andere, die starb, wie so viele vor ihr, die er hatte sterben sehn. Ich hab immer wieder überlebt, habe mich als stärker, als widerstandsfähig erwiesen und werde weiter überleben, und es wird immer gestorben, jede Minute, jede Sekunde stirbt einer, ich lebe. Und während er versucht, ihre Gestalt, diesen dunklen Kopf in den Kissen, ihr hageres Profil nachzuzeichnen, ganz genau, ist es ihm gar nicht möglich, an irgend etwas anderes zu denken als an das, was er jetzt gerade tut: an die Stimmigkeit, Lebendigkeit dieses einen Strichs.

Was ein Betrachter, was man sich später nicht vorstellen kann und was man sich auch nicht vorstellen muß: die Freude an jedem gelungenen Zug, Freude am grausamsten Abbild, sobald es richtig, dem Eindruck entsprechend gelungen ist, diese sein Können bestätigende Zufriedenheit. (Mit einem Rosenbouquet ist er zu Valerie gekommen, mit einem dicken Bündel Zeichnungen verläßt er sie, datieren und signieren wird er erst zu Hause.)

Was aber werde ich tun, angesichts einer unerträglichen Situation, wenn ich nicht mehr notieren kann, wenn es mir unmöglich sein wird, sie darzustellen?

Wie gut du aussiehst! Ganz verwundert tönt das.

Ja, ich schwimme fast täglich.

Und wieder: wie gut Sie aussehn! Dieser forschende Blick: man müßte doch das, was sie durchgemacht hat, an ihr ablesen können.

Valerie versuchte, ihr Unbehagen lachend wegzuwischen: ja, die Seeluft, ein Glücksfall, dieser schöne Sommer, mein Gott, es sieht aus, als wär er enttäuscht, was vermißt er denn? den fiebrigen Blick, eingefallene Wangen?

Unter den abtastenden Blicken fühlte sie sich zusammensacken, morsch werden: das gesunde Aussehen könnte doch tatsächlich nichts als Sonnenbräune sein, könnte über meinen wirklichen Zustand hinwegtäuschen, nur Tünche sein auf einem im Innern unaufhaltsam zerbröckelnden Gebäude.

Die fünf aufgebahrten Lawinenopfer in der Kapelle des Wintersportortes. Jeden Abend mußte ich, etwa zwölfjährig, an den hellen Kapellenfenstern, an den Toten vorbei; es schneite seit Tagen und hörte nicht auf zu schneien, und an eine Beerdigung oder an Abtransport, an Abreise war nicht zu denken. Lebende und Tote waren in die Falle gegangen. Im Skidreß, braungebrannt, lagen sie da, einer neben dem andern.

Den ganzen Morgen schon diese unbestimmte Angst, während sie ziellos von einem Zimmer ins andre ging, lüftete, das gestrige Geschirr mit dem vom Frühstück abwusch, so geht das also weiter, zuviel Durchzug, die Fenster eins um andre wieder schloß, so würde das unbeirrbar weitergehn, die Polster auf dem Sofa aufschüttelte, sosehr sie versuchte, diese Zeichnungen und Bilder loszuwerden, die ließen sich nicht mehr verscheuchen: so lange geht das, so sieht das aus, so schnell, so kurz, so furchtbar lang dauert das, hier schaust du immerhin noch passabel aus, und was man nur zu leicht vergißt: auch in guten Zeiten siehst du plötzlich im Spiegel ein uraltes, ein Totengesicht, siehst alles unmöglich mögliche, Franz kann dich auch so malen, als wärst du schon dort, drei Stationen weiter, noch geht es ja, du gehst herum, und es geht recht gut, so liegt noch einiges an Freude? sogar an Freude liegt noch einiges drin.

Jede schmerzfreie Minute ist eine glückliche Minute. Ich bin mir des Wohlbefindens, dieses Glücks nie so bewußt gewesen. Nie war Glück etwas so Einfaches. Und noch nie war ich entschlossener als jetzt, dieses Glück wahrzunehmen und bis aufs letzte auszukosten.

Glück: schweig, sei doch still! Wie verdächtig mir das Nennen dieses Wortes, das Betonen von jeher war.

Kaum angekommen am neuen Ort, wurde sie vom Nachbarn eingeladen. Sonntagnachmittag saß man unter dem Sonnenschirm, stolz zeigte der Besitzer auf Blumenrabatten, den geschorenen Rasen, wies auf sein hübsches Haus und redete, als wollte er sie von Zweifeln befreien, hatte sie denn etwas dergleichen gesagt? vom Glück, was wollen Sie mehr? und vom Glück ganz allgemein, auf das sein persönliches Glück hinzuweisen, das es sogar zu beweisen schien, und an dem sie, wie jedermann, beteiligt zu sein zugeben sollte. Dieses wiederholte Nennen, war das nicht eher Beschwörung?

Das gleiche mit einer Zugbekanntschaft: als hätten die Beteuerungen dieser Dame, sehr glücklich zu sein, Valerie zum Glücklichsein verpflichtet. Und wieder der Hinweis auf **115** ein hübsches Haus, und hier die Aussicht auf die sich von einer Jahreszeit zur andern verändernden alten Bäume, die

Fotos und das Porzellan auf dem Kaminsims, der liebevoll gepflegte Beweis: all dies ist mir, wie es sich gehört, zugefallen, könnte deshalb jedermann, auch Valerie, wenn sie nur wirklich wollte

sie wollte das Wort für sich behalten, nicht ausstellen, aus Furcht, das was es benannte, könnte durch Herzeigen abgegriffen, verdorben, gar zerstört werden.

Er kommt, sieh da, er kommt öfter als sonst. Schweigsamer auch als sonst sitzt er da. Immer kürzere Einleitungen: wie es ihr gehe, wie sie die Nacht verbracht habe, wie ihr Appetit sei, wie viele Pillen, wie viele Spritzen, immer schneller versucht er, zur Sache zu kommen, greift zum Block, zum Bleistift

Je nun, wenigstens das, daß meine Krankheit, der Verlauf meiner Krankheit, wie er sich in meinem Aussehen manifestiert, ihn interessiert. So wäre mein Verfall für etwas gut, er kann ihn studieren, ihn aufzeichnen: das Sterben, sein Thema, ich bin sein Modell mehr denn je.

Ich spür seinen kurzen intensiven Blick, er kommentiert oft was er tut: wie diese Stirne aus der Nasenwurzel steigt/und der Verlauf der Nase/nochmal/härter/der Schatten dieser schweren Lider/halbgeschlossen/da brauchte ich Farbe

ich höre den Stift auf dem Papier und zerfalle unter den auf Einzelheiten konzentrierten Blicken in lauter Stücke: Nase und Lippen und Kinn und Stirn und Ohr und Auge und Hals und Haar und Hand

er ist da, neben mir im Zimmer unendlich weit fort.

Das Einziehen der Luft, das leiseste Stöhnen verstört seinen aufs Papier konzentrierten Blick, gleich, es fehlen nur noch wenige schnelle Striche, wird er aufstehn, und es könnte sein, daß er drei, vier Tage nicht wiederkommt.

Ganz erschlagen. Eine Kur, die ihr hätte helfen sollen, entläßt sie völlig ausgewrungen, kaum fängt sie an zu denken, versickern die Bilder, die Wörter, verfliegen, und wie in eine weiche Masse versinkt sie in Schlaf, aus dem ein Stück Stirne hervorschaut, eine Membran, die aufnimmt, was um sie her geschieht, und mir heruntervermittelt, halbverhüllte Meldungen Töne Lichtverschiebungen Schattenbewegungen.

Ob er wirklich weiß, wie ihr zumute ist? Die immer häufiger auftauchenden Schatten, ich nenn es jetzt mal Schatten, die von überallher auf sie zuwachsen in zunehmender Schnelligkeit, je näher sie ihr kommen

Sie hatte gewußt, daß es das gab, daß es das gibt, aber doch nicht unbedingt für mich, und jetzt steht es da, groß, schwer, übermächtig, ein Gangster setzt mir die Pistole an die Brust, du kannst dich nicht wehren, wie mutig du bis jetzt gewesen sein magst, der wankt nicht, wie könnte ich nur mit einer feinen, schlangengleichen Wendung mich aus der Falle ziehn, ihm die Waffe entwinden, doch er errät Gedanken, grinst, ist vor hinter über unter mir das Ungeheure ist auch in mir, da gibts nichts mehr zu überlegen, es stößt die Mündung ins Fleisch, daß es schmerzt, glaub endlich das Unglaubliche, denk endlich das Unausdenkliche, wenn du Zeit dazu hast, vielleicht, hoffentlich, geht es rasch.

Der Überlebende hat recht. Franz hat immer recht, und erst recht der überlebende Franz wird recht behalten. Man wird meine Bilder, seine Zeichnungen und Bilder betrachten und Mitleid haben: mit ihm. Wie sichtbar ist sein Leiden geworden! Sie hat ja nichts mehr davon gemerkt. Wenigstens hat sie sich beim Sterben nicht zusehn müssen.

Man wird sich aus Selbstschutz mit dem Maler identifizieren, mit seinem Leiden, dem einzigen, das man, bevor man selbst von der Krankheit erfaßt wird, nachfühlen kann. Wer überlebt, behält recht. Ich will überleben. Und Sterben scheint, wie eine Krankheit, ansteckend zu sein.

Wie hat mich, nach dem letzten Besuch bei einer alten Freundin, ein elender Geruch verfolgt. War er an den Fingern haften geblieben, ich hatte die Kranke gestreichelt? Die stanken aber nicht. Waren es die Kleider, die den Sterbezimmergeruch aufgesaugt hatten? Andere rochen nichts, nein, wirklich nicht. Der Geruch von Sterben war, nur für mich wahrnehmbar, in mich eingedrungen, er folgte mir, verfolgte mich stunden-, tagelang, ich konnte ihm nicht entrinnen und hielt mich von andern fern, ich wollte mir, allen Beteuerungen zum Trotz, nicht vorstellen, daß nur ich diesen Gestank in der Nase hatte. Auch heute noch, nach drei Jahren, ist er momentweise und grauenhaft wieder da. Ich will nur leben, ich muß nicht recht haben.

Valerie kann ihren Blick nicht von Franz wenden: ihr ist, als zöge er mit jedem Bleistiftstrich ein Stück Oberfläche, ihre Haut, Stück um Stück ein Stück ihres Lebens von ihr ab. Ich bin jetzt nicht mehr, was ich heute früh war. Ohne das Blatt zu sehn, weiß ich, daß ich mich verändere, daß meine Erscheinung sich stündlich von seiner Zeichnung entfernt.

Und er weiß das auch und fährt fort zu zeichnen. Ihm geht es um seine Bilder; er will weder sich selbst noch die Betrachter täuschen. Er will überleben.

Und seine Bilder, die genauen, guten Bilder, die können einen guten, genauen Betrachter nicht täuschen.

Hermann Burger

Die Wasserfallfinsternis von Badgastein

Ein Hydrotestament in fünf Sätzen

»Die Wasserfallfinsternis von Badgastein« ist die dritte von drei Erzählungen mit dem Titel »Blankenburg«, die im Herbst 1986 im S. Fischer Verlag erschienen sind. Es sind allesamt Texte, die an eine höhere Instanz gerichtet sind; »Der Puck«, handelt von einem traumatischen Kindheitserlebnis und beschreibt eine Hadesfahrt unter einen Eisweiher, als Eismärchen gestaltet; »Blankenburg« enthält sieben Briefe eines Leselosen an eine Bücherfürstin im Berner Oberland, die in ihren Antworten eine Therapie des »Morbus Lexis« entwickelt.

Wenn ein Mensch, Herr Kurdirektor, und sei es nur ein invalider Nachtportier namens Carlo Schusterfleck, ein Vetter Michel der Schöpfung, durch Zufall, den es zwar ebensowenig gibt wie den Laplaceschen Dämon, er allein wäre in der Lage, das Tierquälerische unserer Existenz zu entziffern, als Pionier, Kronzeuge und Kamikaze in eine noch nie dagewesene, in eine Naturkatastrophe sui generis verwickelt wird, ist es seine verdammte Pflicht, alle Kräfte, auch diejenigen seiner Krankheit, aufzubieten und ein umfassendes Geständnis abzulegen, so als hätte er anstelle des Zyklons gewütet, zugleich die Instanz einer nach oben unbegrenzt offenen Richter-Skala zu verkörpern, gerade als Krüppel, quod non est in actis, non est in mundo, was nicht in den Akten steht, ist für die Welt nicht vorhanden, also zu Protokoll zu geben, was er weiß, auf die Gefahr hin, daß man ihm im Austria-Haus, wo die Kurverwaltung von Badgastein residiert, kein Wort glaubt, dieweil er an seiner Aussage verblutet;

119

ansonsten, nicht wahr, gehört es ja zu den Tugenden unseres Standes, fortwährend beide Augen zuzudrücken und aufs Maul zu hocken, in der Nachtportierschule von Zürich, wo wir Eleven, Stadtstreicher, Pennbrüder und bankrotte Hausierer, vom Chef-Concierge des Grandhotels Baur au Lac, Raimund Ostertag, Ehrenvorsitzender des Clé d'or Suisse, in einem dreiwöchigen Abendkurs in die Geheimnisse unseres Metiers eingeweiht wurden, hämmerte man uns immer wieder den kapitalen Lehrsatz ein: Der Clavicularius verwaltet die Schlüssel zur Nacht und zum Gesundschlaf seiner Gäste, stumm wie ein Fisch, doch wachsam wie eine Eule zähmt er seine Zunge in sämtlichen Fremdsprachen, er hört alles und weiß von nichts, doch er, der Herumkommandierte, führt das Logbuch der Loge, er amtet als Aktuar der Kurruhe wie des Hotelklatschs;

was mich dermaßen enthusiasmierte, daß ich mich, noch bevor das Gerücht an unserem Institut zirkulierte, bei Direktor Kranewitter um den verwaisten Posten eines Nachtportiers im feudal verwitterten Gasteiner Hof bewarb, indem ich herauszustreichen wagte, ein Bechterew im fortgeschrittenen Zustand eigne sich besonders gut für den Schlafmützendienst, zum einen weil er, wenn auch als Negativreklame, die Kurgäste an die balneologischen Bodenschätze des vom Wildbad zum Weltbad avancierten Thermal-Monte Carlo erinnere, sodann bringe er die Berufsbuckelhaltung, die seine Konkurrenten erst mühsam erwerben müßten, als Bambuswirbelsäulensäuger von Haus aus mit, das, wenn man so wolle, absolute Gehör für primär chronische Polyarthritis, Spondylarthrosen, Weichteilrheumatismen etcetera, und letzlich verhinderten die berüchtigten Frühschmerzen, die man ohne weiteres dahingehend bestechen könne, schon nach Mitternacht einzusetzen, daß er das Vertuschungsarrivée eines spät einrückenden Roulette-Casanovas verschlafe;

natürlich, Herr Kurdirektor, wollte ich, jeder Schmerz ist sich selbst der nächste, nach Badgastein berufen werden, um nebenamtlich vom radonhaltigen Thermalwasser profitieren zu können, das in einem fünfzehn Kilometer langen unterirdischen Leitungssystem zirkuliert, worin ich mich, aber davon später, getäuscht haben sollte, hinzu kam, daß ich während meiner Orchesterdienerverweserzeit an der Zürcher Tonhalle zu einem

Schubertianer hinter und unter der Bühne geworden war und mich besonders für das Schicksal der verschollenen Gasteiner Symphonie interessierte, die bekanntlich in jeder Biographie erwähnt wird, als missing link zwischen der Unvollendeten in h-moll – o diese Baßkellereien im Allegro moderato – und der Großen in C-Dur, ohne daß auch nur ein einziger Ton je von einem menschlichen Gehör eingeatmet worden wäre;

kurz, der Posten wurde mir förmlich angedreht, Wach- und Kontrolldienst von elf Uhr abends bis sieben Uhr früh, Entlöhnung in Form von Speiseresten, Tagschlaf, Schweigegeldern und Kurnaturalien, als Sozialleistung die internationale Atmosphäre einer Fremdenfalle, Vertrag per Handschlag, so daß ich meine Stelle mitten in der Hochsaison, da mein Vorgänger Walberer das Opfer eines Raubüberfalls auf den Schmucksafe des Gasteiner Hofs geworden war, antreten konnte, Pfaffenbichler, Concierge, Ombudsmann und Empfangschef in einem, führte mich in einer Schnellbleiche in meine Obliegenheiten ein und übertrug mir bereits am ersten August, dem Schweizerischen Nationalfeiertag, die Schlüsselgewalt, Podgorsky, der polnische Barpianist, spielte für Carlo Schusterfleck, als Inthronisierungstusch sozusagen, den verjazzten Anfang unserer Nationalhymne, bevor er den Deckel zuklappte, und verabschiedete sich im Vestibül mit dem in der Sowjetunion für Nachtportiers gebräuchlichen Titel Notschnoj Schwejzar, Ende des ersten Satzes, Andante un poco non troppo.

Bis zur Wasserfallkatastrophe am 31. August, welche Sie, sehr geehrter Herr Kurdirektor, administrativ zunächst betrifft, sammelte ich als Kustos im Gasteiner Hof in etwa folgende Erfahrungen, fein säuberlich, sütterlinhaft, in eine Annex-Kladde zum Nacht- und Weckjournal gekritzelt, zuvörderst, daß an Schlaf überhaupt nicht zu denken war, Bechterew, Wladimir, hatte den Namen gestiftet, von Strümpell, Adolf, entdeckte den aufsteigenden Morbus, beginnend bei den Iliosakralgelenken, Marie, Pierre, Neurologe in Paris, die absteigende Spondylitis ankylosans, welche bei den Kopfgelenken ansetzt, ich schien die Skandinavische Sonderform zu verkörpern, sogar als Patient noch ein Bastard, so oder so wälzte ich mich auf dem Begradigungsnotbett im Gepäckungemach neben der Reception, unter der Sonnerie ständig hin und her, und wenn mir die

Schwerarbeit des Entschlummerns zu gelingen schien, klingelte prompt der erste Nachtstörzer;

ausgerappelt im zerknitterten Kellnerfrack, dem Erbstück Walberers, die Sauerteigmiene des Beleidigten abgelegt, in die Gummikothurne gestiegen, welche die Schläge auf die Wirbelsäule dämpfen, die Mütze in die Stirn gedrückt, so hinkte ich in die Loge, deblockierte die Schwingtür, ließ die Alkoholfahne oder Radonwindhose in die Halle säuseln, harkte mit dem Krückstock den auswendig gewußten Zimmerschlüssel vom Postwabenfächer, küß die Hand, Frau Medizinalrat, keine besonderen Vorkommnisse, wünschen Frau Medizinalrat geweckt zu werden für ein Dreiviertelbad vor dem Frühstück, bitte sehr, ich entwickelte mich rasch zum perfekten Habe-die-Ehre-Kakadu, unter dem Käppi und den hexenschußartigen Schmerzen zum Gast empor –, doch nach Beendigung der Zeremonie um so befreiter an ihm herabblickend, bis auf die Fußspitzen, die alles verraten, ist man etwa der Schuhputzer, der Ausreibfetzen dieser Herrschaften;

und wenn der zum erblindeten Spiegelkabinett verkommene kanadische Scherengitterfahrstuhl außer Betrieb war, für einen hydraulischen Elevator die Regel, welche die Ausnahme bestätigt, begleitete ich das gähnende Treppenfleisch, das die Unverschämtheit hatte, mir buona notte zuzuhauchen, bis zum ersten Podest, bemüht um Konversation, o ja, ich wußte mich mit Redensarten zu revanchieren, es mag wohl eine Dame die Treppe hinauffallen, wenn ein Narr darunter liegt, man fange oben an zu scheuern, wenn sich der Glanz der Stiege soll erneuern, wünsche wohl geruht zu haben, ich kassierte den Zungenschilling, der Bechterew- ist ja zugleich der gebrochene Almosenblick, um in der meinem Morbus angemessenen Halbbauchlage auf die Frühschmerzen, mein Kreuz, und den nächsten Kunden zu warten;

Schlag sieben endlich, ja, ich lernte wieder zählen in Badgastein, wenn ich vom rosig rasierten Pfaffenbichler in der vieuxpruneroten Livree mit den goldenen Reversstromlinien abgelöst wurde, schloß ich mich in der Anrichte der Kaffeeküche, dem Personalfrühstück an, altbackene Semmeln, zu hart geratene Gipseier, während im Speisesaal das Frühstückspersonal um die Tischchen scharwenzelte, spülte mit der Maikäferbrühe und verkroch mich in die aufgelassene Lingerie in der Dependance, um meine Gymnastik zu absolvieren, die Klappschen Kriechübungen aus dem Vierfüßlerstand, mit den Fingern wandaufwärts klettern bis zur Bleistiftmarke, das wichtigste waren die Lungenetüden, denn, wie Sie wissen, Herr Kurdirektor, wird der Brustkorb durch den Sklerisierungsprozeß mehr und mehr zusammengedrückt, ein gürtelförmiger Schmerzpanzer, ein Organ bedrängt das andere, weil der Resonanzraum schrumpft, letztlich kommt es zu Panikausbrüchen von Herz, Leber und Niere, die Galle, mit der ich dieses Testament aufzeichne, wird schwärzer und schwärzer, im Endstadium gleicht der Bechterewtorso einem blank genagten Krummsaurierskelett und erinnert an ein paläolithisches Picknick, denn die Eingeweide haben sich selbst verzehrt;

dann aber, wenn es mir gelungen war, die Etagenkellner, Casserolenputzer und Bagagisten abzuschmettern, die mich alle für ihre Zwecke einspannen wollten, stand mir der ganze Kurort zur Verfügung, Carte blanche, so glaubte ich, ein bißchen dösen, ein bißchen schwadern, leider gab es, und Sie werden mein Präteritum noch fürchten lernen, einen widerhäkischen Paragrafen in der Kurverordnung, wonach es allen Bediensteten während der Hochsaison untersagt war, sich am thermischen Glücksspiel, so Kranewitter, zu beteiligen, der Bechterew-Zug im Heilstollen war für Wochen ausgebucht, im Dunstbad riß man sich um die kopffreien Kästen, die Solitärwannen im Souterrain blieben für die Gäste reserviert, das Militärhospiz befand sich im Umbau, die Fledermaus-, die Doktor-, die Chirurgenquelle, alles in allem 4,6 Millionen Liter 43 Grad warmes Radonwasser pro Tag, aber nicht für den Nachtportier Carlo, und dies, daß ich wie ein Schiffbrüchiger auf offener See verdursten sollte, raubte mir vollends den Schlaf, den man jeder Ratte am Tag gönnt, ich strolchte als Wahrzeichen der schlimmsten Rückenkrankheit durch Badgastein, von keinem bemitleidet, denn wer mich einherhinken sah als Diable boiteux, wähnte mich in Therapie, was mir noch blieb, war der Trinkbrunnen im Wasserfall-Lesesaal des Austria-Hauses, wo Grillparzers Gedicht »Abschied von Gastein« an der Wand zu tönen schien, war, zum Glück, der Wasserfall selbst, Ende des zweiten Satzes, Notturno grave.

123

Was, mit Verlaub, Herr Kurdirektor, sind alle Hydroganten der Welt, an der Spitze der Angel in Venezuela mit 978 Metern Sturzhöhe, was die Sutherland-, die Viktoria-, die Niagara-Fälle, der Gavarnie und der Staubbach bei Lauterbrunnen gegen diese unsere, ich sage meine Ache, denn es war Liebe auf den ersten Blick, die in drei Kaskaden von der Pyrker-Höhe durch die tief ausgefräste Schlucht unter der Straubinger Brücke hinweg nach Badbruck hinunterdonnerte, vom Wasserboden oberhalb der Franzmeierschen Säge schäumten die Garben über den Bärentritt und um den Christuskopf ins erste Gletschermilchbecken, die naßglänzenden Klammwände verengen sich zur Port, gepreßt schoß der Stieber hervor und sprühte als tanzende Schleierhose über den senkrechten Felsabbruch, umtoste das Straubinger, dann wechselte man das Geländer und ließ sich mit den glitzernden Gischtbärten und Geisirwolken in den Abgrund und den Strudelkolk von Grabenstätt spülen;

als wirbelsäulenverkrüppelter Ochsenschlepp kommt man ja nur schwer an solche Naturschauspiele heran, aber hier auf der bequemen Kommandobrücke mit dem Messingschild von Rotary International – Luftionisierung durch die Zerstäubung des Gießbaches – spannte ich meinen Thorax zum Bersten und kämpfte um jeden Zentimeter Horizont, himmelwärts verneigte sich der absteigende Typus, hier bewunderte ich, unerachtet meiner Iritis, die Regenbogensegmente über dem Schaum, ließ ich mich begichten und inhalierte das potenzierte Radonozon, die Sophienquelle entsprang ja mitten in der Schleierstufe, und um die Ecke am Hotel Straubinger verkündet die Gedenktafel des Wiener Musikvereins, daß Schubert hier die durch ein Mißgeschick verschollene Gasteiner Symphonie komponiert habe im Sommer 1825, zuerst die Unvollendete, dann die Verschollene, dachte ich, wenn sie sich nicht im dritten Satz der Großen verbirgt, doch mit C-Dur, der Czernyhottentottentonart, kam man dem ohrenbetäubend tumultuösen Wassertornado nicht bei, eigentlich bot sich nur E-Dur an, vier Kreuze, hart wie Zentralgneis;

124   und wenn ich bei Kräften war, mir ein Geselchtes in der Prälatur geleistet hatte, erklomm ich den Wasserfallsteig hinter dem kaisergelben Badeschloß, auch so eine Balneopathenruine, hielt inne beim Mittereck-Wehr, später auf der Schreckbrücke, wo ich dem Gesang der Geister in den Wassern lauschte, dann stieg ich von der Pyrker-Höhe zum sogenannten Echofelsen hinunter, unweit von Waggerls Geburtshaus Bergfriede, hier wurde das Rauschen des Bärenriegels an den konkaven Findling geworfen, und wenn man sich, etwa zwei Schritte vom Kandelaber entfernt, in den Brennpunkt des akustischen Spiegels stellte, hörte man das Tosen im Stein drin, auf dem in Antiqua-Lettern stand: »Gastuna tantum una«, es gibt nur ein Gastein, immer war ich von der Idee besessen, wenn es gelänge, Herr Kurdirektor, das verkorkste Kreuzrippengewölbe meines Bechterewbuckels in dieses Echo der Natur zu schmiegen, quasi in ihr Urgeräusch, müßte der Versteifungsprozeß zu stoppen sein, wirksamer als oben im Heilstollen, sollte das Thema der Verschollenen mitklingen;

das Rückentosen im Stein war meine Gasteiner Naturheil-ebenso wie meine Schubertforschungsmethode und kostete keinen Groschen, so daß ich mir ab sechzehn Uhr das Kurkonzert des Funeralienoperettenoktetts im Hufeisen des Kongreßhauses bei einem kleinen Braunen und einem krummen Hund zu Gemüte führen konnte, Wien bleibt Wien, tröstlich, dies hier oben schrammelselig versichert zu bekommen in dieser einmaligen Mischung aus Sinfoniettenramschkolportage und Provinzstehgeigervirtuosität, ein achtstimmiger Ohrenkaiserschmarren und Kontrapunktschmäh, der aber von den Bresthaften aus aller Herren Länder ohne Nebenwirkungen verdaut zu werden schien, so bunt wie das Arrangement »Von Meister Lehar persönlich« waren die schlagobersdressierten, mit Nougat gespickten und von Sonnenschirmen gekrönten Eisbecher;

Zeit genug, die Leute zu studieren, hatte ich traun fürwahr, und ich sage Ihnen, Herr Kurdirektor, habe die Ehre, daß Dominicus de Gravina, Seneca, Thukydides und Konsorten – der Laie borgt, das Genie stiehlt, Krankheit macht erfinderisch – gewaltig irrten mit der letzlich von Spinoza zum Sprichwort erhobenen Ansicht: »Solamen miseris socios habuisse malorum«, Trost für jeden im Leid ist es, Leidensgefährten zu haben, eher müßte es heißen, Solamen miserum .... ein elender Trost ist es, denn es gibt keinen schlimmeren Konkurrenzkampf als die Naturheilrangelei von halbwissenschaftlichen und dennoch pflanzlich geschützten Patienten, die, in Wirklichkeit kerngesund, vom Wahn angesteckt sind, einer möglichen Spondylarthritis vorbeugen zu müssen, Gastein ist, vielmehr war ein Sammelbecken von Profil-Prophylaxis-Profit-Profi-Neurotikern, jeder versuchte, dem andern das Radonwasser abzugraben, dabei wäre genug dagewesen, selbst für die Leibeigenen der Hotellerie, hundert Sekundenliter, man höre und staune, doch die Angst, von Gastuna stiefmütterlich behandelt zu werden, verwandelte die Touristen in eine beschwipste Thermalmeute rücksichtsloser Genesungsgewinnler, alle hatten das Goldflakkern im Blick wie früher die Knappen am Radhausberg, Ende des dritten Satzes, Allegro assai tumultuoso.

So etwa ab zweiundzwanzig Uhr, wenn unten im Casino über dem Kesselfall das Roulette begann, wo der Heilsmachiavellismus im Glücksspiel seine Potenzierung fand, corriger la fortune, hielt ich mich in der Kalten Küche des Gasteiner Hofs für meinen Einsatz bereit, schnappte mir einen Tafelspitz, ergötzte mich an Podgorskys Improvisationen, hörte die Champagnerpfropfen knallen und das Gelächter in der Bar des Steirischen Engels, diese Aprèsradonkreuzfidelität als Geselligkeitskitsch, und freute mich schon auf die Stunde des Wolfs, wenn das Hotel so ausgestorben sein würde, daß ich mich in den Speisesaal mit den glastoten Pendeloques-Lüstern und den specklasurierten Wasserfallschinken schleichen und im Vestibülschein am Blüthner Schuberts Verschollener nachspüren konnte, als Bechterew über die Tasten gekrümmt, mit dem Dämpfpedal natürlich und immer gefaßt auf das Schellen der Nachtglocke oder das Summen der Sonnerie, es mußten, nach dem Versiegen der Unvollendeten, drei Sätze gewesen sein, drei Kaskadensprünge, in der Mitte vielleicht ein Scherzo mit einem larghettösen Trio, aber das Eröffnungsthema, Herr Kurdirektor, die dem Klopfmotiv von Beethovens Fünfter entsprechenden Wasserfalltakte;

item, als Bewegungstherapie gegen die Frühschmerzen hatte ich mir angewöhnt, gegen vier Uhr, wenn mit keinem Ruhestörer mehr zu rechnen war, einen – wenn auch illegalen – Rundgang durch die Hotelschlucht zu machen, schläft der Schillerhof, schläft das Kurhaus Jedermann, und an diesem besagten 31. August stieg ich zunächst zum Echofelsen hinauf, um den

Ton im Stein abzunehmen für meine notturnale Rekonstruktion, doch mir fiel auf, als erstes, daß es für den Hochsommer zu dunkel war, Dämmerungsverspätung, würde ich notieren und melden müssen, zweitens vermißte ich zunehmend das Wasserfallrauschen, in der Hochsaison wurde die Ache nie gestaut, nachts sogar als Attraktion Nummer eins beleuchtet, dieses wunderbar gleichförmig traumlösende Crescendo des Wildpads, ja, man meinte, wenn man lange genug hinhörte, es schwelle an, jetzt verstummt, zumindest der Widerhall im erratischen Block aus der Würmeiszeit, ich schlug mit dem Krückstock dreimal an die Wölbung, Gastuna tantum una, das Urgeräusch blieb aus, aber die Messinglettern des Werbespruchs fielen wie schlecht befestigte Beileidsbuchstaben auf Kranzschleifen zu Boden, ein Haufen Zwiebelfische, eine zerstörte These;

so daß ich, unerachtet der Fersenstiche, hinüber hinkte zur Stiebenden Brücke in der Schreck, wo der Badberg und der Gamskarkogel zu jener Klammsteilstufe zusammenrücken, die der Gießbach in Jahrtausenden ausgeschliffen hat, nachzusehen, was los sei, mißrät die Kur, verkommt man zu einem Kuriosum, einem Ausbund an Neugierde, dieses opake Dämmerdunkel, kein Stern am Himmel, und da, nein, hatte man Worte, horribile dictu, sollte ich doch auf den Buckel fallen, er war versiegt, naßglänzend wie die Finsternis zur sechsten Stunde starrte mir die Maske der zerschundenen Natur entgegen, ein Georiß mitten durch Gastein, als hätte sich die Erde aufgetan, dieses Fremdengezücht zu verschlingen, ich sah nackt wie nie zuvor die Strudeltöpfe, Schmirgelkolke und Felsenschliffe im Zentralgneis, der hier besonders schroffzackig hervortritt, sah den blanken Christuskopf als schwarzgoldblekkenden Pyritschädel, spätige Sturzrinnen und zinkblendende Fräswunden, hier, wo die letzte Gletscherzunge über die Mittereck-Kante gelappt hatte, klaffte paläolithisch vorsintflutlich eine Selbstmordschrunde, das Uranpechherz mit einem Stich ins Violette, kein Zweifel, der Wasserfall hatte sich umgebracht, zurückgenommen die Bären-, die Schleier-, die Kesselkaskade, mir, Carlo Schusterfleck, eröffnete sich die Kluft eines Nottestaments, eigenhändige Schriftlichkeit genügt, also die Signatur der reziproken Überflutung, Missingwater, woher ich wußte, werfen Sie ein, Herr Kurdirektor, daß es ein Suizid als Staatsstreich der Natur war, nun, für Orohydrographie hatte ich schon immer ein Sensorium, als Bechterew für entzündliche Revolutionen des Skeletts dazu, wer ein solches Kreuz trägt, wird hellhörig für Umweltkatastrophen, Ökopleiten, sehnt sie, offen gestanden, förmlich herbei, jedes Ding, so Jakob Böhme, hat seinen Mund – »De rerum signatura« – zur Offenbarung, die Schälle urständen aus der Essenz, hier in dieser Kehle, Gargar, Cañon, Caille war sie verdorrt, und ich hörte, wie sich unten in der Entrischen Kirche, der Tropfsteinhöhle oberhalb der Gasteiner Klamm, ein Earthquarkgrollen löste, wie erdrutschartig ein Felsriegel zugeschoben wurde, um dieses Zufallsgeschlecht von Balneonausen in die Talwanne einzusperren und an den Ort des Verbrechens zu bannen, dem Zirbensterben konnte man ausweichen, weil man vor lauter kranken Bäumen den Wald nicht zu sehen brauchte, der Wasserfalleiche nicht, die Flüsse gehen den Völkern voran, die Wüsten folgen ihnen, Herr Kurdirektor, zu Ihren Händen diktierte mir die Ache folgendes Testament:

Erstens, aus Protest gegen die hirnwütige Ausbeutung der Gasteiner Therme, eines unter vielen Beispielen für den Raubbau der Menschheit an ihren Resourcen, habe ich mich, die Gischtende, was mit Hilfe aller in mein Bett geleiteten Abwässer ein leichtes war, vergiftet und, wörtlich, aus dem Staub gemacht, und ich verfüge letztwillig, daß alle achtundvierzig Heilquellen mir nachfolgen und versiegen werden; zweitens, die Radium-Emanation, das eigentliche Wunder des Wildbads, wird rückgängig gemacht, die Tochtersubstanz, das Edelgas Radon, baut sich in den übrig gebliebenen Tümpeln und Tankvorräten zur vollen Radioaktivität und unverminderten Strahlenschädlichkeit auf, womit der Weltkurort ab sofort zu einem Verseuchungszentrum erster Güte verkommt und ein für allemal erledigt ist; drittens, meine, die Missingwater-Finsternis oder Hydronox und -noxe wird andauern über die neunte Stunde hinaus, so daß unter den erwachenden Gästen eine Panik ausbricht, im Stollen dergestalt, daß der Bechterew-Zug im erkalteten Tunnel steckenbleibt und der plötzliche Kur- und Naturentzug zu einem kollektiven Klaustrophobie-Infarkt führt, dekompensierte Herz- und Kreislaufverhältnisse in der Tat, das ganze Tal aber von Dorfgastein über Hofgastein und

128

Badgastein bis hinauf nach Sportgastein ist, gedacht, eine einzige Hochgebirgsangströhre, alle stürzen auf jenen Notausgang zu, der vermauert ist, die Krankheit, ja sogar das Recht auf Leiden haben die Enterbten verscherzt, der Schlaf, der ihnen noch verbleibt bis zum weckenden Frühschock, ist bereits der Zins des Todes; viertens, dir, Carlo Schusterfleck, der du mit untergehen wirst, erfülle ich einen, den letzten Wunsch, indem ich das Geheimnis der Verschollenen lüfte, Schubert hat die richtigerweise neunte Symphonie aus Gmunden mitgebracht und im Hotel Straubinger binnen drei Wochen vollendet, e-moll, Andante non troppo, Scherzo und Allegro di molto, aber bei seiner wie immer überstürzten Abreise die Partitur im Zimmer vergessen, gefunden wurde sie vom Wirt und Gemeindepräsidenten von Badgastein, Veit Straubinger, der Noten lesen und somit erkennen konnte, daß Schubert das Finale mit einer für die Romantik noch unvorstellbaren Dissonanz, einem Riß durch das Gebäude abbrechen ließ und damit den Zusammenbruch – er, Schwammerl – des Kurorts prophezeite, worauf Straubinger die Blätter zerriß und in den Kesselfall streute; fünftens, dort unten auf dem Gneisgrund von Grabenstätt ist die komplette Gasteiner Symphonie in Neumen-Schrift, Punctum, Scandicus, Salicus, Flexa, Gnomo, Epiphonus und was der stenographischen Kürzel mehr sind, in den Fels geschliffen, freilich von keinem Geologen, Hydrologen oder Musikologen zu entziffern, weshalb ich dir rate, dich zur Beurkundung dieses Nottestaments, das zwei Zeugen unterschreiben werden, du als Notschnoj Schwejzar einerseits, als Bechterew andererseits, in den Wasserfallsaal zu setzen und Grillparzers Stanzenfresko »Abschied von Gastein« auf dich wirken zu lassen, du wirst sie hören, die verschollen Geglaubte, wenigstens die ersten Takte, Ende des vierten Satzes, Allegro apocalittico.

Manche, so lernten wir in der Nachtportierschule bei Raimund Ostertag, haben einen Schlüssel zu aller Leute Hintertüren, nur nicht für die eigene, zum Glück, wie sich jetzt herausstellte, hatte ich mir rechtzeitig einen Passepartout für die signifikanten Lokalitäten des Kurorts zu verschaffen gewußt, so daß ich, nachdem ich der Blutsteinschrunze entlang zur Straubinger Brücke hinuntergestiegen war, ja, der Selbstmordglanz erinnerte mich an diesen Hämatiten, den die meisten

Gäste als Brosche, Amulett oder Ring trugen, ohne Schwierigkeiten ins Austria-Haus eindringen und im ersten Stock verifizieren konnte, daß der Trinkbrunnen der Fledermausquelle zu sprudeln aufgehört hatte, es war kalt und gruftstill wie in einer marmornen Wallhalla, ich setzte mich an eines der Lesepulte, mit dem Rücken zur andauernden Finsternis, es war nun die erste, nach abendländischer Zählung die sechste Stunde, schrieb das Testament ins reine beim Schein meiner Taschenlampe, und als ich die Urkunde ausgefertigt, mit meiner Unterschrift besiegelt hatte,

begann das Gedicht an der Wand menetekelhaft aufzuflammen – »Denn wie der Baum, auf den der Blitz gefallen,/ Mit einem Male strahlend sich verklärt« – natürlich, wie hatte ich das nur übersehen können – »Und was euch so entzückt mit seinen Strahlen,/ Es ward erzeugt in Todesnot und Qualen« – Schubert hatte nicht, wie der Laie annehmen könnte, den Wasserfall, die drei Kaskaden vertont, sondern – »Die Klippen, die sich ihm entgegensetzen,/ Verschönen ihn, indem sie ihn verletzen« – die Stanzen seines Freundes aus dem Sommer 1818 – »Was ihr für Lieder haltet, es sind Klagen/ Gesprochen in ein freudenloses All« –, und erst als ich das begriffen hatte, Herr Kurdirektor – »Und Flammen, Perlen, Schmuck, die euch umschweben/ Gelöste Teile sind's von meinem Leben« –, daß der Komponist von der Terassendynamik, von der majestätischen Freitreppe des dreimal wiederholten Reimpaares AB ausgegangen war, daß es die Künste sind, welche die Künste beflügeln,

hörte ich das Eingangsmotiv der Wasserfall-Symphonie, ertönte die Neumen-Signatur unten in Grabenstätt, aufsteigender Typus, Herr Kurdirektor, und siehe, was kein Schubertologe auch nur im entferntesten in Betracht zu ziehen gewagt hätte, es war eine Rosalie, ein Schusterfleck, es begann als tiefe Cello-Kantilene, verstärkt durch die Oktave der Bässe, und wurde zweimal hintereinander mit sämtlichen Begleitstimmen um eine Stufe höher transponiert, von der Kessel- auf die Schleier-, von der Schleier- auf die Bärenschwelle, vielmehr, weil, frei nach Kant, der Dietrich zu den Naturerscheinungen nicht in unserem reinen Denken liegt, von Doppelverstreppe zu Doppelverstreppe, ich aber, der verkrüppelte Habe-die-Ehre-Kakadu, basaß als einziger den Schlüssel zur Verschollenen, ausgerechnet mir hatte Schubert, indem er einen Vetter Michel stehen ließ, ein, nein, Denkmal wäre zu hoch gegriffen, sagen wir uns, alle gebeutelten Nachtportiers der Welt hatte er in der neuen neunten Symphonie verewigt, und es war nur die Frage, wie man eine musikalische Flaschenpost aus einem kollabierenden Kurort hinausschleudern sollte, sicher nicht, indem man Alarm schlug, bei wem denn, bei der Feuerwehr, im Kraftwerk Böckstein, Sie, Herr Kurdirektor, aus dem Schlaf zu reißen, wäre das Verfehlteste gewesen, nein, der Weckdienst lag hinter mir, zu spät und doch noch Zeit genug, den Bösendorfer Flügel im Nebensaal, der ab und zu von Virtuosen dritten Ranges malträtiert wurde, in Ergänzung der Promenadenkonzerte, an die Fensterfront zu rücken und die Löcher aufzureißen, gesagt, getan, und ich hämmerte ohn Unterlaß die Cello-Kantilene der Verschollenen in die Finsternis, in der Hoffnung, daß vielleicht ein Schlafwagenpassagier des Hellas-Istanbul-Expresses, der um sechs Uhr siebzehn an Badgastein vorbeischnaubte, die Melodie, gerade weil er sich über die Dunkelheit wunderte, aufschnappen, nach Salzburg, womöglich nach Wien entführen und immer wieder vor sich hinpfeifen würde wie ein Volkslied, das so betörend herumschwirrt, daß es letztlich sogar den Stein eines Musikologen zu erweichen vermag und, sofern es zufällig ein Schubertologe ist, zur Erkenntnis bringt: das ist sie; war denn die canzonaccia »Rosalia mia cara« anders unter die Leute gekommen, nein, und was dieser Schnulze recht war, würde der Gasteiner Symphonie, zumindest dem Wasserfallmotiv, wohl billig sein dürfen, also gab ich mein Bechterewsches Frühkonzert, das erste meines Lebens, und war im übrigen gespannt darauf, was den Balneologen an lebensrettenden Sofortmaßnahmen einfallen würde beim Ausbruch der Panik, Ende des fünften Satzes, Vivace poco a poco accelerando.

Katja Lange-Müller

Kasper Mauser –
Die Feigheit vorm Freund

Annas Liebesgedicht und Grabinschrift
für Kasper Mauser

Du bist doof
Sei dankbar und froh
daß wir dir das Leben geschenkt haben
Mit dir wird nichts
Aber wir brauchen dich

Denn so ist das Leben in Deutschland geworden
Die einen haben Katzen
die anderen haben nichts
und Ekel Konjunktur

Dies ist die Geschichte, vielmehr – und damit viel weniger – das
sollen werden die Geschichten von Amigo Amica, alias Kasper
Mauser, Anna Nass, auch die Trampel-Muse Kaspers, und ihrer
fernen Freundin Rosa Extra, dreier Kreaturen, welche das ihnen gemeinsame – ... nennen wir es einmal wie die Mode-
ärzte... – Verwahrlosungssyndrom auf ganz unterschiedliche
Weise veräußerlichten.

   In diesem, vor allem aber auch im Sinne des selbstbetrügeri-
schen Kasper: »Zieh aus mein Herz und suche Streit.«

I

Der kollektive Sisyphos

Jetzt geht *das* wieder los. Sich erinnernd, ahnte Anna Nass, was da auf sie zukam, vorerst wenigstens.

Von Geburt an naturweich oder aus lebenslanger Überzeugung schlottergelenkig, wickelte sich Anna in ihre Arme. So, die Finger um die Schulterblätter gekrallt, erstarrend, sich verkrampfend in der Umklammerung ihrer selbst, fixierte sie einen grellhellen Punkt da vorn auf einem ... – Bildschirm wahrscheinlich. War es ansonsten auch wie im Kino, der bald sich ausbreitende Lichtfleck war kein Widerschein. Er blühte aus dem tiefen Dunkel hervor, wie einmal oder vor langer Zeit, als Annas Schwester Alma-Ida in einem viel zu großen Hotelzimmer – die Eltern saßen wohl wieder in der Bar – mitten in der Nacht einen alten Fernseher anknipste, nur hatte jener mehr flackernde Lichtfleck *damals* außerdem noch fremdartig klingende, langvokalige Gesänge von sich gegeben. Bis die Musik plötzlich verstummte, das Licht in der Bildröhre erlosch, wie auch all die Lichter auf der Straße draußen vor den Fenstern. Alma-Ida und Anna brachen gleichzeitig in Tränen aus – nie vorher und überhaupt nie wieder konnten sie so zusammen weinen –, sie hatten geglaubt, daß sie die Schuld trügen an dem Stromausfall. Anna erinnerte sich nicht an die Stadt und kaum an dieses Hotel. Aber der alte Fernseher, das hatte sie sich gemerkt, hieß »Rembrandt«.

Nun schon sehr schnell verbreitete, verlängerte sich die Lichtfläche. Was ein riesiger, ein Breitwand-, ein Panoramafernseher mußte das sein. Bald, gleich würde die gewaltige Helligkeit, die, nach allen Seiten weiterwachsend, sich auf sie zu und um sie herumkrümmte, sie gänzlich umhüllen. Gerade schloß sich ein letzter, schwärzlicher, fontanellenhafter Punkt nordwestlich über ihr.

Es war, als müßte Anna in einem Traum aus einem Traum erwachen. Nur schwer bekam sie die Augen auf, die verklebt, verkrustet waren, anstelle der Augäpfel, hatte sie das Gefühl, lagen zwei Feuerquallen im brennend heißen Küstensand/ am **133** blendend weißen Schwarzmeerstrand, so schlagermäßig der Reim, der ihr dabei einfiel. Sie sah Rot, zart glühendes Sonnenaufgangsrot, schwach genetzt, fedrig geädert. Durch ihre noch immer fast geschlossenen Lider hindurch starrte sie direkt in die Sonne. Sie mußte im Stehen, vor Erschöpfung, eingeschlafen sein. Wie sie sich noch fragte, warum sie nicht einfach umgefallen war, wurde ihr klar, daß etwas sie festhielt. Mit Daumen und Zeigefingern beider Hände riß sie die verfilzten Wimpern auseinander, schaute an sich herab. Jetzt erst fühlte sie die Fühllosigkeit ihrer Beine oder worauf immer sie stand, Beine nurmehr von Bein, Stöcke, Prothesen... Bis über die Knöchel, wenn da welche waren, steckte sie in einer schwarzen Masse, die nach Teer roch. Anna hob ihren Kopf zurück zwischen ihre vor Taubheit kaum mehr schmerzenden Schultern, versuchte ihn zu drehen, nach links, nach rechts. Es ging schlecht, auch der Nacken war so sperrig. Doch nun, da sie ihn eben erblickte, den gesenkten, spitzigen Schädel ihrer nicht sehr groß geratenen Freundin Rosa Extra, war ihr, als habe sie Rosa immer neben sich gewußt, dies nur eine Minute, Sekunde ohnmächtigen Schlafs lang vergessen. Rosas feines, weiches, falbes Haar, das sie nie lange anschauen konnte, das sie anfassen wollte, weil es sie an das Gefieder eines jungen, toten Spatzen erinnerte, dieses Haar wehte ganz wenig, ganz leicht in dieser fieberheißen Winzigkeit von Wind. Nimm deine Kelle, du mußt deine Kelle wieder nehmen!, sprach jetzt Rosa mit hölzerner Stimme, aus der falschen Richtung. Rosa hatte ihren Kopf also verkehrt herum auf. Wer hat dir den Kopf verdreht?, antwortete ihr Anna, eher traurig als vorwurfsvoll. Aber Rosa wies nur mit suchender, stark gebräunter, fleckiger Hand nach links. Anna kam gänzlich zur Besinnung, vor ihr, auf der Teerdecke, lag ihre langstielige Kelle, so eine wie Adolph Menzels »Stahlwerker« sie gebrauchten. Links und rechts daneben zogen jeweils zwei müde mongolische Pferde jeweils einen Kessel dampfenden Teers auf hochrädrigen Karren durch den Sand. Im Abstand von etwa drei Metern knieten einander zwei Männer gegenüber, die breite Schalbretter an Schubladengriffen senkrecht gegen den Boden hielten. Obgleich die Männer ihre Köpfe richtig herum zu tragen schienen, konnte Anna keine Gesichter erkennen, zu tief hielten sie diese gesenkt. Natürlich, erinnerte sich Anna, wir gießen eine Straße in die Gobi. Mechanisch griff sie nach ihrer Kelle, tauchte sie in den linken

Kessel, hob sie gefüllt zwischen Schalbretter, zog ihr linkes, fußloses Gehwerkzeug aus der Teerschicht, dann das rechte, der schwarze Brei ergoß sich in den Wüstensand, die Männer verharrten lange; bis dieser Brei etwas ausgekühlt, also fester geworden war, und rutschten dann, ohne sich je zu erheben, weiter voran. Gobi, das hatte Anna aus einem Abenteuerroman, bedeutet in der Sprache der Calca-Mongolen: Gehst du hin, kommst du nie mehr zurück. Pausenlos und ohne Eile arbeiteten sie sich auf die Horizontlinie zu. Bis eines Morgens oder Abends Rosa Annas Arm umfaßte. Willst du wissen, was geschieht, schau einmal auch zurück, sagte Rosa mit einem Pathos, das Anna nicht mehr für möglich gehalten hatte, und sie wand ihren Hals, daß die Wirbel knirschten. Weit hinter ihr, ebensoweit vor der verdrehten Rosa, rollte eine gewaltige schwarze Walze die Straße hinan. Hinter dieser Walze blinkten helle Schiffchenmützen, wie Pioniere sie tragen, vielleicht zehn, fünfzehn, zwanzig… Nimm deine Kelle! Du mußt deine Kelle nehmen. Sie dürfen uns nicht einholen, sagte Rosa, blindlinkisch mit der ihren auf den rechten Kessel zurudernd. Aber Anna fielen schon wieder die Augen zu.

Aus weiter und immer weiterer Ferne, größerer und noch größerer Höhe, aus der Riesen-, der Geier-, der Flugzeugperspektive sah Anna inmitten der Wüste Gobi eine schwarze Schnecke kriechen, flankiert von vier Pferdchen, die sich ausnahmen wie Gespanne dressierter Flöhe in einem Flohzirkus, Miniaturbasteleien von Wägelchen ziehend. Die zwei kurzen Fühlhörner der Schnecke, das waren die Männer mit den Schalbrettern, die beiden längeren, beweglicheren, das waren die Freundinnen Rosa Extra und Anna Nass. Der schwarzen Schnecke Leib aber war das stets gleich lang bleibende, gleichmäßig sich dahinziehende Stück Straße; ihr beständig schwerer werdendes, nicht minder schwarzes Haus, in dem sie sich nie würde verstecken müssen, weil sie ja keine Schnecke war und auch das Haus bloß so aussah wie ein Schneckenhaus, war die Walze, diese Rolle von Teerteig, die nicht einmal das war, sondern nur die Straße selbst, welche ameisenhafte Pionierchen vor sich herschoben, immer der Straße nach.

II
Rosa verloren – im Kaufhausgedränge

Restalkoholisiert, tief deprimiert, aber doch noch diszipliniert
saß Anna Nass, (das oder) die Trampel-Muse und schlechte
Freundin Amigo Amicas, den sie manchmal auch den Rußkäfer
nannte, in sentimentaler Erinnerung an Gregor Samsa, der, aus
konspirativen Gründen, im folgenden aber nur noch Kasper
Mauser heißen wird, schreibend im Restauranttrakt des Hertie-
Kaufhauses unter papiernen Imitationen von Erntekränzen; o
Wunderwelt des Wassers. – Wo es eine hinverschlägt, vorm
Fliehen auf der Flucht, verfluchend die fliehende Stirn. So lan-
dete Johna auch – heute oder nimmermehr – in des Leviathans
Bauch.

Noch nicht weit gekommen war Anna als Autokannibalin,
wiewohl sie doch unermüdlich an ihrem Mund aß, auch wenn
sie rauchte, stets und ständig wie ein wahnsinniger Wachtmei-
ster, auch weil sie wußte, wie häßlich das aussah, auch wenn
dieser Mund immer wieder nachwuchs; Schleimhäute, schließlich, sind keine Schwimmhäute; so selbstvergessen dachte Anna
an Kasper Mauser nur.

Gibt es keinen Plural von Heimat (auch ein Wort bloß, das
nichts verbirgt), sagte sich, (an) sie richtend den fragwürdigen
Satz, Kasper Mauser, einziger deutscher Mythos, der noch
nicht in die (stumme?) Hauptrolle einer Oper verwickelt,
Adopstiefsohn einer Mulattin und eines Mestizen, schlitzäugi-
ges Schlitzohr, stotternd, schwarz, schwul, linkshändig und aus
dem Osten..., kurz, der mit den besten Karten. Auch ein
Pferd, antwortete ihm Anna, auch ein Pferd hat eine Heimat/
daran hängt sein ganzes Herz/ Auch ein Pferd hat eine Heimat/
und es fühlt den Trennungsschmerz. Kasper nickte verzeihend,
lieh ihr einen trockenen Kuß, tauchte für einen halben Tag lang
ab in die Badewanne, ihrer beider Einundalles, mein goldenes
Fischlein. So ganz allein – wie fürchterlich furchtsam schlug ihr
Herz die vollen Stunden.
    Eine größere Dame mit Hertie-Kostüm in Form einer Kas-
siererinnen-Uniform (wer hat ihr das angetan?) kam, kam mit-

ten auf sie zugeschritten: Sie haben keinen Wunsch mehr!? Wir, erwiderte Anna Nass, schon zögernd sich erhebend doch nicht ohne falsche Bescheidenheit, wir sind *alle* nur Gast auf Erden.

III
Mit Anekdoten auf Titelsuche oder
Tag Frau Lektor, Sie mich auch

Damals wars, im alten Berlin, da leitete einst Anna Nass als Oberalphabetisierte, Lektorin also, einen Schreibzirkel Einfachalphabetisierter, zu Lesender also. Waren doch zu diesen Zeiten, unter solchen Umständen alle alphabetisiert und all diese Alphabetisierten vom Zirkelwesen derart erfaßt, daß Annas Kollege Hultenreich Jahre später, im Diesseits von Gut und Böse, folgende Halluzination erinnerte:

Ein kleiner, junger Mann und ein großer, alter sitzen allein an einem Tisch in einer Werkskantine. Der kleine Junge legt einen Brief auf die Sprelacart-Platte. Dieser Brief, sagt er zu dem Alten, ein Liebesbrief hoffentlich, sei von einer Frau vermutlich, er aber könne, wie der Alte wohl wisse, nicht lesen noch schreiben. Als nun der große Alte den Brief nimmt, vorzulesen beginnt, da hält ihm der kleine, junge Mann die Ohren zu.

...Es gab Zirkel schreibender Kindergärtnerinnen, Zirkel schreibender Gemüsekonservierer, Sarghändler..., schreibender Schreibmaschinisten und schreibfauler Schriftsteller. Auch einen Zirkel schreibender Analphabeten hätte es gegeben, wenn es die gegeben hätte. Anna aber verfügte, kraft ihrer Schwäche für Psychologie, über einen Zirkel schreibender Blinder, was ihr, da sie die Blindenschrift nicht sehr beherrschte, nicht leicht fiel. Zu Zwecken des Nachweises ihrer Existenz im ... – auch das Zirkel-*Wesen* verwest, indem es erscheint – hatten sie, einmal im Leben, einen Almanach herauszugeben, die besten von all ihren Texten zwischen zwei Pappdeckeln. Sie machten auch das noch und nannten ihre Anthologie ganz ohne Selbstironie: »Bunt ist meine Lieblingsfarbe.« Es enthielt nun diese wahrlich nicht sehr farbenfrohe Palette zeitgeistiger Individualerfahrungsahnungen, die wie Ozeane sich dehnten, wie Regenbögen sich spannten, vom Thema zum Drama, vom Ich zum Wir, von den Richtern und Henkern zu den Dichtern und Denkern, auch einen besonders solidarisch gemeinten Beitrag unter dem Motto: »Den Taubstummen auf die Finger geschaut.« Der war ihr Echo auf einen zwei Jahre zuvor im Almanach des Nachbarzirkels schreibender Taubstummer erschienenen Aufsatz, übertitelt: »Ein Ohr für die Blinden.«

Jedem dieser beiden, in schöner, unmißverständlicher Befehlsform gehaltenen Sätzen, auch ihnen gemeinsam, hätte Anna gern ihren Kasper Mauser, ihre Rosa Extra, wie auch sich selbst unterstellt. Doch sie konnte sich weder zwischen ihnen noch für beide entscheiden, denn welchem gebührte die Priorität? Und so entschied sie sich, wie oft in der Zweifelsfalle, gegen die Vergangenheit. Damit heißt der Oberübertitel aller Kapiteltitel dieser…, ach, es soll wohl doch keine Kriminalnovelle werden: KASPER MAUSER – DIE FEIGHEIT VORM FREUND.

Und Anna tagträumte, wünschte, wollte…, und grimmig entschlossen schrieb sie wieder weiter, von der kompliziertesten, facettenreichsten, metamorphorischsten … aller ihr bekannten menschlichen Beziehungen, der Freundschaft.

IV
Elefant terrible

Rosa war langweilig, sie fühlte sich so und außerdem war ihr so zumute. Irgendwer hatte sie hier abgestellt, worauf sie sich erstmal setzte, denn ein Stuhl war auch vorhanden, in diesem Büro mit Bett, Schlafzimmer mit Schreibtisch, ziemliche Maikäferkiste jedenfalls. Neubau, genauso neu diese brutalen, rustikalen Möbel, daher das Wort *vermöbeln,* dachte Rosa: Neu, alles neu und verstaubt/ Nur ich bin alt, alt und unerlaubt. Rosa sollte aber nicht denken, sie sollte hier dichten. Große Bogen gilbenden Papiers lagen vor ihr auf dem Schreibtisch. Doch wie oft, wenn Rosa dichten sollte, wollte, mußte…, der Füller war vertrocknet, der Bleistift abgebrochen, Kugelschreiber hatte sie wieder keinen dabei – na, war ja auch egal, Hauptsache es ging nicht. Das Zimmer lag im x-ten Stockwerk, hoch oben über der Stadt. Draußen herrschte unauffälliges, tumbes Wetter, und in welcher Zeit sie lebte, interessierte Rosa nur, wenn sie meinte, einmal einen Zug oder sowas kriegen zu müssen. Wie meistens in diesen Zuständen des Gelangweiltseins – Rosa nannte sie hochstaplerisch *Geburtslöcher* (...bin ich die Frau aus dem neunzehnten Jahrhundert, fragte sie sich, jedoch rhetorisch und also auch diesmal ohne besonderes Interesse) – dachte sie, o Ironie der Platonie, aufs Stichwort und bei der Gelegenheit, an ihre Busenfeindin Anna Nass, die Schlange, der ihr Herz gehörte. »...und wenn ich geh, dann geht nur ein Teil von mir...«, sang Rosa Peter Maffays ›Lied von Berlin‹ wie ein Spielzeugblasebalg leise in sich hinein, aus sich heraus... Sie konnte an Anna, wie auch Anna an Rosa, kaum mehr anders denken als sentimental; siamesische Katzen, das waren sie – aber *sauber* getrennt. Nun wurde Rosa, da traurig außerdem und sowieso, vollends langweilig. Richtig, sogleich erfolgte, notwendig dialektisch, der Qualitätssprung – Aktivismus. Des Schreibtisches zahlreiche Schubladen, Rosa zerrte sie alle auf, fand aber nichts als einen Locher und eine Büchse Schuhcreme. Rosa stanzte mit dem Locher an den Rändern der Papierbögen entlang. Ihr Tun unterhielt sie schlecht und nicht allzulange, immerhin brachte sie das bleiche Konfetti, welches aus dem Gerät bröselte, auf ein anderes, vielleicht nicht ganz so langweiliges Spiel. Rosa griff sich die Schuhwichse, setzte sich vor einer der verstaubten Scheiben des geöffneten Fensters so in Positur, daß *die* wenigstens schattenhafte Konturen ihrer Person spiegelte. Sehr sorgsam, lediglich die Augenpartie auslassend, cremte Rosa ihr Gesicht ein. Mit dem spuckefeuchten Finger der linken, nicht von schwarzer Paste verunreinigten Hand, nahm sie einzelne Konfettischnipsel auf, verteilte sie über Stirn, Wangen, Nasenrücken, grinste ihr Spiegelbildnis an, blöde, wie sie meinte, fand, sie sehe aus wie das Negativ eines Fotos, das ihre Mutter einst, da Rosa noch ein kleines Mädchen gewesen, auf einem Kinderfasching von ihr gemacht hatte; Rosa als Pippi Langstrumpf verkleidet. Ich besaß nie Zöpfe, schon damals nicht. Immer reichte es gerade für Rattenschwänze, dachte Rosa und schickte sich an, die Schubladen neuerlich zu durchsuchen, auch in der Hoffnung auf Zigaretten. Die Schübe enthielten nichts weiter, gar nichts. Aber unter dem Schreibtisch, nahe bei der Heizung, fand Rosa eine blaue Theaterkarte. Schwarz beschmiert, mit weißen Punkten, stand Rosa im Foy-

139

er der Volksbühne, hielt der Kartenabreißerin ihr Billett hin. Nein, sagte diese, hier nicht, nicht für Sie. Gehen Sie bitte zum Bühneneingang. Wieso?, antwortete Rosa verwirrt, ich habe eine gültige Eintrittskarte. Darauf die Kontrolleurin: Nun werden Sie mal nüchtern, Kollegin. Nichts gegen Spaß, aber ich muß hier *arbeiten*. Rosa und die Frau stritten, die Frau blieb stur, zumal das hereinströmende, das wahre Publikum ihr Recht gab. Rosa fügte sich schließlich, ging zum Bühneneingang. Das wäre aber nicht nötig gewesen, sind doch nur zwei krank von der Maske, begrüßte sie leutselig-sachkundig der Pförtner. Ratlos und wie auf der Flucht irrte Rosa in den Organen des eiförmigen Theaters umher, durch Flure, Garderoben, grüne, rote, gelbe Türen. Komisch, dachte sie, tausendmal wolltest du für eine Schauspielerin gehalten werden, und nun ist es passiert.

Viel zu spät fand sie den Zuschauerraum. Der fünfte Akt war fast zu Ende. Rosa schaute auf ihre Karte, sie hatte den Platz neunzehn, erste Reihe im Parkett. Als Rosa in der Mitte der ersten Reihe angekommen war, saß da schon jemand, eine blonde, jugendliche Dame. Sie, fauchte Rosa, das ist aber mein Platz. Dein Platz, antwortete anstelle dieser Dame, mit donnernder Stimme, in ritterlichem Tonfall und als ob es zum Text gehöre, der Darsteller des zweiten Totengräbers, *dein* Platz ist auf dem Friedhof!

V

Auch Bankiersfrauen haben nichts zu verlieren als ihre Ketten

Immer allein reisen, immer auf alles selbst aufpassen. Nie sagte einer oder eine, das war – wenigstens in *dem* Zusammenhang, – ja nun auch egal: Hast du deinen Mantel, Schatz? Vergiß bitte nicht die italienische Sonnenbrille, die ich dir Weihnachten schenkte. Aber Anna, die Unabhängige Autonome Republik Anna Nass, wie sie sich gerne nannte, hatte alles selbst so gewollt. Hatte nicht früh genug entkommen, entrinnen, entlaufen können Mappi und Pammi – auf und davon. Was wäre charakteristischer für *die* Art materialisierten Brutpflegeinstinkts derer, die sie großgezogen (auch ein bemerkenswertes Wort), als

Mappis Reaktion auf eine Begebenheit eines Morgens im April, da Anna, noch wild aber bereits vierzehnjährig, aus dem Kinderzimmerfenster des Familienwohnsitzes im dritten Stock vom Neubaublock stürzte – einfach so, was auch *absichtlich* bedeuten konnte. Paß bloß auf deine Strumpfhosen auf!, hatte Mappis ernstgemeinter Nachruf gelautet.

Später, mit siebzehn dann (– da hat man noch Träume –), bekam Anna, ganz genau wie ihre derzeitigen, ordentlicherweise ein, zwei Jahre älteren Freunde, einen Musterungsbescheid. Das muß ein Irrtum sein, dachte sie, nicht ohne ein sich bereits in so jungen Jahren bemerkbar machendes, feministisches Frohlocken und ging hin. Da saßen im riesigen Wartesaale lauter semmelblonde, große, recht geschwollene oder aufgedunsene Kerle herum, tatsächlich sahen sie aus wie zum Zwecke des Streckens von Boulettenmasse eingeweichte Schrippen. Wie eineiige Zwillinge, Mehrlinge, glichen sie *einem* in schmuddligem Schwesternkittel, den Anna kennengelernt hatte, als er das Schaufenster eines Fischladens mit großen Sperrholzkarpfen dekorierte, denen er, seltsam genug, Scheiben von echter Zitrone in die eingesägten Mäuler praktizierte. Anna hatte sich diesen halb verschlafenen, halb vergnügten..., na ja, er war schon ein Mann, des Spruches – oder doch, es war ein Gedicht, jedenfalls dieser Wörter wegen gemerkt, die er ständig halblaut wiederholte: Blende acht/ die Sonne lacht/ Wir Fotoamateure ausm Osten/ sind immer aufm Posten.

Hunderte Stück von denen fand sie nun wieder, auf langen, hölzernen Bänken, wartend vor der Tür der Musterungskommission. Unter diese setzte sich auch Anna. Einen nach dem anderen winkte ein Arzthelfer oder Sanitäter, der den zu Rekrutierenden aufs Haar glich, jedoch, da er den Kittel trug, und ihnen auch an Größe und Schwammigkeit was voraus hatte, der Urtyp dieser Klone zu sein schien, herein. Alle kamen sie nach kurzer Zeit komplett uniformiert, so einander vollkommen, ja geradezu identisch ähnlich, wieder heraus aus der Tür und gingen, wort-, grußlos. Endlich war Anna allein noch übrig. Sie überlegte, ob sie sich einfach davonstehlen sollte, aber Trotz und Neugier siegten. Anna faßte sich irgendwas, ein Herz war es nicht, ignorierend die Aufschrift »Eintritt nur nach Aufforderung!«, ging sie zur Tür, klopfte, trommelte. Doch erst als sie, nun schon aus Wut, dagegentrat, öffnete der im Kittel: Is was?! Anna hielt ihm die amtsgestempelte Postkarte vor *das* Gesicht. Sekunde, sagte er, wenigstens eine Spur verunsichert. Anna verfolgte ihn durch eine weitere Tür, die auch gleich hinter ihr ins Schloß fiel. Da stand sie, für einen Moment die Augen geradeaus auf zwei riesige Füße geheftet, dann aber hob sie den Kopf, bog den Nacken durch bis zum Anschlag und, als es dort nicht mehr weiterging, auch den Rücken. Von hoch droben blickten zwei blond behaarte Nasenlöcher auf sie hernieder. Name, forderte diese arztuniformierte gigantomanischste aller blonden Schmuddelschrippen. Nass, sagte Anna, Anna, sagte Anna, Anna Nass, wie die Südfrucht, präzisierte Anna. Die Riesenschrippe schwenkte majestätisch ihr Haupt, fuhr mit grobem Zeigefinger Listen, die beim Umblättern überlaut knisterten, runter, rauf, runter... Dann ging der gewaltige Musterungsdoktor tief in die Knie, sah Anna an, aus Augen wie die des dritten Hundes von dem Soldaten, der das Feuerzeug gefunden. So sprach er auch, mit Familiengrabesstimme: Sie heißen ab heute Unterwegs, Unterwegs. Nachname Unterwegs, Vorname Unterwegs.

...Immer allein reisen, immer auf alles selbst aufpassen ... und dazu das Verlierersyndrom. *Syndrom,* o Anna mochte dieses Wort, wie auch andere Schätze paramedizinischer Bildung, das hatte gewiß mit ihrem Verlierertum zu tun. Syndrom: »Zusammentreffen einzelner, für sich allein uncharakteristischer Symptome zu einem kennzeichnenden Krankheitsbild.« Wer aber immerzu was verliert, auch Symptome natürlich, behält – wirklich zu seinem Glück? – meistens trotzdem noch ein paar Symptome übrig, die jedoch einander nicht genug genügen noch entsprechen, um sich zu einer kapitalen Krankheit, einem Syndrom also, überhaupt zusammenfinden zu können; arme, einsame Symptome. Dennoch sind demnach für das Verlierersyndrom gerade Symptomverluste syndromatisch. Nicht, daß Anna Verluste mehr beschäftigten als etwa das Wesen der Ambivalenz. Ambivalenzen liebte Anna nämlich auch und – was zweifellos ganz im Gegensatz zur Natur des Verlustes steht – die sammelte sie sogar, gern gleich in ganzen Sätzen. Beispiel: Er riß sie nieder in Hut und Mantel.

Doch Anna war, wie wahr, nun einmal eine Deutsche, und weil Deutsche etwas zu haben haben – dazu noch Hunde, Katzen, Kanaris, Hamster … und Krebse –, haben sie auch Angst zu haben, vor Verlusten, ganz besonders vor dem Verlust des Verlustes der Angst vor Verlusten…, nein, Verluste sind nicht lustig, wirklich nicht.

Oft, in den Zügen, zu Zeiten, welche sich mit den Jahren weniger änderten denn die Fahrpläne, wenn Hundemüdigkeit ganz klar Annas verwirrte Wachhundewachsamkeit doch wieder besiegt hatte, und sie weggeschlafen war, den Ausweis im BH, Tittenjackett, wie Anna sagte, die Geldbörse unterm Hintern, träumte sie den glücklichen Traum:

Sie sei ein Kettenkarussell, das dreht sich wild und schnell. Sie, Anna, steht als Achse, wohl versehen mit den Verzierungen ihrer Proportionen, ihrer Physiognomie, exakt in der Mitte einer Drehscheibe, besser, Drehbühne, und herab von einem Reif um ihre Stirn hängen die Ketten, und an einer jeden der nie gezählten Ketten befindet sich, wohlgeborgen in sesselartigen Henkelkörben, Stück um Stück alles, was sie braucht, und vieles, was sie gar nicht hat, aber gern besäße, und nichts kann sie je mehr verlieren. Soweit, so glücklich. Anna dreht sich zur Musik, anfangs trotz der Lasten präziös wie eine Pirouettenkönigin. Der Rhythmus beschleunigt sich, Anna dreht sich, immer wilder, immer schneller, fliegend fliehen sie ihre Dinge – doch angekettet…

Sie bekam Kopfweh davon, schlimmeres als jenes, das sie regelmäßig anfiel, wenn sie sich die in ihren Augen ambivalenteste aller Grundfragen stellte; nämlich die nach dem Unterschied zwischen Heimweh und Fernweh.

…Die Masse der Dinge, der Körbe, der Ketten plus Fliehkraft mal Beschleunigung reißt an Annas Stirnreif, welcher wiederum an ihren Nerven zerrt. Zu zerspringen droht der Reifen, zu bersten der Kopf; Kopfreißen. Anna kann nicht mehr vor Schnelligkeit. – Welches wüste Lied wird doch gleich gespielt? – Es rasen die Dinge, es schwindelt der Traum und sie…

143

Schluß, da war er wieder, der Unterbrechreiz, der Brechreiz. Noch träumend halb und halb schon erwacht oder anders-

herum, jedenfalls in einem sosehr wie selbst Verluste nicht gefürchteten Zustand, stürzte Anna von der Drehbühne, aus dem
Abteil. Das Klo, Glück im Unglück, so schien es, war frei,
Anna beugte sich, der Strom ergoß sich, der Zug kam zum Stehen, eine hallige, aber keine innere Stimme, sagte ganz laut:
Frankfurt, Hauptbahnhof... Obwohl noch längst nicht fertig,
hörte Anna erstmal auf, preßte die Lippen zusammen, rannte,
von weiterem Übel, dem Argwohn, befallen, zurück zu ihrem
Platz – und richtig, folgerichtig, das Portemonnaie war weg.

Uwe Saeger

Ohne Behinderung,
ohne falsche Bewegung...

Es handelt sich um den Schluß einer cirka 70 Seiten umfassenden Erzählung, die ich für die Lesung in Klagenfurt geschrieben habe und die ich erst am 20. 06. abschließen konnte. Für die Prosaversuche der letzten Jahre ein Ereignis, denn ich habe seit 1983 keinen Text definitiv beenden können, immer war da ein verhinderndes Gefühl des Ungenügens der Worte vor dem Zusagenden, ein Verschleiß des philosophischen Gehalts im Erzählen. Ich kann auch jetzt noch nicht genau benennen, woher die Motive dafür kamen, aber überwunden scheint mir dieser Zustand noch nicht, irgendwie fehlt das Vertrauen in die Kraft der Worte, und ich hoffe, daß der Erfolg in Klagenfurt ein wenig zur Besserung verhilft.

Ohne Behinderung, ohne falsche Bewegung ist er aus den Armen der Frau entschwunden und steigt auf. Schnell und routiniert wie man zwar komplizierte aber gut bekannte Wege meistert, durchquert Krork die Landschaften seiner Kindheit, die uniformen Interieurs seiner Vergangenheit. Noch einmal eine geringe Verengung, die Kollisionen nicht verletzend. Im letzten Teil dieser Bewegung aus sich selbst erfährt Krork sogar eine Beschleunigung und sein Freiwerden, noch einmal hat er die geringe Empfindung des Ausschlüpfens, vollzieht sich mit einem dumpfsanften Geräusch wie das Ausgleiten eines Korkens. Dieses Mal verändert sich sein Körper nicht, Arme, Beine und Kopf schon wie in alter Gewohnheit den flugähnlichen Bewegungen unterworfen. Er orientiert sich schnell und ohne Irrung, gewinnt an Höhe und hat bald die ganze Stadt unter sich. Das Neubauviertel und die Eigenheimsiedlung, die Altstadt zer-

145

schnitten von der dunklen Ader des Flusses, südlich zwischen Feldern und Wald die Mülldeponie, von den nie zu löschenden Schwelbränden dort der Rauch wie Nebel, exakt ausgeleuchtet das Karree der Strafvollzugsanstalt, magisch das gelbe Blinkzeichen der einzigen Ampelkreuzung. Keine Geräusche, auch Gerüche nicht. Denn als Krork in einer Rückwärtsbewegung in den Smogausstoß des Heizwerkes gerät, schnürt es ihm zwar sofort die Kehle zu wie mit Stricken und er muß befürchten abzustürzen, aber dem Gestank ist er nicht ausgesetzt. Mit instinktiven Rettungsversuchen, die denen eines ins Wassergefallenen ähnlich sind, gelingt es ihm, die gefährliche Zone zu überwinden. Die Arme ausgebreitet, die Beine enganeinander, den Blick erdwärts streicht er durch die Nacht über die Stadt dahin. Ich habs geschafft, denkt Krork, ich bin drüber. Er sieht seinen Schatten schräg über den Fluß gleiten. Auf den Feldern abgestellte Erntetechnik. Auf einem Kartoffelacker Gestalten, die sammeln und schleppen. Wie dunkle, atmende Felsbrocken die Rinder auf den Weiden. Abseits auf einem Feldweg das Dienstauto des Kreistierarztes, gegen die Frontscheibe gepreßt das nackte Hinterteil eines Frauenkörpers. Wissen wir doch, hört Krork sich sagen, das ist der Notdienst in dringenden Fällen. Es bietet ihm keine Schwierigkeiten, sich auf den Rücken zu wenden, ein geringes Abknicken in der Hüfte und vorsichtige Ausgleichsbewegungen mit den Händen halten ihn in der Balance. Rings um ihn Himmel, wolkenlos, und er wie ein Stern unter Sternen, wie eingekehrt in ihre Gemeinschaft. Wie ein Blinzeln nur die Ewigkeiten entfernten Weltgeburten. Krork weiß, es ist vergeblich nach den Sternen zu greifen, und doch tut er es wieder und wieder, reckt die Arme weit aus den Schultern, kindliches Getue. Dann sieht er grüne und rote Lichter von den Füßen her sich ihm nähern und dann doch weit zwischen den Sternen über sich hinweg gleiten. Und dann, noch bevor er begreift, hört er doch und wird um und um geschleudert von der über ihn hin und durch ihn hindurch stürzenden durchbrochenen Schallmauer. Es sind nicht die Turbulenzen der Luft, die ihn umherwirbeln, sondern das so freigesetzte Entsetzen an der Ohnmacht, wehrlos zu sein gegenüber den Errungenschaften der eignen Gattung, sind diese einmal in Gebrauch genommen nach ihrer Bestimmung, und ein Flugzeug ist dafür geschaffen, daß es fliegt, und kann es das schneller als ein Ton sich ausbreitet, warum soll es dann nicht so geflogen werden. Alles weitere ist ein Sichverkriechen. Wehe, wehe, denkt Krork, wenn der Mythos die Vergangenheit abwirft und aus dem ›dort war es‹ ein ›hier ist es‹ wird und so die geschaffenen Dinge den sie Schaffenden über werden und die Bemühung des Geistigen zum zerstörerischen Moloch seiner selbst wird. Krorks Bewegungen sind matt. Die Landschaften Rudimente einstiger Erhabenheit, verblassend in steriler Harmonie, Produkte des Fortschritts. Krorks Erinnerungen ein explodierendes Puzzle, das er durchschneidet wie ein heimgeprügelter Hund. Er erkennt seinen Raum, die erworbenen Dinge, Exkremente seines Daseins. Und er leckt die salzige Achsel der Frau und das kalte Fournier des Bettes und erkaltet in der kalten Einsamkeit der Nacht, der Stern unter Sternen glüht aus, und Krork, der Mensch, überlebt. Noch einmal.

Am Staatsfeiertag, Krork steht in der zweiten Reihe auf der Ehrentribüne und der Erste Kreissekretär redet grad so schön von den halben Musketiertugenden, die wir alle so nötig haben und so weiter, und vor ihm die Menge in unbeteiligter Begeisterung im Nieselregen, hebt es Krork unweigerlich ab. Er fühlt, wie er den Boden unter den Füßen verliert und aufsteigt. Im letzten Moment kann er sich am Neuen von der Agitation und Propaganda, der neben ihm postiert ist, festhalten und die Sohlen über die Bretter schurren als wäre ihm etwas in den Schuh geraten.

Wo drückt der Schuh, sagt der Neue von der AuP und grinst auf Krork runter, Haltung, Genosse, hier ist der falsche Platz für revolutionäre Träumerei, und man stellt sich nicht selbst ein Bein, wenn schon genügend Knüppel im Anflug sind.

Ich versteh das nicht, sagt Krork. Er blickt nach oben. Die Feuchte auf seinem Gesicht. Der Himmel breiig. Wieder der Auftrieb in ihm, wie ein Aufblähen seines gesamten Körpers. Halt mich fest, sagt Krork zum Neuen von der AuP. Er krallt sich in dessen Arm, preßt die Sohlen fest auf.

Bleib auf dem Teppich, sagt der andere und faßt Krorks **147** Arm, hast wieder überdurchschnittlich vorgefeiert, dabei sollte unsereiner doch nichts so gut kennen wie seine Schwächen, das zu Verbergende ist viel wichtiger zu nehmen als das Vorzuweisende, solltest du doch wissen. Was bist du für einer, fragt Krork, was redest du für Zeug? Ich bin der Neue von der Agitation und Propaganda und dein dich rettender Arm jetzt. Wieder grinst er Krork an, ruckt an dessen Arm, daß der aufrechte Haltung einnimmt.

Und wie du grinst, sagt Krork.

Na, wie grins ich, fragt der andere.

Als wär noch was dahinter, ein zweites Gesicht oder dein echtes, sagt Krork.

Ich bin dir nicht ganz geheuer! Der andere lacht zu laut. Der Vorsitzende wendet sich um, schürzt mißbilligend die Lippen. Auch einige von den Veteranen aus der ersten Reihe wenden sich um und schütteln die Köpfe, aber es scheint Krork als wüßten sie doch nicht recht worüber und meinten viel mehr an Entrüstung und Nichtverstehen damit als den peinlichen Lacher des Neuen von der AuP.

Kannst mich loslassen, flüstert Krork nun, es geht schon wieder.

Na, wenns geht, dann reichts auch fürs Stehen, sagt der andere und gibt Krork frei, aber du hast in'n Himmel geguckt als würde dir deine Seele adieu sagen von da. Nun muß Krork grinsen.

Wie du grinst, sagt der Neue von der AuP.

So, sagt Krork, wie grins ich denn, so wie du?

Wenn ich mal so grins wie du, dann wechsle ich den Job, sagt der Neue von der AuP, denn hinter deinem Grinsen war nichts mehr, nichts falsches und nichts echtes, einfach nichts.

Ja, sagt Krork. Und er blickt von links beginnend die Nacken der vor ihm Stehenden ab, beugt sich vor, weil er die rechts außen nicht einsehen kann, stolpert und stößt seinen Kopf in den Rücken des Kreisschulrates. Der quittiert das mit beiderseitigem Schulterzucken und zischelt mit schiefem Mund nach rückwärts, noch betrunken, Krork, oder schon?

Aus der dritten und vierten Reihe kommt Beifall, die zweite und die erste Reihe fallen ein und die Menge dann ebenfalls. **148** Der Erste Kreissekretär hebt in vom höhern Ersten oder auch vom Papst abgekupferter Geste beide Hände und winkt. Marschmusik setzt ein. Die vorderen Reihen der Menge versuchen einen geordneten Abgang. Einige Veteranen zeigen die rechte Faust am erhobenen abgewinkelten Arm. Rings um Krork wird Hüsteln und Schnauben nicht mehr zurückgehalten. Lächeln auf den meisten Gesichtern, wie nach großartig Vollbrachtem.

Was war denn, fragt der Kreisschulrat beim Verlassen der Tribüne, hättest mich ja bald aufs Pflaster gestoßen. Ich wollte mal die ganze erste Reihe sehen, sagt Krork. Wolltest dir deinen Platz ausgucken fürs nächste Mal! Des Kreisschulrats Gesicht verändert sich von Wort zu Wort von der ausgewiesenen Großartigkeit in Bekümmernis und er rückt seinen Mund näher an Krorks Ohr. Aber eins sag ich dir, Krork, auch wenn du deinen Weg noch machen wirst, aber würde bei uns mit dem gleichen Besen gefegt wie Moskau es vormacht, unsere Amtsställe wären leer, und du mit deiner Sauferei und daß du dich beim Techteln erwischen läßt, und ich mit meiner Angst vor befriedigend, genügend und ungenügend und wie ich es immer wieder hinbiege, wir wären mit die ersten, die ausgekehrt würden. Der Kreisschulrat bleibt stehen und atmet tief durch. Also, Krork, ich sage dir, im Moment ist wichtig, den Platz zu halten, den man sicher hat, voran gehts so und so und immer nur so lange, wie's nicht zusammenbricht, und es bricht nicht zusammen, so lange wir unseren Platz halten.

Krork blickt in das spitzige, bleiche Gesicht des Kreisschulrates. Was ist das nur, sagt er, was ist mit uns? Er muß seine Hände zurückhalten, die, als gehörten sie einem Blinden und Gebrechlichen, in das Gesicht des Kreisschulrates greifen wollen, um es zu erkennen. Und grad du, sagt Krork, hast doch den roten Faden von oben hier unten wie ein Stahlseil gehandhabt.

Hör mir doch zu, sagt der Kreisschulrat und drängt näher an Krork, das sag ich doch, egal wie es kommt und was kommt und wann es kommt, an einem einzigen bleibt es hängen, in der Politik ist es anders als im Märchen, hier hat jeder Blut im Schuh, und nicht immer sein eigenes, und wenn einmal unser Aschenputtel auf dem königlichen Ball erscheint, dann nicht wegen der ausgelatschten Schuhe und nicht aus Liebe, sondern aus Überdruß an den Versprechungen, du verstehst doch, was ich sagen will? Der Kreisschulrat hält die Hände auf dem Rücken, wiegt den Oberkörper, sein Kopf ist vorgereckt, so als stünde er vor Schülern und erwarte sichere Antwort auf eine zweifelhafte Frage.

Ich geh noch unters Volk, sagt Krork, der Erste siehts gern und der Vorsitzende siehts gern und ich machs gern. Du hast schon immer eine gute Figur gemacht inmitten der herrschenden Klasse, wenn du dir am Kiosk ein Bier an den Hals hältst, dann fällt keinem auf, daß du überhaupt nicht dazugehörst – wenn ich das täte. Der Kreisschulrat stößt die Schuhspitzen vorsichtig gegen den Bordstein. Ich habs eben nicht, das Proletarische, sagt er, mich nölen sogar Schüler auf der Straße an, auf die ich mich nicht mehr besinnen kann, und ich hab aufgehört, mir deshalb Gedanken zu machen, ich begreife es ja, aber das ist jedesmal nur ein Brett mehr vor dem Kopf. Er hält Krork am Arm. Weißt du, Krork, warum es Leute gibt und immer wieder geben wird, die an Gott glauben?

Gott ist nicht mein Bier, sagt Krork und will lachen, bringt aber nicht mehr als einen schiefen Mund zustande.

Weil Gott keine Fehler macht, sagt der Kreisschulrat, und weil er kein Verkünder ist und kein Märtyrer, denn was auch immer geschieht und sei es in seinem Namen, als Person ist er stets draußen, er hat das Stellvertreterprinzip so perfektioniert, wie wir es nie schaffen werden, er ist die institutionalisierte Vernunft, und vernünftig ist doch das, woran nicht zu zweifeln ist.

Krork und der Kreisschulrat sind allein geblieben hinter der Tribüne. Du kennst doch meine Jüngste, sagt der Kreisschulrat, und weißt du was die werden will? Seelsorger. Wieder will Krork lachen, und wieder gelingt es ihm nicht. Ja, Krork, was ist das nur? Bei uns im Haus wurde über Gott bestenfalls gelacht. Und wir haben doch Gott von Anfang an weit hinter uns geglaubt, an Gott glauben, das war was für die Alten, für die Quertreiber, für die, haben wirs nicht so gesagt, Feinde, Gott war uns immer gegenüber wie ein verlassenes Ufer, und nun stellt sich heraus, daß er mitten unter uns ist.

Aber es gibt keinen Gott, sagt Krork.

Es gibt ihn nicht wie dich und wie mich, sagt der Kreisschulrat und hebt seinen Hut und wendet sich, aber er wirkt, wie denn sonst könnte meine Jüngste – denn wer sich um die Seele sorgt, kann doch nur in Minusbilanzen rechnen, denn die Seele ist unberechenbar, und Gott ist ihr Gläubiger, und Gott ist unermeßlich. Aber meine Jüngste sagt, wer sich in Gottes Hand begibt ist sich selbst am nächsten wenn er andern nah ist. Ich versteh die Welt nicht mehr, Krork, ich weiß so viel und immer mehr, aber um so weniger verstehe ich. Noch einmal wendet sich der Kreisschulrat Krork zu, blickt ihm in die Augen, dunkel der Bart auf seinen schlaffen Wangen, das Gesicht noch immer wie in Zuspitzung. Wenn wir nicht auf neue Art zu lieben lernen, sagt meine Jüngste, dann geht die Welt verloren, und lieben, sagt sie, muß zuallererst ein Sichgeben sein, ein Sichöffnen für den Bedürftigen. Und wenn es keine Bedürftigen mehr gibt, fragt Krork, wenn alle alles haben, auf ewig satt sind vom Widerkäuen der beinah schon ewigen Worte, und wenn Liebe nur eine andere Schreibweise ist für Entsamung und Befruchtung, und wenn das sowieso alles nur noch Worte sind am Abgrund entlang gesprochen, wenn... Weiter muß Krork nicht sprechen, denn der Kreisschulrat hat sich abgewandt und geht quer über den nun leeren Stellplatz davon, jeder Schritt zäh als müsse er sich jedesmal neu dazu überwinden, ähnlich einem Maigret, der nach einem zwar gelösten, aber unglücklich geendeten Fall dennoch seinem unvermeidlichen Pernot entgegen geht. Krork blickt ihm nach, er kann sich nicht entsinnen, jemals ein so langes Gespräch mit dem Kreisschulrat geführt zu haben. Und dann kommt der noch einmal über den ganzen Platz zurück, nur um Krork zuzuflüstern, er möge vorsichtig sein, sich nicht zu hoch hinaus wagen, alle Positionen wären gut besetzt, auch so mancher Hinterhalt, und bevor hier irgendeiner die eigne Suppe anbrennen lasse, würde erst einmal scharf geschossen, und das aus allen Rohren, also aufgepaßt und kurzgetreten. Wieder nimmt der Kreisschulrat seinen Weg quer über den Stellplatz. Zwei Halbwüchsige kommen ihm entgegen, machen deutlich abfällige Bemerkungen, lachen grell.

Von der Tribüne wird das rote Tuch abgenommen. Die Mikrophone werden abgebaut, die Lautsprecher. Und Krork macht sich auf zum Festplatz. Das ist ein Stück trockengelegte Wiese zwischen Fluß und Altstadt mit Freilichtbühne, Kiosken und Schaustellern. Schlagermusik tönt von daher und die aufdringliche Stimme eines Losanpreisers. Dazu der Geruch von nachgewärmten Broilern und Bouletten, von saurem Fisch und abgeschaltem Bier. Viel Volk ist da beisammen. Kinder spielen und plärren. Die Erwachsenen trinken und essen und reden aufeinander ein. Hinter den Schaustellern haben einige Randberliner ihre Autos abgestellt und verkaufen aus den Gepäckräumen selbstgenähte Textilien, Bilderrahmen, Drechselarbeiten und Keramiken, Kaugummi und Falcosticker. Krork geht eine Runde. Hie und da die Jungs von der Firma, stets zu zweit und auffällig unauffällig. Vom Rat und vom Sekretariat sind ebenfalls einige unterwegs wie Krork. Alle mit diesem Lächeln von Großartigkeit. Auf der Freilichtbühne zwei singende Mädchen in FDJ-Blusen denen keiner zuhört. Zwei Betrunkene geraten um ein angetrunkenes Bier in Streit und prügeln sich verbissen. Vom Band Peter Maffay, der die letzte Eiszeit besingt. Ein großer imposanter Hund hat seinen Herrn verloren, wohin er sich auch wendet, vor ihm weicht alles zurück. An der Losbude wird ein Hauptgewinn ausgebimmelt. Krork beobachtet die Ansammlung einer Menge vor einem Kiosk.

Und dann fühlt Krork sich beobachtet und braucht einige Wendungen, bis er den bärtigen, wenig bekannten Maler entdeckt, der vor einem Bierkiosk steht und in seinen Skizzenblock zeichnet. Neben ihm der ebenfalls bärtige und wenig bekannte Schriftsteller, der dem Maler das Bier hält und in harte Diskussion mit den Umstehenden verwickelt ist. Als der Maler bemerkt, daß er von Krork entdeckt ist, winkt er ihm wie einem alten Bekannten. Krork geht hinzu. Sie begrüßen sich mit Handschlag. Sogleich ist ein Bier da. Von den andern ist Krork nur das arrogante Gesicht eines sich abseits haltenden Mannes bekannt, aber in eine Beziehung bringt er es nicht.

Prost, sagt der wenig bekannte Schriftsteller und schlägt sein Glas gegen das in Krorks Hand, auf den Frieden, die Frauen und schönes Wetter!

Prost, sagt Krork und trinkt.

Trink aus, sagt der mit dem arroganten Gesicht, ich sorg hier für Nachschub. Er macht die drei Schritte nach rückwärts zum Bierausschank und bekommt auch sofort die verlangten Gläser zugeschoben, ohne daß er noch die Frau am Ausschank sich um die Proteste der Anstehenden kümmern. Alle Körner im Trocknen, fragt der wenig bekannte Schriftsteller, alle Zahlen blank geputzt?

Alles bestens, sagt Krork, prost!

Der wenig bekannte Maler verzeichnet Blatt um Blatt. Krork sieht ihm über die Schulter und sagt, dem Volk ins Gesicht geschaut, das schärft den Blick.

Gesichter gibts ja noch, sagt der wenig bekannte Schriftsteller, der kommt noch zurecht mit seinem Stift und dem Papier, aber unsereiner. Er trinkt sein Glas leer, reicht es nach hinten dem mit dem arroganten Gesicht und erhält ein volles Glas zurück.

Probleme, fragt Krork, keinen Stoff?

Der wenig bekannte Schriftsteller stippt seine Lippen in den Bierschaum. Probleme hab ich genug, mehr als ich bewältigen kann, ich sag bloß ›die Weiber und der Suff‹, und Stoff gibts im ›Haus der Stoffe‹ tonnenweise. Er lacht, blickt die Runde. Aber Geschichten gibts nicht mehr, verstehste? Krork zuckt die Schultern.

Verstehste nich, fragt der wenig bekannte Schriftsteller, versteht überhaupt keiner? Ich meine, das was einem geschieht zwischen Tod und Geburt wird kümmerkümmerkümmerlicher, das geht alles eine Bahn, die zwar länger wird, denn wir verlängern von der Lebenserwartung ja nur das Leben, aber so eintönig bleibt wie jede Pflichtnummer. Verstehste? Klar gibts da noch son paar Sachen nebenher, daß einer abhaut über die Grenze oder einer den Hals in'ne Schlinge steckt oder sich einer in seinen Hund verliebt oder einer fremd geht siebenmal die Woche, aber so'ne richtige Geschichte, wo du unsern ganzen herrlichen großartigen wunderbaren Sozialismus ohne Flitter und Losungen an einem Schicksal runterschreiben kannst, die gibts nicht mehr. Zehnmal, hundertmal kannst du anfangen, nach drei Seiten bist jedesmal im alten Wasser, alles Ich gerät dir zum konturlosen Wir, und willst du einmal Wir schreiben, dann verirrst du dich im eignen hohlen großen Großmaul. Der wenig bekannte Schriftsteller blickt herausfordernd in die Runde. Für eine Geschichte gäb ich was, dafür würd ich mich aufreißen, jeden Dreck würd ich durchwühlen, jeder Schönheit die Schminke abschmatzen, den Bart würd ich mir abschneiden für eine Geschichte.

Da lachen alle. Auch Krork. Und für den Moment wünscht er, das unbekannte schöne Mädchen, das er damals im Hof des

153

Bauerngehöftes gesehen hatte, möge herbei kommen und ihn berühren und seine Blicke ertragen.

Sie trinken wieder. Und der wenig bekannte Schriftsteller knallt sein Glas auf den wackligen Tisch und schnauft. Na, na, sagt der mit dem arroganten Gesicht und greift über die andern hinweg nach dem leeren Glas und stellt ein volles zurück, wenns Radau gibt, dann macht meine Madam den Hahn zu für euch, da sauft ihr euch nüchtern, wenn ihr anstehen müßt wie die andern.

Der wenig bekannte Schriftsteller knallt wieder sein Glas auf den Tisch. Ist ne schöne Unterscheidung, ob einer anstehen muß oder nicht, sagt er laut, aber ansonsten alles eine Soße, der eine schmiert an und der andere ist der Angeschmierte, und so reihum. Er trinkt, wird lauter. Die Geschichten sterben aus, merkt ihr das denn nicht. Und wo die Geschichten aussterben, geht nicht mal die Langeweile aufn Strich, denn die liegt mit ihrem Zuhälter, der Kunst, in der Molle und kühlen sich die heiß gewichsten Instrumente mit Hundertmarkscheinen. Oder? Oder weiß einer von euch ne Geschichte? Hat einer von euch ne Geschichte?

Schrei nicht so rum hier, sagt einer und tritt einen Schritt zurück.

Besser, er hält ganz die Klappe, sagt ein anderer mit einem Blick auf Krork.

Ich will noch'n Bier, sagt der wenig bekannte Schriftsteller und lallt schon, mein Staat feiert seinen Geburtstag, da kann ich doch einen trinken drauf, und da kann ich ihm doch sagen, daß ihm die Geschichten aussterben, vielleicht weiß der das gar nicht, und da hab ich doch die Pflicht ... Fußball, Autos und Angeln, sagt der mit dem arroganten Gesicht, und Garten, Weiber und Schlager, darüber schrei dich aus, alles andere behältst du besser für dich, für dein Gesinge sind wir nicht die richtigen Leute und ist hier nicht der richtige Ort.

Zwei von den auffällig Unauffälligen sind auf Hörweite heran gekommen.

Um was hast du Angst, ruft der wenig bekannte Schriftsteller und muß sich am Tisch festhalten, die Geschichten sterben aus und, Menschenskinder, die Geschichten sind unsere eigentlichen, weil nicht verordneten Denkmäler, begreift ihr das denn nicht, aber der da hat Angst, daß seine Madam zum nächsten Feiertag hier nicht mehr den Hahn aufmachen darf und daß uns die Scheiße ausgehen könnte.

Ich kann euch ja mal sitzen lassen auf eurer da draußen, sagt der mit dem arroganten Gesicht, dann ist dir bald egal, ob's noch ne Geschichte gibt auf der Welt oder nicht, dann erstinkt ihr nämlich.

Da weiß Krork, woher ihm der mit dem arroganten Gesicht bekannt ist, das ist der Fahrer eines Abwassertankwagens der Stadtwirtschaft, und der sitzt hinter dem Lenkrad wie ein Landgraf persönlich. Und Krork sagt, ich bin da doch anderer Meinung, denn ohne Geschichten wäre die Menschheit wohl doch nur eine Leerstelle in der Zeit.

Der wenig bekannte Maler unterbricht sein Zeichnen und sagt, aha, nicht schlecht. Und der wenig bekannte Schriftsteller rülpst und muß sich mit beiden Händen am Tisch festhalten. Das ist ein Abstrakter, sagt er, aber besser ein Abstrakter als ein Dummer.

Die Dummen sind die Fettpolster am Arsch der Nation, sagt der wenig bekannte Maler.

Die Dummen sind glücklich, sagt der wenig bekannte Schriftsteller und hebt sein Glas, auf die Dummen und die Dummheit! Es will keiner mit ihm anstoßen. Zwei von den andern gehen weg, die übrigen zeigen ihm ihre Rücken.

Wirklich, das war nicht schlecht, sagt der wenig bekannte Maler und mustert Krork als gäbe es viel zu entdecken an dem, wie war das noch?

Ja, sag das noch mal, lallt der wenig bekannte Schriftsteller, das muß ich mir merken, das bringe ich an die richtigen Leute, das stopf ich den Herren Lektoren in die Ohren.

Was hab ich denn gesagt, fragt Krork. Er kann sich nicht erinnern, gesprochen zu haben, weiß nicht, wie er an den Tisch gelangt, wie er zu dem Bier gekommen ist. Wie komme ich denn überhaupt hier her, fragt Krork.

Sag noch mal, was du gesagt hast, ruft der wenig bekannte Schriftsteller und rülpst und schnauft, oder hast du schon Angst vor den eigenen Worten, den eigenen Gedanken. Er rüttelt am Tisch. Der mit dem arroganten Gesicht droht ihm mit ausgestrecktem Arm. Nun stell dich nicht dumm, ruft der wenig bekannte Schriftsteller, wer sich dumm stellt kriegt bestenfalls ein schlechtes Gewissen, aber glücklich wie die Dummen wird er nicht.

Ich weiß es nicht, stöhnt Krork, ich weiß es doch nicht.

Der wenig bekannte Maler nähert sich Krork bis auf zwei Schritte, hat einen Blick seitwärts auf die auffällig Unauffälligen. Sie sind vom Himmel gefallen, guter Mann, sagt er leise, nun wissen Sie, wo Sie herkommen, und Sie haben so süß gesungen, wie Lockvögel zu singen haben, und wir haben es vernommen, und nun namenloser Vogel, süßer Sänger, verführerischer Anscheißer hebe dich hinweg. Der wenig bekannte Maler tritt tapsig mit den Füßen auf, bewegt die Arme in auftreibendem Gestus, reckt das Kinn drohend vor.

Krork weicht zurück.

Weg mit ihm, ruft der wenig bekannte und nun betrunkene Schriftsteller, wer nicht weiß was er sagt und wo er herkommt, gehört nicht auf die Welt, der hat auf der Erde nichts zu suchen.

Der wenig bekannte Maler ist mit schnellen Schritten vor Krork, tritt ihm absichtlich auf die Zehen, flüstert ihm zwischen die Augen, und Vorsicht, Vogelnamenlosundweißnichtwas, wer zu gut die lockende Melodie zu pfeifen versteht, ist bald nicht mehr zu unterscheiden vom bejagdten Wild und gerät selbst ins Feuer.

Was soll denn das, sagt Krork und blickt wie um Hilfe nach den auffällig Unauffälligen, die das aber nichts anzugehen scheint, ich verstehe das nicht, was hab ich denn getan?

Weg mit dir, sagt der wenig bekannte Maler und tritt wieder auf Krorks Zehen, husch!

Krork geht von den Kiosken zu den Schaustellern hinüber. Der mit dem arroganten Gesicht läuft ihm nach und windet ihm das leere Glas aus der Hand. Wer Gläser maust, der kriegt was auf die Finger, sagt er und gibt Krork einen Klaps auf die Rechte, die in widerlicher Autonomie den Henkel umklammert hält. Der zweite Klaps ist schmerzhaft, denn der mit dem arroganten Gesicht schlägt mit den Knöcheln auf Krorks Handrücken. Aber auf die Art wird der Widerstand in Krorks Hand gebrochen und er kann ungehindert weiter gehen.

Vor einem Spielautomaten steht der Neue von der Agitation

und Propaganda und wirft Münze um Münze in den Schlitz, macht unbeeindruckt vom Ringsum sein Spiel. Am neuangelegten Springbrunnen stellt sich der Ratsvorsitzende mit mehreren verdienstvollen Bürgern für ein Foto. Er nickt Krork, der nahe vorüber geht, freundlich zu. Von fern sieht Krork seinen Jüngsten mit einer Schar Mädchen beisammen stehen. Auf der Freilichtbühne blasen nun Junge Pioniere Schalmeien und Trompeten und schlagen die Trommeln. Der große imposante Hund sucht noch immer seinen Herrn, folgt sogar Krork ein Stück Weg bis an den Fluß. Als er jedoch seine Nase an Krorks Hosenbein stupst, macht er sich mit langen, würdelosen Sprüngen davon. Auf einer Bank zwei junge Männer, die einander zärtlich die Hände streicheln. Der Fluß dunkel und träge. Gelegentlich Risse in der tiefen Wolkendecke, das Sonnenlicht dann wie angeschmutztes Gelb, wie verbraucht. Aus der Innenstadt das Signal der Schnellen-Medizinischen-Hilfe. Mövenschreie.

Krork geht flußabwärts, vorbei am Jachthafen und dem Seglerheim. Dort feiern überwiegend Handwerker und Gewerbetreibende der Kreisstadt. Ein hoher Zaun sperrt das Gelände ab. Krork muß es umgehen und holt sich nasse Füße dabei. Danach kann er auf dem Deich weiter gehen. Was hab ich denn Falsches gesagt, grübelt Krork, und was sind schon Geschichten im Vergleich zum Leben, Geschichten sind der Konjunktiv des Vergangenen, und was lohnt der, wenn das Zukünftige sich darum nicht scheren kann. Er zieht ohne einzuhalten die Schuhe von den Füßen, wenig später die Strümpfe. Jeder müßte bei der Geburt schon verpflichtet werden, einmal sein Leben zu notieren, denkt Krork und bedauert nun doch, daß er diesen Weg genommen hat und so diesen Vorschlag niemandem mehr wird vorlegen können, dann, wenn die Lügen nichts mehr zählen und die Wahrheit nicht, wenn alles Leben vergeben ist, wenn das Überleben nicht von seiner Organisiertheit abhängt, sondern allein vom Willen. Krork zieht nun den Mantel aus, der ihm bei jedem Schritt enger wird, trägt ihn noch eine Weile, wie Schuhe und Strümpfe, und wirft dann alles zur Seite, denn für das ihm Bevorstehende muß er Hände und Arme frei haben. Seine Schritte werden weiter, unbekannte Kraft in seinen Beinen,

jeder Schritt gerät zu einem Sprung. Krork reißt den Schlips-
knoten auf, er braucht Luft. Wie ihn der Himmel lockt. Er
läuft. In einer weit ausholenden Armbewegung zerreißt er die
Jacke an den Schultern bis ins Futter, streift sie ab. Wie er
wächst. Als er abspringen will, schwebt er schon. Alles weitere ist Traumgewohnheit, daß er die Arme ausbreitet, die
Beine schließt und ohne Behinderung auf einer spiralförmigen
Bahn in den Wolken verschwindet.

Siebzehn Tage später wird Krork gefunden. Er liegt mitten auf
einem mit Mais bebauten Acker. Sein Gesicht ist unkenntlich,
eine aus wenigen Schritten Distanz abgegebene Schrotladung
hat es zerstört, auch sein Hals ist getroffen, die Brust und der
übrige Körper sind unversehrt. Ein Beispiel dafür, wie jagd-
bares Flugwild laut Vorschrift zu erlegen ist.

Bellin 21. Juni 1987

Angela Krauss

Der Dienst

ein entwicklungsroman

Das Licht der Welt, das ich erblickte, war von einer frischen, brutalen Helligkeit durchdrungen. Nichts war unwirklich. Alles war so nackt, wie die großen, mageren Ohren meines Vaters.

In den fünfziger Jahren verkleidete er sich auf Faschingsfesten gern als Seeräuber. Er malte sich dann ein ganz schwermütiges Gesicht an.

In den fünfziger Jahren. Da standen in den alten Kaufhäusern, in den unzerstörten Gebäudeteilen, die man über düstere, nach Ziegelmehl riechende Treppenschächte erreichte, kleine Röntgenapparate, in die die Kinder die Füße schoben, wenn man ihnen neue Schuhe anprobierte. In einem grünlichen Licht waren die Zehen als schwarze Schatten zu sehen. Sie bewegten sich.

Mehr nicht. Gewisse Bewegungen. Das ist alles.

Über sein linkes Schienbein zog sich eine Streifschußnarbe, ein glatter, haarloser Kanal. Wie der Abdruck eines prähistorischen Tierchens, das dort mit tödlicher Langsamkeit entlanggekrochen war.

Mit der hartnäckigen Langsamkeit, mit der damals die Zeit verging. Draußen unter dem Fenster dröhnte das Erzgebirge, eine schräg nach Nordwesten gerichtete Pultscholle mit tief eingeschnittenen Waldtälern, in denen um Vierzehnhundert wild die Stempel in den kleinen Hammerschmieden pochten, nachdem sie hier ihre Silberadern entdeckt hatten und ein niedagewesenes Toben und Treiben begann, pausenlos rasten die Kipper ins Tal, ihre graugrünen Tarnkarossen krachten über die Straßenlöcher, im März strömten buntschillernde Schmelzwässer durchs Gebirge, im August dunstete der Boden die strengen Gerüche russischen Kraftstoffs aus.

Ich wartete.

Zwischen den kleinen schwarzen Kissen mit den Berggipfeln, den Vogelbeerbäumen und dem einsamen Schwanenpaar, *mei Arzgebirg/unner hamit*, allein in einem Zimmer, ein wartendes Kind, das wartet, daß die Zeit vergeht, unter dem nie abbrechenden Sirenenton, der in endlos hingepreßtem Rufen über der Landschaft stand. Das Pendeln der Uhr: ein Knistern von ganz dünnem Blech.

Die Zeit verging einfach nicht in den fünfziger Jahren.

Mein Vater fuhr morgens auf einem alten schwarzen Rad der Firma *Wanderer* unter dem geöffneten Schlagbaum hindurch in eine Siedlung aus gelbgetünchten Holzhäusern, Baracken, Anschlagtafeln und beflaggten Brettertoren. Tagsüber folgte er dem russischen Posten am Drahtverhau, prägte sich schnell den Verlauf des Zauns ein zusammen mit der Fläche, die er umschloß. Auf ihr lagerte der Berg aus Abraum, das Tote Gestein.

Abends radelte er auf seinem *Wanderer* die Straße hinauf, in der blauen Jacke der Bergpolizei, bergauf zwischen den Schneewänden, stehend im Sattel; ein bißchen erstaunt immer, mit klaren, grauen, neugierigen Jungenaugen zerlegte er in der Abendsonne den *Wanderer-Freilauf* und setzte ihn mit angehaltenem Atem in vier Minuten wieder zusammen. Er hatte alle Länder der Erde mit eigenen Augen gesehen und sprach vierundzwanzig Sprachen, und es gab keinen vernünftigen Grund, warum ich ihm das hätte nicht glauben sollen. Über uns schwebten die Kästen an Seilen hinauf zu den Plattformen auf den Berggipfeln, unter uns kreuzten sich die Stollen und Gänge, sammelten sich die Grubenwässer, *Die strahlenden Wässer*, ganz unten aber, in zweihundert Meter Tiefe, zog sich seit einem halben Jahrtausend der legendäre Markus-Semmler-Stollen gleich einem gewaltigen Tunneldelta dahin.

Mit einem kaum hörbaren Knacken rückten die Zeiger der großen Uhren weiter.

Ich erwachte und schlief in dem dumpfen Rumoren, dem aufziehenden Wetter, es zog aus dem Ort herauf, ein Trommeln, Schläge von ferne, und ganz plötzlich näherte es sich von allen Seiten dem Haus, einem Höhepunkt zu, kurze, entschiedene Trommelschläge von Gummistiefeln auf Stein, Stimmen,

Murmeln, Worte, Worte, für die sich kein Mensch wirklich interessierte.

In diesem Sommer besuchten die letzten Kurgäste das Radiumbad Oberschlema. Mehrere Monate bewegten sich innerhalb des kleinen Gebirgsortes zweitausend Einwohner, siebenhundert Umsiedler, fünfhundert Kurgäste und fünftausend Bergleute sowie eine nicht bekannte Zahl Angehöriger der sowjetischen Besatzungsmacht nebeneinander.

Gewisse Bewegungen. Das ist alles.

Sie marschierten durch meine sonnendurchfluteten Kinderzimmer, ohne Takt, in festem Schwanken kommen sie herauf, sie treten auf den *Plan der Geschichte*; im Turnhemd sehe ich ihn am ausgezogenen Eßtisch im schattigen Wohnzimmer sitzen und mit einem langen Holzlineal hantieren. Marx, Engels und Lenin und die braungenarbten Bände von Stalin. Die nickenden Blätterschatten auf dem Fensterbrett.

An einem solchen Sonntagvormittag erklang zum ersten Mal über dem gedankenverlorenen Tellerklappern aus einer anderen Wohnung die Stimme von Caterina Valente. Diese etwas scharfe, durchdringende Stimme. Und er rief meinen Namen, klar und deutlich aber nicht laut. So als wolle er sich meiner versichern. Die Frauen trällerten in den Nachbarwohnungen. Meine Mutter beschäftigte sich im Innern des Hauses. Nur ich habe ihn nie aus den Augen gelassen; sehr groß war er, als er aus dem grauen EMW stieg und dabei ungeschickt den Kopf einzog: ein noch junger Mann, der sich von seinem Chauffeur mit Händedruck verabschiedet.

Im grellen Licht der langweiligen Sommertage meiner Kindheit trat er immer ganz ruhig aus dem Lärm heraus. So sehe ich ihn vor mir: aus der Geschichte heraustretend, auf mich zu.

Niemand bemerkte uns.

Es gab kaum Worte, die wir zu unserer Verständigung wirklich gebraucht hätten. Seine alberne Erfindung von den vierundzwanzig Sprachen zum Beispiel, sie reichte offenbar völlig aus.

Niemand merkte etwas.

Die glühende Luftsäule, die sich am 1. November 1952 über dem stillen Ozean erhob, erreichte nach zehn Minuten eine

Höhe von vierzig Kilometern und eine Ausdehnung von einhundertneunzig Kilometern. Und der *Donnerschlag*, mit dem der erste sowjetische Wasserstoffbombenversuch ein Dreivierteljahr später die letzten Illusion von der Überlegenheit der amerikanischen Kernwaffentechnik zerstörte.

Die Zeit verging einfach nicht in den fünfziger Jahren.

Meines Vaters erster Chauffeur, der alte Mann mit dem rostroten krausen Haar, er bewegte sich wie ein Holzfäller, sein fröhliches Gelächter war bis ins Haus zu hören, bis ins Mark seine fröhlichen Hupzeichen, das Maifähnchen auf der Bugspitze des EMW, und wie er seine immerzu steifen Beine in den zerknitterten Hosen ausschüttelte. Eine gewaltige Lunge, die sich langsam mit Luft füllt, war die Geschichte, und genaugenommen war sie niemand anderes als ich selbst.

Sie roch gut.

Manchmal wie feuchter Filz, oder nach warmer, verschwitzter Wolle, oder ganz trocken nach Graphit und Leder, schweinshellem Koppelleder, Stiefelleder, Pistolentaschenleder, nach Kragenbindenschweiß, sogar nach den kalten Aluminiumknöpfen konnte sie riechen, oder nach den Stempelfarben in den Ausweisseiten, die leicht zusammenklebten unter dem Einfluß der Körperausdünstungen.

Ich kenne meinen Vater seit ich ein kleines Kind war, seinen aufrechten, gemessenen Gang, sein fast unbewegliches Gesicht, in das manchmal ein spöttischer Ausdruck trat. Manchmal legte er mir einfach seine Hand auf die Schulter.

Er meinte es ernst.

Anfang der sechziger Jahre wurde er krank.

Ich stand an einem Abhang im Schneetreiben, meine Schneeschuhe rutschten nach hinten, da erinnerte ich mich, daß er jetzt unter dem Messer lag. Ich stellte mir nichts besonderes dabei vor. Ich habe mir niemals meinen Vater im Dienst vorgestellt. Dienst hieß nur ein anderes Wort für Abwesenheit. Jegliche Abwesenheit war Dienst. Ich war niemals neugierig darauf.

Mit der Muttermilch in Fleisch und Blut ist mir das geschossen. *Das Frunse-Prinzip.*

162

Ich sah ihn am Ende des Klinikkorridors in seinem gestreiften Bademantel und neuen Hausschuhen auf dem Linoleum herumgehen, zwischen den anderen Frischoperierten, die behutsam gestikulierend sprachen. Der Argwohn machte ihn ganz fest, er beteiligte sich kaum, er hielt sich heraus aus diesen persönlichen Angelegenheiten. Die Haut an seinen Beinen und auf seiner Brust war nach der Operation gelblich, von feuchten, schwarzen, furchtsamen Härchen bedeckt. Ich besuchte ihn, die Schlittschuhe über der Schulter, denn das war ein später Winter, der Wind schliff den verharschten Schnee am Fuße der Halden, an manchen Stellen taten sich unvermittelt tiefe Löcher auf, unten kam schwärzliches Gras zum Vorschein.

Er genas schneller als alle anderen.

Wir begannen Spaziergänge hinauf zu den an die Halden grenzenden Kleingärten, wo im Frühjahr hier und da Schafe angepflockt standen, es nieselte. Er ging in einem neuen hellen Kurzmantel neben mir; wie immer, wenn er Zivil trug, erschien er mir kostümiert. Obwohl er nach der Operation nur noch ein Drittel seines Magens hatte, bekam er schnell einen Bauch. ER WURDE WIRKLICHER. Er nahm an Größe und Gewicht zu, seine Bewegungen verlangsamten sich noch ein wenig mehr. Er muß in diesen Jahren um etliche Dienstgrade gestiegen sein. Ich merkte es an seiner wachsenden Leibhaftigkeit; mehrmals kam er mit sportlichen Medaillen heim. Ich habe ihn nie mit bloßen Zähnen lachen sehn. Manchmal habe ich mich innerlich sehr fest machen müssen, um ihm eine kleine Frage zu stellen.

Jeder Soldat erhält das Minimum an Information, das zur Ausführung eines Befehls unmittelbar notwendig ist.

Das ist das Frunse-Prinzip.

Er konnte neben mir gehen ohne jeglichen Ausdruck. Er hielt das aus. Ich war es, die aufgab. Ich habe ohne Umschweife begriffen, daß Schweigen Macht ist. Es war ganz einfach zu begreifen. Eine Gewißheit des Körpers, wenn ich neben ihm ging.

Eine elementare Form von Angst.

Verbunden mit Sehnsucht.

In meinen Träumen kam er nicht mehr vor, es reichte der Spalt in der Tür, durch den Licht aus dem nächtlichen Zimmer fiel, wo die Genossen zweimal im Jahr feierten. Einmal schreckte ich von seinem Lachen tief in der Nacht wie von einem plötzlichen Schmerz aus dem Schlaf, und meine

Mutter rief von nebenan mit hoher singender Stimme: Es ist nichts.

Ich war sofort ruhig.

Etwas in mir wußte längst: Wir sind im Gleichgewicht.

Der Sirenendauerton über den Bergen, keiner hätte nicht Gefahr bei seinem Ausbleiben vermutet. Bestimmte alltägliche Gewohnheiten waren stärker als *Die deutsch Teilung* ein neuer Tod an der Mauer. Zum Beispiel wie mein Vater niemals, unter keinen Umständen, einen Fremden ansprach nach Uhrzeit oder Weg, oder wie ich seine Kragenbinden bügelte, oder sein gewisses simuliertes Hochziehen des Nasenschleims anstatt einer Antwort. Das alles bewies mir, daß er recht hatte.

In meiner ausgehenden Kindheit war er der vollkommene Entwurf der Welt, die mich erwartete.

Täglich fuhr mein Vater jetzt in die entfernte *höhere Behörde*, er wurde für Jahre versetzt, wöchentlich reiste er in die *höchste Behörde* Nichts veränderte sich. Es gab einfach keine Veränderungen. *Es festigte sich.*

Morgens stand er vor dem Haus und sah in die Richtung, aus der er den Dienstwagen erwartete: von kolossaler Statur, wenn er den Regenmantel über der Uniform trug. Es kam vor, daß ich ihn einfach vergaß. Kaum Bewegungen. Nur das Schlagen der Autotür am Abend und immer das gleiche süße Erschrecken

Einmal blieb er vier Wochen zuhause, um an einer Arbeit über *Staatsrecht* zu schreiben, wieder hatte er Jahre studiert, ohne daß eigentlich jemandem etwas aufgefallen war. Jetzt, da Bücher und beschriebene Zettel auf dem großen Eßtisch lagen, wurde etwas von ihm sichtbar, was ihn selbst verlegen machte. So als könne er schon nichts mehr bei sich behalten.

Danach gab er sich keine Blöße mehr; morgens fand ich gelegentlich Reste von Kaiserschmarren, betropft mit dunkelvioletter Marmelade; nicht ein einziges Mal habe ich seine Schußwaffe gesehen, sie hing im Kleiderschrank ganz zuunterst und über Nacht nur.

164 In seinem 48. Lebensjahr geriet er in etwas hinein.

Ich erkannte ihn in einer Schneise zwischen den Halden in der Nähe eines schmalen Baufeldes. In weiten roten Trainingshosen ging er dort mit einem Werkzeug in der Hand auf und ab. Auf überraschend einfache Weise glich er plötzlich allen anderen Vätern, die ich kannte. Er vermaß und markierte den Boden. An einem Wochenende im Oktober begann er eine Baugrube auszuschachten, ich sah ihn von ferne, meistens allein, er arbeitete anfangs schnell und mutwillig, ohne Verabredungen, mit angehaltenem Atem, das ging den ganzen Herbst so, er hatte sich fest in diese Hundearbeit verbissen, er karrte einen Herbst lang das *tote Gestein* in einem kleinen Holzwagen über die schräge Wiese und füllte damit das Fundament, er holte das Letzte aus sich heraus für diese läppische kleine Garage aus Zementfertigteilen, ich schämte mich seiner, ich war im Erwachsenwerden, wie er da in der Kälte halbnackt in einem Turnhemd oder Unterhemd den anderen Vätern Handlangerdienste anbot, mit einem Werkzeug in den Händen hielt er sich abseits, während sie sich berieten in ihrem einlenkenden Dialekt, und dann die Schlafstörungen nach den Aufenthalten an frischer Luft, das ruhelose Umhergehen nachts in der Wohnung, der erste Schnee des Jahres 1968, sein Sprechen im Schlaf.

Er sprach vom Ernstfall.

Man muß die Tücher befeuchten, ehe man weiteres unternimmt. Das erklärte er mir.

Mein Vater sprach vom Dienst.

Es kam vor, daß er mich nachts wach hielt mit seinem Sprechen darüber. Ich liebte Paul McCartney, sein kindliches Gesicht hatte überhaupt nichts Bedrohliches. Mein Vater saß nachts in seinem großen Schlafanzug in der Küche. Jedesmal, wenn ich ihn dabei überraschte, schien es mir, als warte er auf jemanden. Aber diesen Jemand habe ich nie gesehen.

Auch ich verheimlichte ihm, wann ich *I should have known better* hörte.

Niemand merkte etwas.

Damals hat sich mir seine Stimme eingeprägt durch sein häufiges nächtliches Sprechen, sie kam aus dem Gehäuse der Schweigepflicht, einem Gehäuse vollkommener Einsamkeit. Und sie erinnerte mich an nichts.

Niemand bemerkte uns.

165

Im Frühjahr unternahmen wir die ersten Fahrten mit dem kleinen Auto, er saß verkrampft hinter dem Steuer, und ich verstand nicht, daß er nach jahrelangem Mitfahren diese Sache noch beherrschte. Wenn wir oben im Gebirge ausstiegen, mußte er hastig mehrere Zigaretten rauchen. Es breitete sich rasch eine völlige Leere um ihn aus.

Ein zarter, schmaler, länglicher Neben über dem Ort.

Es war nur ein Schweigen in ein anderes übergegangen.

Niemand merkte den Unterschied.

Die Welt, in der er sich aufhielt, muß einem Ballon geglichen haben, der an Volumen und Oberfläche unaufhörlich verlor, dabei jedoch straffer und fester wurde und immer weniger lichtdurchlässig. Er fror leicht.

Der Umgang mit Zivilpersonen, den sein Dienst jetzt erforderte, war ihm unmöglich geworden. In den Verhandlungen über Zivilschutzanlagen mit Ingenieuren suchte er mehrfach eine befehlsverwandte Basis, scheiterte aber.

Er unternahm dann keine weiteren Versuche, in diese Welt einzudringen.

In den fünfziger Jahren war er ein ausgezeichneter Langstreckentaucher gewesen. Er kam danach jedesmal mit kleinen, geröteten, verschleierten Augen nachhause, und meine Mutter sagte einmal, das seien seine glücklichen Augen.

Seinen Tod hat er kaltblütig geplant. So jedenfalls sollte es nach seinem Willen aussehen: wie ein Urteil.

Letztlich aber war es ein langes Schrumpfen, ein Nachinnenstülpen, ein Verschwinden in sich selbst.

Er hat sich meiner noch einmal erinnert.

Am Tag nach dem Einmarsch der Truppen des Warschauer Vertrags in Prag ließ er mich durch seinen Chauffeur auf einem Campingplatz an der Ostsee suchen und noch in der Nacht nachhause bringen.

Was noch in seiner persönlichen Macht stand, wollte er getan haben.

Im Oktober erschoß sich mein Vater im Dienst.

Er entstammte einer Familie von Spitzen- und Paillettenmachern, Seidenstickern, Tressen-, Kordel-, Litzen- und Filetnetzknüpfern, Perltaschennäherinnen und Kriolinenfabrikarbeiterinnen aus dem mittleren Erzgebirge.

Mit der Heeresgruppe Mitte wurde er an die Ostfront geworfen, nach dreißig Tagen in die Verteidigung gezwungen, nach sechzig Tagen erneut mit einem Geschütz in den Vormarsch auf Moskau geschickt, geriet in die Kesselschlacht bei Wjasma, wurde getroffen, danach in den Bewegungskrieg am *Ostwall* versetzt, mit der Truppe abgeschnitten, erneut getroffen und schnitt sich im August des Jahres 1945 mit einer Schere aus dem Drahtverhau eines provisorischen, sich noch formierenden Gefangenenlagers.

Er ließ sich aufnehmen. Mit Hut, Krawatte und Zigarette in Postkartenformat. Sein mageres Gesicht unter der verwegen heruntergebogenen Krempe zeigt einen kindlichen Ernst, der sich gegen die Requisiten mühelos durchsetzt. Er signierte die Fotos mit einem kühnen, schräg angesetzten Schriftzug.

Das Leben mit seinen endlosen Möglichkeiten breitete sich vor ihm aus.

Die Natur.

Die Natur war in zweifarbigen Faltblättern beschrieben: »Die Landschaft im Umkreis von zwei Kilometern um das Badehaus herum ist von herrlichsten Fichten-, Kiefern- und Buchenwäldern bestanden. Nach Süden und Westen dehnt sich eines der größten Nadelwaldgebiete Deutschlands bis weit nach Böhmen hinein. Sämtliche Quellen und Bäche in der Umgebung sind radioaktiv, und an vielen Stellen des weltberühmten Schlemathales wird das seltenste aller Edelgase, die *Radiumemanation*, in so großen Mengen vom Erdboden ausgehaucht, daß die Luft des ganzen Thales schwach ionisiert ist wie auf den höchsten Gipfeln der Hochgebirge.«

Wolfgang Hilbig

Eine Übertragung

Der Junge, verborgen hinter weißen, wallenden Sommervorhängen, der auf einmal nichts anderes mehr tat, als die Feder über das Papier zu führen – er war natürlich eine Traumfigur, eine Idealgestalt! – hatte wahrscheinlich überhaupt nicht bemerkt, daß Gott in diesem Jahr einem Herzversagen, infolge kurzer und schwerer Krankheit, erlegen war, und daß er plötzlich allein war, ohne Gott ... daß die Welt seiner Zukunft ohne Gott war, seit diesem Jahr 53, in dem der Junge zwölf zu werden sich anschickte ... man hatte ihm stets gesagt, daß sein Erwachsenwerden drohe, und daß es dann *andersrum* gehen werde, doch über diesem Verdikt hatte er das breite Lächeln Gottes leuchten sehen, mit blendend weißen Zähnen unter dem glitzernden Schnurrbart, und dieses siegessichere Lächeln aus dem überdimensionalen Vatergesicht hatte verkündet, nichts werde andersrum gehen, es war die ein wenig mitleidige Weisheit, die ein bißchen listige und verschmitzte Menschenfreundlichkeit eines georgischen Gemüts im Lächeln dieser Augen, die vollgesogen waren von einer Sonne, unter der man mindestens hundertundzehn Jahre alt wurde, wenn man weder rauchte noch Weißbrot aß, ich wußte, daß er zu mir mit seiner väterlichen Baßstimme gesagt hätte: Schreib nur, mein Söhnchen, schreib...! Und es war natürlich auf diesen sonnigen Porträts, die jedes Klassenzimmer erleuchteten, nicht das geringste Anzeichen dafür, daß Gott eine verkrüppelte Hand hatte ... ein grauenvoller Gedanke! – Es ging eine solche Sicherheit aus von dieser Vaterfigur, die Endlichkeit war in ihrem Licht eine so unbedeutende Nebensache geworden, der Blick auf den Tod war von einer so heiteren georgischen Weisheit durchtränkt, daß der Junge den Tod Gottes überhaupt nicht bemerkt hatte, daß er überhaupt nichts wahrnahm von dem

Weinen, das in der Welt war … oder es nur instinktiv wahrnahm, wie ferner Widerhall nur drang dieses seltsam erleich-
terte Weinen durch seine weißen Vorhänge … es dauerte mindestens einen Monat und es war schon längst April, ehe er es
wahrnahm … und vielleicht bemerkte er erst im Mai, daß die
Welt plötzlich gottlos war, daß der Strahl, der ihn streifte, aus
einer Abwesenheit kam … und ganz sicher war es nur ein In-
stinkt, der ihn bewog, die entstandene Leere mit Schriftzeichen
zu füllen. Ein lähmendes Grauen darüber, daß die Sommer
endlich waren, hatte ihn erfaßt. Es war ein Weinen, es war eine
Leere in der Welt, und es gab, allerorten war dies zu erkennen,
nur noch Schriftzeichen, die dem entgegenstehen konnten.
Und es mußte so kommen, daß der Junge sich als ein Gesand-
ter dieser Leere fühlte, als ein Anwalt der Gottlosigkeit …
ohne daß er es sich freilich in dieser Form zu sagen vermochte … und er fing an, schon damals, seine blind durch die
Leere rudernde Welt mit einem Willen zur Vorstellung zu füllen. Ein solcher Wille war wenig, das spürte er, und er unternahm es vorerst, keiner Vorstellung, die er für geläufig hielt,
mehr Glauben zu schenken … freilich unternahm er es erst,
nachdem er schon jahrelang in vollkommener Gottlosigkeit gelebt hatte und darin seine Zeichen gekritzelt hatte … so ähnlich, wie er jahrelang nicht gemerkt hatte, daß er seinen Körper
verloren hatte … jahrelang hatte er nur den Strahl der Abwesenheit wahrgenommen, der an seiner Nische vorüberdriftete,
das grelle Licht der Gottlosigkeit, das fiebrig und phosphores-
zierend vom Leichnam Gottes ausging … auch die Erwachsenen mußten es bemerkt haben, denn sie schickten den Jungen
in ihrem panischen Verlassenheitsgefühl zur Kirche, zur FDJ
und zur Konfirmation, zu den Adventisten, zum Musikunter-
richt, nur damit die Gottlosigkeit nicht von ihm Besitz er-
greife … es war zwecklos, es gab für den Jungen nur die gott-
lose Beschäftigung des Schreibens … es war zwecklos, das
Bilderverbot nahöstlicher Diktatorenleichen, die das Licht im
Kreml nicht erlöschen ließen, ging ihn einen Dreck an, das
Mausoleum des Lebens, in dem Mumien in Serie den Beweis
für die Berechtigung des Vorstellungsverbots erbringen sollten,
ging den Jungen nichts an. Er merkte es auch nicht, als nach
einem XX. Parteitag die Mumie Gottes vorerst in einer Ab-

stellkammer deponiert worden war, da die nächste nekrophile Neurose erst langsam *herausgebildet* werden mußte, es war mit ihm etwas Seltsames geschehen: wenn er in seiner Nische saß, vermochte er nur noch mit seinem Geist umzugehen, nicht aber mehr mit seinem Körper ... während er mit dem Geist anderer Menschen überhaupt nicht mehr umzugehen wußte und dafür lediglich mit ihren Körpern.

Wie oft, dachte ich, habe ich versucht, ein Bild dieser Stadt zu zeichnen ... vergeblich! Der besondere Anschein dieser Stadt entzog sich der Sprache, und alle Beschreibungen mißlangen mir. Aber vielleicht war gerade dieses Umkreisen, dieses sich verzettelnde Umschreiben, dieses Durchkreuzen der Dinge durch die Nebensachen die beste Beschreibung der Umgegend. Vielleicht war das Wort *Umgegend* die genaueste Beschreibung für den Ort der Diffusion? Vielleicht war es nur in der Diffusion möglich, die Distanz der beschreibenden Arbeit zu der eigentümlichen Atmosphäre, welche Gegenstand der ersteren sein sollte, auszulöschen! Diese Distanz schien mir plötzlich weitgehend geschrumpft, – es war daran zu erkennen, daß ich alles wieder so sah, wie ich es damals gesehen haben mußte? Es hing mit dem Vergehen der Zeit zusammen, gleichzeitig mit ihr war auch die Distanz vergangen, sie war von der Zeit aufgefressen worden? Darin war keine Logik, es lag darin etwas ähnlich Fiktives wie in der Existenz der Zeit. Ich sah den Jüngling, der ich gewesen war, die schlecht gepflasterten und verschlammten Straßen verlassen – ich wußte, daß es sich nur in seiner Vorstellung abspielte – auf der Seite, die der Stadt zugewandt war, begrenzte seinen Blick noch grauschwarzes Industriegemäuer, abgeschunden und wüst bekritzelt; nach der anderen Richtung hin, wo ich durch versumpfte Straßengräben stieg, waren aufgeschüttete Flächen voll von unansehnlichem Gras, es waren weite, von Papierwolken überwehte Müllablagen, die schon planiert waren , langsam durchquerte ich eine Brandung von Rauch und sprühenden Nebeln, einen Verhau von auch im Sommer nicht mehr grünendem Buschwerk, aus dem der Regen braune Rinnsale spülte, der Regen, der noch in der Stadt eingesetzt hatte, hörte wieder auf, und als ich in den Wald eindrang, verlor sich das blecherne Donnern der umliegenden Betriebe, das der Wind herangetragen hatte. Es schien in der Ferne zurückzubleiben, ein grundloses Wüten, das rasende Lärmen auf Leben und Tod feiernder Korybanten. – Ich bemerkte, daß ich mich im Wald selbst in ein Gespenst verwandelt hatte; ich war zurückgekehrt in die Jahre meiner Lehre, in eine Zeit, in der ich wild und stark zu werden begann, in der mich dennoch eine seltsame Schwäche und Einschränkung davor zurückhielt, zu zeigen, was in mir steckte. Es war die Zeit meiner Jugend, und damit die Zeit meines stärksten Hasses: dieser vielleicht zwang mich zur Zurückhaltung. Je mehr der Haß in mir loderte, umso fremdartiger und finsterer wurde ich. Es war auch die Zeit des stärksten Hasses auf mich selbst, der unversehens in tiefe Verachtung umschlagen konnte: in solchen Stunden hätte mich nichts dazu bringen können, irgendeine meiner Fähigkeiten unter Beweis zu stellen. Tatsächlich fielen mir die Beschreibungen, welche die Zeit meiner Jugend zum Thema hatten, am schwersten; viel leichter war es mir, an mein Leben als Erwachsener zu denken, oder gar, mich als Kind darzustellen, obwohl meine Erinnerungen kaum bis dahin zurückreichten. Die Jugend war jene Zeit, in der ich keinen Halt in der Welt hatte, in der es ernst wurde mit meiner *Verantwortung,* nach der nun wirklich Fragen gestellt wurden und, nach Maßgabe ihrer Erfüllung, Urteile über mich festgesetzt werden sollten. Die Entschuldigung, ein Kind zu sein, war untauglich geworden, aber – bei aller Kraft, die ich in mir wachsen fühlte – ich glaubte auch nicht an die Möglichkeit, die Verantwortung eines Erwachsenen zu tragen. Denn meine Stärke schien mir im Wald zuzuwachsen, in den ich floh, während alles übrige Gelände mich schwächte und versklavte. Der Wald war das Gebiet vergangener Jahrhunderte, er hatte in der Wirtschaft des *jungen Staats* nichts zu suchen, er war eine Gegend aus der Literatur, wabernd vom schwarzgrünen Dunst des Aberglaubens, Gottes Gefild, wie ich gelesen hatte, Gottes Verbannungsort, er war das Sibirien der Geister … die Wälder, in die ich mich verstrickte, waren die Wucherungen der reaktionären und weltfremden Literatur des 19. Jahrhunderts. Den Wald kannte ich seit meiner Kindheit; am Abend erst kehrte ich täglich aus ihm zurück, wenn ich wußte, daß die nackten baumlosen Straßen ihr erdrückendes Aussehen verloren hatten. Dann illuminierte sich der Qualm der Industrie, hinter seinen

Wolkenwänden flackerten Bränd, die aufrecht stehenden Batterien der Produktionsfront feuerten aus allen Rohren, Funkenströme schossen in den dampfenden zischenden Himmel; es war ein unheimlicher Himmel, giftgeladen und voller Drohung, aber sein dauernder Niederschlag von Dreck und Ruß wurde unsichtbar, die Verfärbungen der Horizonte plötzlich malerisch ... mythische Ausdünstungen eines pestilenzialischen Acheron ... daß hinter diesem Himmel noch Leben war, bezeugten die unaufhörlichen Krähenschwärme, die im Februar rauchdicht durch das violettglühende Firmament hereinbrachen, am Abend begleitete ihr schreiender Einzug die Ankunft der Nacht, am Morgen brachen sie wieder auf in das Jenseits, das meinen Blicken nicht zugänglich war. Das Jenseits ... wenn dieser Ausdruck nicht völlig lächerlich sein sollte, dann mußte um mich ein Diesseits herrschen. Doch wenn ich es recht überlegte, war der Landstrich, auf dem ich mich aufhielt, weit eher einer Schattenwelt ähnlich. Er war das Jenseits, die Schattenwelt, die nicht beschreibbar war: in der Dämmerung vermischte sich der Wald mit seinem Vorgelände, der Wald trat über die Ufer und wuchs langsam in die Müllhalden hinein ... oder die Müllhalden unterliefen den Wald, begannen sich unter die Wurzeln des Waldes voranzuschieben. Es gab, ich mußte es schon früh, schon vor der Jugend, bemerkt und würgend erfahren haben, überhaupt keinen zutreffenden Ausdruck für diese Tiefebene, überhaupt keine Sprache, die der Sumpfoberfläche, den breigefüllten Klüften darin, den irgendwann an den Rändern aufschwärenden Häusern und Straßen, die diesem von einer minderwertigen Rasse behausten geometrischen Auswurf von Bauverbrechergehirnen, die diesem mit Kleinstädten und häßlichen Dörfern besetzten Kahlschlag angemessen war. Im Ghetto meines verbalen Elends hatte ich immer Ansätze gemacht, Beschreibungsversuche immer wieder in quälender Unlust begonnen, die irgendwann, bald, zugrundegingen, an Langeweile erstickten, in der Komplexität und der Beweislosigkeit des Ganzen verröchelten, doch allein dieses Abbrechen, Aufgeben, Verenden war es, was die Landschaft beschrieb: nicht die Wörter und Sätze konnten es, sie entsprachen nicht dem Wesen ihres Gegenstandes, allein der verbrodelnde krepierende Auslauf der repetierenden Satzperioden selbst bildete die Vernichtung ab, die mich umgab. Es war ein Höllenstrich, weil es auf ihm keine Sprache gab.

Bei meiner Ankunft in M., auf dem Weg vom Bahnhof, war mir natürlich Joachim Waller entgegengekommen, der dies als einen unglaublichen Zufall bezeichnete. Er bot sich an, mir Tasche oder Koffer zu tragen, und nutzte die Gelegenheit, mich mit sprudelnden Klagen über die Untreue der Weiber zu überhäufen: Alle gehen sie weg, alle verschwinden nach drüben ... dir wird es ähnlich gehen, dein Freund S. ist auch weg, in der Zwischenzeit sind noch eine ganze Menge weg ... und ich, ich habe den Verlust Ilonas schlecht überstanden, du weißt doch, daß sie auch weg ist...? Ich zeigte keine Reaktion. – Aber für dich sollte es was anderes sein, fuhr er fort. Ich denke, es ist Blödsinn für dich, nochmal in der Gießerei anzufangen. Du solltest lieber schreiben. – Du denkst also, ich komme voller Tatendrang aus Berlin zurück, nur darauf versessen, mich ins Schreiben zu stürzen? – Vielleicht sollten wir es wieder versuchen... – Was heißt *wir*? – Es ist der Verlust Ilonas, der mich auf solche Gedanken bringt. Sie hatte die meisten Einfälle von mir im Kopf... ich hätte sie nur fragen müssen, was schreiben wir heute. Ich hatte die Geschichten entworfen, ausgebrütet und sie ihr dann erzählt, sie hatte wirklich alle Einfälle von mir im Kopf. Aber nun ist sie mit dem ganzen Fundus in den Westen gegangen. – Nicht möglich! *Sie* hatte deine Geschichten im Kopf! Weshalb, zum Teufel, hast du sie dir nicht aufgeschrieben? – Es ist zu idiotisch, sagte er, den Koffer vor meiner Tür abstellend. Es ist einfach zu absurd. Daß ich es nicht tat, daß ich die Geschichten nicht aufschrieb, war der Grundeinfall, war das Sujet. Das Sujet war, daß da einer in der Stadt herumging, der seine Geschichten im Kopf eines anderen deponiert hatte ... es war nur Zufall, daß dieser andere eine Frau war ... und daß er aus diesem Grund die Frau nicht aus den Augen verlieren durfte, daß er in ihrer Nähe bleiben mußte, es ist, du hörst es natürlich, wie durch Zufall eine mythische Geschichte. – Bürdest du der Frau damit nicht ein bißchen viel auf? – Zuviel? Ach was, Blödsinn... man muß doch merken, daß es in dieser Geschichte um den Mythos geht. Mnemosyne, die Mutter der Musen, das, denke ich, ist das Thema. Irgendwann geht sie durch dein Blickfeld ... oder sie tippt dir auf die Schulter oder sie spricht dich einmal an. Jedenfalls hast du in diesem Augenblick in ein riesenhaftes Licht gesehen ... du denkst, es war nur der Weißdorn, der zufällig in der Nähe aufgeblüht ist. Aber sein Weiß ist nur wie der Schatten dieses Lichts, von dem du nur noch eine schwache Ahnung hast. Und von da an gehst du durch die Welt, durch deine Zeit, sie kommt dir zwar bekannt vor, aber du kennst sie nicht. Immer wieder triffst du auf den Schatten des Lichts, auf einen Funken, der zu einem Faden, einem Funken paßt, der dir geblieben ist... immer scheinst du durch einen Vorort zu gehen, aber in die wirkliche Stadt kommst du nicht. Nur sie kennt nämlich den Eingang, nur sie hat den Schlüssel, nur sie weiß den richtigen Weg durchs Labyrinth. Du gehst ziellos hin und her, wirfst deinen Blick in die Runde, du glaubst alles wiederzuerkennen, alles ist voller Licht, das du von früher zu kennen glaubst, doch du stößt nicht zu der wirklichen Wahrnehmung durch. Mnemosyne hat die wirkliche Herkunft im Gedächtnis.

– Ich glaube, ich muß mich erst mal ausruhen, laß uns später weitersprechen. Vielleicht erklärst du mir dann, was es war mit dem Weißdorn.

– Es müssen zwei Erinnerungen sein, die sich überschneiden. Oder vielleicht noch mehr. Geschichten, die in Wellen kamen, in meiner Erinnerung sind es unaufhörliche Wellen, die sich kreuzten, die sich gegenseitig auslösten, hervorbrachten. Und ich sage mir, sie wüßte es, Mnemosyne kennt die Herkunft, doch sie ist über die Mauer...

Wir machten aus, uns zu treffen, um einige Streifzüge in die Umgegend zu unternehmen; wir versetzten uns in eine Situation zurück, die nicht mehr einzuholen war; und es erschien mir ziemlich gespenstig, um nicht zu sagen lächerlich, mit dummen Witzen versuchte ich, uns über die peinliche Lage hinwegzuhelfen.

Wir gingen am späten Nachmittag die Wege entlang, die über die Hügel am Beginn des Waldes führten, von hier aus blickten wir auf eine Ebene hinunter, die ein sich weithin erstreckendes Müllfeld war. Früher hatte es hier einen Tagebau gegeben, der nun zugeschüttet und dessen Oberfläche planiert worden war. Im Lauf der Zeit war er, mit den abgeräumten Kriegstrümmern zuerst, und dann mit allem Müll und aller Asche der Stadt und ihrer Umgebung aufgefüllt worden. Jetzt wuchs trostloses Gebüsch und hohes, schwarzgraues Gras auf dieser Wüste, ihre Ränder waren über Hunderte von Metern von verdorrten Weißdornhecken gesäumt, ein abweisender, bösartig harter und verdreckter Verhau, der die Grenze bezeichnete zwischen dem natürlichen Boden und jener Region, deren Grund eine ungeheure Masse von Schutt und Abfall war, dem Ausstoß einer mittleren Kleinstadt in einer Zeit von über dreißig Jahren, ein Gelände, das bisher allen Versuchen, es aufzuforsten, getrotzt hatte. Es war ein Gebiet, das man der Hölle entrissen zu haben schien, und doch glaubte man, in diesen unzähligen Kubikmetern kalter toter Asche, die hier versenkt worden waren, versetzt mit allen Fäulnisresten und allem Überflüssigen aus der nahen Stadt, das symbolische Abbild einer künftigen Erde erblicken zu sollen. Die Krähen hatten sich die Gegend zu ihrem Revier erwählt und sich in unübersehbarer Zahl auf diesem Schandacker der Zivilisation niedergelassen; fast meinte man, sie hätten das Fliegen verlernt und mochten sich nur noch kriechend fortbewegen. In der violetten Dämmerung, die vom Norden herüber dräute und gänzlich unberührt war von den Blutlachen der im Westen schon in den Sumpf getauchten Sonne, sah man die Haufen und Rudel der Krähen, ihres Stolzes und ihrer Würde scheinbar gänzlich beraubt, sich wie Heerwürmer eines abscheulichen Ungeziefers über die Lichtungen der düsteren Graswüste wälzen. Wirklich verschmähten sie neuerdings die Bäume der Stadt, um sich hier im Unrat zu sammeln, ab und zu ließen sich ankommende Gruppen von ihnen aus der trüben, qualmverhangenen Luft in das schon wimmelnde Feld fallen. Und die Krähen waren verstummt, sie schwiegen, nur ganz vereinzelt tönte einer ihrer gellenden Schreie aus dem Gelände, worauf irgendwo kleinere Scharen aufflogen, sich aber sofort wieder absacken ließen. Auch wenn wir ein hörbares Geräusch machten, stiegen in nächster Nähe zehn oder zwanzig von ihnen ein paar Meter in die Luft, wo sie sich eilig zu einem Klumpen zusammenballten, der mit dumpfem umheimlichem Laut wieder abstürzte.

– Ich habe uns schon öfters hier rumlaufen sehen, sagte ich. Nur hab ich mich etwas davor gefürchtet, immer habe ich vermutet, daß du noch schreibst. Und weißt du, wie ich uns gesehen habe … als Gespenster! Gespenster in einem literarischen Gespräch. Denn das kann vielleicht nur ein Gespenstergespräch sein…

– Als Gespenster? Einen Augenblick schluchzte er vor Lachen. Ja, das sind wir wohl auch. Tatsache … wir sind Gespenster. Tatsache … Tatsache! Siehst du, hörst du sie? Sie reagieren auf das Wort!

Er zeigte mit dem Finger in das Müllfeld und krächzte: Tatsache … Tatsache! Er schien damit wirklich eine flatternde Bewegung unter den Krähen auszulösen.

– Weißt du, woran mich ihre Schreie erinnern? An einen Namen. Ich hatte in Berlin vorübergehend mit dem Sicherheitsdienst zu tun, und der Mensch, der mich dort verhörte, war Philosoph, und er nannte sich doch tatsächlich *Feuerbach* …

– Ausgezeichnet! Ein ziemlich gesuchtes Pseudonym, erwiderte Waller. *Es ist mit Gedanken, was er der Tat nach, im Geiste, was er im Fleische ist* … Feuerbach! Wir aber sind Gespenster. Wie sinnig von ihm, sich einen solchen Decknamen auszusuchen…

– Schluß der Zitats! Ihre Schreie erinnern mich nur an den Namen. Feuer*bach* … Feuer*bach*! Klingt es nicht wie ein langes *Baach,* wenn sie schreien?

– Mich erinnert es auch daran, daß man da unten Feuer legen sollte … Mit einer theatralischen Gebärde zeigte er in Richtung der Stadt.

– Oder es klingt wie *Nacht!* Naacht … Naacht!

Ich hatte das Wort ziemlich laut ausgesprochen und einige der Vögel schienen mir zu antworten. Mehrfach scholl ein heftiges Krächzen aus der Ebene, die sich inzwischen mit Dunkelheit überzog.

– Oder es klingt wie *Ach!* schrie Waller. Ach … aach … aach!

Eine Horde von Krähen war erschrocken aufgeflogen und **176** begann in Höhen über uns, die noch hell waren, ein wüstes heilloses Geflatter, ihr langgezogenes Geschrei erfüllte plötzlich den Abend.

– Oder es klingt wie Achim! In Nachahmung der Krähen krächzte ich: Aaachim ... Aachim! Ja ... aacheem!

– Danke sehr, rief Waller, aber sie meinen auch dich. Klingt es nicht wie Macht ... Macht?

– Macht! donnerte ich, daß es von der Wand des hellgrauen Waldes widerhallte. Maacht ... Maaaacht!

Der Himmel war plötzlich von einer Unzahl wie rasend durcheinanderjagender schwarzer Bestien erfüllt.

– Staatsmacht, erwiderte Waller. Staatsmacht ... Niedertracht!

– Staatsmacht, Fluchtverdacht ...

– Friedenswacht, Mauerpracht, Grabesnacht ...

– Licht in der Nacht,
Stalin wacht!

– Wer hätte das gedacht ...
Deutschland in der Nacht!

– Sind wir um den Schlaf gebracht ... Schlaf gebracht!

– Macht voran! In Acht und Bann!

– Die Acht dran ... Acht dran! schrie ich in Erinnerung an die Szene meiner Verhaftung ...

– Drachen ... Draaa ... cheen, antwortete Waller, über das Feld hin mit beiden Fäusten drohend. Drachensaat ... Drachensaat!

– Nachtdrachen, heulte ich, Nachtdrachen!

– Hört auf mit Krachmachen, keifte Waller, hört auf mit Krachmachen!

– Rache! schrie ich gellend und die Krähen antworteten mir. Rache! Raache!

– Macht, Nacht, Tod ... Tod, Nacht, Macht! versetzte Waller.

– Ach, ach, ach, ach, ach ...!!

Alle Krähen schienen sich nun in den Lüften zu befinden und verdunkelten das Firmament mit einem Sturm aus Geflatter, Gekreisch und tollwütigem Brausen, es sah aus, als habe sich aller hier abgelagerter Unrat selbständig gemacht, sei in die Luft geflogen und zu einem infernalischen Leben erwacht. Das schwarze Rasen eines niedagewesenen Chaos war in den Himmel gestiegen, bis weit über die Grenzen des Sichtbaren hinaus.

– Sie sind erwacht, gellte Waller. Deutschland erwacht! Ach, ach, aach ...

– Ach …! erwiderte ich. Ach … Acheron … Acheron!

Drohend hallte meine Stimme in Richtung der in braunen Dünsten und keuchenden Nebeln versunkenen Stadt, in der die ersten spärlichen Lichter aufblitzten:

Acheron … Acheron … Acheron!

Birgit Vanderbeke

Das Muschelessen

Auszug aus der Erzählung gleichen Titels

Hinterher haben wir gesagt, von da an sind wir unruhig gewesen, von da an haben wir etwas geahnt, man weiß ja hinterher erst, was kam; aber es kann genauso gut sein, daß wir nur einfach aufgeregt waren, weil wir gewartet haben, wir sind immer aufgeregt gewesen, wenn wir auf meinen Vater gewartet haben, es ist immer eine Spannung dabei gewesen; im nachhinein übertreibt man vielleicht, vielleicht haben wir nichts geahnt, meinem Bruder zum Beispiel ist nichts davon aufgefallen, während uns beiden anderen mindestens unruhig zumute war, nun sind aber wir, meine Mutter und ich, sowieso die Unruhigen, während mein Bruder erst unruhig wird, wenn es gar nicht mehr anders geht, bis dahin kann er gelassen alle Indizien, alles Beunruhigende übersehen. Ich jedenfalls kann mich genau erinnern, wann bei mir die Erwartungsstimmung umgeschlagen ist, ich habe nämlich in dem Moment auf die Uhr geschaut, und es ist drei nach sechs gewesen. Um drei nach sechs ist meine Stimmung ins Ungute, ja, ins geradezu Unheimliche gekippt. Die Muscheln haben direkt unter der Küchenuhr gestanden, und als ich das Geräusch gehört hatte, habe ich zuerst zu den Muscheln hin und dann sofort zur Küchenuhr hoch geschaut. Das Geräusch ist von den Muscheln gekommen, die schon geputzt und gebürstet in diesem großen, schwarzen Emailtopf gelegen haben, den wir immer zum Muschelkochen benutzt haben, weil er als einziger groß genug war, die vier Kilo Muscheln zu fassen; es ist derselbe Topf gewesen, hat meine Mutter erzählt, den sie bei ihrer Flucht aus dem Osten mit hatten, weil er zum Windelwaschen, was sie ja mit der Hand machen mußte, vielmehr mit einem Kochlöffel, unentbehrlich war; ich habe gesagt, ist das nicht unpraktisch, einen so riesengroßen Topf auf die Flucht mitzunehmen, ich habe es mir geradezu lächerlich vorgestellt, wie sie geflüchtet sind über den Stacheldraht und einen so großen Topf mit sich herumgetragen haben sollen, aber meine Mutter hat gesagt, du machst dir vollkommen falsche Vorstellungen von dieser Flucht, wir sind doch schließlich nicht Hals über Kopf getürmt, hat sie gesagt, das war doch von langer Hand vorbereitet. Wir haben uns gern erzählen lassen, wie das gegangen ist, daß sie die Sachen hinübergeschafft hat nach Westberlin, auch die Geschichte mit den Bananen, deretwegen mein Vater einmal fast an der Grenze verhaftet worden wäre, ausgerechnet bei seiner ersten und auch gleich letzten Fahrt, er muß sich wirklich zu ungeschickt angestellt haben, er hat auch selbst gesagt, daß er für solche Geschichten nicht zu gebrauchen sei, und eben das einzige Mal, als er es doch gewagt hat, ist er gleich übermütig gewesen und hat zwei Kilo Bananen mit rüberzunehmen versucht aus dem Westen, prompt haben sie ihn erwischt, aus der U-Bahn gewinkt und verhört und alles, aber dann haben sie ihn doch laufenlassen. Ich weiß gar nicht, ob sie wirklich die Leute wegen ein paar Bananen verhaftet haben, wo das halbe Land republikflüchtig war, ich kann es mir nicht so denken, aber mein Vater sagt, das war Widerstand, politischer Widerstand, aber jedenfalls ist er dann nicht mehr gefahren, und den großen Emailtopf hat meine Mutter rübergebracht zu einer Freundin; mich hat sie auch immer mitgehabt auf der Fahrt nach Berlin, weil das unverdächtiger aussieht, Mutter mit Kind, und außerdem mußte sie wirklich zur Charité, weil ich was an der Hüfte hatte. Unterwegs ist sie einfach ausgestiegen und hat der Freundin die Sachen gegeben, so hat sie es immer erzählt, den Hinweg haben wir winterlich eingepackt unternommen, den Rückweg hatten wir nicht mehr viel auf dem Leib, und es ist schon gefährlich gewesen; euer Vater ist nicht zu gebrauchen für solche Geschichten, hat meine Mutter gesagt, wenn wir uns über die Sache mit den Bananen gewundert haben. Aus dem Topf jedenfalls ist das Geräusch gekommen, und als ich hingeschaut habe, konnte ich gar nicht anders, als auch auf die Uhr zu schauen, und da war es drei nach sechs. Und genau in dem Moment ist meine Stimmung umgeschlagen. Ich habe auf den Topf gestarrt, aus dem das Geräusch kam, und ich wußte ja, daß die noch leben, die Muscheln, aber daß sie im Topf Geräusche machen, das habe ich nicht gewußt, weil ich noch nie dabei gewesen war, wenn meine Eltern Muscheln gekocht haben, erst habe ich auch gedacht, es ist etwas anderes, dabei kam es eindeutig aus dem Topf, und es waren eindeutig sonderbare Geräusche, von denen es mir plötzlich unheimlich wurde, natürlich auch weil wir aufgeregt waren, und da kam das Geräusch noch dazu. Ich habe die Augen nicht mehr vom Topf wenden können und aufgehört, Kartoffeln in Stäbchen zu schneiden, weil das Geräusch mich verrückt gemacht hat, außerdem haben sich sofort die Haare an meinen Armen aufgestellt, das machen sie immer, wenn es mir gruselig ist, und man sieht das leider sofort, weil ich schwarze Haare auf den Armen habe, deswegen hat meine Mutter auch gleich gesehen, daß irgend etwas mir unheimlich war, aber wußte natürlich nicht, daß es das Muschelgeräusch aus dem Topf war, weil sie das schließlich kannte. Ich habe gefragt, hört ihr denn nichts, hört doch mal. Das sind die Muscheln, hat meine Mutter gesagt, ich weiß noch, daß ich gesagt habe, ist das nicht furchtbar, dabei wußte ich ja, daß sie noch leben, ich hatte mir nur nicht vorgestellt, daß sie das Schalenklappergeräusch machen würden, ich hatte mir gar nichts vorgestellt, als daß man sie kocht und ißt und fertig. Mein Bruder hat es nicht furchtbar gefunden, und meine Mutter hat gesagt, daß sie sich eben öffnen würden, und der ganze Muschelberg würde sich davon bewegen. Mir ist das grausig gewesen, daß sich der ganze Muschelberg bewegte, weil sie sich öffneten, dabei habe ich natürlich kein Mitleid mit ihnen gehabt, ich esse sie schließlich, auch wenn ich mir nichts daraus mache, und es ist klar, daß sie vorher noch leben, und wenn ich sie esse, leben sie nicht mehr, ich esse auch Austern, und da weiß ich sogar, daß sie noch leben, während ich sie esse, aber sie machen nicht dieses Geräusch. Tatsächlich habe ich eine Art Wut auf die Muscheln gehabt, weil sie sich öffneten, anstatt still auf dem Haufen liegenzubleiben, ich habe gesagt, ist das nicht unanständig, daß sie sich öffnen und dieses Geräusch dabei machen, unanständig und indiskret, gleichzeitig habe ich gedacht, das kommt mir so indiskret vor, weil wir sie anschließend töten, es wäre mir lieber gewesen, wenn ich nicht daran hätte denken müssen, daß sie

181

vorher noch leben; wenn sie so schwarz und glänzend da liegen, braucht man sich nicht genau vorzustellen, daß sie lebendig sind, man kann sie ganz gut als Ding betrachten, und dann ist gar nichts dabei, sie in kochendes Wasser zu schütten, nur wenn man darüber nachdenkt, daß sie noch leben, dann ist es gräßlich. Wenn wir sie jetzt gleich kochen würden, müßte ich dauernd denken, wir töten sie. Dabei finde ich es in Ordnung, daß Tiere getötet werden, weil man sie ißt, nur möchte ich nichts mit dem Töten zu tun bekommen, das sollen andere machen, und ich möchte nicht daran denken. Obwohl mir gruselig war, bin ich hingegangen, weil ich nicht feige sein wollte, und es hat ekelhaft ausgesehen, wie sie da lagen und manche sich langsam öffneten, ziemlich langsam, und dann hat sich eben der ganze Haufen mit diesem Klappergeräusch bewegt. Es ist kaum zu glauben, wie ekelhaft, diese Kreaturen, habe ich gesagt, irgendwie japsend, statt Meerwasser kriegen sie Luft, in der sie nicht atmen können, und gleich werden sie abgebrüht im kochenden Wasser, und dann gehen sie alle auf, aber dann sind sie hin, und plötzlich habe ich auch gedacht, vielleicht ist es nur ekelhaft, weil ich weiß, daß wir sie gleich töten, vielleicht wäre es sonst nicht so widerlich, und ich habe mich auch erinnert, daß ich am Strand halbgeöffnete Muscheln gesehen habe, ohne das Allergeringste dabei zu empfinden, ich habe sogar manche von diesen halbgeöffneten Muscheln zurück ins Meer geworfen, nicht eigentlich aus Mitleid und nicht alle, die ich gesehen habe, nur so aus einer Wallung heraus, und jedenfalls waren sie nicht ein bißchen unheimlich oder eklig wie diese hier. Meine Mutter und mein Bruder haben die letzten Kartoffeln in Stäbchen geschnitten und so getan, als ob sie nicht zugehört hätten, und ich habe zuletzt gesagt, wenn man von jemand wüßte, daß er in einer Stunde, sagen wir, stirbt, glaubt ihr, daß man sich dann vor ihm ekelt, ich bin ganz sicher gewesen, daß man sich vor so jemand ekelt, einfach weil man das weiß, und wenn man ihn eigenhändig ermorden würde wie wir jetzt die Muscheln, dann noch viel mehr. Über diesen Gedanken bin ich in eine ausgesprochene Todesstimmung geraten, die beiden anderen haben getan, als hörten sie mir nicht zu, das ist ja Massenmord, habe ich gesagt, alle auf einmal, zur gleichen Zeit, die Muscheln haben mich derartig aufgeregt, durch die

Muscheln war eine Todesstimmung im Raum, es ist einfach nicht auszuhalten, habe ich auch gesagt, aber da hat meine Mutter streng gesagt, was du dir so vorstellst, dabei hat sie auch schon so überspannte Gedanken gehabt; wenn mein Vater auf einer Dienstreise war, haben wir uns alle drei die überspanntesten Geschichten erzählt, und keiner ist entsetzt gewesen, aber bevor mein Vater nach Hause kam, ist das Überspannte bei uns verschwunden gewesen, besonders bei meiner Mutter, mein Vater hat Überspanntheiten kindisch gefunden, mein Vater ist eher fürs Sachliche und Vernünftige gewesen, und meine Mutter hat Rücksicht auf seine Sachlichkeit und Vernünftigkeit selbstverständlich genommen und sich auf ihn um- und eingestellt, wenn er kam; und als meine Mutter gesagt hat, was du dir so vorstellst, habe ich gleich gewußt, jetzt hat sie sich umgestellt, und diese Ekelwut, die ich auf die Muscheln hatte, ist jetzt auf meine Mutter gerichtet gewesen, ich habe gesagt, man darf doch noch nachdenken, oder, aber meine Mutter hat gesagt, was du so Nachdenken nennst, kannst du nicht lieber was Nützliches denken statt solcher Gruselgedanken, bei uns haben Gruselgedanken und Phantasien als reine Gedankenverschwendung gegolten, besonders wenn mein Vater daheim war, und jetzt war er zwar noch nicht da, aber er konnte jede Minute kommen. Kann man sie nicht dazu bringen, daß sie sich wieder schließen, habe ich dann gefragt, ich finde nicht, daß man Gedanken verschwenden kann, weil sie von sich aus die schönste Verschwendung sind, die es gibt, und ich bin der Sache auf den Grund gegangen und habe festgestellt, daß sich die Muscheln schließen, wenn man mit einem Messer dazwischengeht, das löst dann irgendeinen Reflex aus, und die Muscheln gehen blitzartig schnell wieder zu. Schaut euch das an, habe ich gesagt und das kleine Küchenmesser, das meine Mutter zum Putzen verwendet hat, in jede Muschel einzeln hineingesteckt, das Klappern hat mich dabei nicht gestört, und schon ging die Muschel zu. Auf die Art haben sich tatsächlich alle Muscheln geschlossen, und mich hat das Muschelschließen beruhigt, es hat mich nicht mal gestört, daß mein Bruder gesagt hat, du spinnst. Die Pommes Frites sind fertig geschnitten gewesen, und meine Mutter hat gesagt, so, jetzt könnte er eigentlich kommen.

183

Meine Mutter ist aufgestanden vom Eßzimmertisch. Wir sitzen ja hier im Dunkeln, hat sie gesagt und hat Licht angemacht. Ich kann diese widerlichen Dinger da nicht mehr sehen, hat sie plötzlich auch noch gesagt statt wie sonst, daß sie sich nicht viel daraus macht, ich kann diese widerlichen Dinger da nicht mehr sehen, und sie haben auch ekelhaft ausgesehen, die Muscheln; wenn sie frisch gekocht sind, glänzen sie, aber jetzt sind sie langsam getrocknet und schrumpelig geworden, mir ist auch vorgekommen, als würden sie dunkler werden, das Gelbe hat richtig unangenehm ausgesehen mit dem grünlichen Rand drumherum, und die Muscheln sperrangelweit offen. Mir kommt die Galle hoch, hat meine Mutter gesagt, und mir hat das sofort eingeleuchtet, obwohl ich nicht genau wußte, was Gallehochkommen ist, und alle drei haben wir bös auf die Muscheln gestarrt, bis meine Mutter den Wein geholt hat, der schon im Kühlschrank stand, zur Feier des Tages. Der Wein ist eine Spätlese gewesen, etwas Besonderes, bei uns hat es zu besonderen Anlässen immer Spätlese gegeben, und zu ganz außergewöhnlich besonderen hat es Eiswein gegeben, weil ein Wein, je schwerer er nach Likör schmeckt, umso edler ist, und die Spätlese ist sicher auch schon recht teuer und edel gewesen, eigentlich hätten wir sie nicht trinken dürfen, bevor mein Vater zu Hause wäre, und als meine Mutter den Wein aufgemacht hat, sind wir uns alle drei ungemein aufrührerisch vorgekommen, wir haben um die toten Muscheln herumgehockt und Vaters zweitbesten Wein ohne ihn ausgetrunken, dabei haben wir langsam festgestellt, daß das Stimmungsverderben in unserer Familie ein recht allgemeines gewesen ist, und mein Bruder hat gesagt, dieses klebrige Zeugs, das hält er für edel, wir haben lachen müssen, wie grimmig er dabei geschaut hat, und mein Bruder und ich haben genauso schnell getrunken wie unsere Mutter; davon ist unsere Unbeholfenheit, das Beklommene, weggegangen, und wir sind zu der Zeit schon ziemlich sicher gewesen, daß mein Vater einen Autounfall gehabt hätte, weil er noch nicht kam, und mit der Zeit ist unsere Stimmung durch die Spätlese immer seltsamer geworden; wir haben abends sonst Tee getrunken und Milch, nur mein Vater hat Bier getrunken und manchmal Kognac. Bei seinen logischen Schlußfolgerungen hat er immer Kognac getrunken, das haben wir an dem Abend zufällig herausgefunden, weil mein Bruder, als er die Gläser geholt hat, gesagt hat, der Wohnzimmerschrank ist mir ganz verhaßt, immer holt er sich erst einen Kognac heraus, bevor es losgeht; und das hat er bei mir genauso gemacht. Immer ist er vorher an den Wohnzimmerschrank, im mittleren Teil war die Bar, so hat er die Flaschensammlung genannt, und zuerst hat er sich einen Kognac eingeschüttet, bevor er anfing zu fragen und logische Schlüsse zu ziehen. Mein Bruder hat nicht wissen können, daß er das bei mir auch so gemacht hat, und ich habe nicht wissen können, daß er es bei ihm auch so gemacht hat, weil die Wohnzimmertür vorher zugeschlossen wurde und er den Schlüssel in die Hosentasche gesteckt hat, und meine Mutter konnte es also überhaupt nicht wissen, sie hat ja die ganze Zeit auf dem Flur gestanden. Sie hat den Wohnzimmerschrank aber auch nicht leiden können, weil er so neudeutsches Altdeutsch war, und meine Mutter hat einen anderen Geschmack gehabt, nicht so einen gediegenen, wuchtigen; er ist ihr auch zu dunkel gewesen, der Wohnzimmerschrank, sie hätte es gern etwas heller gehabt, etwas freundlicher, hat sie gesagt, aber sie hat es natürlich nicht meinem Vater gesagt, weil mein Vater äußerst geschmackssicher war und nicht gern hatte, wenn man seine Geschmackssicherheit bezweifelte. Ich konnte den Wohnzimmerschrank schon überhaupt nicht ausstehen, weil ich ein paarmal mit dem Kopf dagegengeflogen war, was ich an dem Abend auch gesagt habe, besonders die Griffe sind förmlich lebensgefährlich, habe ich gesagt, die Schubladengriffe sind nämlich Eiche, gedrechselt, gewesen und haben gefährlich weit vorgestanden, und meine Mutter hat sich beim Putzen öfter das Knie daran angestoßen, und die Schlüssel an den Türen sind auch nicht besser gewesen, Messing, ich habe gesagt, daß die Griffe und Schlüssel an diesem altneuhochdeutschen Wohnzimmerschrank förmlich lebensgefährlich sind, ob nun gedrechselt oder aus Messing, daß aber die Griffe und Schlüssel noch gar nichts sind gegen die Butzenscheiben, weil man die ganze Zeit nur Sorge hat, nicht durch die Butzenscheiben hindurch zu fliegen, und das hätte man sich nicht ausmalen können, was dann geschehen wäre, wenn einer die Butzenscheiben durchflogen und also kaputtgemacht hätte. Mein Bruder hat mir zugestimmt und hat die Butzenscheiben auch noch weit schlimmer gefunden, heimtückischer, als die gedrechselten Eichengriffe und Messingschlüssel, er hat aber hinzugesetzt, außer daß sie lebensgefährlich sind, haben Wohnzimmerschränke keine Funktion, aber ich habe ihn gleich an die Bar erinnert, die eine Funktion gehabt hat, und meine Mutter hat meinen Bruder und mich an die Briefmarkensammlung erinnert, und da hat er zugeben müssen, daß Wohnzimmerschränke ihre Funktion haben; unser Wohnzimmerschrank war voll mit der Briefmarkensammlung, die mein Vater für meinen Bruder und mich angelegt hatte, als Zukunftsanlage. Es sind mehrere Briefmarkenalben gewesen, für die man an und für sich nicht einen ganzen Wohnzimmerschrank gebraucht hätte, die Briefmarken sind aber ungefähr einmal im Monat per Post gekommen und sind als kleine Päckchen verpackt gewesen; meinem Vater ist es um Vollständigkeit gegangen, eine Briefmarkensammlung hat nur einen Sinn und Wert, wenn sie vollständig ist, hat er gesagt. Die Päckchen sind per Nachnahme gekommen, vormittags, und dann lag mittags der Nachnahmezttel im Briefkasten, wo auch draufstand, wieviel sie diesmal kosten, sie haben wegen ihrer Vollständigkeit auch ihren Preis gehabt, und einer von uns hat sie am Nachmittag abholen müssen; das ruiniert mich nochmal, eure Zukunft, hat meine Mutter gesagt, wenn sie auf dem Nachnahmezettel gelesen hat, welchen Preis sie für unsere Zukunft zu zahlen hatte, aber sie hat nur im Scherz so gejammert und dann die Päckchen bezahlt, und auf die Art war unsere Briefmarkensammlung tatsächlich von erheblicher Vollständigkeit, und die Päckchen haben auch vollständig unseren Wohnzimmerschrank gefüllt, der also sehr wohl eine Funktion gehabt hat, es haben in Päckchen verpackt alle Briefmarken darin gelegen, die von 1965 an in der Bundesrepublik und der DDR herausgegeben worden sind, und mein Vater hat später auch noch einen zweiten Vertrag unterschrieben, der rückwärts ging bis zum Krieg; unsere Zukunft hat in Form einer immer vollständigeren Briefmarkensammlung im Wohnzimmerschrank gelegen, eine gesamtdeutsche Zukunftsanlage von großem Wert hat meinem Vater vorgeschwebt, und wenn meine Mutter gesagt hat, ein reichlich teures Vergnügen, so eine Zukunftsanlage, hat er sich nur über ihren Unverstand wundern können und ihr die Wertsteigerung erklärt, wovon sie aber nichts wissen wollte, sie hat gesagt, das kann ja gut sein, aber heute sind sie auch bereits ziemlich teuer, diese gesamtdeutschen Briefmarken, und er hat dann gesagt, an Investitionen zu sparen, ist völliger Unsinn, da merkt man, daß du vom Dorf kommst, wo die Zukunft im Sparstrumpf liegt, die Kleinlichkeit wirst du dein Lebtag nicht los, und manchmal hat meine Mutter darauf noch gesagt, ihre Großmutter hätte damals das Geld nur so waschkörbeweise unter dem Bett stehen gehabt während der Inflation, und dann hat sie gefragt, weißt du eigentlich, was das kostet, aber es hat meinen Vater nicht interessiert, was das kostet, weil er im Büro gewesen ist, wenn die Päckchen kamen und bei der Post ausgelöst werden mußten, und er hat gelacht und gesagt, nur einen Bruchteil von dem, was es einbringt und hinterher wert ist, du willst doch nicht an der Zukunft der Kinder sparen, und das hat sie natürlich nicht gewollt, und außerdem hat auf die Art der Wohnzimmerschrank eine Funktion gehabt, und mein Vater hat auch noch das Briefmarkensammlungszubehör bestellt gehabt, die Pinzetten und Lupen und all diese Instrumente zum Briefmarkeneinsortieren, und einmal hat er uns beibringen wollen, wie man die Briefmarken in die Alben hineinsortiert, das System und die Technik, aber gleich bei der ersten Marke haben wir uns so dumm angestellt, so geradezu übertrieben dämlich, wie mein Vater gesagt hat, daß er hat feststellen müssen, euch fehlt es an Gründlichkeit und Geduld, ihr habt kein Gefühl für den Wert einer Briefmarkensammlung, wer sich von vornherein so dumm anstellt, gleich bei der ersten Marke, dem ist nicht zu helfen, und dann hat er es uns nochmal gezeigt, aber es ist uns nicht gelungen, uns in der Unmenge Päckchen zurechtzufinden, und ich habe zur vollständigen Verärgerung meines Vaters auch noch gesagt, eigentlich sehen sich Briefmarken alle recht ähnlich, findet ihr nicht, weil es eben sehr viele waren, und es ist ein Unterschied, ob man zehn Briefmarken einzusortieren hat oder etliche Jahrgänge vollständig; er ist, hat er gesagt, ein leidenschaftlicher Briefmarkensammler gewesen, und eine gesamtdeutsche Briefmarkensammlung war immer sein Traum, es hat ihn gekränkt, daß wir so gar keine Gründlichkeit und Geduld haben aufbringen können für diesen Traum und unsere Zukunftsanlage, und er hat diese Dinge im Wohnzimmer-

187

schrank dann ruhen lassen für später, wenn wir verantwortlich mit der Briefmarkensammlung und unserer Zukunft würden umgehen können.

Ich habe sowieso lieber am Klavier gesessen oder gelesen, sehr zum Verdruß meines Vaters, denn es hat damals noch als abgemacht gegolten, daß ich in seine Fußstapfen trete und die Naturwissenschaften studiere; ich hätte auch nicht, wie ich es eine Zeitlang gewünscht habe, Klavier studieren können, weil es mein Vater nicht gut vertrug, das Klavierspielen, hör sofort mit dem Geklimpere auf, hat er oft gesagt, wenn er müde nach Hause gekommen ist und mich noch am Klavier angetroffen hat, obwohl er andererseits unerbittlich darauf bestand, daß wir beide, mein Bruder und ich, wenigstens ein Instrument spielen sollten und an diesem Instrument täglich eine Stunde zu üben hätten, und während mein Bruder nicht diese eine Stunde geübt hat, habe ich zuweilen mehr als diese eine Stunde geübt und mich beim Üben auch noch erwischen lassen, was sofort seinen Zorn erweckt und ihm regelmäßig die Stimmung verdorben hat, ich habe zu meiner Entschuldigung angeführt, mit einer Stunde am Tag kann man nicht Klavierspieler werden, aber mein Vater ist gegen Klavier allergisch gewesen, es hat ihn geschüttelt, wenn er mein Üben gehört hat, ich habe sofort vom Klavierhocker springen müssen, die Noten wegräumen, den Deckel herunterklappen, mein Vater ist schon gegen Spuren meines Klavierübens äußerst allergisch gewesen, weshalb ich es nach und nach eingestellt und tage- und nächtelang nur gelesen habe, die vielen Bücher habe ich heimlich aus unserer Stadtbücherei geholt und versteckt, und immer habe ich Angst gehabt, daß mein Vater sie finden könnte; in einer richtigen Familie, hat mein Vater gesagt, ist Heimlichkeit überflüssig, und jeder von uns hat die größte Angst haben müssen, bei seinen Heimlichkeiten erwischt zu werden; und nur jetzt haben wir, weil es spät und später wurde und wir die Spätlese leer getrunken hatten, jede Angst und Ängstlichkeit abgelegt gehabt, wir sind alle drei beschwipst gewesen, nur eine Restängstlichkeit hat uns daran gehindert, auf die Uhr zu schauen. Wir haben erst später auf die Uhr geschaut, und vorher haben wir gesagt, er hat bestimmt einen Autounfall gehabt, aber ein Autounfall kann ja alles Mögliche sein, es gibt solche und solche Autounfälle; nach einem Autounfall kommt man doch mindestens erstmal ins Krankenhaus, hat mein Bruder gesagt, und ich habe gesagt, mindestens, und alle drei haben wir uns, einer den anderen, an das Autofahren am Sonntag erinnert, was wir immer gemeinsam gemacht haben, mein Vater ist sehr gern und sehr schnell mit dem Auto gefahren, und anschließend sind wir herumspaziert, weil er am Sonntag Luft schnappen wollte; es hat immer sehr lang gedauert, bis wir an einen Ort gekommen sind, der zum Luftschnappen der geeignete war, und wenn wir an einem solchen Luftschnapport angekommen waren, hat es oft keine Parkplätze mehr gegeben, und den ganzen Weg über hat mein Vater nicht nur schnell fahren, sondern den Rigoletto dabei noch pfeifen können und zwischendurch Zigaretten geraucht, wovon mir übel geworden ist, und ich habe immer gesagt, daß er anhalten soll, manchmal hat er auch angehalten, daß ich aussteigen und mich übergeben konnte, aber er hat ja nicht überall anhalten können, aber übergeben habe ich mich trotzdem müssen, und dann war der Sonntag für mich natürlich zu Ende, aber er war auch zu Ende, wenn ich gesagt habe, es ist der Rauch und das schnelle Fahren, ich habe natürlich nicht gesagt, daß mir auch von Rigoletto schlecht wird, aber schon daß ich gesagt habe, der Rauch und das schnelle Fahren, das habe ich auch nur einmal gesagt und nie wieder; aber spätestens bei der Parkplatzsuche war dann der Sonntag ohnedies endgültig zu Ende, weil meine Mutter gesagt hat, bei uns hinterm Haus gibt es auch Luft zu schnappen, reichlich, und wir haben manchmal gesagt, daß bei uns hinterm Haus jetzt die anderen Kinder Raumschiff Orion spielen, wir haben fast niemals Raumschiff Orion gespielt, weil wir gemeinsam Luft geschnappt haben an Orten, an denen es keine Parkplätze gab, während hinter unserem Haus nicht nur viel Parkplatz, sondern auch reichlich Luft zu schnappen gewesen ist; mein Vater ist dann erbost gewesen, weil wir keinen Familiensinn fürs Gemeinsame hatten, und meine Mutter hat dann doch einen solchen Sinn schnell bewiesen und gesagt, wie schön die Natur gerade hier ist, so schön ist die Natur aber nicht bei uns hinterm Haus, und diese hier haben wir nur, weil unser Vater die gute Idee gehabt hat, ausgerechnet an diesen schönen Naturfleck zu fahren und Luftschnapport, und wir haben uns nicht getraut, wieder vom Raumschiff Orion anzufangen; tatsächlich sind wir durch Zufall an einem Sonntag einmal hinuntergelangt und haben versucht, mit den anderen Kindern Raumschiff Orion zu spielen, und es hat sich dabei herausgestellt, daß die anderen Kinder nicht mit uns Raumschiff Orion spielen wollten, weil man nicht einfach daherkommen kann, wenn man nie Raumschiff Orion gespielt hat, und plötzlich mitspielen wollen, wenn die anderen mitten im Spiel sind, mein Vater hat dazu bloß gesagt, das sind keine richtigen Familien, da herrscht Gleichgültigkeit statt Familiensinn, und dann gehen die Kinder auf die Straße. Ich habe mir sofort gewünscht, daß bei uns etwas mehr Gleichgültigkeit herrschen sollte, wenigstens so viel, daß wir nicht jedesmal mitfahren müßten am Sonntag im Auto, das war mehr Gemeinsamkeit, als ich zumutbar fand, und wenn wir am Nachmittag Luft geschnappt haben, war meist für einen von uns der Sonntag bereits zu Ende, und wir sind schon ganz vereinzelt durch die Natur gegangen, nur mein Vater hat meiner Mutter aus dem Büro erzählt, meine Mutter hat aber meinem Vater nicht aus der Schule erzählt, weil das Büro wichtiger war und mehr wert als die Schule, oder sie haben Urlaubspläne gemacht und beschlossen, daß wir im nächsten Sommer ans Meer fahren würden, nach Italien, Jugoslawien, Spanien oder in die Türkei, die Entfernungen sind mit der Zeit immer größer geworden; meine Mutter hat Berge auch sehr geliebt und gesagt, Österreich ist aber näher und kostet nur halb so viel, sie hat von den Bergseen geschwärmt, die es dort geben soll, und es haben ihr Blumenwiesen vor Augen gestanden, sie hat sich vorgestellt, daß sie nach Herzenslust Arme voll Blumen in eine Holzhütte schleppen könnte, weil meine Mutter die Sehnsucht nach Dörflichem oft befallen hat, und die Feriensiedlungen dort am Meer, wohin wir immer gefahren sind, haben sehr undörflich ausgesehen, es hat auch keine Blumenwiesen gegeben und Essen in riesigen Speisesälen; zwar ist meine Mutter froh gewesen, daß sie im Urlaub nicht kochen mußte, sie hat aber gesagt, lieber koche ich auch im Urlaub, anstatt wieder schlaflos über der Diskothek zu liegen, aber mein Vater hat gesagt, wenn wir nach Österreich fahren, kann uns der ganze Urlaub verregnen, und da hat meine Mutter immer gleich zugestimmt, daß wir wieder nach Süden fahren, weil meinem Vater sehr wichtig gewesen ist, daß im Urlaub die Sonne scheint; einmal hat eine Woche lang in der Türkei die Sonne nicht ununterbrochen geschienen, und wir haben von Glück sagen können, daß sie dann in der zweiten Woche ununterbrochen geschienen hat, obwohl meine Mutter Sonne nicht gut verträgt, sie wird schlagartig rot in der Sonne, während mein Vater nach seinem Sonnenbrand ziemlich schwarz wird, meine Mutter mag keinen Sonnenbrand, sie hat immer gesagt, ich kann mir nicht denken, daß das gesund sein soll, so zu leiden, aber mein Vater hat gesagt, da muß man durch, ohne Sonnenbrand keine Bräune, er hat uns allen Zitronensaft auf die wunden Stellen geträufelt, wir haben uns nie entscheiden können, was schlimmer ist, Sonnenbrand mit oder ohne Zitrone, und meine Mutter hat gesagt, so ist das Fegefeuer, mein Vater hat aber gesagt, das nützt, und uns ausgelacht, wenn wir uns angestellt haben, stellt euch bloß nicht so zimperlich an, hat er gesagt, Schmerz ist etwas Relatives, und das hat tatsächlich gestimmt, weil mein Vater fast gar nicht empfindlich war gegen Sonne, es ist eine Frage der Charakterstärke, hat er gesagt, und meine Mutter ist eher charakterschwach dabei weggekommen, weil sie schlagartig rot wurde in der Sonne und Urlaub im Schatten gemacht hat, während wir mit zusammengebissenen Zähnen unserem Vater zu imponieren versucht haben, was aber auch nichts genützt hat, denn nach dem Sonnenbrand hat sich herausgestellt, daß wir längst nicht so braun geworden sind wie der Vater, wenigstens hat er uns aber nicht zimperlich nennen können wie meine Mutter, die im Schatten verkrochen war und die sich auch mittags gern hingelegt hätte, sie hat gesagt, das machen die Leute hier auch, eine Siesta, und stehen dann auf, wenn es kühler wird, das hat mein Vater Vergeudung gefunden, die haben die Sonne das ganze Jahr, hat er gesagt, dafür fahren wir nicht in den Süden, daß wir die Sonne nicht ausnutzen; mein Vater hat vor dem Urlaub in Katalogen die durchschnittliche Sonnenscheindauer pro Land und Jahr verglichen und dann errechnet, wie die Wahrscheinlichkeit ist, eine ununterbrochene Sonnenscheindauer herauszubekommen, und deswegen wäre er nie in die Berge gefahren, wo es bewölkt sein kann, und es ist wahrlich kein Spaß gewesen, mit meinem Vater verregneten Urlaub zu machen, deshalb haben sie sonntags immer beschlossen, nach Süden ans Meer zu fahren, und meine Mutter hat heimlich ein paar Zweige und Gräser mitgenommen, manchmal auch Margeriten und Glockenblumen, und mein Vater, wenn er sie dabei erwischt hat, hat nur den Kopf schütteln können über die unausrottbare Ländlichkeit, aber meistens haben die Zweige und Gräser und Blumensträuße den Heimweg sowieso nicht überlebt, weil wir im Stau gestanden haben, und bis wir zu Hause waren, sind sie vertrocknet gewesen; aber wir sind doch immer gerade zur Sportschau zurecht gekommen, und dann ist es allerdings günstig gewesen, wenn für meinen Bruder und mich an der Stelle der Sonntag schon zu Ende gewesen ist, weil er sonst bei der Sportschau furios zu Ende gegangen ist; mein Bruder und ich haben uns nämlich auf störrische Art und Weise weder die Fußballregeln merken können noch die Namen der Spieler, Uwe Seeler war der einzige, den ich mir merken konnte, mein Bruder hat sich auch nicht wesentlich mehr merken können, noch Beckenbauer, und dann war schon Schluß, und mein Vater ist schier verzweifelt, das grenzt an Sabotage, hat er eins ums andre Mal gesagt, und dann hat meistens einer von uns noch hervorgewürgt, Müller, und der andere hat probeweise hervorgewürgt, Meier, und wenn dann Müller oder Meier gerade nicht gespielt haben, dann war es endgültig aus. Einmal habe ich, um meinem Vater einen Gefallen zu tun, gefragt, was ist das eigentlich, eine Ecke, als er Ecke geschrien hat, aber da hat er mich rausgeworfen, und das ist mir auch ganz recht gewesen, weil ich gerade mitten im Pole Poppenspäler gewesen bin, und auf die Art habe ich Zeit gehabt bis zum Abendbrot, und an dem Tag ist dann das Skatspielen ausgefallen, und so hatte ich nochmal Zeit für den Pole Poppenspäler.

Emine Sevgi Özdamar

Das Leben ist eine Karawanserei hat zwei Türen aus einer kam ich rein aus der anderen ging ich raus

Erst habe ich die Soldaten gesehen, ich stand da im Bauch meiner Mutter zwischen den Eisstangen, ich wollte mich festhalten und faßte an das Eis und rutschte und landete auf demselben Platz, klopfte an die Wand, keiner hörte. Die Soldaten zogen ihre Mäntel aus, die bisher von 90 000 toten und noch nicht toten Soldaten getragen waren. Die Mäntel stanken nach 90 000 toten und noch nicht toten Soldaten und hingen schon am Haken. Ein Soldat sagte: »Mach für die schwangere Frau Platz!«

Die Frau, die neben meiner Mutter stand, hatte in einer Nacht weiße Haare gekriegt, weil sie hörte, daß ihr Bruder tot war. Sie hatte nur einen Bruder und einen Ehemann, den sie nicht liebte. Diese Frau nannte ich später im Leben ›Baumwolltante‹, und ab und zu mal, wenn ich ihr die Tür aufmachte, hörte ich von ihr »Mädchen, du warst eine kleine Scheiße im Bauch deiner Mutter, als ich dich und deine Mutter den Soldaten im Zug übergab.« Die Baumwolltante sagte zu den Soldaten: »Schützt diese Frau wie eure eigenen Augen, ihr Mann ist auch Soldat, sie fährt zu ihrem Vaterhaus zurück für die Geburt, wenn ihr diese unschuldige Frau bis zu ihrem Vater über euren Köpfen tragt, trägt Allah eure Mütter und Schwestern auch über seinem Kopf.«

Der Zug schrie. Die Baumwolltante stieg aus und rief ins Zugfenster:

»Fatmaaaa, keiner bleibt drin!, alle kommen raus, aber wartet noch, bis du im Haus deines Vaters bist.« Der Zug fährt ab.

Damals war der Weg einfach, keiner wußte wie die Berge heißen und wie die Flüsse heißen. Man wußte, daß der Zug

›schwarzer Zug‹ heißt, und die Soldaten heißen alle Mehmet, und wenn sie in den Krieg geschickt werden, heißen sie Mehmetcik. Man holte sie mit dem ›schwarzen Zug‹ aus ihren Mutterschößen und schickte sie kopfrasiert auf die Felder. Rauf runter, Feuer. »Zwiebel«, schrie der Hauptmann, das heißt links, »Knoblauch«, schrie der Hauptmann, das heißt rechts, und Abend heißt, den Holzboden vom Hauptmann saubermachen. Ich dachte im Bauch, mein Vater ist auch Soldat, sein Mantel stinkt wahrscheinlich wie die Mäntel hier. Ich werde später die Stinkvatertochter.

Der Berg stand draußen wie ein von einem großen Vogel gelegtes Ei und schaute auf den Bauch von Fatma, und der Fluß, der an dem schwarzen Zug vorbeilief, hatte sich entschlossen, die längste silberne Schlange zu sein, tagsüber zu fließen und die Lehrlingsjungs mit langen Baumwollunterhosen in sich baden zu lassen und nachtsüber in den Träumen der Mädchen zu fließen und mit ihnen zu sprechen.

Es ist Nacht geworden, die silberne Schlange blieb hinter den Bergen, und meine Mutter Fatma machte die Augen zu. Draußen zu sehen war nur der Wind, der den Geruch der in der silbernen Schlange gewaschenen frischen Knaben und den Geruch der Baumwolltante, die wie zu lange in einer Holztruhe wartende gefaltete weiße Wäsche riecht, mit sich trug und über die Dünendächer von ein paar einsamen Häusern schmierte. Der schwarze Zug fährt und mit ihm der Wind wie eine wohnungslose Schnecke, die ihre Weisheiten und Bilder als glitzernde Spuren hinterläßt, die aber nicht mit den Händen der Menschen zu sammeln waren.

Der Zug hält. Meine Mutter machte die Augen auf, ihr gegenüber saßen vier Soldaten, alle hatten Zigaretten zwischen Daumen und Zeigefinger, rauchten in ihre feuchten nassen Mäntel gehüllt, still, und schauten auf die schwangere Frau. Es klopfte am Fenster. Der Wasserverkäufer. Der erste Soldat zog das Fenster herunter, kaufte Wasser, gab es meiner Mutter, meine Mutter trank es. Ich sagte im Bauch: ich habe soviel Wasser hier, ich ertrinke hier, ohne meinen Vater gesehen zu haben, gib mal was zu Essen her. Nichts kam. Ich biß in eine Schnur und sah, daß meine Mutter auch kräftig in ihre Lippe biß. Ein Soldat machte große Augen und sagte: »Was ist, Schwester? Ist was?« Meine Mutter sagte: »Nein, es ist kalt hier«, ich sagte im Bauch: »Hier ist es auch kalt und dunkel und naß und zuviele Sachen, an denen ich immer mit meinem Kopf anstoße.« Die Soldaten hatten das Fenster zugemacht und einen Soldaten-mantel auf den Bauch meiner Mutter gelegt. Ich fiel in Ohn-macht und bin erst an einem Augusttag wachgeworden und habe sofort geweint. Ich wollte wieder ins Wasserzimmer rein und den Film weitersehen mit den Soldaten, der Film war zer-rissen, wohin sind die Soldaten gegangen.

Das neue Zimmer war sehr hell und sehr hoch, da saßen viele Frauen, und eine Biene guckte ins Fenster rein auf mich, auf meine Beine. Meine Mutter sagte: »Sie tut ihre Beine aus dem Wickel raus. Mein Vater mag keine Kinder, die neu geboren sind, weil sie Katzenkindern ähnlich sind, aber beim Vorbeige-hen hat er zufällig in die Richtung dieses Kindes geguckt, und seine Augen blieben auf dem Kind kleben, und er hat gesagt: ›Aman, Fatma, was für ein schönes Kind ist denn das!« Nach diesen Sätzen sind die Frauen gegangen. Sie stiegen auf das fla-che Dach und legten Getreide auf die Baumwolltücher zum Trocknen. Alle fünf Frauen waren Frauen von meinem Groß-vater, nur die Mutter meiner Mutter war nicht dabei, denn sie mußte sehr jung sterben.

Während die fünf Frauen das Getreide auf die Tücher ver-teilten, sah ich ihre Hintern wie fünf Vollmonde nebeneinander geklebt rauf und runtergehen. Während die Vögel im Himmel in der Nähe des Getreides ohne Angst vor diesen Frauen war-teten und in die Augen der Frauen guckten, sah meine Mutter einen dieser Vögel und dachte, vielleicht ist dieser Vogel meine gestorbene Mutter, hat Hunger und hat keine Zunge das zu sa-gen. Und so fängt Fatma an zu weinen, ich weinte auch laut, da verschloß meine Mutter meinen Mund und öffnete die Augen groß, guckte in meine Augen und sagte: »Weine nicht, weine nicht. Aus einem Haus ohne Mann soll man keine Kinder-schreie hören!« Da habe ich noch lauter geweint, und meine Mutter hat mir eins über den Mund gegeben, die Biene, die mich aus dem Fenster gesehen hatte und gerade auf meinem nach Muttermilch riechenden Mundwinkel landen wollte, stieß in dem Moment mit der Hand meiner Mutter zusammen. Sie sticht. Die Biene starb, meine Mutter schrie aus dem Fenster: »Mutter, ich brenne!« und alle fünf Frauen auf dem Dach sagten als Chor: »Jede Frau brennt, wenn ihr Mann seit vier Jahren Soldat ist.«

Ich und meine Mutter weinten, die fünf Frauen lachten, und ich schrie so laut, so laut, daß die Berge ihre Plätze wechselten, und alle meine Fingernägel gingen von meinen Fingern los, und die Frauen sagten im Chor: »Fatma, dein Kind liegt in den Krallen einer unheilbaren Krankheit, weine nicht, bring sie zum Friedhof, leg sie in ein frisch gegrabenes Grab und warte, wenn sie weint, dann lebt sie, wenn sie nicht weint, dann stirbt sie, weine nicht! Allah hat gegeben, Allah wird nehmen, wenn sie stirbt geht sie direkt ins Paradies, weil sie so dünn ist und noch keine Sünden hat, kann sie leichter fliegen, weine nicht!«

Dann haben die Frauen mich und meine Mutter auf den Friedhof geschickt mit dem Pferdewagen, dessen Fahrer man den »verrückten Hussein« nannte, weil er den ganzen Tag arbeitete und ohne Pause schimpfte. »Ich ficke die Welt, gehen wir, ich ficke den Friedhof, ich ficke den Tod.«

Meine Mutter hat mich in eine frisch gegrabene Grube gelegt und über mir gestanden. Da sie eine dunkle Frau war, 16 Jahre alt, mit schwarzen Haaren, schwarzen Augen, sah sie aus wie ein dunkler Friedhofsbaum, der über ein Kind Schatten machte. Ich guckte auf ihre Augen und schlug meine Augen zu. Meine Mutter lief schnell weg, die Sonne kam über mich, ich machte langsam die Augen auf und lag da und überlegte, ob ich im Grunde still bleibe oder laut weine und meine Mutter zurückhole. In der Grube war es still, schön, die Erde war naß, weil ich gerade gepinkelt hatte. Ich machte die Augen zu, Himmel weck mich nicht, ich schlafe. In diesem Moment klatschte jemand in die Hände, klack, klack und sagte: »Huuuuuuuh.« Ich machte die Augen auf, sah eine Frau, eine sehr sehr fremde Frau. Sie hatte keine dunklen Augen, sie hatte blaue Augen, gelbe Wimpern, gelbe Augenbrauen, Wangen wie zwei Äpfel, denen die eine Hälfte fehlte und ein paar Bartstücke auf ihrem Kinn. Neben ihr stand ein Junge, drei Jahre alt, er fragte sie: »Großmutter, ist sie meine Schwester?« Die Frau sagte: »Ja.« Gleichzeitig legte sie sich auf ihren Bauch, auf die Erde, streckte ihre Hand zu mir ins Grab und wollte mich aus dem Grab rausholen. Ihre Hände reichten nicht, sie schaute rechts und links, rief: »Fatma, komm, nimm meine Enkelin raus!« 1, 2, 3, 4... nichts rührte sich außer zwei Blättern, die aus den Bäumen ruhig herunterregneten. Die Frau stieg in das Grab rein, rutschte und setzte sich auf ihr eigenes Bein, stützte sich auf ihre Hände wie eine Katze. Ihr Gesicht stand meinem gegenüber. Gerade in diesem Moment sah ich ihre goldenen Ohrringe an ihren Ohren wackeln und zog der Frau ihren linken Ohrring kräftig runter. Das Ohrloch verlängerte sich zu einem Riß und der goldene Ohrring blieb an dem Ohrriß hängen, Blut tropfte auf die Erde. Die Frau sagte: »Mutter!« und mit der linken Hand, mit der sie ihren Körper stützte, faßte sie ihr Ohr und fiel mit ihrem Oberkörper über mich. Ich fing an zu weinen, die Frau sagte wieder: »Mutter!«, dann sagte sie: »Hast du gepinkelt?« Die Frau hielt mich mit ihrem linken Arm, mit dem rechten Arm zog sie sich ihre lange Unterhose aus, wickelte mich da rein, hob mich aus dem Grab hoch und legte mich auf die Erde. Ich weinte laut, die Frau wartete im Grab, ohne Unterhose, daß jemand ihr die Hand gibt. Ich lutschte weinend an meinen nagellosen Fingern, da kam der Kutscher, der verrückte Hussein, gab ihr die Hand, sagte: »Hier nimm meine Hand, ich ficke meine Hand, ich ficke deine Enkelin, ich ficke das Grab.«

Dem Tod gestohlen in Anatolien von einer himmelaugigen Frau namens Ayshe saß ich vor einem Fotografen mit meinem Vater, meiner Mutter, meinem zwei Jahre älteren Bruder auf den Knien dieser himmelaugigen Frau, meine Großmutter, Mutter meines Vaters aus Kapadokia, am Meer in Istanbul, ließ mich fotografieren, mit einer kleinen Tasche in der Hand und die Fingernägel waren auch wieder da.

Dann habe ich das Meer gesehen, Draußen stand das Meer, das Unbarmherzige, das Schöne. Mein Vater stand da und sagte zu den Wellen: »Das Meer ist wie eine Frau, wann sie hochkommt, wann sie sich zurückzieht, weiß ein Mann nie.« Meine Mutter nahm ihre Tasche von ihrem rechten Arm auf ihren linken Arm. Die kleinen Schiffe schauten rechts und links, fuhren schnell von einem Ufer zu dem anderen, bevor die großen Schiffe kamen. Ein großes Schiff war sehr nervös, es schrie und hörte nicht auf. Als man es am Hafen anbinden konnte, spuckte es die Bauern aus seinem Mund raus zum Hafen: Männer, die wie Bergziegen aussehen. Sie trugen ihre aufgerollten Betten auf ihren Köpfen und schauten die Leute an, die am Hafen standen. Nach ihnen kamen die Kühe, die Esel, die Hühner und ein Truthahn und die Läuse und die Wanzen. Meine Großmutter klatschte in ihre Hände, sagte: »Willkommen!« Und der Truthahn stieg auf ihren Kopf und pickte an ihrem Kopf. Ihr Kopftuch löste sich und flog ans Meer. Die Läuse verteilten sich langsam in der ganzen Stadt, es kam die Polizei und sie gossen Benzin auf den Boden und machten ein großes Feuer. Manche Läuse brannten, pattapattapat. Die Bauern versuchten, sie zu sammeln. Die Tiere und die Bauern mit ihren Betten und ihren brennenden Füßen warfen sich ins Meer. Das Schiff löste sich schnell vom Hafen. An seinem Körper spielten die Schatten des Feuers, in dem die Läuse brannten. Das Schiff ging in den Nebel, das Feuer ging aus, der Mond kam, und am Hafen stand ein Schild: Läusehafen.

Am nächsten Morgen wollte ich raus aus dem Zimmer, die Tür ging nicht auf. Ich klopfte an der Tür, sagte: »Mutter, die Tür kann ich nicht aufmachen.« Die Mutterstimme sagte: »Die Tür muß nicht aufgehen, du und dein Großmutter, bleibt acht Tage in dem Zimmer, ihr habt Läuse von Bauern mit nach Hause geschleppt, brennt eure Wäsche, eure Bettlaken, wascht eure Haare und Körper mit Essig, dann kommt ihr aus dem Zimmer raus.« Ich und meine Großmutter kratzten uns eine Weile selbst, dann kratzte ich ihren Rücken, sie kratzte mir meinen Rücken. Großmutter sagte: »Laß uns gehen.« Wir knoteten unsere Bettlaken zusammen, kletterten aus dem Fenster und gingen zum Friedhof. Wir verbrannten unsere Bettlaken dort. Großmutter sagte: »Das Feuer, das du hier siehst, ist siebenmal mit kaltem Wasser gewaschenes Feuer wie das Feuer in der Hölle, das Höllenfeuer ist siebenmal mehr Feuer, als das Feuer hier.«

Einmal kam hinkend ein zwei Meter langer Mann mit einem Plastiksäbel in der Hand, er schrie: »Allah, Allah« und lief hinter mir her über die Holztreppen und durch die Zimmer, er schnappte mich und schnitt mir mit dem Plastiksäbel meinen Kopf ab. Da kam meine Mutter und sagte: »Das ist dein Großvater, mein Vater aus Anatolien. Du fährst jetzt in Ferien, mit ihm nach Anatolien, zu der Stadt, wo du deine Augen zur Welt geöffnet hast.«

Der schwarze Zug kam bis zu unseren Füßen. Ich und mein Großvater Ahmet stiegen ein. Nach Anatolien.

Im Zug habe ich wieder Soldaten gesehen. Als der Abend kam, haben die Soldaten mich in einen Soldatenmantel gehüllt und auf das Gepäcknetz gelegt und mit einem Soldatengürtel festgeschnallt. Ich schaute durch das Netz wie ein Vogel. Drei Tage, drei Nächte, Großvater und die Soldaten rauchten den Tabak, der wie sehr lange Mädchenhaare aussah. Die Soldaten sangen im Chor: »Großvater, erzähle!« Großvater sprach und sein unrasierter Bart wuchs auf seinem Gesicht und der Bart fing an, einen Teppich zu weben. Die Soldaten machten Feuer, um die Bilder des Teppichs zu sehen.

Am Anfang des Teppichs schneite es auf den Bergen, auf denen lief mein Großvater, als ein sehr junger Mann mit einem sehr jungen Mädchen und mit vielen Tieren. Ein Pferd fällt und stirbt im Schnee, und die Geier fliegen schreiend. Der junge Großvater zog seinen Pfeil und rief den Geiern zu: »Geht, grüßt euren russischen Zar. Den Pfeil wird er eines Tages zwischen seinen Augen finden. Ach, ich muß das Land verlassen, Bluthunde, die Erde hat Ohren, sie wird für mich Rache am Zar nehmen.« Auf dem Teppich lagen die sterbenden Tiere und zeichneten den Weg von Ahmet und der jungen Frau vom Kaukasus bis nach Anatolien. Gold fließt aus der Hand des Großvaters und verwandelt sich zu Feldern. In dieser Stadt Malatya voll mit Aprikosenbäumen. Dann verlor ich meinen Großvater im Teppich zwischen dem hochgewachsenen Getreide und Mais mit seinen fünf Frauen und Kindern. Dann sah ich ihn im Teppich wieder. Er fing an zu hinken, in den Flammen. Die Handgranaten fielen, dann flatterte auf dem Teppich eine deutsche Fahne neben einer türkischen Fahne. Auf dem Teppich baute der Bismarck die Bagdadbahn bis zu den Ölfeldern durch die Türkei, und beim Durchbauen sah Bismarck die Stadt Pergamon und fragte höflich den Sultan etwas, der aus Angst vor einem Widerstand des Volkes immer mit schlecht sitzenden Anzügen herumlief, weil sein Schneider nur aus der Entfernung Maß nehmen durfte. Bismarck fragte den Sultan höflich, ob er aus der Stadt Pergamon ein paar Steine als Andenken mit nach Deutschland nehmen durfte. Der Sultan sagte: »In meinem Reich gibt es so viele Steine, der Ketzer soll auch was davon haben.« Bismarck schleppte alle Steine aus der Stadt Pergamon nach Berlin. Dann kam Bismarck wieder zum Teppich und brachte deutsche Eimer, mit denen er das Öl von Bagdad mit nach Hause schleppen wollte. Die Engländer und Franzosen und Italiener hörten es und kamen mit ihren eigenen Eimern in die Türkei. Deutsche, Engländer, Franzosen, Italiener kehrten ihre Eimer um, setzten die Finger als Helme auf ihre Köpfe, zogen ihre Handgranaten und Waffen aus ihren Hosentaschen und in der Türkei fand der Öleimerkrieg statt. Der Großvater mußte für die deutschen Eimer in den Krieg. Auf dem Teppich zwischen Flammen und brennenden Tieren und Menschen lief Großvater schreiend umher. Aus seiner Hüfte fließendes Blut färbte im Teppich ein Dreieck rot. Dann wurden große Flammen zu kleinen Flammen, die Deutschen mußten raus. Ihre Eimer rollten sich mit ihnen bis nach Deutschland zurück, die französischen, englischen, italienischen Eimer teilten sich das Land. Der Sultan saß nackt in seinem Palast mit drei Eimern, einen Tag wusch er sein Gesicht im französischen, am nächsten Tag wusch er sein Gesicht im englischen, dann im italienischen Eimer, und sein Schneider durfte auch nicht mehr aus der Entfernung Maß nehmen. Jeden Tag, wenn er sich über den Eimer bückte, zeigten sich im Eimer alle Sultans, die von ihren eigenen Brüdern, Müttern, Vätern erdrosselt, erhängt, zerstückelt worden waren, und sie färbten die Eimer rosa. Dann kamen die Bauern in die Eimer, die Bauern, die von den Steuerbeamten des Sultans zum Hungern verurteilt worden waren, mit ihren Tierkadavern. Der Sultan machte fest die Augen zu, wusch sich, lief in seinem Zimmer auf Knien, legte sich nicht ins Bett, sondern unters Bett und legte zwei große Diamanten über seine Augen und hörte, daß sich draußen die Pferde mit ihren Reitern sammelten.

Am Kopf der Reiter auf dem Teppich ritt ein sehr schöner Offizier, Haare blond, Wimpern gelb. Die Soldaten im schwarzen Zug, die auf den Teppich schauten, standen plötzlich auf, und begrüßten diesen Offizier. Der blauäugige Mann sagte vom Teppich: »Soldaten, wie geht es euch?« Die Soldaten im

Zug sagten im Chor: »Gut, mein Atatürk!« und blieben in Position stehen, rechte Hand vor ihrer Stirn. Schauten auf den Teppich, den der Bart meines Großvaters weiterwebte. Der blauäugige Offizier lief mit vielen Männern, darunter mein Großvater und Frauen. Alle trugen auf ihren Schultern Äste aus Bäumen. Auf dem Teppich lief ein Wald, und andere Wälder kamen entgegen. Aus den Bergen kamen die Banditen mit ihren bis in die Sonne steigenden lockigen Haaren, olivenschwarzen Augen, mit ihren am ganzen Körper zitternden Pferden zu diesem blauäugigen Mann. Er nahm einen Ast und zeichnete auf der nassen Erde einen Kriegsplan gegen die Eimer und gegen den nackten Sultan, der mit zwei Diamanten auf seinen Augen unter seinem Bett lag.

Die Pferde horchten mit ihren ganzen Körpern. Der Wald ist ein stummer Zuhörer, und jeder Baum tätowierte auf seinen Leib diesen Plan.

Auf dem Teppich ritt ein staubbedeckter Reiter, kam an, sein Pferd fiel und starb. Ein Russe. Er schüttelte aus seinem Mantel und Mütze viele Waffen und Gold, sagte: »Lenin und Genossen begrüßen euren antiimperialistischen Krieg.« Die Banditen und mein Großvater gaben ihm einen Krug Wasser. Er trinkt und ging. Der bewaffnete Wald setzte sich hin und betete, und die Handgranaten gingen hoch. Der Sultan nahm die Diamanten von seinen Augen und verstopfte damit seine Ohren. Die französischen Eimer schrien: »Au secour.« Die englischen Eimer schrien: »Help! Help!«, ein schöner griechischer Offizier in Smyrna blieb in seinem Bett, sagte, er kann nicht aufstehen, er habe einen Körper aus Glas, der zerbrochen wird. Und die Eimer schwammen im Mittelmeer und im Ägäischen Meer Richtung Italien, England und Frankreich. Aus ihren Taschen fielen Shakespeare und Molière und Dante und winkten den davongehenden Eimern. Der letzte Sultan warf sich hinter ihnen ins Wasser und schwamm weg und umarmte fest einen englischen Eimer. Am Ufer legte der Wald die Äste ab, raus kamen Männer, Frauen, Greise. Sie sammelten im ganzen Land die Toten und begruben sie in der Sonne.

Der Feind ist weg, sagten sie, es lebe die Republik sagten sie. **201** Die Männer im Frack und Melonenhüten. Religion und Staat sind getrennte Sachen, sagen sie und warfen die Arabische

Schrift auch ins Meer und holten mit europäischen Flugzeugen die lateinische Schrift in das Land, nehmen den Frauen ihre Schleier weg, und die Minarette ließen sie verfaulen, und zu europäischer Musik tanzten sie auf den Bällen. Der blauäugige Mann saß auf einem Stuhl, sagte so viele Sätze, Männer in schwarzen Melonenhüten nahmen Wörter aus seinen Sätzen, und im Parlament warfen sie sich die Wörter gegenseitig als Schneebälle zu.

Auf dem Teppich wachten die Dörfer auf, die im Krieg gestorbenen Söhne klopften an den Türen, ihre Äste auf ihren Schultern tragend, ihre Mütter machten die Türen auf. Die toten Söhne sagten: »Mütter, es wird für euch einen sehr sehr langen kalten Winter geben, hier sind die Äste, sammelt sie, wärmt euch, wenn die Wölfe bis an eure Türen kommen und mit hungerglänzenden Augen in eure Augen schauen.« Auf dem Teppich rauchten die kleinen Ofenrohre und hielten die Liebe zu den Söhnen hoch zum Himmel wie das Stöhnen von den Müttern und mischten sich mit den Stimmen der vor Hunger heulenden Wölfe. Die Mütter sagten zu den Wölfen: »Wir haben selber nichts.« Die Soldaten im Zug fingen an zu weinen, sagten: »Das da ist meine Großmutter. Und das ist meine Großmutter.« Mein Großvater nimmt einen Zug aus seiner Zigarette, und sein Bart webt weiter den Teppich. Genauso rauchte er im Teppich auf einem Berg, ein Fernglas an seinem Hals. Die anderen Banditen mit ihren bis zur Sonne gehenden jetzt ergrauten Locken standen neben ihm. Alle rauchten bis auf einen. Er saß da und sprach zu einem Stein, den er in der Hand hielt, der Geduldstein hieß, ein Stein, an dem man Geduld messen konnte. Er sagte zu dem Geduldstein: »Geduldstein, wir haben gekämpft, ich habe Männer gesehen, die ihre Beine in ihren Händen trugen und gegen die Feinde gingen, ich habe Frauen gesehen, die auf der Flucht vor fremden Männern sich von den Brücken in den Fluß warfen, und der Fluß hat sie gewaschen, ihre Wunden geleckt und der Fluß hat ihnen Flügel gegeben. Diese Frauen flogen in den Himmel und trugen die getöteten Männer in ihren Armen, ich habe gesehen, sie sind bis zur Sonne geflogen und haben ihre Toten in der Sonne begraben. Geduldstein, konntest du denn dulden?« Der Geduldstein im Teppich atmete tief und stöhnte und wurde etwas dicker. Er sprach weiter: »Geduldstein, die Männer, mit denen wir in demselben Wald waren, tanzen jetzt mit ihren parfümierten Frauen, tragen schwarze Hüte, feiern gewonnene Kriege, vergessen ihr Wort Gleichheit-Freiheit. Der Geduldstein, werden diese Männer andere fremde Männer in das Land einladen? Die Fremden werden mit ihren Eimern kommen. Sie sind Vampire. Sie werden aus einem sehr sehr weiten Kontinent herfliegen. Die Männer, die Schwarzhüte tragen, werden sich von ihnen aussaugen lassen. Dann werden sie selbst Vampire, fremde Eimer in der Hand, Kaugummi in ihrem Mund kauend werden sie Tag und Nacht an den Bauern, Müttern, Vätern, Söhnen, Töchtern, an den Tieren saugen. Geduldstein, konntest du denn das alles dulden?« Der Geduldstein atmete tiefer und tiefer und zerplatzte in tausend Stücke auf dem Berg. Der Mann stand auf, sagte: »Wir kämpfen weiter, gegen die jetzt Hüte tragenden Männer.«

Auf dem Teppich fing es an zu regnen. Diese Banditen, darunter mein Großvater, wuschen ihre Unterhosen und schrien Kriegsschwüre, und der Regen hörte sich das alles an. Auf dem Teppich geht die Sonne schnell auf, schnell unter, fünfzig Tage lang. Die Banditen sahen jetzt wie die Eidechsen aus, die sie täglich aßen. Neben meinem Großvater sang ein Knabe, auf seinem Gesicht bewegten sich durch den Wind die weichen Haare, der Knabe sang: »Grüßen Sie mir den Großgrundbesitzer, er wird noch lange schlaflos bleiben, bis meine Waffe ihn küßt.« Ich sah im Zug von oben runter meinen Großvater. Er machte seine noch brennende Zigarette auf dem Teppich genau auf seinem Herz aus und sagte: »Ach!« Die Soldaten schauten auf ihn und fragten: »Hast du diesen Knaben sehr geliebt, alter Mann?« Mein Großvater sagte: »Ja.« Und aus seinen Augen tropften Tränen auf den Teppich und machten einen silbernen See, in dem Großvater und dieser schöne Knabe ihre Waffen in ihrem Munde tragend, schwimmend sich faßten. Dann kamen vom Ufer Schüsse. Der Knabe sagte: »Ach.« Seine Waffel fiel ins Wasser. Er hielt sich fest am Hals meines Großvaters und küßte ihn mit seinem sterbenden Mund. Der Tod kam, nahm den Knaben aus den Armen meines Großvaters und brachte ihn zu den Soldaten ans Ufer. Alle Banditen starben in fließendem Wasser von den Schüssen der Soldaten am Ufer. Ihre langen Banditenhaare wuschen sich zum letzten Mal am Fluß. So gingen die Banditen auf den Grund des Flusses zu den Seeschlangen. Die Seeschlangen setzten sich in ihre langen Banditenhaare, und eine Medusa nach der anderen bewegte sich auf dem Teppich.

Ein Soldat fragte den Großvater im Zug: »Was hast du denn gemacht, als alle deine Freunde getötet waren?« Mein Großvater sagte: »Ich blieb drei Jahre in den Bergen, wurde zum Schmuggler, und als ich eine Nacht...« Die Soldaten hielten ihren Atem an, ich auch oben im Gepäcknetz. Ein Soldat machte ein Streichholz an, damit sie auf dem Teppich im Dunkeln gut sehen konnten, es war sehr dunkel, und ein Schatten lief zwischen den gelegten Minen an der Grenze hin und her. In dem Moment hielt der Zug, und es stiegen ein paar Gendarmen ein. Die Soldaten und mein Großvater rollten den Teppich zusammen und steckten ihn unter den Sitz. Dann kam die Sonne und ich machte die Augen zu, die Soldaten auch. Wir wachten alle auf mit der Stimme eines Truthahns, der auf dem von meinem Großvaterbart weiter webenden Teppich herumlief. Mein Großvater saß diesem Truthahn gegenüber und drohte ihm mit einem Säbel. Der Truthahn sagte: »Wenn du von einem gewonnenen Krieg nichts gekriegt hast, was kann ich dafür?« Mein Großvater lief hinkend hinter dem Truthahn her, drehte ständig seinen Säbel über seinem Kopf, auf der Suche nach diesem Truthahn landete mein Großvater auf einem Berg, da sammelte er unreife Äpfel und Steine und warf sie Richtung Hauptstadt der Republik und schrie: »Belogen habt ihr uns«, dann bekam er Hunger und sammelte die Äpfel, die er geworfen hatte, wieder ein, und aß sie. Seine Frauen suchten nach ihm. Er sagte aber, er käme erst, wenn er Gold verdient hätte. Die Gendarmen suchten nach ihm, er dressierte auf dem Berg ein Pferd, gab ihm den Namen »September«, schmuggelte mit ihm zusammen durch die Minen am Grenzgebiet Schafe nach Syrien und bekam Gold, dann stand er auf seinem Pferd September wie ein lachender Vogel und schaute von dem Berg runter auf seine Stadt und hörte aus seinem Haus den Schrei seines neugeborenen Kindes, schluckte das Gold runter in seinen Magen, damit die Gendarmen das Gold nicht finden konnten. Sein Pferd September flog mit ihm vom Berg bis in die Stadt zu der

Gasse, wo sein Haus lag. Da standen ein paar Gendarmen in dunklen Ecken, die Münder von ihren Gewehren glänzten, mein Großvater knöpfte seine Hose auf, pinkelte vom Pferd runter, links und rechts auf die Gasse und sagte zu den Gendarmen: »Die Gendarme, die mich, den Ahmet, festnehmen können, sind noch von keiner Mutter geboren.« Die Gewehre blieben ruhig, und er trat in sein Haus. Die Soldaten sahen es im Teppich und klatschten in die Hände. Ich machte oben im Netz meine Augen groß auf, schaute auf den Teppich, ging mit meinem Großvater durch den Garten in ein großes Zimmer rein. Plötzlich erkannte ich das Zimmer, in dem ich aus meiner Mutter rausgekommen war. Jetzt lag ein anderes Kind in dem Bett in den Armen einer sehr schönen Frau, ihre ganzen Haare lagen auf dem Bett. Die waren noch naß von der Geburt. Mein Großvater nahm das Tuch vom Gesicht dieses Kindes und sagte: »Meine Tochter, dein Name soll Fatma sein, Fatma willkommen auf dieser brennenden Welt.« Das Kind war meine Mutter Fatma. »Sie ist meine Mutter!« Die Soldaten sagten: »Ja, deine Mutter, sie schläft, schlafe du auch.« »Nein, ich will meine Großmutter weiter sehen. Von ihr gibt es kein Foto.« Mein Großvater webte den Teppich nicht weiter. Er saß da und schwieg. Ich sah ihn auf dem Zugfenster ins Dunkle schauen. Die Soldaten sagten: »Großvater, erzähle!« Großvater machte mit seinen Händen seine Augen zu, die Wörter fielen und woben den Teppich weiter.

Kopfrasiert saß er eine Weile in einem Gefängnis, kam raus, gab einem Mann vor dem Gefängnis, der ihn um etwas Geld anbettelte, sein letztes Geldstück und lief nach Hause. Alle seine Frauen standen vor dem Haus, nur die Mutter meiner Mutter war nicht da. Sie küßten ihm seine Hand in der Reihe stehend, seine Hand blieb in der Luft hängen, er fragte: »Wo ist meine Frau?« Eine seiner Frauen sagte: »Sie ist zur Hochzeit ihrer Schwester in ihr Bergdorf gegangen.« Dann schwieg sie, Großvater sagte: »Frau, warum versteckst du die Wörter unter deiner Zunge, sag!« Die Frau sang plötzlich laut: »Gestern ist dein und mein Sohn gestorben, und wir haben gehört, deine Frau hat oben auf der Hochzeit ihre Hände mit Henna färben lassen, aus Freude, weil mein Sohn tot ist.« Sie sang dieselben Sätze paarmal, die anderen Frauen standen da als schweigender

205

Frauenchor. Mein Großvater sagte nichts, setzte sich auf sein Pferd September, ritt zum Bergdorf, ging zum Hochzeitshaus, da sah ich meine Großmutter, Mutter meiner Mutter, Haare gelöst, barfuß vor einem großen Stein sitzen. Sie rieb ihre Fingernägel an diesem Stein. Der Stein blutete unbarmherzig. Die Großmutter sagte: »Ahmet, ich wußte nicht als ich zur Hochzeit kam, daß dein Sohn von der anderen Frau sterben wird.« Der Großvater band ihre Haare mit dem Schwanz seines Pferdes September und ritt über die steinigen Wege. Meine Großmutter zog die dornigen Pflanzen und Steine allmählich wie ein Kleid an und rief nach ihrer Mutter und ihrem Vater, die schon längst tot waren. Doch die Toten hörten es, kamen aus ihren Gräbern und nahmen ihre Tochter mit sich. Das Pferd September besuchte täglich ihr Grab und biß mit seinen großen Zähnen seinen Schwanz, der diese Frau zu Tode gezogen hatte. »Ach«, sagte September, »dieser Schmerz ist ein Dorn, der in einem nassen Fell feststeckt.« September setzte sich neben ihr Grab, aß die Erde, so viele Steine, daß er schwer wurde. Dann trocknete er seine Tränen, lief auf seinen Knien bis zum Fluß »Verrückter Euphrat« und warf sich in den Euphrat, der ihn schnell herunterzog. Auf dem Teppich zeigte sich tiefgrüne Farbe, in der eine Frau auf einem Pferd sitzt und reitet.

Der Teppich endete hier als ein unvollendeter Teppich. Der Zug war angekommen. Die Soldaten nahmen mich aus dem Gepäcknetz, rollten den Teppich zusammen, legten ihn auf die Schultern meines Großvaters, der jetzt auf der Erde Allah anbettelte, ihm seine Sünden zu verzeihen. Ich als siebenjähriges Mädchen nahm meinen Großvater auf meine Schultern. Wir steigen aus dem Zug, der Teppich rollte durch die Gassen mit uns, wir kamen bis zu seinem Haus. Die einzige Frau, die noch lebte, nahm ihren Mann von meinen Schultern in ihre Arme, trug ihn und setzte ihn auf den Gebetsteppich, wo er weiterbetete. An den Wänden hingen silberne Säbel, Messer, Peitschen aus seiner Jugend etwas verrostet da.

Alissa Walser

Geschenkt

Neben mir atmet mein Vater, wir sind im Hotel, heute ist sein Geburtstag, morgen ist meiner, vielleicht ist jetzt morgen, vielleicht habe ich schon Geburtstag, vielleicht bin ich bereits acht, ich weiß es nicht, es ist dunkel. Mein Vater schläft nicht, er liegt nur da. So soll er die ganze Nacht liegenblieben – kaum schläft er, ängstigt mich sein Atem. Wahrscheinlich denkt er, ich schlafe. Jetzt bewegt er die Hände, vielleicht hat er ein Geschenk für mich, das er unter der Decke versteckt, damit ich es gleich auspacken kann, wenn ich aufwache. Oder er sucht, wie ich, einen Platz für die Hände vor dem Einschlafen. Meine Augen sind zu. Er glaubt, ich schlafe, aber ich belausche ihn. Ich habe Angst, er könnte weinen. Doch jetzt steht er vorsichtig auf, öffnet die Tür zum Bad und schließt sie ganz leise, ganz sachte, bevor er Licht macht, er wäscht sich die Hände, warum schläft er nicht einfach?

Heute ist sein Zweiundsechzigster, mein Einunddreißigster ist morgen, und wieder ist meine Mutter nicht dabei, keiner konnte ahnen, daß plötzlich eine Freundin stirbt. Heute und morgen, das sollen wieder Tage werden, an denen mein Vater das restliche Jahr messen will. Alle Zimmer voller Blumen, es riecht wie in einer Kapelle. Mein Vater steht am hellerleuchteten Buffet. In seinem Haus gibt es keine dunklen Ecken, seine Frau schläft neben ihm, mit mir spielt er Tennis. Manchmal glaube ich, er hat mich markiert, wie der Hund einen Baum. Sein Hals und Gesicht sind gleichmäßig naß vom Schweiß, sein Haar, eine schöne weiße Landzunge in der Mitte des Kopfes, reicht vorn bis an die Stirn. Das Telefon – kabellos – steckt in seiner Jackettasche. Es läutet ständig und macht meinem Vater zum Kirchturm. Im Nebenzimmer zirpt das neue Faxgerät –

Grüße von irgendeinem medizinischen Institut, Geschenk folgt. Sicher etwas, was mein Vater schon hat. Wahrscheinlich eine Klassik-CD, dann gehört die mit dem weniger berühmten Orchester mir.

Seit mir ein Busen gewachsen ist, schenkt mir mein Vater Geld zum Geburtstag. An meinem dreizehnten sagte er, jetzt siehst du aus wie die Frauen auf Cranach-Bildern, und ich wußte nicht, was er meinte, nahm mir aber vor nachzusehen; er meinte die kleinen Brüste, für die ich mich schämte, doch dann drückte er mir ein paar Scheine in die Hand. Ein Jahr lang überlegte ich, was ich mir kaufen sollte, so wurde ich vierzehn. Frische Scheine vom Vater. Ich kaufte mir ein Fahrrad, es wurde gestohlen. Die Anzahl der Scheine nahm jedes Jahr zu. In den folgenden Jahren floß mir das Geburtstagsgeld davon, 6000 Zigaretten, 700 Tassen Kaffee, 19 Lippenstifte, Markenkondome, ungezählt, Erich Fromms Gesammelte Werke. Mit zwanzig entwarf ich Glückwunschkarten und prompt reichten Vaters Gaben für einen graphikfähigen Computer.

Dieses Jahr sind es zehn große Scheine. Für ein Auto reicht es nicht. Ich falte das Bündel zusammen, stecke es in die Tasche. Warum willst du schon fort? sagt mein Vater. Ich weiß es nicht, sage ich.

Besser samstags in einer Großstadt ankommen als sonntags. Die Leute schimmern schon ein bißchen vor Hoffnung auf eine lange Nacht. Am Bahnhof kaufe ich das Annoncenblättchen. Im Taxi finde ich unter Kontakte zwei Anzeigen, die nicht für Männer bestimmt sind und schreibe mir die Nummern auf den Handrücken. So tauche ich in die Stadt, in der mich keiner erwartet. Im Treppenhaus höre ich mein Telefon klingeln. Zwei Stufen auf einmal, bis unters Dach; vielleicht ist das Sportstudio doch der einzige Ort, an dem man was Brauchbares lernt.

Wie war's, sagt mein Vater. Der Zug überfüllt, sage ich, Sitzplatz im Großraumwagen, neben mir ein junger Mann. Nett? fragt er. Ich sage, ich weiß es nicht, ich hatte keinen Kontakt, nicht mal mit den Augen. Mein Vater holt tief Luft, er glaubt es nicht, er glaubt mir nie, wenn es um Männer geht.

208

Weiter, sagt er. Ich werde nicht verhungern, sage ich, was im Kühlschrank liegt, reicht bis Montag. Und: die zehn Scheine alle unversehrt in meiner Tasche. Du hättest noch bleiben können, das weißt du. Dann wärst du jetzt nicht allein in der Wohnung, sagt er und meint sich selbst. Was machst du heute noch? Komm, ich geb dir Glückszahlen, sage ich, und lese eine der Telefonnummern von meiner Hand ab, 46925238 – sechs Richtige in der Samstagsziehung, das könnte mich ersetzen, und mein Vater traut es mir zu. Mit 15 nahm er mich zum ersten Mal mit ins Casino. Zu jung zum Spielen, hieß es am Eingang, als mein Paß kontrolliert wurde. Das verfolgte mich. Als Glücksfee meines Vaters ließ man mich ein, auf hohen Hacken stand ich hinter ihm, flüsterte ihm Zahlen ins Ohr, bis ich nicht mehr stehen konnte. Hatte er genug verloren, verließ er das Gebäude hastig, dann sprang das Auto nicht an, dann waren die Ampeln rot, Papa raste, Papa bremste, Papa raste. Ich legte mich auf den Rücksitz, schaute in den Himmel, betete zur Muttergottes, an die ich nicht glaube, Zweige, Lichter, Zweige, ich blieb liegen, im Sitzen wollte ich nicht sterben.

Mein Vater notiert die Zahlen, dann legen wir auf.

Später wähle ich die erste Nummer. Einer nimmt ab. Bitte beschreib dich, sage ich. Ich meine es ernst. Er zählt mir seine Einzelteile auf. Ziemlich schnell weiß ich, daß ich ihn nicht sehen will. Ich wähle die Zahlen, die ich meinem Vater gab. Einer nimmt ab. Wellensittiche zwitschern. Groß, sagt er, dunkel, 23, Südländer. Wieviel? sage ich. Wieviel hast du? fragt er, und schon lieb ich ihn. Endlich einer, mit dem ich sprechen kann. Ich könnte auch still sein. Belehrt er mich, schick ich ihn weg. Er muß mich hinnehmen. Ich kann ihn berühren, wo ich will. Seine Brust soll mir dieser Junge zeigen, und er soll mich bitten, ihm die meine zu zeigen. So werde ich den Abend bezwingen, den Sonntag und vielleicht das März-Wetter.

Am Abend ruft mein Vater an, er braucht nur zu atmen, und ich weiß, wer dran ist. Hör auf zu rauchen, sage ich. Was hast du alles gemacht, sagt er. Das will er immer wissen. Immer will er wissen, wo ich gewesen bin, wer mit mir war, was wir gemacht haben, und was noch. Je munterer ich klinge, desto mehr bohrt er. Was würde er sagen, wenn ihm einmal die Fragen ausgingen? Aber sie gehen ihm nicht aus. Er könnte höchstens auf die Fragen aus seinem Vorrat stoßen, die er mir nie gestellt hat:

Wer liebt dich, wieviel ist er wert, wer glaubt an dich, wer ist reingefallen, wer hängt an deinem Haken, wer zahlt für dich, wie reich ist er, wie stark ist er, wer holt uns aus unserer Scheiße, was hast du getan, bist du wie ich, warum bist du wie ich, wer rettet uns jetzt, wie geht es deiner Fotze, lohnt es sich, wird sie gut bezahlt, warum machst du keine Kinder, wo bleibt dein Messias? Ich möchte ihm etwas antworten, das keine weiteren Fragen zuläßt.

Es ist schon gut gewesen, daß ich gestern gekommen bin, sage ich, Pläne hatte ich keine, aber mit dem Geld in der Tasche war das halb so schlimm. Es beunruhigt meinen Vater, daß ich nur noch acht Scheine besitze. In der Spielbank war ich nicht, sage ich. Ich habe mir einen Jungen gekauft, und schnell spreche ich weiter, mein Vater soll nicht nach dem Gesicht des Jungen fragen. Es war ein unfertiges Gesicht, ich dachte, der Junge wird noch allerhand probieren müssen, bevor sein Gesicht sich festigt. Ich hätte zum Beispiel sagen können, ein italienisches Gesicht, aber lieber hätte mein Vater gehört: ein Mauerstürmergesicht, eines aus der Ex-DDR, da hätte mein Vater geklascht über den Mut, über das bißchen historische Wahrhaftigkeit, diesen Gutschein, den der Junge dann besessen hätte, einfach so, ohne was dafür zu können. Ich sage also nur, daß sein Haar dunkel war, schwarz, aber nicht bläulich, ungekämmt. Früher, sage ich meinem Vater, nach dem Baden, hast du mich immer mit einer frisch geschälten Frucht verglichen. So ein Junge war das, und ich frage meinen Vater, ob er das verstehe. Nein, sagt er, fax ihn mir. Im Stehen beginne ich zu zeichnen.

Der Atem meines Vaters wird übertönt vom Geräusch einer Tür, mein Vater tritt in den Garten. Vielleicht holt er nur Luft, aber er liebt es auch, einfach mit seinem Telefon umherzuspazieren, selbst sonntagmorgens, eine Zeit, zu der kein Mensch anruft, hat er das Telefon dabei. Die Frauen schlafen noch, und er geht im Pyjama über den Rasen, hebt einzelne Zweige auf, die es über Nacht vom Wald in den Garten herübergeweht hat. Ich sehe was, was du nicht siehst, sagt er. Weißt du, was? Ich sehe den Wald. Der Wald ist dunkler als die Nacht. Heute war der Himmel blendend grau. Ein Tag wie von Armani. Gestern sah ich eine junge Frau hinter einem Kinderwagen, früher ging sie mit dir zur Schule, saß neben dir. Wir haben keinen Kontakt mehr, sage ich. Deine Generation, sagt er. Was machen die anderen in deinem Alter? Ich weiß nicht, wen du meinst, sage ich. Kinder kriegen. Ausreden suchen. Weiße Hemden tragen. Reisen. Du kaufst dir also einen Mann, sagt er plötzlich. Ausnahmsweise, sage ich. Erzähl – er zündet sich eine an.

Bevor es dämmerte, aßen wir in einem Restaurant, das war mein Wunsch, und ich durfte bestimmen. Allein wäre ich nie dort hingegangen. Schwere Tische, alle von der Brauerei gestellt. War das Essen wenigstens gut? unterbricht mich mein Vater. Seine Stimme klingt wie bitten um ein Ende ohne Schmerzen. Wie unwichtig das Essen war, begreift er nicht. Gehe ich mit meinem Vater essen, bestellt er mir den bunten Teller, von allem ein bißchen, zu verspielt für Erwachsene, zu ernst für einen Kinderteller. Oder Meereszeugs, das er selbst nie bestellt. Er will, daß ich für ihn die Austern schlürfe. Ich saß vor einem Glas Wasser, sage ich. Der Junge bestellte sich ein Stück Fleisch, danach einen Kaffee, danach noch einen. Er war ganz anders als am Telefon, er schien zu wissen, was er wollte. Erstaunlich, wie gut er sein Gesicht beherrschte. Ein Lächeln kam so schlagartig wie es verschwand. Sein Teller war leer, da fragte er mich nach meinen Wünschen. Mir war klar, sage ich, er dachte schon ans Ende. Ich wollte nicht darüber reden. Ich wollte nichts festlegen. Mein Vater saugt an seiner Zigarre, ein Kind, das einen Fisch nachahmt; ich kann seine Zigarren nicht leiden, meine Mutter auch nicht, wir sind doch keine Wespen, sagt sie, wenn er den Raum vollräuchert. Der Junge streichelte mich hinterm Ohr und flüsterte mir etwas zu. Er hielt mich für scheu. Dann sprachen wir nicht mehr viel, was ich bedauerte. Es gab keinen Grund zum Schweigen. Ich bat ihn, mir etwas zu erzählen. Am liebsten wäre mir gewesen, er hätte mir von Tiefseefischen erzählt, von Wesen, die dort leben, wo man selbst nie hinkommt. In seinen Händen die Fransen des Schals, der um seinen Nacken lag, wie das Handtuch eines Boxers, fühl mal, sagte er, und während ich den Stoff prüfte, fing er vom Geld an. Eine Firma

211

wolle er aufbauen, irgendein Mittel vertreiben, das gesünder macht. Plötzlich merkte ich, daß er verzweifelt war. In diesem Moment, sage ich zu meinem Vater, habe ich mir überlegt, ob ich den Mittag nicht lieber im Kino verbringen sollte. Kannst du dir vorstellen, einen verzweifelten Menschen anzufassen? frage ich ihn. Du hast Übung darin, sagt mein Vater, mein Gott, ich höre ihn kaum, so leise spricht er. Mein Vater meidet nichts so sehr wie Unglückliche, schon den Anblick eines Menschen, der ein Leben führt, das er selbst nicht führen möchte, erträgt er kaum. Er wünscht sich Helden für mich, wie die von der Leinwand. Im Kino waren wir nie zusammen, Filme nach 1958 interessieren meinen Vater nicht, das Jahr in dem Doris Day vermutlich die Dreißig überschritt. Manchmal gucken wir gemeinsam alte amerikanische Filme im Fernsehen. Zuerst wartet mein Vater auf das Erscheinen der Stars, dann auf das Ende. Zwischen den Höhepunkten stellt er sich tot. Letzte Woche gab es fast einen Streit, Judy Garland stand im Cast und ließ auf sich warten, einige junge Sängerinnen waren schon aufgetreten, und mein Vater hatte bei jedem neuen Gesicht gerufen, Da ist sie! – ich behauptete das Gegenteil, sein Zorn wuchs. Dann erschien sie und sang ihr Lied. Ein bißchen sieht sie aus wie du, sagte mein Vater. Egal, wer gerade auftritt, mein Vater entdeckt immer eine Ähnlichkeit zwischen mir und den Stars. Beim letzten Film war es die Loren, davor die Bergmann. Liz Taylors Name fällt auch, wenn der Kasten nicht läuft. Bloß Marilyn sagt er nie, sie ist eine Muttergottes für ihn, und die gibt es nur einmal.

Dem Geräusch nach – das leise Krachen des Parketts – ist er jetzt im Wohnzimmer. Wo bleibt die Zeichnung, sagt er. Ich sehe meine Skizze im alten Fax meines Vaters verschwinden, ich höre Wein ins Glas stürzen, ich lasse meinem Vater Zeit für den ersten langen Schluck, es piept, dann trommelt sein Gerät meine Zeichnung aufs Papier.

Aha, sagt mein Vater. Dann einen Moment lang Schweigen, dann fragt er, was das sei. Lassen wir's, sage ich und erzähle weiter. Ich will jetzt nur für dich da sein, sagte der Junge. Er bat mich, ihm zu vertrauen. Bestimmt wäre es auch für ihn besser gewesen, wenn ich von mir erzählt hätte. Aber ich sagte nichts.

Er sprach wieder vom Geld, und zum erstenmal mißlang ihm sein Lächeln. Ich tat, was ich immer tue. Ich tröstete ihn. Er sollte gerne für mich da sein. Sag mal, unterbrich mich mein Vater, wolltest du den Jungen? Geduld, sage ich. Nach dem Essen gab es keinen Ort mehr für uns. Er wollte sein Geld, ich dachte, die Hauptsache stehe noch aus. Ich wollte kein Hotel bezahlen. Ich wollte auch nicht zu mir. Er bot seine Wohnung an. Ich wollte den Wellensittichen nicht begegnen. Also schlug ich ihm vor, die Dunkelheit abzuwarten. In der Dunkelheit, dachte ich, wird sich schon ein Platz finden. Ich werde jede Minute bezahlen, sagte ich ihm, doch sein Blick verriet mir, daß er Vorschuß wollte. Nur: was hatte er schon geleistet? Er hatte mich angesehen, als sei ich schön, er hatte mit dem Zeigefinger meine Nase gestreichelt und die Gegend hinterm Ohr, aber, weißt du, das war bloß der Anlauf zum entscheidenden Augenblick des Tages.

Von meinem Vater nichts, nicht einmal atmen, ich frage, ob er noch dran sei. Er sagt, ja, und dann? Er hört mir wirklich aufmerksam zu, vielleicht findet er das Ganze so bemerkenswert, daß er es auf einem Ärzte-Kongreß zum Besten gibt; dann werde ich gleich alles wiederholen müssen; gefällt ihm das Ende, möchte er Geschichten am liebsten hundertmal hören, und dann glaubt er meistens, ich unterschlage seine Lieblingsmomente. Vielleicht bleibt er jetzt aber auch einfach stumm, und am Ende werde ich von seinem Mitleid überrollt, ich fürchte es mehr als seinen Zorn. Mein Vater geht noch immer herum, seine Schritte hallen, bestimmt geht er die Treppe hinauf, in der Leitung rauscht es, oben in den Schlafzimmern klingt es jedesmal, als tobe draußen ein Sturm. Zu früh zum Schlafengehen, oder? sage ich, er sagt, er wolle in mein Zimmer. Vermutlich, sagt er, fällt es mir hier leichter, dich zu verstehen. Ich kenne die Scherze meines Vaters, was sollte er in meinem Zimmer? Viel wichtiger ist, wie ich die Geschichte zu Ende bringe. Ich muß mich genau erinnern. Mir kam vor, als seien wir lange durch die Stadt gelaufen. Der Junge nannte mich einen wertvollen Menschen, einen Menschen, wie er sich immer einen gewünscht habe. Mein Vater hüstelt leise, er spült das Hüsteln mit einem Schluck Wein hinunter. Der Junge versuchte, mich zu küssen, sage ich, aber ich ließ es nicht zu. Von meiner Angst sage ich meinem Vater nichts; was er mir erklären würde, kann ich mir denken: wer zahlt, hat keine Angst. Aber der Junge hätte sich plötzlich weigern können weiterzulaufen. Für einen Moment kam mir die Idee, es in einem Hauseingang zu tun. Doch die Haustüren waren verschlossen; wo ich klingelte, spähte jemand aus dem Fenster, öffnete aber nicht, wenn er uns sah. Sogar die Mauernischen, deretwegen ich nachts immer in der Straßenmitte gehe, waren plötzlich nicht mehr tief genug. Hoffentlich hattest du was Warmes an, sagt mein Vater. Ja, sage ich, den Mantel. Und drunter, will er wissen, ich erzähl's ihm. Der Junge wartete auf ein Wort von mir. Daß ich das falsche Wort sagte, verschweige ich. Park – da blieb er kopfschüttelnd stehen. Er führte mich zu seinem Auto. Später, sagte er, als er die Tür öffnete, werde ich einen Hubschrauber besitzen. Also haben wir uns in sein Auto gesetzt, das aussah, wie alle Autos. Er saß neben mir auf dem Fahrersitz. Wahrscheinlich fragt sich auch mein Vater, warum der Junge sich nicht nach hinten gesetzt hat.

Zum Schauen war es zu dunkel, sage ich. Ich wußte, der Junge wartete. Ich wurde plötzlich diesen Satz nicht mehr los: ich will dein privates Fleisch. Ich sagte es so leise, daß er es nicht verstehen konnte. Mein Vater schweigt. Ich höre ihn atmen. Ich habe den Körper meines Vaters nie als alt empfunden. Als Kind wollte ich werden wie er. Ich wollte riechen wie er, abends nach Alkohol und Zigaretten, morgens, wenn ich ihn im Bett besuchte, nach Schweiß und Schlaf. Er war massiger als ich, formloser, plump; trotzdem wollte ich erwachsen werden. Bat ich ihn zu mir auf den Boden, ächzte er. Mir kam daran nichts gebrechlich vor. Ekel empfand ich auch nicht vor seinen Schuppen, höchstens vor dem Mittel, mit dem er sie bekämpfte. Jetzt klingt sein Atem nicht wie sonst, und er trifft in eine Art Stille, die neu ist zwischen meinem Vater und mir. Vielleicht wird sein Atem von jetzt an immer schwerer werden, um vorzeitig dem Atem eines alten Mannes zu gleichen, ich muß ihm das sagen, er darf nicht so viel mit Menschen zusammenkommen, die ihm das Sterben nahebringen. Der Junge, erzähle ich ihm, ergriff meine Hand, ich hatte ihm die Hand völlig übergeben, und er streichelte sich damit die Schenkel. In der warmen Beuge, wo die Schenkel auf das Geschlecht treffen, ließ er meine Hand allein, und, seine Hoden an meinem Handrücken, rieb ich die lose Haut zwischen den Fingern. Ich glaube, mein Vater wartet auf etwas, stumm wie eine Katze vor dem Mausloch. Er wartet auf einen Höhepunkt, aber von dem hätte ich ihm nie berichtet. Ich spreche von der Farbe dieser Haut, die ich in Wirklichkeit nicht gesehen habe. Ich sage, sie war dunkler, als an anderen Stellen. Der Junge suchte die gleiche Stelle an meinem Körper, dann nahmen wir, mit einer Bewegung, mit der man die Hand aus einer fremden Tasche zieht, unsere Hände wieder zu uns. Ich zahlte was er verlangte, stieg aus und lief nach Hause. Ruf mich wieder an, sagte er, bevor ich seine Autotür zuschlug, ich will immer für dich da sein. Und jetzt, sage ich meinem Vater, bin ich gerade heimgekommen, packe die restlichen Gaben aus, Chanel Nr. 19 und Mozarts Konzert No. 3 in G-dur, eine Aufnahme der Bamberger Symphoniker, geschenkt. Nachher koche ich Nudeln und dazu eine Soße, Tomaten und irgendetwas Grünes, morgen ist Montag und was ich montags mache, weißt du.

Mein Vater antwortete nicht mehr, warum, ich weiß es noch immer nicht. Hallo, sagte ich, ich sehe was, was du nicht siehst – nichts. Nur ein leicht verändertes Geräusch in der Leitung, ein Nagen am Sturmton. Mein Vater lag wohl einfach da. Ich hörte noch ein kurzes Schleifen der Bettdecke, vielleicht suchte er einen Platz für die Hände vor dem Einschlafen, ich hatte Angst, er könnte weinen, ich hatte Angst, er könnte wichsen, ich wollte nur noch stumm sein. Ganz leise, ganz sachte, so sachte, wie man die Tür zu einem Kinderzimmer schließt, wenn es dort endlich still geworden ist, legte ich den Hörer auf.

Kurt Drawert

Haus ohne Menschen.
Ein Zustand

...auflösen, wegwerfen, vernichten, verbrennen. Plötzlich war alles nur noch eine Frage des Loswerdens geworden, der Entsorgung, wie man jetzt sagt, der Entsorgung von Jahren..., beschädigte Jahre und vielleicht schon verloren, als es sie gab, mit dem schönen Stillstand der Zeit in den Briefen, in denen man seinen Körper, und wie er am Leben geblieben war, beschrieb, und mit der Empfindung für etwas, das man nicht kannte und das sich seine Wörter erfand..., und es war die Sonne, immer matt und verhangen im Ausdunst, stehengeblieben über dem Dachfirst des gegenüber anders sterbenden Hauses mit seinen fröhlichen Tauben..., und es hatte die mürbe, sinnlose Sonne diesen Ort nie erreicht, der ein Verlorenheitsort war zwischen all den anderen Verlorenheitsorten, die keinen Namen mehr haben und in keiner traumlosen Stunde der Nacht die Erinnerung streifen und ausgelöscht sind, eingeebnet, als wären sie nichts als der Staub abgeriebener Kreide gewesen, wie er unter der Holztafel lag und an den Schuhsohlen klebte und zur Schmutzspur auf den Fußböden der Schulzimmer wurde..., und die Spuren waren schon Boten des Scheiterns, das die Schrift gebracht hat hoch oben weiß auf schwarzem Grund..., und es war dieser Schulzimmerstaub schon die Wahrheit vor der Leere der Sätze, die wir auswendig lernten an langen, schmutzigen Spätsommertagen auf den kalten, verlassenen Bänken am Rande der Städte. Der Staub, wie er für Augenblicke noch leicht in der Luft lag und zu sehen war im gebrochenen Licht, das, wie ein Geheimnis der Ferne, durch die Schräge aufgekippter Dachlukenfenster hereinbrach in die Dumpfheit des Unterrichtszimmers. Und es war, als erzählte der Staub, ehe er sich niedersenkte zur Erde wie Schnee, schon die Geschichte der

Zukunft, die nun, in ihrem schwarzen Finale, eine Geschichte ohne uns ist. Aber uns waren die Zeichen damals nicht lesbar, aber es kann auch eine Ahnung in uns gewesen sein, aber dieser Staub nun war Schmutz, und die Sätze hoch oben weiß auf schwarzem Grund haben ihre Wahrheit erreicht, die nichts als die Auflösung ist, wo sie das Paradies werden sollte. Die Ideen sind erfüllt, erfüllt und vollendet..., vollendet im *Schmutz,* wie er von der Straße durch die undichten, vom Außenrahmen nach innen voranfaulenden Fenster dringt und sich auf den Gegenständen festgesetzt hat als eine schmierige, mit allen Ausdünstungen der Stadt und des restlichen halben Lebens dieser Stadt vermischte, graugelbe Substanz. Ich berühre die Lehne eines Stuhles, und die Substanz klebt mir auf der Innenseite der Hände. Ich ziehe ein Buch aus dem Regal, und die Seiten sind von den Rädern zur Blattmitte hin vergilbt. Die in offenen Regalen liegende Kleidung ist verstaubt und von Motten zerfressen. Alles, ausnahmslos alles, was nicht hinter Schranktüren oder Glasscheiben lag, ist, von jener Substanz, verdorben, endgültig. Es sind die Oberflächen der Dinge, und es sind die Gewebe der Dinge verdorben..., und diese *Substanz* ist es, die uns unsere Geschichte erzählt, und es gibt nur *diese Geschichte* mit ihren Chiffren des Scheiterns, die davon berichten, was dieses Land, jenseits seiner Sätze, in denen die Körper leblos sein mußten, war. Es gab eine Stummheit im Sprechen, die nicht die Leere war und auch nicht die Sprache, und es war dies die Einsamkeit am Ende der Sätze, die im Inneren eines jeden einzelnen blieb als eine namenlose aber spürbare Krankheit, und in dieser Krankheit hat es das Leben gegeben, wie es mich festhielt und das ich auch gewollt haben mußte, an diesem lichtlosen Ort, den ich auch gewollt haben mußte, begehrt und geliebt, und der zugleich nur vom Verstoßensein spricht, dieser Raum, in dem ich auf einem schmutzigen Sessel sitze und mir die Sachen schmutzig mache und die Hände, sobald ich irgend etwas berühre. Der Raum ist ein Fäulnisraum..., es ist eine Verfallenheit in ihm und eine feuchte, modernde Luft..., die nur von Situationen des Verstoßenseins handelt, und vielleicht war ich verstoßen worden schon vor der Geburt, davor und danach, und vielleicht auch wollte ich verstoßen sein und habe verstoßen, habe mich ausgeschlossen, weil ich ausgeschlossen war, ausgeschlossen aus dem alltäglichen Gang ohne Hoffnung, aus diesem Haus heraus und in dieses Haus zurück, ausgeschlossen aus einem dauernden, stumpfmachenden Kampf mit dem Dreck, der *Substanzdreck* ist, *Landesdreck, Staatsdreck, Erinnerungsdreck,* oder wie man es sonst nennen könnte, *Gegenwartsdreck,* dieses Wort käme auch noch hinzu. Und hat einer erst einmal die Kontinuität des Dreckwegräumens in dieser Stadt und an diesem Ort unterbrochen, gibt es, auch beim besten Willen, keine Chance mehr, nicht nur, wie es jedem passiert, der Herausforderung des Dreckwegräumens zu unterliegen, sondern ihr so zu unterliegen, daß noch ein minimaler Lebensrest bleibt. Ich übertreibe nicht, wenn ich das sage: wer heute in diese Stadt geht, hat entweder einmalige Transaktionen zu regeln und seinen Hauptsitz im Spessart oder sonstwo behalten, das heißt, er kommt, zählt sein Geld und verschwindet wieder, oder er ist ganz einfach verrückt, ein Voyeur, den es auf eine sonderliche Weise befriedigt, durch diese Verkommenheitsstraßen mit ihren Verkommenheitsbildern und Verfallsfiguren und Endzuständen und Verlorenheitsperspektiven zu gehen, die brüchigen Wände und bröckelnden Fassaden entlang in einer Gegend, in der alles beharrlich bis zum Ende und bis zum endgültigen Ende hin verfault. Die Häuser verfallen, und die Wohnungen verfallen, und die je unsichtbar bleibenden Besitzer warten es ab, daß die Häuser und die Wohnungen verfallen, warten bis sie endgültig verfallen sind und die Menschen in den Häusern und Wohnungen verschwunden und endgültig verschwunden sind, daß alles aufgelöst ist und eingeäschert, um auf dem Boden des Eingeäscherten für andere etwas Anderes zu errichten. Es sind alles Entsorgungsprobleme, der Osten ist ein einziges überdimensionales Entsorgungsproblem, das ist eine Tatsache, und ich bin ganz ohne Empfindung bei dem Gedanken, daß alles aufgelöst und eingeäschert sein wird, was seine Auflösung und Einäscherung aus sich selbst heraus angerichtet hat und die *Substanz* war und ist, wie sie mir jetzt auf der Haut klebt und an der Kleidung haftet und in der Erinnerung ist, um in langen, einsamen Nächten aufzuerstehen als ödes, gerissenes Bild ohne Menschen. So ist auch der Raum, in dem ich sitze und mich schmutzig mache und der alles mit mir zu tun hat und in dem alles von mir erzählt ist und der nichts mit mir zu tun hat und der von allem anderen erzählt als von mir und ein einziger Fäulnisraum geworden ist..., ein *Substanzdreckraum*, in dem sich noch etwas Ungeziefer über die Zeit hin gerettet und in den Winkeln, Ritzen und dunklen Nischen festgesetzt und ausgebrütet hat..., dieser Raum ist nur dem Anschein nach durch Wände, Türen und Fenster von der Straße getrennt, die, wie alle Straßen dieser Stadt, eine dem Verkehr entsprechend zu enge und zu zerstörte Straße geworden ist, um nicht die Kolonnen dahinziehender Fahrzeuge in sich wiederholenden Chaoszuständen zum plötzlichen Stillstand zu zwingen. Dieser Raum ist, genaugenommen, die Straße selbst, dieser Raum und diese Wohnung und dieses Haus und alle Häuser dieser Straße *sind* die Straße, ich sitze auf einem schmutzigen und von Schmutzsubstanz beschädigten Sessel und erlebe jede Erschütterung der Straße als eine Erschütterung des Körpers. Ausnahmslos jedes schwere Fahrzeug erschüttert das Haus und das Fundament des Hauses und den Boden der Wohnung und die Wände der Wohnung und die Gegenstände, die eine eigene Schwingung erzeugen und aneinanderschlagen, so daß aus jedem Winkel ein klirrender oder klappernder, schriller oder dumpfer Ton herüberdringt zu der Stelle im Raum, an der ich sitze und an der ich mich nur noch schmutziger mache und an der mein Körper und meine Sinne in diesen vulgär pulsierenden Rhythmus der Straße übergehen und an der es, sitzenbleibend, nur noch das Ende zu erwarten gibt. Ich ahne, daß unzählige andere, von deren Existenz man nur durch Verfügungen informiert ist, darauf warten, daß dieser Endzustand eintreten möge und wissen, daß dieser Endzustand dadurch am schnellsten eintritt, daß nichts unternommen wird und die Leute einfach so sitzenbleiben auf ihren von Substanzdreck beschädigten und durch Substanzdreck in die Zerstörung getriebenen Sachen. Sie lassen die Leute einfach so in ihren Trauerhäusern und Verfallswohnungen und morschen, faulenden Räumen sitzen, die quasi in einem direkten Verbindungssystem zur Straße und zum vulgär pulsierenden Rhythmus dieser Straße mit allen ihren Ausdünstungen stehen, da sie vollkommen ungeschützt sind und nur dem Anschein nach über Wände, Türen und Fenster verfügen. Sie lassen sie, die nicht weggekommen sind rechtzeitig, so sitzen, und warten, bis sie aus dieser Sitzhaltung heraus nach vornhin umgekippt

219

sind und tot auf den Dielen liegen. Es ist eine Auflösung, die sich aus allem Substanzdreck heraus selber vorantreibt und lediglich den aufmerksamen Beobachter benötigt, der in gesicherter Entfernung nur abzuwarten braucht, wann es lohnt, mit dem Besen herbeizukommen und die Scherben aufeinanderzukehren und etwas für andere Anderes zu errichten. Und ganz gewiß wird auch mich nichts anderes als Auflösung und Weggekehrtwerden erwarten, überflüssig und zuviel, wie ich geworden bin, ein Endmensch von vielen, zerrissen und schuldig. Diese Stadt ist ein einziger Metastasenorganismus, der sich selber erledigt und in das größte Entsorgungsproblem aller Zeiten einmündet. Das sogenannte Aufbauprogramm ist ein Entsorgungsunternehmen von noch nie dagewesener Dimension..., und ich selbst sitze ja auch nur auf meinem Drecksessel und überlege, wie ich diese Wohnung auflösen und wohin ich all diesen Warenschund, diese Ausschußwirtschaft, für die sich ganze Generationen die Knochen gebrochen haben, werfen soll, Verfallsmaterie, die nicht einmal mehr die Müllabfuhr entgegennimmt. Die Müllabfuhr, die früher einmal eine ganz passable Truppe zumeist trinkender junger Leute war, kommt heute in orangenen Dienstanzügen und sichtet mit kritischem Blick, was ihr als Weggeworfenes entgegenzunehmen als würdig erscheint, und nimmt es mit erhobenem Kopf und spitzen Fingern. Die nicht vollkommen unsympathische Tumpheit dieser Arbeiterschaft ist endgültig dahin und nicht mehr auszuhalten, wo sie sich in raffiniertes Kalkül verwandelt hat und den einzelnen in die Geste bringt, als hätte er mit dem ganzen Substanzdreck des Ostens nichts mehr zu tun und nur noch die eine Zugehörigkeit zu erfüllen zu dem ihn beschäftigenden Betrieb, der in diesem Fall die Stadtreinigung ist. Und in drei von vier Fällen, das heißt drei von vier Gegenständen, die natürlich alle vollkommen unbrauchbar gewordene Dreckgegenstände sind, nehmen einem diese über Nacht aristokratisch gewordenen Proletarier gar nicht mehr ab, erst recht nicht unentgeltlich, man muß, so ist die Lage, selbst und in nicht geringen Beträgen dafür aufkommen, das alles loszuwerden, was einem die Landeswirtschaft jahrzehntelang angedreht hat. Und dieses Problem, das sich mir mit dieser Wohnung, die, von der sogenannten Küche aus betrachtet, in der alle Leitungen lange schon aus bautechnischen Gründen vom Strom-, Gas- und Wassernetz abgetrennt sind und in der aus offenliegenden Abflußrohren, die wie freie eiternde Wunden im Wandkörper liegen, alle Gärungs- und Fäulnisgerüche dieser Welt in die sogenannte Stube dringen…, die also nichts als ein besseres Einstiegsloch in die Kanalisation darstellt…, dieses Problem, das ich mit dieser Wohnung und mit der Auflösung dieser Wohnung und der Entsorgung der in ihr liegengebliebenen und durch meine längere Abwesenheit vollkommen verfallenen Gegenstände habe, dieses Problem ist nun zugleich das eines jeden dieser verpaßten deutschen demokratischen Republik. Aber ich weiß auch nicht, aus welcher Perspektive eine Klage darüber, daß restlos alles in die Entsorgungsmaschine treibt, was irgendwie und gleich welcher Art aus diesem Land hervorgegangen war und heute nutzlos herumliegt, angebracht wäre und seinen Rückverweis auf Schuld und Verschuldung unterbrechen könnte, und gewiß empfinde ich nichts in Richtung des Klagens, und es ist, natürlich, diese abgewirtschaftete Landschaft, in die ich ausgesetzt war ohne Bestimmung und mit Herkunft an anderer Stelle erklärte…, und sie ist wie die geschlachtete Sau am Haken des Metzgers, der das giftgewordene Blut geradewegs in die Schleuse abfließen läßt bei letzten schrillen Tönen aus einer aufgeschlitzten Schweinekehle. Und das plötzlich hochmütig gewordene Aristokratenproletariat hat auf seine Weise ganz recht, jeden Kontakt mit der Herkunft des Körpers des Landes und seiner Sprache zu verweigern und die eigenen Hervorbringungen, wenn überhaupt, nur noch mit erhobenem Kopf und spitzen Fingern vom Boden zu heben. *Alles, was war, gewesen ist, hat seine Zugehörigkeiten und Abkommenschaften verloren, und niemand, heute, hat noch irgend etwas, im Schutt der verbrauchten Bilder, zu finden , was es, für ihn, verdient hätte, gefunden zu werden, bewahrt und sprechend bewegt zu werden, und so wird alles, von nun an, sprechend in Vergessenheit geraten, um so, sprechend, von Anderem zu berichten und das Werk endlosen Erfindens, von nun an, zu beginnen, und ich bin ganz ohne Zuneigung für alles, was zu erwarten sein wird, was mich umgibt, was mich umgeben hat, was zu mir gesprochen hat und was zu mir spricht.* Es sind Lügenapparaturen, installiert an den gleichen inneren Orten von gestern und eingegangen ins Fleisch vieler dieser Menschen, und so sind die Körper von Lüge durchzogene Körper, und so wird das Gedächtnis eine öde, eingeäscherte und begriffslose Landschaft sein und den Grundriß abgeben und das Bauland für eine nächste erbarmungslose, zerstörerische Utopie. Und jede Utopie ist eine zerstörerische und leugnet die Realitäten und bereitet die Abgründe auf, die durch Leugnung sich auftun und sich aufgetan haben und nichts außer kranke und krankmachende Verhältnisse produzieren und produziert haben. Ein dauerndes Einbildungsstolpern und Stürzen auf das blutige Pflaster der Realitäten, von der Aufklärung an abwärts und schließlich in diesem Haus, in dieser Wohnung, in diesem Dreck..., diesem *Substanzdreckraum* mit seiner erbärmlichen Verfallenheit, vor der selbst die Schmutztiere fliehen, zu Boden und gleichsam auf die Straße gestürzt und in die Weite dieser Demontagelandschaft und abgesickert in zurechtgebaggerten Entsorgungssenkgruben am Rande dieser ungeheuerlichen Halbmillionenstadt..., einer Stadt, die nichts anderes ist als eine Geldwaschanlage für Kriminelle, ein brodelnder Ausflußkessel, der nichts als tödliche Industriespuren bildet. Diese Stadt ist in einem solchen Zustand von Fäulnis, daß sich ganze Parfümeriekonzerne daran zu Tode arbeiten werden, Neutralisierungsgerüche, allein durch die Leben von dem einen auf den anderen Tag überhaupt noch ermöglicht werden kann, zu produzieren. Und abgesehen davon, daß die Selbstbewaffnung ohnehin schon die Voraussetzung eines jeden dafür geworden ist, nicht ganz ohne Überlebenschance zu sein, wenn er durch dieses Paradies der Verbrecher und Halbseidenschaften laufend oder auch fahrend seinen unabkömmlichen und meistens vollkommen zwecklosen Verrichtungen nachgeht..., also ein Haus wie dieses verläßt und in ein Haus wie dieses zurückkehrt und in seinen Kräften restlos gebunden durch einen stumpfmachenden und letztendlich ganz hoffnungslosen Kampf gegen allen liegengebliebenen und liegenbleibenden Substanzdreck..., ganz abgesehen also davon wird er ohne eine mit der Zeit sich in die Verbrauchsbeschleunigung treibende Dosis Sedativum, die er immer bei sich zu tragen haben wird und wahrscheinlich jetzt schon bei sich trägt in einem kleinen Tütchen aus Silberpapier in der Brieftasche hinter den Scheinen und Geldcards, auf die es eh nichts mehr gibt..., ohne Sedativum wird dieser Endmensch ohnehin nicht mehr weiterexistieren, was schließlich als zweiten Wirtschaftszweig die Pharmazie ruiniert. Erst erleben diese Industrien einen brillanten, alle glücklich machenden Aufschwung, und dann bringen sie die Mitarbeiterkolonnen durch Überarbeitung um und ruinieren sich mit Überforderungsproblemen. Ohne Sedativum oder zumindest ohne Alkohol oder Kettenrauchen oder Verzweiflungsvögeln, was irgendwie die Treppe herauf und in die Wohnung hereinkam, hätte ich die Jahre, die ich hier gelebt habe und gelebt haben mußte und gelebt worden bin, nicht überstanden. An dieser Berlinerstraßewohnung, die umgeben ist von einer Großküche links, aus der die alles Ungeziefer dieses Breitengrades herüber- und heraufgekrochen kommt und sich, wie ich sehe erfolgreich eingenistet und ausgebrütet hat…, von einer nur Nervenvernichtung bringenden Straße rechts…, mit einem bis zur letzten Schraube veralteten Heizkraftwerk, einer morschen Kohlenhandlung und einer Campingwagenfickecke hinter dem Haus…, und mit dem Vorgelände des Bahnhofs und seinem stillgelegten Schienennetz, auf deren verrosteten, brüchigen Gleisen ein paar vergessene, von Moosen befallene und gewaltsam aufgebrochene Vorkriegswaggons stehen, in denen verwahrloste Kinder Erwachsenenspiele treiben und mit wilden, alterskranken Katzen sprechen, vor dem Haus…, an dieser Berlinerstraßewohnung in diesem Berlinerstraßehaus, in dem es von einst acht Mietern nur noch zwei und mit mir drei Mieter gibt und in dem bereits fünf Mieter entweder gestorben oder verschollen oder zwangsausgesetzt sind…, an dieser Berlinerstraßewohnung führt auch noch die Parthe vorbei, und was das bedeutet, kann nur ein Geruchszeuge wissen. Aber während eine Augen- oder Ohrenzeugenschaft in Sprache gebracht mitgeteilt werden kann, kann eine Geruchszeugenschaft nicht mitgeteilt werden, und das ist mehr als innerhalb aller existierender Informationssysteme skandalös. Skandalös, weil diese Halbmillionenstadt zu einem Großteil aus Geruchszeugen besteht, die ihre schon in die Sinnesimmunität und Empfindsamkeitsabstumpfung vorangeschrittene Erfahrung, die in dieser Stadt eine zu 80% bedeutende Geruchserfahrung und zu 20% bedeutende Verfallserfahrung anderer Art darstellt, nicht mitteilen können, um über diese so ausgebliebene Mitteilung hin immer wieder verrottungsschaulustige Touristen zu empfangen. Wüßten diese Liebhaber des Nekrophilen, von denen es ganze Tausendschaften wöchentlich gibt, was für hochtoxische Geruchskulturen sie erwarten, sobald sie die Zug- oder Autotür öffnen, würden sie sich eher ihre neurotische Reiseabsicht therapieren lassen, als diese Stadt auch nur einen Augenblick zu betreten. Und es sind, habe ich beobachtet, meistens Japaner, die ein paar Tage länger durchhalten und von keinem Gesichtstuch geschützt im Freien herumgehen. Die Berlinerstraßegegend jedenfalls, in die sich auch ein Japaner nicht mehr verirrt, ist die wohl grauenhafteste Gegend in Leipzig, obwohl sich freilich schwer sagen läßt, was die grauenhafteste Gegend in Leipzig ist, denn Leipzig und das ganze durch Braunkohleabbau verwüstete und durch desolate Industrie verunstaltete Umland von Leipzig ist eine Ineinanderschachtelung grauenhafter, sich in Verwesungszustand befindlicher Gegenden, die mal hier, mal dort helle, freundliche Stellen aufweisen, an denen alle Industriestadtmenschen an den Sonntagen sich treffen und eng wie in einer Schlacht aneinanderkleben. Was aber die Berlinerstraßegegend neben allem Genannten noch zusätzlich unerträglich macht, ist ihre unmittelbar von der Parthe durchzogene Lage. Was die Parthe einmal in früheren Jahrhunderten war, wird in Geschichtsbüchern stehen, heute ist sie nurmehr ein wie durch ein Naturwunder noch fließfähig gebliebener Fäkalienbrei. Zu dem allgemeinen Schicksal, daß die Parthe mit den anderen Flüssen der Stadt und der Gegend teilt, Opfer eines großangelegten Naturverbrechens zu sein und innerhalb eines gewaltigen Naturverbrecherplanes zur Transportrinne von Produktionsrückständen verwahrlost zu sein, kommt noch das besondere die Parthe betreffende Schicksal hinzu, durch den Zoologischen Garten zu fließen und alle Auswürfe und Ablassungen aufnehmen zu müssen, die ein Zoologischer Garten mit seinen geschundenen, versklavten und zwangsdomestizierten Tieren verursacht. Und ich werde, von hier aus, von diesem Ort aus, an dem ich mich nur noch schmutzig machen kann, vom Fenster dieses Raumes aus werde ich es noch zu sehen bekommen, wie die Parthe an dem Dreck ersticken und ins schöne Erdreich absacken wird.

Reto Hänny

GUAI

Auf dem Oberschenkel ist keine Haut, das Gehen fällt schwer.
Ließe man sich führen wie ein Schaf, so würde die Reue schwinden.
Wenn man aber diese Worte hört, wird man sie nicht glauben

I Ging

1

DAS FLEISCH DER FRAU – ihr linker Fuß berührt den Boden
nur mit der Spitze eines sehr hochhackigen Schuhs, dessen ver-
goldetes Leder in einem winzigen Dreieck eben die Zehenspitzen bedeckt, während Riemchen dreifach gekreuzt über den
Rist laufen und sich um den schlanken Knöchel schlingen, über
einem hauchdünnen Strumpf, den man kaum sieht, obwohl er
dunkel ist, wahrscheinlich schwarz; ein wenig weiter oben ist
die weiße Seide des Rocks seitlich geschlitzt, so daß Kniekehle
und Schenkel zum Vorschein kommen – das Fleisch der Frau
hat schon immer eine große Rolle in meinen Träumen gespielt.
Selbst im Wachen erliege ich den Bildern, die es mir aufdrängt.
Eine junge Frau im Sommerkleid zeigt den gebeugten Nak-
ken – sie befestigt ihre Sandaletten, das Haar fällt nach vorn
und entblößt die zarte Haut, den blonden Flaum –, und sofort
sehe ich sie einer Neigung zu Willen, die schnell zur Aus-
schweifung wird. Der hauteng, bis zum Schenkel geschlitzte
Rock der Schönen zerreißt unter einer gewalttätigen Hand, die
blitzschnell eine pralle, glänzende Hüfte freilegt und die Run-
dung des Hinterteils. Die Lederpeitsche im Schaufenster einer
Modeboutique, eine eiserne Armspange, das Kasteiungsgerät in
den Vitrinen des Dommuseums, eine siebenschwänzige Katze,
schwarzverklebte Stricke, mit Widerhaken versehene Ketten, die nackten Brüste einer Schaufensterpuppe, ein Reklame-

225

plakat für Strumpfhalter oder für ein Parfum, feuchte, leicht geöffnete Lippen, ein schlichtes Pfostenbett, ja, selbst eine dünne Schnur können mich stundenlang begleiten, reisen mit mir, tagelang. Symmetrisch geteilte Marmorschnitte an den Wänden byzantinischer Kirchen, genauso die symmetrisch ausgelegten Hirnschnitte einer Versuchsanordnung in vitro, werden zu Darstellungen des klaffenden Geschlechts. In der Tiefe eines altrömischen Kerkers in den Stein geschmiedete Ringe genügen, um die schöne angekettete Sklavin zu beschwören, die langen Martern geweiht ist, im Verborgenen, in der Einsamkeit, in der Zeitlosigkeit; solange ich will. Aber wem erzähl ich das; jeder kennt ja Hongkong, seine Reede, seine Dschunken, die Seidenhäuser von Kaulun, das anliegende Kleid mit dem seitlich bis zum Schenkel geschlitzten Humpelrock der Eurasierinnen, so der Dicke, ein sichtlicher Apoplektiker, von Reisen sprechend mit rotem Gesicht an eine hohe Gestalt im dunklen Anzug gewandt, in der Hand den schlanken, fast bis zur Neige ausgetrunkenen Champagnerkelch. Die in der verbliebenen Flüssigkeit aufsteigenden, wenn während des Herumstehens und Redens mit dem Glas gestikuliert wird, brüsk die Richtung ändernden, geschüttelt, erschüttert durcheinanderperlenden Bläschensäulen, genauer, einen winzigen Ausschnitt daraus, meint man beim Gang über die Flure auf einer jener über den Türen montierten großformatigen Bildtafeln wiederzuerkennen; einzelne, isolierte Bläschen, unterschiedlich groß, in parallelen Bahnen neben andern zügiger oder weniger zügig auftreibend, da und dort vor dem in ungleich breiten, senkrechten Bahnen unterschiedlich aufgehellten, insgesamt aber sehr hellen Hintergrund zu funkelnden, feinen Perlenkettchen gereiht, und dazwischen, mehr im Hintergrund, überdeckt von den am Glas haftenden oder, von der sich in ihnen anreichernden Kohlensäure zu bestimmter Größe gerundet, sich bei genügendem Gasdruck plötzlich, ohne daß es sie verformte, von der Wand losreißenden Bläschen, schmale, dunkle, sich leicht werfende, gleichsam parallel mit diesen auftreibende Bändchen, hauchdünne, transparente Folienstreifchen, die querschraffiert – und einzig darum sind sie auszumachen – leicht schlingernd oder sich zart wellend in der beinahe farblos hellen Flüssigkeit hängen, ihre unregelmäßige, aber scharf gezeichnete Schraffur (sie erinnert an die in der Bibliothek mit dem Laserlesestift abgestrichenen Barcodes) hier und dort so dicht, daß die einzelnen feinen Querstriche zu einem dickeren verlaufen, zur dunklen Fläche gerinnen: durchs Glas gesehen, sich im Champagner brechende, verfremdete Schattenzeichnungen von Säulenkanneluren, Pilastern, Geländerläufen und einer Fülle reliefartig das Täferwerk schmückender Leisten, Auskehlungen und Friesen, vermutet man, nicht vertraut mit der Materie, die auf den Sopraporten dargestellt ist; auf einigen der Tafeln nichts als wunderschöne, mehr oder minder monochrome Eisformationen, in den unterschiedlichsten Kristallisationen und Tonwerten die Manifestation unterschiedlichster Kältegrade, teils blank und wie von Schneeverwehungen oder von Reif überzogen, teils matschig, aus geheimnisvoller Tiefe von innen herauf erhellt, leuchtend bis zum Blenden, teils fast schwarz, dem Schwarzeis ähnlich, wie man es in schneearmen Wintern von den Oberengadiner Seen kennt; hier und dort auf dem Eis in kleinen, runden Glasschälchen kleine, ebenmäßig geformte, im Gegenlicht von einer blendenden Aura umschlossene Gegenstände, der eine, ein Hirn vielleicht, an einen Skarabäus erinnernd, der andere an eine Hirschgranula, der man, im Hosensack mitgetragen, aphrodisische Wirkung zuschreibt, ein wenige Wochen alter Embryo könnte es sein oder ein Herz; daneben, auf dem nackten, dunklen, verschieferten, nach Art der Granitdächer aus den Südtälern in feinen Plättchen dachziegelartig überschichteten Eis, unter dem man Wellenschlag auszumachen meint, eine sich kaum von der Umgebung abhebende Ampulle aus farblosem Glas, wie sie in der Pharmazie in Gebrauch ist, von der, leicht angesägt, nur die Spitze abzubrechen ist, wenn ihr mittels einer Spritze mit aufgesetzter Nadel die Injektionsflüssigkeit, irgendein Benzodiazepin oder eins der ultrakurz wirksamen Barbiturate, Methohexital beispielsweise, entommen werden soll (um sich das Opfer gefügig zu machen, wie man – eine Halluzination wohl, dem Alkohol zuzuschreiben – aus dem Gespräch aufgeschnappt zu haben meint): Eis, immer wieder Eis; daneben Tafeln, auf denen polierte kondenswasserbeschlagene oder in Flüssigkeiten eingetauchte, von farblosen Lösungen überflutete Chromstahlbehälter und gelochte Zwischenböden zu sehen sind, und zwischendurch, in diesem Zusammenhang am befremdlichsten, der winzige Ausschnitt eines von Nadeln übersäten, tiefdunklen Waldbodens – vermutlich völlig falsch assoziierend, denn bei den in ein Bad gehängten hauchdünnen Streifchen, die, oder besser, deren Schraffierung man auf den ersten Blick als die Brechung irgendwelcher Schattenzeichnungen interpretiert, könnte es sich genausogut um die zur Weiterbearbeitung visualisierten Strukturen der Desoxyribonukleinsäure handeln; gleich einsichtig, wenn man im Herumstehen, statt nur nervös sein Glas zu drehen, aufmerksamer auf das Gespräch geachtet hätte, vorausgesetzt, man hätte ihm überhaupt folgen können, den Ausführungen des Dicken – ist's ein Verführer, der es mit seinem Geld schafft, oder einfach ein Wahnsinniger, der sich seine Opfer mit Gewalt gefügig macht, wird an einer Stelle gefragt; aber ist Literatur nicht ohnehin Pastiche? –, der zusammen mit jenem anderen, jenem Dunkelgekleideten, nach einem anstrengenden Tag und nachdem er von wissenschaftlichen, vielleicht nur wissenschaftlich klingenden Erörterungen während des Smalltalks in der Halle, unvermittelt und übergangslos höchst vertraulich werdend, in Reisereminiszenzen abgeschweift, mit dem Champagnerkelch, als wollte er sich selber dirigieren, seine Rede akzentuierend, jetzt, nachdem er mittendrin plötzlich zu sprechen aufgehört und die geröteten Augen gehoben, um sich über die Aufmerksamkeit klar zu werden, die er auf sich gerichtet glaubt, eben im Begriff ist, zielstrebig – als Stammgast der Villa vertraut mit deren Räumlichkeiten, einer Architektur, die, obwohl nicht von überladenem Zierat verunziert, sondern, wie gesagt, einzig durch Sopraporten, strenge Kanneluren, Friese und Geländerläufe strukturiert, jedem Neuankömmling, wenn der, beim Eintritt, kaum daß er das Tor durchschritten, wie von einem Donnerschlag erschüttert, bald durch Dunkelheit, bald durch Grelle, unbegleitet von Raum zu Raum irrend, auf seinem Gang durch die endlosen oder ihm endlos scheinenden Fluchten, in diesem Weggespinst aus Nacht und täuschendem Trug, allem Anschein nach so ersonnen, daß sich eigentlich jeder darin verirren müßte, immer wieder auf Spiegel trifft, erst einmal gründlich die Orientierung erschwert, wenn nicht gar verunmöglicht – aufs Buffet zuzusteuern

Plötzlich vernahm man diesen Schrei, einen Schrei, jenen Schrei

Vielleicht alles nur Traum. Einer, aus dem wir nicht erwachen werden, bis jemand oder etwas die Frage beantwortet, die wir uns Nacht für Nacht stellen: Wem gehört dieses Fleisch, das wir so geliebt. Und wenn wir nur das von einem Spiegel wiedergegebene Bild wären

Der Auslöser hatte geklickt; das einzige vernehmbare Geräusch vor jenem lautlosen Martyrium

2

ZU BEGINN – wo war das, und wann? war's in jener Nacht? vermutlich gestern nacht –, war man an Schürzen vorbeigekommen. Jedenfalls meinte der Besucher – oder der Reisende, sofern diese Annahme beibehalten werden soll –, in einem engen, etwas zurückversetzten Raum, kaum mehr als eine schmale Wandnische war es, Schürzen gesehen zu haben; mehrere auf frei drehenden Rollen in einem abgedunkelten Winkel zusammengeschobene und ineinander verkeilte Garderobenständer voller Schürzen. In der Waagrechten die Ständer stabile, querdurch mehrfach verstärkte Stahlrahmen, von denen vorn und hinten, das heißt auf die Mitte der jeweils äußersten Querstreben geschweißt, senkrecht Stützen hochführen, um einen dem unteren ähnlichen Rahmen zu tragen, von welchem, gleich abgestreiften, steifen Hüllen, dicht gereiht die zu Beginn aufgefallenen Schürzen fallen, helle Schürzen aus steif und schwer fallendem Plastikmaterial, glitschig glatt, damit dran kleben bleibende Fleischfetzen sich besser entfernen lassen. Innen am Brustlatz beschriftet, zu Bündeln vereint am Bundkettchen oder am Halsträger an Fleischerhaken gehängt, die auf der Rahmenunterseite, vom oberen Bildrand teils angeschnitten, in regelmäßigem Abstand in Ringe eingehakt sind, kann die blutverspritzte, von Sekreten verschlierte Schutzbekleidung, überlegt man, an diesen Stahlrohrgestängen nach getaner Arbeit, wenn die Präparate, in helle Tücher eingeschlagen auf Regalen verstaut, an Flaschenzügen wieder in ihren Kühlboxen versenkt lagern, die Metalldeckel sich mit einem satten Klack hermetisch über den weiß gekachelten, in langen Reihen parallel nebeneinander aus dem Boden ragenden Kuben geschlossen haben, zur Reinigung und anschließenden Desinfektion vermutlich direkt in die Waschstraße geschoben werden, in einen Duschraum – was Hartnäckigeres als die Erinnerung gibt es? Das Vergessen

3

DIE FOTOGRAFIE, hätte man, statt gelangweilt das Glas zu drehen, auf die Konversation achtend, den Dicken zum Hageren sagen hören können – im Dämmerlicht die Worte kaum hörbar, als legte sich dieses Halbdunkel mit gleicher Intensität auf Hörbares wie auf Sichtbares –, ist eine statische Form der Unsterblichkeit. Ein Geheimnis über ein Geheimnis, wie eine tote Freundin mir einmal gekontert hat. Ihre Macht: sie friert Zeit ein; macht Augenblicke überprüfbar, die der Zeitablauf unverzüglich enden läßt. Einen Sterbenden zu fotografieren – nicht das Leiden; aber die Fotografie zeigt ohnehin immer nur einen ganz geringen Teil des Grauens – verlangt größte Geschicklichkeit, da der eigentliche Vorgang nur einen Augenblick dauert. Den Tod zu erwischen ist schwer. Aber damit hat man noch nichts. Die Arbeit beginnt danach. Einer der wichtigsten Grundsätze: höchste Konzentration. Und Sauberkeit – wie in der Chirurgie. Was dem Fotografen sein Blick, ist dem Anatomen das Meer, nein: seine Größe hängt nicht allein vom Messer, sondern von dessen Schliff ab; mit einem ausreichend geschliffenen können Sie sogar ein anderes entzweischneiden. Ein stumpfes, und alle Geschicklichkeit nützt nichts. Schauen Sie – so der Dicke, wie ein Priester während des Rituals, mit hoch erhobenen Händen, in der rechten, die Spitze nach oben, das Skalpell, das er ausgewählt, die Ärmelstöße zurückfallen lassend –, geben Sie acht: Setzen Sie die Messerspitze in der Mitte der rechten Lippe des Längsschnitts an, und schneiden Sie von dort aus nach rechts unten, wobei Sie gleichzeitig einen schrägen Cutaneinschnitt ausführen, der sich, um genau auf der Höhe des unteren Längsschnittendes transversal zu werden, konvex zu krümmen hat und am Hinterarm endet – daß mit der

Enthäutung erst begonnen werden darf, wenn der Körper durch ausreichende Fixierung ruhiggestellt ist, versteht sich. Dieser schrägkonvexe Schnitt nach rechts – Rasieren und präventive Säuberung erübrigen sich – darf nur die Haut durchdringen, nicht erst, nachdem Sie beim rechten Arm die Axillargefäße überquert, sondern bereits, wenn Sie die Deltoiden bloßgelegt haben. Beim zweiten Schnitt, wiederum das Messer am Ansatzpunkt leicht gegen den Strich in die Haut drückend, die sich dabei, bevor die Spitze die Cutis durchsticht – das ist normal –, erschlafft etwas runzelt und fältelt, ist es genau dasselbe, Sie müssen ihn absolut symmetrisch zum ersten ausführen. Scharfe und gerade geführte Schnitte, darauf kommt es an. Nachdem Sie das Messer über das Glied haben gleiten lassen und am Ende angelangt sind, sollten Sie mit der linken Hand – ich hoffe doch, Sie sind Rechtshänder – die lose herabhängenden Hautfetzen festhalten, bevor Sie sie durch stumpfes Ausstoßen vom Körper lösen. Haben Sie das Verfahren bis hierher verstanden? Es bedarf großer Sorgfalt und Geschicklichkeit, die Haut ohne Einschnitte abzutrennen. Unsauberes Arbeiten führt zu Rissen, Schnitten und Stichen; Schäden, die sich häufen, wenn die Messer nicht scharf genug sind. Die Literatur weiß davon ein Lied zu singen. Obwohl die in Berichten aus den Kolonien beklagten Schädigungen nicht so sehr dem unsorgfältig angewandten Lang Tsch'é zuzuschreiben sind – Sie werden, nehme ich an, vom Lang Tsch'é schon gehört haben: dessen Perfektion, wie die Anatomie bei den Chinesen auf dem Begriff des Raums basierend, wohingegen unsere bekanntlich auf dem der Zeit, hängt in erster Linie von der Fesselung, vom korrekten Gebrauch der Spannung ab, mit höchst primitiv und improvisiert wirkenden Reiteln und Hebeln den Druck dort zu erhöhen, wo die Dehnung der Gewebe, der Haut, der Muskeln den Schnitt erleichtern soll. An Stricken werden beispielsweise die Arme straff nach hinten gezerrt und um den Pfahl zusammengezurrt, und bei erhöhtem Druck kann so problemlos der gesamte Oberkörper stillgehalten werden, bei jeder Operation – habe ich Ihnen das Foto einen raren, bei einem Trödler in Kaulun erstandenen historischen Abzug, nicht kürzlich gezeigt? Aber jeder Abschnitt des merkwürdigen Eingriffs – die Asiaten sind uns fremd – geschieht nach einem perfekt ausgearbeiteten, eingeübten Plan, wird mit einem Können, einer Geschicklichkeit ausgeführt, die nur die Gewohnheit verleiht. Und alles mit absoluter Ruhe: der Gefolterte, eingedenk des konfuzianischen Sprichworts vielleicht, welches besagt, daß das Blöken des Lamms den Tiger reize, schreit bei der Methode nie; bei starkem Schmerz werden die Sinne von einem bestimmten Punkt an taub – diese Hautschädigungen, ja, die dürften allesamt viel eher entstanden sein. Verletzungen durch Stacheldraht und die zu häufigen zu heftigen Prügel, verabreicht auf die unmöglichsten Stellen, obschon das Gesetz seit jeher genau vorschreibt, wohin die Hiebe zu legen sind. Beim ersten Mal ist jeder erstaunt über die Widerstandsfähigkeit des Fleisches, welcher Anstrengung es bedarf, bis die Rippen bloßliegen. Wenn im Handbuch steht, man schneide von links nach rechts, oder man nehme den linken Rand des Fußes in Angriff, oder man fahre fort bis zur rechten Seite des Glieds, so müssen Sie beachten, daß sich die Begriffe links und rechts auf den Operateur beziehen und nicht auf das Präparat – halten Sie sich beispielsweise die Spur jenes Backenstreichs am Kopf unseres Alten, der Ihnen aufgefallen sein dürfte, vor Augen: obwohl auf dessen rechter Wange, braucht sie für uns nicht rechts zu liegen.

4

AUF DEN WEISSEN LINNEN eines zerwühlten Betts der Körper einer Frau; dessen oberer Teil direkt auf dem Stoff der Matratze, den das in Höhe der Lenden in dichte Falten zerknautschte Laken aufdeckt. Das grobe Tuch der Matratze lavendelblau längsgestreift. Die Aufnahme ist aus einer leichten Vogelperspektive, von einem Punkt etwa ein Meter hinter dem Kopfende des Betts gemacht worden, was vermuten läßt, daß das Bett entweder in die Mitte des Zimmers gerückt wurde oder, was wahrscheinlicher ist, daß es sich mitten auf einer leeren Studiobühne befindet, die am andern Ende mit einem Dekor aus ebenfalls nackten Wänden abschließt, in deren Mitte sich das Rechteck eines Fensters öffnet, das nichts anderes einrahmt als einen wolkenlosen nachmittäglichen Himmel von gleichmäßiger Farbe, von einem Kulissenmaler auf eine Lein-

wand wenige Meter hinter dem Fenster aufgetragen. Das rechte
Bein der Frau ist angewinkelt, die Fußsohle flach auf dem Laken; das linke Bein, ebenfalls angewinkelt, zur Gänze, Schenkel, Knie und äußere Schienbeinseite, auf dem Bett. Die Augen
in dem nach hinten gebogenen Gesicht – in dieser Haltung den
Eindruck erweckend, als tauchte es schräg aus gallertiger Masse
auf – offen, wie abwesend die Zimmerdecke anstarrend oder
vielmehr die des Aufnahmestudios mit ihren Kabeln, Winden,
Scheinwerferbrücken. Die etwas eingefallenen Brüste mit blas-
sen Spitzen; unterhalb des Thorax der flache Bauch; zwischen
den gespreizten Schenkeln – nein, die Frau liegt inmitten wohl-
komponierter Unordnung auf dem Bauch; unter dem leicht an-
gehobenen Becken ein Wust zusammengeknäulter Laken und
Kissen; die Schenkel gespreizt, Arme und Beine weit ausgestreckt, an schmalen, ins Fleisch schneidend satt die Gelenke
umschließenden Spangen oder dunklen Lederriemen unbeweglich an massive Eisenpfosten gefesselt. Nein. Auf der diagonal
nach links haltenden, in den rundherum stark abgedunkelten,
hochformatigen Bildraum gestellten schmalen, harte Reflexe
werfenden Stahlliege – links davor, auf dem Boden, der ge-
sprenkelt ist, als wär's ein gerechelter Kiesplatz, in der Dunkelheit kaum noch auszumachen, ein Plastikeimer oder, auf den
ersten Blick, eine große Schüssel, ein schwarzes Rund, das sich
bei genauerer Analyse der schwachen Reflexe auf den Run-
dungswölbungen als die Sitzfläche eines dreibeinigen Hockers,
eines lehnenlosen Arbeitsstuhls erweist –, liegt allein das Bein,
das linke, in der Leiste dem Darmbeinkamm entlang mit scharf
geführten Schnitten sauber abgetrennt, beim Knöchel mit einer
ins Fleisch schneidend schmalen Spange oder einem Plastik-
riemchen mit angehängter Registraturtessel am Seziertisch, an
der längsseits verlaufenden blankpolierten Stahlstange fixiert.
Die Fußsohle, an der Ferse vielleicht aprikosenrosa, auch an
den Zehenspitzen – nach der Mitte zu verliert die verhornte
Haut ihre Farbe –, wirkt durch die verkrampfte Haltung des
übersteckten Fußes faltig. In der oberen Wade eine Stichverlet-
zung oder eine schlecht vernarbte Bißwunde; eine Druckstelle
vielleicht. Der Oberschenkel, an der Kopfseite der Liege mit   **233**
einem eingedellten Hackklotz unterlegt, vom Gesäßmuskel an
dorsal in voller Länge längs aufgeschlitzt, mit geradem, schar-

fem Schnitt, wie es im Handbuch steht. Knapp über der Kniekehle ein sauber um den Schenkel gezogener Querschnitt: auf-
geschlitzte Haut und Fettgewebe von der Muskulatur getrennt
und, durch stumpfes Ausstoßen vom Körper abgelöst, mit
einem Teil des durchtrennten großen Gesäßmuskels zur Seite
geklappt – die Faszination dieses unendlich schönen Fleisches
läßt für einen Moment den Geruch nach Leichen, nach asep-
tisch konserviertem Aas, den präparierte Körper trotz allem
verströmen, vergessen. Der unversehrte Teil des Beins, die
Haut, jetzt Strumpf; oder knapp sitzender, hautfarbener, hoch-
schaftiger Stiefel. Aber obwohl sauber geschnitten, sauber gearbeitet wurde – die abgehäutete Epidermis wie die Seite einer
aufgeklappten, kostbar gebundenen Inkunabel sorgfältig umgeschlagen, das Unterhautgewebe bis auf letzte Spuren sauber
weggeschnipselt und weggezupft, in einen mitten auf dem
Seziertisch stehenden Porzellantopf geworfen –: hier, für eine
Zigarettenlänge, eine Kaffeepause kurz ausgetreten, die Pinzetten und Skalpelle, sterile Einwegskalpelle, wie sie heute gebraucht werden – man ist versucht, im Glanz der scharfen Messer die Reflexe zu erkennen, welche die präzise aufs Arbeitsfeld
gerichtete Lampe auf der Linse des Fotoapparats aufleuchten
ließ –, liegengelassen, wie sie während der Arbeit gerade abgelegt worden sind, hier muß ein Stümper zu Werk gegangen
sein; einer, der nicht zu lesen versteht, überlegt man. Der Operateur wird jedenfalls lange am Bein arbeiten müssen, bis er das
findet, was ihm der Atlas, der rechts der Rüstschüssel und eines
zerknüllten, weißen Taschentuchs so aufgeschlagen ist, daß er
mit der Achse, genauer, in deren sich quer durch das Schüssel-
rund vorzustellenden Verlängerung, rechtwinklig zum ge-
streckten Bein auf die Kniekehle trifft, vorzeigt: periphere Lei-
tungsbahnen, obere Extremität

5

LEBEN, EIN PROZESS, der einen Kadaver produziert, einen
grünlichen, reglosen, blutleeren Kadaver. Einen, wie Ihresgleichen, mein lieber Meister, in der Sehnsucht, dem Rätsel auf die
Spur zu kommen, mit haarscharfen Messern Schicht um

234

Schicht deren Extension verringernd, sie seit jeher zu bearbeiten, auseinanderzunehmen und zu zerlegen pflegen; vor allem, zumal zu früheren Zeiten, wenn es sich um die Leichen von Frauen und Männern handelt, welche gewaltsam ihr Leben ließen. Stellen Sie sich vor – auch wenn es sich kaum läßt –, welchen Wert heute audiovisuelle Aufzeichnungen dieser Hinrichtungen hätten, denken Sie nur an Robespierre, die Canaille, oder Marie Antoinette; mit der Deklaration der Menschenrechte auf einen Schlag alle zwar viel unspektakulärer als die Theatervorführungen zu Zeiten der Inquisition, in deren Verlauf die Auserwählten als Vorbereitung auf den eigentlichen Akt auf unerhörte Art gefoltert wurden. Unspektakulärer jedenfalls als unsere heutigen Aufnahmen, die kollektiver Vergewaltigungen etwa, bei denen, wie Sie, mein lieber Meister, erzählt haben, das Männervolk sich an den Frauen der Stadt gütlich tun kann, die in unterschiedlichen Stellungen an eigens dafür konstruierte Schragen geschnallt auf an mehr oder weniger öffentlichen Plätzen errichteten Brettergerüsten ausliegen. Was empfinden Sie angesichts der Malträtierten? Auch wenn ich nicht annehme, daß Sie der Anblick zerfetzter Körper rührt, empfinden Sie angesichts der Geschundenen hie und da nicht doch Mitleid? Nein, Faszination; Faszination und – Sie haben es getroffen – Lust; jene schwer beschreibliche, welche einem der menschliche Körper bereitet, wenn er, in regungsloser Schönheit dem Blick weit geöffnet – wie die Tür eines prächtigen, herrenlosen Hauses, wenn Sie wollen –, in alle Ewigkeit auf eine Liebkosung wartend, vor einem liegt. Wie eine halb geöffnete Tür, bitte, falls wir uns vielleicht darauf einigen könnten; doch wer – erlauben Sie mir, das zwischendurch zu fragen – härtet die Klingen, erbaut die Blutgerüste, sorgt, daß die Scharniere der Garotte geölt sind? Die Identität der Schergen – wie auch der Wert ihrer Tätigkeit – ist nicht greifbar, so der Dicke zum Hageren. Sagt's; und wendet sich ab. Eigentümlich, dieser Mann, der, auftretend mit zwar leichtem, elastischem Schritt, als käme er soeben von einem Tennisplatz oder vom Golf, in seiner massigen Gestalt die Nacht mit sich zu bringen scheint (etwas in seinem Blick, das die Erinnerung zu durchforschen schien, nahm uns das Licht und gab uns statt dessen das Dunkel, heißt es an einer Stelle): wo immer er auftritt, seine Gegenwart ist die Vorankündigung der Silben eines Namens, den wir vergessen haben, kurze, unartikulierte Silben. Wir hingegen, überlegt der Reisende – so diese Annahme beibehalten werden soll –, sind ein Druckfehler, den man übersehen hat und der einen im übrigen völlig klaren Text verwirrt

6

GUAI, das dreiundvierzigste Ideogramm des I Ging, liest man, im Lichtkegel der Lampe über den Tisch vorgebeugt, den Kopf in Händen, sich mit den Ellenbogen auf der Platte aufstützend, geborgen im engen Lichtkreis, ausgeklammert aus dem Raum, der rings um einen herum ins Dunkel absinkt, bedeutet Durchbruch nach lange angestauter Spannung. An innerer Unruhe leidend, so daß man nicht auf seinem Platz beharren kann, möchte man über alles hinweg vorwärtskommen, unter allen Umständen, und stößt auf unüberwindliche Hindernisse: Auf dem Oberschenkel ist keine Haut, und das Gehen fällt schwer. Ließe man sich führen wie ein Schaf, so würde die Reue schwinden; wenn man aber diese Worte hört, so wird man sie nicht glauben. Wie ein Schaf? Wie ein Schaf; immer muß man das Orakel bislang falsch gelesen haben: wie im Schlaf

Anmerkung: Als Autor zum Fotografen werdend, begann ich im Verlauf einer Bildlektüre, aus meinem literarischen Gepäck Textstellen, auf die mich die Bilder verwiesen, herauszufotografieren, um die Zitate, aus ihrem Zusammenhang isoliert und in meinen Text transplantiert, während der Arbeit an HELLDUNKEL in der eigenen Sprachdunkelkammer weiterzubearbeiten. Zusammen mit den Bildern des Fotokünstlers Hans Danuser, insbesondere seine sieben unter dem Titel IN VIVO in einem Band vereinten Fotoserien über tabuisierte Bereiche aus Wissenschaft und Forschung (1989, Verlag Lars Müller, Baden), dienten mir diese Zitate und die unter der Hand daraus hervorgehenden Pasticci und Paraphrasen als Text-Generatoren.

Für GUAI (nicht eigentlicher Ausschnitt, sondern das Material eines Themenkomplexes aus HELLDUNKEL neu bündelnd) als Focus in Verbindung mit dem als Motto vorangestellten Zitat aus dem *I Ging* ein Foto aus der Serie *Medizin I,* ein Bild aus der Anatomie: das gleichsam als Back Slash in den Bildraum gestellte, auf dem Seziertisch dem Blick preisgegebene Bein.

Guai (43. Ideogramm des *I Ging*): Der Durchbruch: *guai,* ital., pl. von il guaio: Schmerzschrei, Weh, laute Klage, Beispiele: *Quivi sospiri, pianti e alti guai risonavan per l'aere senza stelle* (Dante, *La Commedia,* Inferno III. 22/23); *Guai a voi, anime prave* (Inf. III. 84).

Franzobel

Die Krautflut

Im Deutschen lügt man, wenn man höflich ist.
Goethe, Faust II

Prolog

Am Boden liegt ein Ich, verblutet. Der erlesene Schuß eines
Tierkreiszeichens hatte in ihn hineingelangt, ihn wie Zwetsch-
ken hingestreckt, eingelegt, entkernt und ihn gefaltet in einen
letzten Augenblick, der sein Ganzes zusammen sieht. Gummi-
ring. Er findet sich in seiner Blüte, in simplem Hausverstand.
Und was er alles wollte, was er jetzt tatsächlich war. War er
jetzt aus? Es dahingeknipst? Hatte dieses Dumpfe ihm gegolten. Wem gehörte dieser Rumpf, dem alles Leben zu entfallen
drohte wie ein ausgesprochenes Lachen, ein aufgebrochenes
Wort. Ein Scherzl. Er wollte es nicht glauben, klammerte sich
gebrochen an die letzten wachen Brösel, an den Namen Haurucker damit. Wie ein Hampelmann kam der sich vor, vom
Aussterben bedroht, aufgezogen rutschte er hinaus. Alle Zeit
war ihm dahin zerrieben, aufgesogen. Glaubten nicht alle
irgendwann daran und gaben sich hin? Dem und sich.
   Der Schütze fühlte sich hingegen trefflich. Weiter hatte er
nicht wollen, fliehen, seinem Opfer hinterher. Hauruck. Im
Augenblick der Kontaktaufnahme aber saß ihm dieser warme
Schalk im Gaumen, fuhr Sozius in sein Gemüt, daß er nicht anders konnte, als wie in Trance sich zu touchieren. In der Kehle
sprang ein Schelm vor Glück. Sirenen tobten Arien, daß daraus
Gendarmen kamen, in ihn schlugen, nahmen und mit für ein
238 Jahrzehnt. Seine Person, das ist Hargenauer, die Gangart, in der
er noch ein Leben blieb. Schau. Eine Spange lang hielt sie ihm
Treue, die sie ihm für ewig schwor. Immer geschworen hat.

Dann hielt sich Fräulein an einen anderen, der sie biblisch faszinierte, an jemand sonst, der ihr die Sommerfrische finanzierte. In Schüben wuchsen die Bäuche, die Kinder, darauf Wallungen (Brut), Dämme und etwas Depression. Dennoch wurde sie. Und geworden ist auch die dem Füsilierten angesagte Frauke. Haurucker war ja aus dem Weg, ins Nichts geschlichtet, angetan. Die suchte Garnitur in Anderweitigkeiten und verstand sich bald als Einzelheit. Die Geschichten stellten sich ihr kreuz, der Sinn für das Reale quer. Klar, die sehnte sich nach einem Schema, nach steifer Limitierung, und wirklich fügte die sich diesem kleinen Schiefer Fleisch, sog ihn sich ein in sich, daß er dann lag: dialekt auf ihrer Wunde. Da kam die darunter und machte keine Anstalt, selbige folgte. Besserung. Blöde war die nicht, die Frauke, bloß ein Stück entrückt.

Sintemal, Pardauz, Perdü, dem Dingfesten der Dinge schwappt eine Masse über, Flüssigkeit vor allen Dingen, jemandem bleibt die Sprache weg, geradezu die Spucke, es schwemmt. Dagegen ist kein Kraut geschossen, kein Parapluie trainiert. Eine Horde Flüssigkeit liquidiert die festen Dinge. Ein einstmals stilles Wasser, kein Wort will es halten, kein Was. Es schnappt nach Resümee, es reißt den Sinn. Mit sich. Mit Gaukeln und Schrapnellen. Der Neptun scheint sich verkutzt zu haben, daß er sich solcherart verliert. Er bricht.

I

Im Anstrich dieses Landstrichs ist ein Färbelndes. Das steht am Anfang der Geschichte. Ein Faible-Faden zieht sich durch, wird abgespult wie Zwirn, Personen zu verheddern. Der Anstrich dieses Landstrichs heißt Lasur, und Lavoir ließe sich auch dem ersten Eindruck sagen, der das Land durchspült, umkrempelt in ein Ja und Nein, ein zeitlich zeitig Wahrgenommenes.

Fachwerksschachteln oder Bauernpomp, von Kirchturmspitzen aus der Lethargie gerissen, aus der nämlich namentlichen Tristesse überschaubarer Beschaulichkeit. Dem Klima geopfert im Würfelspiel, dessen grüner Samt schon welk ist. Und sonders verdorben im Ausspruch. Liderlich. Denn selbst gesungen ist der Anstrich dieses Landstrichs ausgesprochen rauh.

Den Menschen selbst verschiebt sich diese Scheibe, manche sagen sich auch Brett, das zwischen ihnen steht, dem Belegten ihrer Zunge und der so beschichteten Bewußtseinsicht. Mit Schiller derart hergeleitet haben sie sich Welt verstellt, und dort ein Goethehaus, ein Stifter hie und da. Gäbe es keine Jahreszahlen, denkt der Name Ich, die Menschen wären verdorben, verderbt. Sein Blick geht durch den satten Schmutzbeschlag der Scheibe, durch das Glas persönlich und vorbei an seinem Zweck. Das Bewußtsein sieht auf Nervensträngen durch die Iris und das Sehloch durch und durch, und schon heißt es: Die Person sieht durch das Fenster Ich, – und in gelegentlichen Spiegelungen etwas. Mädchenknie. Das Wollen liegt im Schutzumschlag, das Denken geht hinaus.

So: Der Name Ich gehörte jenen an, und zählte sich auch selbst hinzu, die alles stets erklären wollen müssen. So. Den Lauf der Welt, ihr Funktionieren. Sowieso, weshalb, wozu. Hamsterkäfig. Soso. Es gibt auf alles eine Quittung, so, in jedem einen Kern. Ahso? Warum die Schläge Schicksal trafen und was sie mit sich trugen, wann die Kühe warfen und wieso der Spiegel trog. Soso. Er frug an allem und nach jedem. So. Die an sich trübe Suppe dieser So-Welt trachtete nach Wischen, so, nach Romanzen und Matrizen, die der von Grund auf radebrechten Welt erst eine Basis brächten (Readymade), soso, und dem hanebüchenen Gedeih als Verdauung so notwendig wären, täten. So. In dieser Weise weidlich, wies er, wie Ich denkt, sein diesbezügliches Wissen aus, wie er es als Erfahrung so jahrelang gehamstert hatte. Soso. Grobe Gestalten, die ihr Geschlecht so raushängen ließen, so, so als ob es eine Laune wäre. Hargenauer distanzierte sich von diesen Tropfen, so, die in hängenden Jeanshosen und T-Shirts mit Zügen wie »Oxford-University« oder »no problem« in seiner Erinnerung rangierten. Hargenauer sah in die Aussicht so und schloß sein Denken mit dem Schlüssel so, daß das Sperrige so nicht bloß auf seinen Artikel paßte. Er stolperte darüber und damit in die ins Kreuz geschlagenen Mädchenknie. So. Was für ein Wurf. Soso.

Wenn man da das Dazugehörige betrachtete, das Darunterliegende unterlegte und dem dicken Aufstrich seinen Anstrich nahm, konnte sich das Sehen sagen lassen: Mädchen oder junges Ding. Korrosion im Haar, Silber, indisch gekräuselt, Röcke, tiefgreifend, und Gerüche, leichtfertig, – daneben fast komplett, abgesehen von gehorteten Wülsten, Cremerouladen, die sich aus Sandalen wälzten. Und das in dieser Jahreszeit? Einen Hals wie ein Celangedicht und das Gesicht beinahe Porzellan. Hargenauer kannte die, wenn schon nicht persönlich so doch als Sorte. Die Allgemeinheit liefert das en gros.

– Wenn ich rauche? Es stört sie doch bestimmt nicht viel!

Was war das? Welcher Körper, welche Email-Stimme, was weder noch paßte und ihn dennoch überrumpelte. Schmelzbezug. Hargenauer mußte es geschehen lassen, eine Zeit kippte weg wie ein Hollunderschnaps. Kann die denn nicht? Nein, steht doch deutlich auf dem Schild. Das heißt ja. Nein. Kecke Person. Beim Schaffner deklamieren? Doch dann ist es zum Wohl zu spät, dann ist alles Coupé düpiert und diese Dämpfe dublieren sich auf seine Zunge, belegen von innen die Venen, die Lunge. Bloß wie reagieren jetzt? Irgendwie gefiel ihm ja das Dreiste dieser Augenscheinlichen, daß sie sich unterstehen hat wollen überhaupt. Unterm Strich aber mißfiel es ihm, verständlich, ja ungemein sogar und sagt noch nicht einmal Entschuldigung. Pardon.

Und noch bevor sich in Hargenauer eine Strategie zurechtgestutzt hat, platzt

– Und ob mich das stört, sie Stirn gewordene Sucht.

aus ihm heraus, kommt seinem Kalkül kurz zuvor und passiert unzensiert die Schleuse in die Welt. Wieder steht der Satz stramm im Raum, wieder hat sich etwas Laut losgelöst vom Körper, ist ein Exkrement aus der Gedankenwelt geplumpst, ein Satz. Lautlos den nächsten anzutupsen.

– Also bitte, wenn sie meinen.

Mit vier, sechs heftigen Zügen schlürften die Hornhautwülste aus dem Abteil, nahmen die Sandalen mit, die oben festgestellte Fesselung, den weiten Rock, das Porzellangesicht, Räusper, um aus grün verschminkten Augen ein Lächeln mitzuschwemmen. So ein Sichling.

Auch so einer, dachte Frauke, wie das Mädchen hieß. Sie **241** dachte Bürokratenampel, Schimmelreiter und Gesundheitsfettigeorge. Einer von der Gattung männlicher Pipi, die jedem

Symptom gleich eine bequeme Hosographie anziehen. Die spüren bloß mal so ein Zwacken wo, schon leiden sie an Etagen Crepes. Wenn die Hand einschläft, ist es ein Intakt, beim Wasser schlagen denken sie an Posttrara, und wenn sie Humordruiden haben, Bibapöö, Alarmkatarrh, ist es Aids, et cetera.

Zwei. Einen Kuß gegeben sie sich gerade, langsam die obere Lippe ganz sacht, nur die obere, leicht berühren und weich und mit einem Finger langsam entlang und auf die Brust einen Kuß geben, langsam und sinnlich, die oberen Lippen finden sich zärtlich, passen Feuchte in Trockenheit, der offene Mund, Finger schmusen den Arm entlang, bis sie sich verkrallen und Huch und Ach ist es schon wieder Morgen, die Sonne gähnt herein, nichts ist passiert, sind wir eingeschlafen und super Bettwäsche, keine Zellulitis, aber ungeschminkt schauen sie auch nach nichts aus. Huch, wo bin ich gelandet?

Frauke sah auf die Landschaft und die Landschaft sah in sie. Sie fühlte dieses eins mit ihrer Welt, diese Heloise-Schwellung, die ihr als Meineid offenstand. Als Gang. Draußen war die Welt in Kiefer, im Anstrich dieses Landstrichs lag platt etwas Schiefer. Kieselsteine und Geröll so in der Art. Die Menschen lieben ihren Wald, und Frauke zog ihr Löschpapier darüber, daß Flecken aufgetrieben wurden, abgeschleckte Bezüglichkeit. Leute wie Frauke vergessen Gründe nie. Sie argumentieren allerhand, haben für alle Fälle einen Anhalt zur Hand. Sie schleppen Berge von Beweis Beifuß und begrünen sich damit. Den Schild zu verlieren, ist eine Schmach ohnegleichen. Eine Riesen-Formulierwut hat dieses eins mit ihrer Welt erfaßt, fast festgeschrieben, was es wie wovon zu halten hätte, gäbe, und somit abzuführen in Sprache, Reih und Glied. Eine Körperschaft Bericht. Nun hat sich diese Mauer aus dem Staub gemacht und den Leuten blieb der Dreck, die anerzogene Gewohnheit. Jetzt können sie zwar nach drüben schauen, aber überschauen können sie es nicht. Noch bevor sich etwas losmacht, dieses Feld dann zu ergründen, ist es auch schon festgebrüllt in steif gewaschenen Begriffen. Die wollen gleich zu, mit und über alles reden, auch darüber, warum man halt gerade das nicht will. Eben.

Fleißig, sagt man, wären diese Menschen wie Unsummen Bienen. Ergo summ. Sie würden immer, sagt man, schuften, schinden, hetzen. Vorher könnten sie nicht ruh'n. In der Arbeit liegt, sagt man, summa summarum ihr Lebenszweck. Man sagt auch, daß man sagt, man sagte, daß sie werken wie besessen, nicht gemütlich wären, weil man sagt, es gäbe ständig etwas zu tun. Hesiod sagt: Arbeit schändet nicht. Und Benn sagt: Arbeit heißt Steigerung zur geistigen Form. Das Arbeiten ist meinem Gefühl nach dem Menschen so gut ein Bedürfnis als Essen und Schlafen, sagte Humboldt. Man sagt auch, daß man sagt, man sagte, daß sie werken wie besessen, nicht gemütlich wären, weil man sagt, es gäbe ständig etwas zu tun. Wer nicht arbeitet, soll auch nicht essen, sagt man. Ora et labora. Arbeit macht frei. Arbeit, sagt man, macht erst das Leben süß.

Und Menschen wie Frauke und Hargenauer sind Menschen wie und unterscheiden sich nicht weit, werden abgeholt am Bahnhof oder nicht, stellen sich auf die haspelnde Treppe oder nicht, stottern lieber zu Fuß oder nicht. Nicht? Menschen wie Frauke und Hargenauer sprechen noch ein wenig oder ignorieren sich, steigen in ein Taxi oder in die U, freuen sich jetzt einmal auf oder würden gern noch weiter fahren mit Menschen wie Frauke und Hargenauer. Menschen wie Frauke und Hargenauer reißen ab. Damit. Nicht?

II

Daß man »die da« sagt und »diese«, »jene« oder »viele« und somit subsumiert: Über einen Plural, so als ob es jedem gälte, ist doch suggestiv. Und subjektiv ist auch, wenn man über mehrere und seien es bloß zwei. Egal, was dann wird, welche Rede aufgezogen, welche Weichen eingetunkt, man meint es immer böse oder irgendwie. Steht jetzt die Intention in eine Richtung, legt sich über eine Gruppe und belegt damit, ist das der Anfang jeder Welt. Daß man »die da« sagt und »diese«, »jene« oder »viele« und somit subsumiert. Darunter. **243**

Haurucker war unzufrieden mit sich selbst persönlich und war unzufrieden mit diesem Fräulein, mit dem er sich verzinst hatte und die ihm doch nicht geben konnte, worauf er gespart hatte. Und Haurucker war auch traurig über den Betrug, den er sich geleistet hatte, den kleinen Zinsfuß, den er zwischen sich und Frauke treten ließ. Er war unglücklich, daß er der Versuchung nicht widerstehen konnte, sein Denken überhaupt in dieses Sparschwein steckte und vom Ertrag so unbedingt enttäuscht war und bankrott.

Fräulein, die sich nun gefragter vorkam, war in ihrer Stimmung hin und her. Bestätigung, Betätigung, Zuneigung, Absichten oder aus.

So geordnet wie ihre Ausrichtung stellt sich mit Sprache auch ihre Einrichtung her, alphabetisch:

Anrichte. Das Design, dessen Edelstahl. Ein etwas High Society. Eine Ledercouch aus Nashorn; sie sagte dazu »Scheißlanguu«. Ein Hintern von vorn. Einen. Einer. Fitneßkurse. Fleischgewordene Barbiepuppe. Fräulein Idiom. Ihre illustren Insignien vermarkteter Idylle. Immobilienbesitze, Impressionisten an den Wänden. Industrienation. Infantin. Inhalt. Inventar. Irgendwie Küchengegenstände. Ihr Lebensinhalt lebte Möbel mit Intarsien. Saftpresser. Si si, Stereoturm, Thermoskanne, und und und und verchromt von vorne, war, wahr wie wohlgeformtes Zwiebelmuster.

Daraus. Ein Schwall gerät in Fluß, durchtränkt Gerätschaft, Situation und alles, was noch Sitte ist, es sinkt. Sintemal, Pardauz, Perdü, selbst Dämme rechnen sich aus, kapitulieren. Denk mal an. Was für ein Prinzip sich damit einklagt. Durchfall. Es rumpelt in Poseidons Gegend. Mordstausend Sapperment.

Hände waschen, nein, Händewaschen, das. Das Händewaschen anhand einer Hand voll Wasch. Lappen. Wasch und reib dich sauber, reib dir einen ab. Du Schmutz. Du ekelhafter Fink, du stinkst und transpirierst, Firmling du. Hände waschen, nein, Händewaschen, das. Das Händewaschen anhand einer Hand voll Wasch. Lappen. Da, nimm das. Reib dich damit. Säume nicht und schäume dich mit Seife, wisch dich ab, du Sau. Du fleischliche Erscheinung. Hände waschen, nein, Händewaschen, das. Das Händewaschen anhand einer Hand voll Wasch.

Lappen. Du gehörst in Ordnung, dir fehlt die Pediküre, der Friseur, du Wurzelkopf. Stündlich wüsche ich mich an deiner Stelle, allein, was nützts?

Haurucker hatte auf intime Gespräche gespitzt und war am Styling abgeblitzt.

Fräulein, die sich nun gefragter vorkam, konnte nicht verstehen. Sie war mit Marktwirtschaft erzogen, groß, hatte alles, was sie wollte – immer schon gehabt.

Über Geschmack läßt sich ja zum Glück nicht streiten. So muß das Leben schmecken. Das ist das Dasein. Das Dasein, das ist ein Fenster, die Schokoladenseite der Milch, ph-neutral und besonders hautschonend. Und den Stiel können Sie genau auf ihre Größe einstellen. Die neueste Idee von unserem Dasein. Sie schalten, das Dasein kuppelt. Darling, jeden Tag ein Darlehen. Slipeinlagen bleiben einfach besser in Form. Und den Stiel können Sie genau auf ihre Größe einstellen. Das Selbst braucht den richtigen Biß. Das Dasein mag man eben. Mutter, wie wird so ein Dasein gemacht? Das ist ganz einfach, man nimmt eine gute Zukunft mit guten Zinsen und den Stiel kann man genau auf seine Größe einstellen. Das Dasein zur Einführung. So soll es sein. Frische, mehr Frische, ich brauche das Dasein, dieses morgenfrisch gepflegte Gefühl. Das Dasein ganz für mich allein.

Nicht einmal in der Nähe war Haurucker Fräulein nahe. Seine amputierten Sprüche, die seine Ansichten in den Anspruch holzten, dem Apparat zu schaden, den Konsum-Aristokraten. Er sprach von Anrichte, vom Akzent des einzelnen, von der Abstraktion der Masse. Aggressiv sein. Die öffentliche Meinung kam ihm aus dem Mund, subversiv sein, und daß es die nicht gäbe, daß das bloß so ein Geschreibsel sei, Interessen und Mächtige zu stützen. Krücke.

Jetzt platzt es und es geht hin und her und sie sucht Trost derweil. Das ist so eine Familienserie, Telenovela, es geht um den Hargenauer, um Haurucker und seine Frau, die Folge, wo er sie betrügt, ja, dann platzt es und es geht hin und her und sie sucht Trost derweil und dann ist da halt die Mutter von dem Hargenauer, die ist streng, da muß man pünktlich sein, ist immer zeremoniös und tendentiell irgendwie. Und was noch passiert, das passiert weil. Und was ist das letzte Wort? Was die Oma sagt. Nein, Zeremoniös. Und die Putzfrau ist eine Art Hauselexier. Wixen wie Mexiko. Dann sind alle ausgeflippt. Dann platzt es und es geht hin und her und sie sucht Trost derweil. Dann, derweil bekommt sie angeboten, sie und der amtlich Beamtete, weil inzwischen ist immer einer verunglückt, zehntausend Sachen oder so, dann haben sie sich entschlossen. Und was noch passiert, das passiert weil.

III

Haurucker hatte nichts gesagt, nicht Wiedersehen, nicht Tschau und auch nicht Ruf mal an. Frauke ging ihm durch und damit ins Bewußtsein. Er würde ihr alles gleich, den Betrug, den Schuber Moder, den er zugelassen hatte. Er wußte, daß er sich das Geschehen wegreden mußte, vom Herzen weg. Das Aussprechen würde ihn erleichtern, dachte er.

– Grüß Gott. – Sgott. – Ein scharfes Pfefferoni. – Eins? Zwei? – Kommt darauf an, wie scharf sind sie. – Die sind sehr scharf. – Gut, dann zwei. – Das ist gut? – Nein, gut. Und Salz auch. – Das ist ein Wahnsinn, die sind so scharf. So bitte. – Salz auch. – Salz? Das gibt es ja gar nicht. – Nein, nein, gibt es Salz? – Ja, Salzgurke und Salz und scharfe Pferreroni, das ist ja unmöglich. – Zu trinken auch etwas? – Zwei Fanta bitte. – Glas dazu? – Geht schon.

Inzwischen war es Mittag, und Haurucker war in seiner Bude, und der Mittag war in seiner Bude – und auch Frauke. Mit dem Mittag war sie gekommen und mit ihr der weite Rock, das zimtrote Haar, das Porzellangesicht. Außerdem hatte sie ihre Reiseerlebnisse mitgebracht, aber wen interessierten die. Haurucker spürte den Schweiß in seiner Hand, das flächige Zittern seiner Stimme, das schutzlos Ausgelieferte in seinem Blick. Er war überzeugt, daß Frauke das aufgefallen war. Aber sie sagte nichts, ließ ihn Philipp zappeln und schnatterte. Sie trug den Estrich diverser Landstriche vor, Stätten und Geschehen. Haurucker mußte es ergehen lassen. Manchesmal setzte er auch an.

Wie beiläufig wollte er es sagen, diese andere, und was davon zu halten war. Fräulein, wollte er sagen, weißt du Frauke, so ein Fassadentrampel, und das würde auch bestimmt nicht schaden, das wäre doch nur ach, und nichts mehr dahinter. Nichts, was da dazwischen träte. Null. Er wollte beiläufig mit ihr sein, wie zufällig zärtlich, doch sein Speichel war versiegt:

»Das ist halt, daß es, das heißt und dann mindestens, wenn nicht, um einigermaßen, vor allem darum, daß, das heißt, daß auch das eine Art und dann ist, also wenn, wenn, dann ist, was ist das, das spielt dann überhaupt keine Rolle, weil, wenn vielleicht, wenn es ist, weil, das ist ja alles. Ich weiß auch nicht, das ist jetzt, denke ich mir, und das ist, das ist ja ohnehin so, daß ich, was ohnehin, aber damit kann es, ich weiß auch nicht, aber ich, ich habe, das heißt, da sind, da ist, wenn man, aber das, vielleicht und das ist ja, dann kann man, weil da, das heißt, daß, nur um zu zeigen wie man, man soll ja eher, meiner Meinung nach, das ist, glaube ich, und das ist dann vielleicht auch wirklich, also soweit, daß ich glaube, das ist doch ein Unterschied.«

Wie aus dem Effeff beherrscht es sich, stürzt ohne anzuklopfen über die Hundsrücken. Ultimo. Herausrücken damit, Atout, und damit das Herausrücken auf die Sprache bringen, touchieren Sie mich nicht, und dadurch die Sprache auf das Herausrücken bringen. Auf die Strafe. Es spült. Schon schnappt es über, schlägt sich durch als Flut und tränkt die Eingebung, reißt alle Ordnung mit, alle Spompanadeln, jede Überschaubarkeit. Es düngt sich ein als Wellenschaft, kräuselt alles, wickelt zu, erschlägt. Potzdonnerblitz.

Frauke aber fiel in eine Leere. Das Wort »betrogen« stand in einem hohen Bauschundbogen. Gewiß, sie kommt darüber. Aber war der Lugundtrug nicht auch ein Windelweich in ihr? Sie taumelte. Hieß das Wort nicht auch noch Schwindel? Gingen ihr mit diesem Sehen nicht auch die Augen und rissen etwas weg von ihr. Der Einklang, in dem sie sich zu hören wünschte, war gestört von einer Giftkredenz. Der Pfeiler, auf dem ihre Existenz zur Höhe schoß, war er nicht fest in diese **247** Ziehung zementiert? Und plötzlich begann ein Zahn daran zu zählen. Ob er steiler war als sie? Gewiß, das spürte sie, gibt es ein hurtiges Darüberwissen. Dennoch ging jetzt eine Ausfahrt auf und sog sie in sich ein. Eine Leere machte sich bereit in ihr. Alle Werte wurden matschig, so trocken sie auch waren, ihr Leben verlor ein Stollwerk Sinn. Ihre Hände griffen nichts, versuchten etwas zu erfassen, schnappten mit dem Mund nach Meter. Theorien. Sie griff danach, verzweifelt, äußerlich unbeschadet, ein Lächeln aufgefroren. Dieses Habenwollen, Müssenmus, die Erlangung jeder Möglichkeit samt Versklavung -- das war so typisch Anus, dachte sie, Gehgehjung, und auch, daß sie darüber könne, kommen über diese Schippe Schmerz. Sie würde sich schon fangen, zusammenfassen.

Da sind halt vier Gesellschaft, die man alle selbst sein könnte, das Geschlecht nicht inbegriffen. Vielleicht sind es auch nur zwei, oder überhaupt nur einer, ne, alles nicht autobiographisch.

Hargenauer, womöglich ein Gelegentlich, wenigstens mit wulstiger Lippe und Beinahe-Bärtchen. Zirka Ende 30, sehr korrekt, wenn man sich vorstellt, religiös natürlich, einwandfrei gekleidet, aber doch zu bunte Nebensächlichkeiten, die Krawatte eventuell, die Seidenstrümpfe. Kleine Blößen, die Witz hinzutun. Er spricht vielleicht verhalten, stottert wahrscheinlich obendrein. Schwarze, glatte Haare, vermutlich Schnittlauch gespalten, will ein bißchen auf lausbübisch, ein wenig auf jugendlich. Eventuell ein Faible, etwa Glücksspiele, um seiner sicherlich doch engen Welt einen Einsatz zu entsagen.

Dagegen Haurucker, womöglich ein Spontan, mindestens mit wuchtigen Brauen und fast Mücke. Gegen 30 detailliert, wenn man sich denkt, Atheist natürlich, behaglich angezogen, aber doch belanglos, die Maschen ungebunden, oder die Wollpullover. Kleine Fersen, Kalauer abzurunden. Er spricht schätzungsweise ungehalten, hackt daneben. Aschblonde, verföhnte Haare, vermutlich Karfiol gebürstet, will ein bißchen auf dreist, ein wenig auf keck. Unter Umständen ein Faible, etwas Alkohol, um seiner sicher doch knappen Welt ein Randvoll zu entsagen.

Während Frauke ein Geradewegs, immerhin mit tüchtigen Wangen und fast Paket. Sehr profunde 30, wenn man sie umreißt, liberal natürlich, idyllisch angezogen, einerlei, netzbehangen oder Westen. Ein kleiner Rehrücken, den Gedanken zu untermalen. Sie spricht vielleicht verwahrt, fispert vertraut. Hennarote, verwickelte Haare, in etwa Broccoli geschniegelt, will ein bißchen auf frech, ein wenig auf keß. Wenn es geht ein Faible, etwa Fingernägel, um ihrer sicherlich doch kurzen Welt eine Länge zu entsagen.

Fräulein hingegen, womöglich ein Schnurstracks, immerhin mit flüchtigen Wimpern und beinahe bündig. Auf die 30 ausgefeilt, wenn man meint, liberalistisch gewiß, proportional justiert, Jacke wie Hose, garnumflochten oder Zellulose. Ein Hintern wie erfunden. Sie redet Wasserfälle, Sturzflut. Aufrichtig brünette Haare, vielleicht Spargel anerzogen, will ein bißchen auf frivol, zeigt es aber kaum. Allenfalls ein Faible, etwa Telephon, um ihrer sicherlich doch stillen Welt eine Einheit zu entsagen.

IV

Alle. Heiter sind sie wie ein lauer Mai, in Humor lassen sie sich gehen, Germ, oder auch in Herzlichkeit. Und wenn es was zu schunkeln gibt, sind sie gleich total dabei. Sie lachen viel, sie lachen laut. Schaukeln ihre Unterkiefer Hollywood. Über kleine Witzchen stimmen sie sich gründlich zu, lachen ein Über über Schultern, klopfen sich auf den Spinat oder mit derben Partien in die Knie. Absolut. Sie haben, wie man sagt, Humor, hundertprozentig, heiter sind sie wie zerplatzte Tüten. Aber lustig? Lustig sind sie nicht gerade. Wenn sie lachen, scheppern Ratschen. Konzentrierte Herzlichkeit. Und kugelrund ist dieses Rumpeln, daß es fertig macht damit und gar. Ganz. Es rollt dich nieder wie ein Bierzeltbild. Schlitzgesicht. Da wogen sie und wellen derb. Jeder. Wellen Reden, wie die andern tun und wären gern dabei, gebrauchen ihren Mund dazu, ihr Trinkorgan, aber das ist schon zu förmlich alle.

Das ist so Mittelschicht oder gehobene, so mit Adelig dazugemischt, so Bourgeoisie und bürgerlich. Und man fragt nach dem Beaujolais oder irgendeiner Sorte. Na, wie gehts denn dem Welschriesling, und dann sagt er: »Aha, ich sehe, es gibt Probleme.« Bouillon und bürgerlich. Jetzt haben die beiden

Lutschbonbonweibchens ihre Hände zusammen. Telenovela. Und immer eine klassische Flöte als Bindetango. So Mittelschicht oder gehobene, so mit Adelig dazugemischt, so Boulevard und bürgerlich. Alles auf Natur oder Tanzstunde, wo die Leidenschaft erst in einem angelernten Tango zu erfassen ist. Und dann kommt die Mode, das ist wichtig. Diese, die Villen haben, aber nein, sie haben auch menschliche Probleme, genau wie wir alle. Und ganz locker toll und halt die Freundin, wo der Mann sie betrügt und das funktioniert, aber selbstverständlich will die in die Mittelschicht, ins gehobene Bouquet und bürgerlich.

Nur Ordnungshüter lassen sich zum Zeichen ihrer Zugehörigkeit ein Bärtchen auf. Oder Gigolos. Hargenauer verband mit diesem Streifen Männlichkeit, einen Strich Romantik, den er seiner so geordneten Erscheinung sich aufzusetzen pflegte. Mit dem Wissen strich er darüber, daß dieser Horizont ihn ferner machte, als er sah.

Von Fräulein sprang ihn diese Färbung an, diese abgekratzte Haut. Ihre Bewegungen schienen holpriger, ihr Eindruck tat zerfahren. Ob sie schon immer so gewesen ist? Oder hatte er diese kleinen Zitate ihrer Gegenwart bereits vergessen? Hargenauer griff nach Fußnoten, kleine Anmerkungen zählte er ab. Er hatte Fräulein seit zehn, zwölf Tagen nicht gesehen. Siehe oben. Ob etwas geschehen ist? Siehe unten. Fräulein jedenfalls verriet ihm nichts. Hier. Aber vielleicht führte sie ihn ja behutsam her, sprach sie nur deshalb hin in den Diskurs der Wirtschaft, weil sie das Gürtelengerschnallen zwischen ihnen meinte. Den Heringschmaus der Gefühle. Sie wühlte sich hinein, ihr ganzes Sein, um doch nur Wurscht zu werden. Aschermittwoch. Auszustrecken, sich und auch ihr Gegenteil. Paßten sie nicht bündig zueinander? Aber hieß dieses Nebeneinander denn schon Verschluß? Zerrissen sie sich nicht zu schnell? Und was blieb dann vom einen, wenn dem anderen ein Knopf aufging. War es dann nicht bloß der Name, der hängen blieb.

Je näher Fräulein an ihren Körper dachte, desto ferner wurde er-sie-es. Die Hände verloren die Versicherung, in der Stimme kursierte ein Wimmern. Von Wirtschaft erzählte sie, von Dollarab und Börsenzu. Ihr Körper aber spekulierte mit Zusammenbruch, schnappte auf, brach sich beim Wasserholen fast den Zeh, H2O, schnitt vorbei am Glas und alles Nasse in sich rein.

Ein Schwall im Fluß durchtränkt Gesellschaft, Situation und alles, was noch Sitte ist, es sinkt. Sintemal, Pardauz, Perdü, selbst Dämme rechnen sich aus, kapitulieren. Denk mal an. Was für ein Prinzip sich damit einklagt. Durchfall. Es rumpelt in Poseidons Gegend. Mordstausend Sapperment.

– Hast du etwas. Fehlt dir was. Willst du mir nicht noch was anvertrauen?

Hargenauer hatte das so sacht plaziert, so freundlich und gelegentlich, daß Fräulein gar nicht anders konnte als geradewegs daran vorbei. Schnurstracks.

– Was soll ich? Und: Wie meinst du?

Schließlich aber schwoll es doch an ihr, sprang eitel auf und Hargenauer als Geschichte an.

Hargenauer war perplex. Sein System begann zu sinken. Innerlich ersoff er schon. Äußerlich sprach er von Erfahrung und deswegen käme man nicht um.

»Ja, das verstehe ich, ich sehe, was du meinst, verstehe dich. Ja, ja, es leuchtet mir schon ein. Ich verstehe, was du sagen willst, ich dachte das ja auch schon oft. Ich habe schon kapiert, verstehe das, es ist mir klar. Schon weiß ich, was du sagen willst und meinst.«

Diese logische Behandlung aber, die das Gute auch im Argen sah, brachte Fräulein ganz innerlich außer sich. Sie hatte eine Tracht verdient, eine breite Masse Prügel. Statt dessen aber schlugen Ratschläge auf ihr Bürgermeister. Ihre ohnehin schon flaue Stimmung verlor damit den Wind.

Man konnte Worte nehmen und sie fahren lassen als einen Flatus, einen Intercity. Hargenauer aber wollte Präzision. Allein die Worte rannen wie Perlen aus einer offenen Kette, plumpsten ins Bodenlose. Wie Gummibälle hopsten diese sperrangelweiten Worte und hops war auch Hargenauer, innerlich, nur so ein Stück. Die Sprache fraß ihn auf, hatte ihn sich eingebrockt wie einen Abschnitt Brot. Ein Scherzl. Hargenauer aber sehnte sich nach Präzision. Er wollte Erklärbarkeit, Ursache und Zusammenhang. Oder jemand beuli machen. Die Wörter aber waren Treibgut und trocken waren diese Brösel Welt, die ihm nichts zu panieren hatten. Hargenauer aber sehnte sich, Schnitzel wollte er klopfen, Akkuratesse, sein Weh herunterfaseln, einem Du sagen, wie ungerecht das alles, und wie unschuldig er dazu gekommen ist. Bestätigung und Plätze der Ermutigung. Das wollte er. Doch die Welt blieb ihm gemein, gestand ihm dieses Das nicht ein.

Das ist gar kein Ausdruck, das begreife, wer will, eine schöne Bescherung ist das, das ist mein Bier, dies und das, das ist doppelt gemoppelt, das Das, das bleibt in der Familie, dort kommt es in der besten vor.

V

Fräulein, erleichtert, daß Hargenauer trotz ihrem Eingeständnis nicht aus dem Häuschen war, fand sich versteinert in Sätzen wieder wie »was heißt das schon«. Die Gebeine der Mutter über die Schulter werfen? Was kann schon passieren. Sie zitterte ein wenig, bemüht, möglichst wenig Lärm zu machen und schlich das Stiegenhaus hinauf. Geröll. Jeder Wurf ein Mensch. Warum hatte sie bloß ja gesagt? Sie spielte Gewalt. Aber gerade in der Anschrift dieser Fremden? Das war so unbedingt ungeschickt, daß sie es unmöglich selbst begriff. Warum hatte sie bloß ja gesagt, machte sie nicht kehrt und drehte sich Reißaus. Sie hatte keinen Tau, wie diese andere, Frauke hieß sie, eigentlich zu ihrer Nummer kam. Unerhört. Und noch weniger, was die von ihr. Nur mal kennenlernen, man könne doch reden. Darüber. Interesse hätte sie und wie. Und wie so eine war, sie fände nichts dabei. Fräulein wollte sicher gehen, in ihrer Tasche Tränengas, man wisse nie.

Auch Frauke kannte diese schalen Flauten, die ihren Magen nach Belieben schälten. Auch Frauke wußte nicht. Nur mal eben sehen, ob die andere eine war, die mit der Schale spricht. Frauke hoffte das. Sie hatte wühlendes Gemurmel, daß mehr dahinter gärte, Gräte und Hintern, Haurucker sie beschemelt hätte. Aber was sie mit dieser Fräulein, wußte sie nicht. Warum sie es ließ, ja selbst erbat, daß ihr diese in die Adresse stieg, sich darin setzte – und Anstand. Aber was es zu reden gab, hatte sich für Frauke noch nicht artig mutiert. Sie hatte sich zwar

Sätze hingelegt, Homogene abgehalten, so fühlte sie sich ihrem Gegenüber monolog. Daß es so nicht ginge, sprach sie da, und daß man sich zusammenhalten müsse, als Frau besonders. Und als Wichtigstes, daß es so nicht weiter reiche, sie das eine Mal zwar signieren könne, aber doch nicht fürchten möchte daß, sich lieber in Hoffnung geben, schließlich wäre das doch zu verstehen. Sie verstünde ja durchaus und dieses Einmaleins war ihr auch nahe, letztlich aber möchte sie doch bitten, sie kapiere das ja wohl. So hatte Frauke ihren Dialog allein gedacht. Beredt.

Schon reichte es, daß beider Augen waren wie ein Besenstiel, die andere fixierten: fixierten andere die Besenstiele, ein Wie war Auge beider, daß es reichte schon. Schon verstanden sich beide in Wörtern:

Die Welt, die sich meine Eltern für mich vorgestellt haben. Weil mein Freund will nicht tanzen. Haben sich etwas anderes erwartet. Oh, habe ich Lust, eine Pizza zu essen. Saccharin? Ja, viel, damit ich das Gefühl von Süßigkeit habe. Er photokopiert alles, ich schwöre, und sperrt sich so richtig in Bücher und eigentlich sehnt er sich irrsinnig, will überhaupt kein Wischiwaschi sein. Aber geizig. Der hat sogar das Klopapier versteckt, damit man nicht zuviel verbraucht. Ich hatte aber zwei Fehlgeburten und will trotzdem immer in die Tanzschule, weil mir tanzen so einen Spaß macht. Und er spart, wo er kann, kocht aber gern Süßes, Plätzchen und Kuchen, die er genau abmißt, er ist ja Chemiker, also kann man sich vorstellen, wie er einen Kuchen backt, aber auf den Millimeter exakt. Saccharin?

Hier reichte es, die eine in die andere, und schon verstanden sich beide in Körpern:

In die Augen fallen Augen, in die Augen fallen Seen und Rükken gleiten an Rücken, von dem Leib, der Hand, sie tasten vor, langsam die obere Lippe, ganz sacht, nur die obere, leicht berühren und weich und mit einem Finger langsam entlang und auf die Brust einen Kuß geben, langsam und sinnlich, die oberen Lippen finden sich zärtlich, passen Feuchte in Trockenheit, der offene Mund, Finger schmusen den Arm entlang, bis sie sich verkrallen, Schenkel begrüßen sich und stellen sich feucht.

253

Wie zärtlich sie ist. Sie ist wie ich. Augen fallen in die Augen, in die Augen fallen Seen. So weich und fleischlich gegenwärtig, daß man in der Nähe nicht mehr erkennen kann.

VI

Die Autos stachen aus der Ferne, Menschen waren Schemen, flackerten herum wie Schatten, zoomten zu. Die Taube kehrte zurück. Meinungen standen im Raum. Im Traum bewegten sich die kleinen Füßchen wie im Traum, somnambul rannten sie umher. Man müsse der Inkohärenz ein Ende setzen, zeigen, daß es so nicht weiter reiche, keinem Sinn entgegen. Insgeheim sehnte sich ein jeder nach dem großen Ging, nach dem Ölzweig im Schnabel, nicht wenige auch nach der Hand. Jeder wollte sich damit verewigen, wollte ein Abbild in dieser Sage sein, in diesem Film.

Als Hargenauer am Ziel war, hörte er noch diesen dumpfen Rumpf, der wie eine Sektion Plop gemacht hatte, und Plop stand auch in seinem Kopf. Bis zum Hals stand ihm das Plop. Seine Wirklichkeit war Plop und Plop war auch sein Wesen. Mit allen Wassern gewaschen. Er schäumte brut in sich drinnen, freute sich und brauste auf, schließlich schoß er endlich aus seinem Gehäuse, hatte selbst etwas gewagt, mit Plop seinem Schneckenhaus ade gesagt. Aus der Röhre Plop gejagt. Daneben Pulverbiß, der Faden stieg empor wie Zigarettenkringel, ein Auflauf war auf ihn eingestürzt. Hargenauer ließ er sich ergehen. Sein Hals. Wie durch einen Filter hörte es die Schreie, spürte Gendarme nach sich greifen, ließ sich nehmen. Seine Kehle quoll. Er fühlte sich so x-beliebig wichtig wie eine hintere Welle in einer Woge. Ein Klistier.

Sintemal, Pardauz, Perdü, dem Dingfesten der Dinge schwappt eine Masse über. Eine aufgelaufene Schlüssigkeit liquidiert die festen Länder. Ein einstmals stilles Was, kein Wort will es halten, kein Meer. Es reißt den Sinn mit sich. Ein Schwall gerät in Fluß, durchtränkt Gerätschaft, Situation und alles, was noch stilecht ist, es sinkt. Denk mal an. Was für ein Prinzip dich damit einlullt. Durchfall. Wie aus dem Effeff be-

herrscht es sich, stürzt ohne anzuklopfen über das Herausrük-
ken, spült. Schon schnappt es über, schlägt sich durch als Flut
und tränkt die Landschaft, reißt alle Ordnung mit, Dämme
weg. Es düngt sich ein als Wellenschaft, kräuselt alles, wickelt
zu, erschlägt. Potzdonnerblitz.

So ertränkt sich die Geschichte selbst mit sich. Das ist ein
Widerspruch, den spült sie mit sich mit, und aus den letzten
Zipfeln Zuordenbarkeit wringt sich was und das ist das, und
was sich wringt: Zuordbarkeit, Zipfl, letzter, den aus und mit
sich mit, sie spült den Widerspruch, ein ist das Sich, mit selbst
Geschichte, die sich ertränkt so.

Jan Peter Bremer

Der Fürst spricht

Heute traf der neue Verwalter ein.

Der Fürst war bereits angekleidet. Er trat ans Fenster seines Schlafgemaches und erblickte ein Mädchen, das vor dem Schloß, am Wegrand, in der Sonne lag.

Es war noch sehr früh.

Blau stand der Himmel über dem Reich. Der Fürst hob den Blick vom Mädchen den Weg hinauf. Der neue Verwalter war für den Morgen angekündigt. Noch war alles still, und der Fürst wandte sich in den Raum zurück.

In der Mitte des Raumes stand das Bett. Über dem Bett hing eine Schnur. Der Fürst ging auf sie zu, läutete, setzte sich auf das Bett und blickte zur Tür. Dann erhob er sich langsam, zog noch einmal an der Schnur und trat zurück ans Fenster.

Das Mädchen war nicht mehr allein.

Ein junger Bauer saß neben ihr in der Wiese. Sie nahm ihm seine Mütze vom Kopf, strich über sein Haar und richtete sich auf. In diesem Moment öffnete sich die Tür. Der Fürst wandte sich um. Der Hofmeister blieb in der Tür stehen, verbeugte sich und trat auf den Fürsten zu.

Der Fürst blickte wieder zum Fenster hinaus. Das Mädchen stand dem jungen Bauern gegenüber, hielt seine Hände in ihren Händen und küßte sie. Dann drehte sich der junge Bauer um und rannte den Weg hinauf, dem Dorf entgegen. Das Mädchen sah ihm nach, hob die Mütze auf, die vor ihr auf dem Boden lag und drückte sie an ihre Brust.

»Wer ist sie?« fragte der Fürst, ohne daß er sich dem Hofmeister zuwandte.

256 Der Hofmeister warf am Fürsten vorbei einen Blick aus dem Fenster.

»Sie heißt Maria«, sagte er. »Sie arbeitet in der Küche.«

»Ich habe sie wohl einige Male im Schloßhof gesehen«, sagte der Fürst. »Es ist nur schon lange her. Sie ist ein hübsches Mädchen geworden.«

»Da haben Sie recht«, sagte der Hofmeister. »Es ist eine Freude sie anzusehen. Sie ist immer heiter und unbeschwert und noch nie ist eine Klage aus ihrem Mund gekommen.«

»Hören Sie denn manchmal Klagen?« fragte der Fürst.

»Nein«, antwortete der Hofmeister und schüttelte den Kopf. »Es ist für uns alle ein großes Glück Ihnen dienen zu dürfen.«

»Vielleicht«, sagte der Fürst und wandte sich zu dem Hofmeister um, »gibt es auch Menschen im Reich, die nicht so glücklich sind und Sie wissen nur nichts von ihnen.«

»Unglückliche Menschen«, antwortete der Hofmeister, »gibt es überall.«

Der Fürst blickte ihn lange an. »Das ist wahr«, sagte er dann.

»Glauben Sie, daß der neue Verwalter hier glücklich wird?«

»Da bin ich mir ganz sicher«, antwortete der Hofmeister. »Wenn Sie mit ihm zufrieden sind, dann wird er glücklich werden.«

»Ich wäre froh, wenn Sie recht hätten«, sagte der Fürst und begann vor dem Fenster auf und ab zu gehen. »Die ganze Nacht habe ich unruhig geschlagen. Von der einen drehte ich mich auf die andere Seite. Am Morgen bin ich früh erwacht. Ich dachte, ich wäre der einzige, der nicht schlafen könnte, aber Maria saß schon in der Wiese. Woher soll man wissen, was Glück ist?«

»Das kann ich auch nicht sagen«, antwortete der Hofmeister und lächelte dem Fürsten zu. »Aber oft genügt ein Anlaß und das Glück klopft an die Tür. Sie werden doch nicht vergessen haben, daß Sie heute den neuen Verwalter treffen werden.«

»Das habe ich natürlich nicht vergessen«, antwortete der Fürst.

»Ich weiß«, sagte der Hofmeister, »ich habe Sie nur gefragt, weil Sie etwas wissen sollten.«

Der Fürst blieb stehen. »Was denn?« fragte er.

Der Hofmeister zögerte einen Moment. »Sie sollten wissen, daß Sie heute ein schöner Tag erwartet.«

»Das weiß ich auch«, sagte der Fürst. »Deshalb möchte ich alles, was heute geschieht, noch einmal aus Ihrem Mund hören. Ihnen ist bekannt was dieser Tag mir bedeutet. Ich hoffe Sie hatten genügend Zeit, ihn nach meinen Wünschen vorzubereiten.«

»Bis jetzt«, sagte der Hofmeister und wies mit der Hand auf seine Brust, »haben Sie sich immer auf mich verlassen können. Ich hoffe, daß auch heute jeder Zweifel unbegründet bleibt.«

Der Fürst nickte.

Der Hofmeister trat einen Schritt zurück. »Zuerst«, begann er, »unternehmen Sie mit dem neuen Verwalter eine Kutschfahrt. In der Gaststätte ist alles schon für Sie hergerichtet. Nach dem Essen können Sie in einem hübschen Zimmer ausruhen und in das Kornfeld, durch das Sie nachher mit dem neuen Verwalter spazieren werden, habe ich einen schmalen Weg legen lassen, an dessen Ende die Kutsche wieder warten wird.«

»Ist denn«, unterbrach ihn der Fürst und blickte wieder aus dem Fenster, »das neue Büro schon eingerichtet?«

»Selbstverständlich«, antwortete der Hofmeister, »aber es wäre gut, wenn Sie es sich ansehen würden. Wie Sie es wollten, haben wir den Tisch in die Mitte gestellt. Auch ich halte den Platz für geeignet, doch ist der Raum, wie Sie wissen, sehr groß, so daß der Weg zu den Regalen weit ist. Der Tisch, der in dem alten Büro so mächtig erschien, wirkt in dem neuen Büro etwas spärlich.«

»Dann brauchen wir einen neuen Tisch«, sagte der Fürst, der noch immer aus dem Fenster blickte.

»Daran habe ich auch schon gedacht«, pflichtete der Hofmeister bei, »doch der Weg ist, da die Akten in den Regalen aufbewahrt werden, trotzdem noch sehr weit.«

»Wo sollen die Akten denn sonst aufbewahrt werden«, sagte der Fürst und wandte sich mit einem Ruck zu seinem Hofmeister um. »Sie sprechen für sich. Im Gegensatz zu Ihnen aber ist der neue Verwalter noch jung. Ihre Befürchtungen sind unbegründet. Irgendwann einmal, vielleicht wenn der neue Verwalter in Ihr Alter gekommen ist, muß man sich überlegen, ihm einen Diener an die Seite zu stellen, der für ihn die Wege geht. Doch muß dies jetzt weder meine und erst recht nicht Ihre Sorge sein. Stellen Sie sich vor, Sie sprächen bei einem Fürsten vor und würden ein so großes Büro bekommen. Überwältigt von der Bedeutung, die Sie dadurch im Schloß einnehmen, gingen Sie die Wege mit leichtem Schwung. Ihre Schritte wären vom Jubel getragen und Sie sich völlig gewiß, daß Sie nach der richtigen Akte greifen würden. Verstehen Sie, was ich meine?«

»Ja«, sagte der Hofmeister, »es ist wahr. Ich habe nur für mich gesprochen.«

»Nein«, sagte der Fürst und blickte wieder aus dem Fenster, »das haben Sie nicht. Sie denken ich bin verschwenderisch. Sie denken, ein junger Verwalter braucht kein Büro von dieser Größe.«

»Das dürfen Sie mir nicht unterstellen«, rief der Hofmeister. »Das habe ich nie gedacht.«

Der Fürst trat in den Raum. »Ich unterstelle Ihnen gar nichts«, sagte er und drehte sich zu seinem Hofmeister hin. »Ich habe Vertrauen zu Ihnen. Nur ist es schwer, sich mit Ihnen zu unterhalten. Sie haben andere Erfahrungen als ich und sind viel älter. Für Sie sieht ein alter Schreibtisch beispielsweise anders aus als für mich oder den neuen Verwalter. Für den neuen Verwalter wiederum sieht ein großer Schreibtisch größer aus als für mich. Ich kenne Großes. Ein Schloß ist größer als ein Haus. Ich kann mir gar nicht vorstellen, in einem Haus zu leben. Ich brauche die Weite des Schlosses. Andere Menschen leben lieber in Häusern. Häuser sind überschaubarer. In einem Schloß zu leben, daran muß man sich erst gewöhnen. Der neue Verwalter wird damit keine Schwierigkeiten haben, denn er ist noch jung. Auch Sie waren noch jung, als Sie ins Schloß kamen.«

»Es war noch vor Ihrer Geburt«, sagte der Hofmeister.

»Sehen Sie.«

Der Hofmeister nickte.

Der Fürst blickte auf seine Hände. »Glauben Sie«, fragte er, »daß dem neuen Verwalter das Büro gefallen wird?«

Der Hofmeister ging zur Tür.

Der Fürst betrachtete ihn aufmerksam.

»Kommen Sie!« rief der Hofmeister und bot dem Fürsten an, vorauszugehen.

Der Fürst fuhr fort ihn zu betrachten. »Wohin?« fragte er.

»Ich habe eine Überraschung für Sie.«

Der Fürst rührte sich nicht. »Sagen Sie mir erst, was für eine Überraschung das sein soll.«

Der Hofmeister drückte den Türgriff hinunter. »Ich werde Ihnen jetzt den neuen Verwalter vorstellen.«

Der Fürst zuckte zusammen. »Ist er schon da?«, fragte er.

»Er ist bereits gestern abend gekommen«, antwortete der Hofmeister.

»Warum haben Sie mir das nicht gemeldet!« rief der Fürst.

»Sie hatten sich schon zurückgezogen«, erwiderte der Hofmeister. »Wir wollten Sie nicht stören. Sie waren bereits im Bett. Auch ich bin früh zu Bett gegangen. Der gestrige Tag war anstrengend, und es war spät, als der neue Verwalter kam.« Der Hofmeister ließ den Türgriff los. »Der neue Verwalter«, fuhr er fort, »ist ganz still hier angekommen. Er hat sich von einem Diener sein Zimmer weisen lassen und ist sofort zu Bett gegangen. Auch ich habe von seiner Ankunft erst heute morgen erfahren.«

Der Fürst blickte zu Boden. Regungslos stand er im Raum. »Man hätte es mir melden müssen«, stammelte er.

Der Hofmeister trat ein paar Schritte auf ihn zu.

Traurig hob der Fürst den Kopf und blickte am Hofmeister vorbei auf die Tür. »Schauen Sie mich an«, sagte er, »wie sehe ich jetzt aus?«

Der Hofmeister breitete die Arme auseinander. »Sie sehen prächtig aus«. Der Fürst schüttelte den Kopf. »Ich habe unruhig geschlafen«, sagte er. »Es war kaum hell, als ich aufgestanden bin und jetzt ist es noch nicht Vormittag, und ich bin schon wieder müde. Sie hätten mir doch zumindest eine Nachricht unter der Tür durchschieben können. Im Morgengrauen hätte ich gelesen: ›Der neue Verwalter ist eingetroffen!‹ Das wäre ein Tagesanfang gewesen! Stattdessen warte ich auf ihn, blicke aus dem Fenster und unterhalte mich so offenherzig mit Ihnen, als ob dieser Tag uns gehörte. Dabei ist der neue Verwalter schon im Schloß. Ängstlich geht er auf und ab. Niemand, der zu ihm spricht, ihn ermutigt oder wenigstens begrüßt. Jetzt steht er am Fenster und blickt scheu in den Hof hinunter. Er sieht die Kutsche, die, auf Ihre Anordnung hin, zum Ausflug bereit, dort steht, und denkt, daß wir ihn an solch einem Tag alle verlassen wollen, daß er allein zurückbleibt, daß er sich in den Gängen verirrt und die kalten Wände entlangtastet. Endlich findet er ein Fenster zum Schloßhof. Dort steht noch immer die Kutsche. Ein Mädchen überquert mit schweren Eimern den Hof.

Er sieht, wie ihre Brust sich hebt und senkt, aber er wagt es nicht, sich ihr am Fenster zu zeigen. Seine Haut ist so blaß, von der Zeit in dem engen, dunklen Büro, in dem er bisher arbeitete, daß das Mädchen denken würde, er sei ein Fremder, ein Toter, der sich nur nachts in den Schloßhof wagt, um sie mit langen, dünnen Fingern zu berühren. Sagen Sie mir ehrlich: was wissen wir denn schon von dem neuen Verwalter?«

»Nur das, was in seinem Brief stand«, antwortete der Hofmeister.

»Haben Sie gelesen«, fragte der Fürst und seine Stimme bekam eine große Strenge, »daß der neue Verwalter und ich am gleichen Tag Geburtstag haben?«

»Selbstverständlich«, sagte der Hofmeister. »Es ist ein schöner Zufall.«

»Es ist ein Wunder!« rief der Fürst.

Der Hofmeister blickte zu Boden. »Soll ich dem neuen Verwalter noch etwas ausrichten?« fragte er.

»Nein«, sagte der Fürst, »führen Sie ihn nur in das Büro. Er soll dort auf mich warten.«

»Ist das alles?« fragte der Hofmeister.

»Ja«, sagte der Fürst und blickte noch eine Weile auf die Tür, die der Hofmeister hinter sich schloß. Dann trat er in den Raum und setzte sich auf das Bett. Er war so müde. Der gestrige Tag hatte viel Kraft gekostet.

Gestern erst war der alte Verwalter beerdigt worden. Die Bestattung verzögerte sich, weil es bis zum Mittag hin heftig regnete. Still mußten sie in der kleinen Kapelle des Schloßes warten. Der Fürst saß mit dem Hofmeister auf einer Empore, die Bediensteten und das Gesinde gegenüber. Dazwischen war der Sarg aufgebahrt. Jede halbe Stunde stieg der Pastor von der Kanzel durchquerte die Kapelle, hielt die Hand vor die Tür und schüttelte immer wieder den Kopf. Allmählich wurde es kühl. Der Fürst wärmte sich die Hände in seinen Ärmeln, die Bediensteten saßen versunken auf ihren Holzbänken, und dem Hofmeister fielen die Augen zu. Dann hob ein langjähriger Diener die Hand. Der Fürst machte den Hofmeister darauf **261** aufmerksam, und der Hofmeister forderte den Diener auf, vorzutreten. Der Diener drängte sich durch die engen Sitzreihen, trat in einem weiten Bogen um den Sarg und verneigte sich vor dem Fürsten.

»Was wünschst Du?« fragte der Hofmeister.

»Ich möchte bitten«, antwortete der Diener, »etwas aus der Kindheit des Fürsten erzählen zu dürfen.« Der Hofmeister richtete seinen Blick zum Fürsten hin. Der Fürst nickte. »Erinnern Sie sich noch«, sprach der Diener, »wie Sie als Kind oft stundenlang dem Verwalter gegenüber saßen und um Ruhe baten, wenn man eintrat, denn Sie taten, als wären Sie es, der verwaltete, in Wirklichkeit aber malten Sie Bilder, wie sie Kinder gern malen, nur daß Sie sich ganz ernst dabei nahmen, und auch uns gefiel es, diesen Wunsch zu respektieren. In der Küche erzählten wir uns scherzhaft: Der Fürst sitzt wieder beim Verwalter, wir dürfen jetzt nicht mit den Töpfen klappern; und dann fügten wir hinzu: Wir werden mal einen strengen aber gerechten Fürst bekommen.«

»Sie haben recht behalten«, sagte der Hofmeister und der Diener verneigte sich noch einmal, bevor er zu den anderen zurücktrat, die ihm einen Platz am Rand der Bank freimachten. So saßen sie wieder da. Nach einer Weile wandte sich der Hofmeister an den Fürsten. »Das war wirklich sehr schön«, flüsterte er. Der Fürst nickte. »Haben Sie der Dienerschaft eigentlich mitgeteilt, daß morgen ein neuer Verwalter eintrifft?« Der Hofmeister schüttelte den Kopf. »Gut!« rief der Fürst, sprang auf und klatschte in die Hände. Sofort waren alle Augen auf ihn gerichtet. »Ich weiß«, begann er, »daß dies nicht der richtige Ort ist, zu sagen, was ich zu sagen habe und dennoch bin ich glücklich Euch mitteilen zu können, daß ein neuer Verwalter gefunden ist. Er wird bereits morgen eintreffen. Natürlich ist es schwer, sich an einem Tag wie diesem zu freuen. Der alte Verwalter war bei allen beliebt. Doch dürfen wir deshalb dem neuen Verwalter nicht unrecht tun und so laßt uns gemeinsam hoffen, daß sich das Wetter schnell bessert.« Der Fürst setzte sich wieder.

Langsam wurde der Regen schwächer. Der Pastor schritt durch die Kapelle und verkündete, man könne nun gehen. Sogleich erhoben sich die Sargträger. Den Sargträgern folgte der Fürst, dann der Hofmeister, dahinter die Bediensteten und das Gesinde. Der Himmel war noch sehr verhangen. Der Fürst hörte nur die Schritte des Hofmeisters, der knapp hinter ihm lief und verlangsamte seinen Lauf.

Der Hofmeister war mit dem alten Verwalter befreundet gewesen. Vielleicht wollte er, eine Hand auf dem Sarg, zwischen den Trägern einherlaufen. Als Freund wäre das sein Platz gewesen. Aber der Hofmeister war hinter ihm geblieben. Vielleicht hatte er geweint. Der Fürst hatte den Hofmeister noch nie weinen sehen. Der Hofmeister war immer beschäftigt und berichtete unaufhörlich, was er den Tag über alles erledigt hatte. Wenn der Fürst nach ihm läutete, kam er sofort. Manchmal schien es dem Fürsten, als stünde der Hofmeister schon hinter der Tür und wartete nach dem Läuten nur höflich einen Moment, bevor er eintrat. Auch sonst war der Hofmeister immer überall im Schloß. Daß der Hofmeister letzte Nacht von der Ankunft des neuen Verwalters nichts erfahren haben wollte, konnte er ihm nicht glauben.

Der Fürst schlug mit der flachen Hand gegen die Schnur, die über seinem Bett hing, streckte sich, erhob sich unter der baumelnden Schnur hinweg und trat ans Fenster. Selbstverständlich hatte der Hofmeister letzte Nacht schon von der Ankunft des neuen Verwalters erfahren. Wahrscheinlich hatte er ihn persönlich empfangen. Ein Bote hatte ihm die Ankunft angekündigt und nun wartete er, mit einer kleinen Laterne, im Dunkeln, vor der Tür und nahm den neuen Verwalter in Empfang, der ganz erschöpft von der Reise war und nur wünschte, sofort ins Bett zu gehen. Doch der Hofmeister drängte ihn, noch auf ein Schlückchen Wein mit in sein Zimmer zu kommen. Er stellte zwei Gläser auf den Tisch, drehte die Lampe auf und die schöne Erscheinung des neuen Verwalters beglückte ihn. Er öffnete eine Flasche, schenkte schwungvoll ein und prostete dem neuen Verwalter zu. Der neue Verwalter sank sogleich in sich zusammen. Die Augen fielen ihm zu und wenn er sie mühsam öffnete, sah er in zwei offene Hände. ›Bitte‹, hörte er die Stimme des Hofmeisters flehen, ›bitte, lassen Sie uns Freunde werden. Ich bin der einzige Mensch im Schloß, der zu Ihnen spricht. Der Fürst lädt Sie morgen zu einer Kutschfahrt ein. Dann geht er auf sein Zimmer zurück. Kommen Sie zu mir. Nachts zeige ich Ihnen den Schloßhof. Ein Mädchen, das Sie immer im Arm halten möchten, wird sich in Sie verlieben. Sanft liegen ihre Brüste in einem dünnen Kleid und Sie können sie küssen, sooft Sie wollen. Sagen Sie mir leise ihren Namen und sie wird kommen. Sie heißt Maria und jeder kennt sie.‹ Der Fürst schreckte auf. Es war ihm, als hätte jemand die Tür geöffnet. Die Tür war geschlossen. Der Fürst erhob sich, horchte und ging zum Fenster. Wolkenlos stand der Himmel blau über dem Reich, und die Wiesen waren leer. In seinem Rücken spürte er den Blick des Hofmeisters, trat in den Raum zurück, sprang mit einem Satz auf das Bett, nahm ein Kissen und schleuderte es auf den Boden. Dann sank er, das Gesicht vorweg, auf das Laken. Nach einer Weile richtete er sich wieder auf, griff rückwärts nach der Schnur und läutete mehrmals heftig.

Der Fürst saß noch auf dem Bett, als der Hofmeister eintrat, sich in der Tür verbeugte, und auf das Kissen zulief.

»Ich sehe«, sagte er und hob das Kissen vom Boden auf, »daß Sie sich noch einmal hingelegt haben. Das ist sehr vernünftig. Sie haben einen anstrengenden Tag vor sich. Lassen Sie mich Ihnen das Kissen reichen und ich bette Sie bequem. In zwei Stunden wecke ich Sie dann und Sie werden sich so wach fühlen, als hätten Sie die ganze Nacht geschlafen.«

Der Fürst starrte auf seine Hände. »Nein«, sagte er.

»Ich kann mir denken, wie müde Sie sind«, fuhr der Hofmeister fort. »Wenn man die letzte Nacht so unruhig wie Sie geschlafen hat, ist das auch kein Wunder. Sie hatten gerade ein bißchen geträumt. Schließen Sie die Augen und schon bin ich wieder weg.«

Der Fürst sah nicht auf. »Ich habe nicht geschlafen«, zischte er.

»Das weiß man manchmal nicht«, sagte der Hofmeister. »Ich kenne das. Einmal bin ich sogar auf einer großen Gesellschaft eingeschlafen. Eine helle Stimme oder auch nur Gläserklirren muß mich plötzlich wieder geweckt haben und ich habe nahtlos am Gespräch teilgenommen. Nachdem ich meinen Redebeitrag beendet hatte, beugte sich mein Tischnachbar zu mir hinüber. ›Haben Sie nicht eben noch geschlafen?‹ fragte er mich. Ich verneinte und fragte nun meinerseits, wie er denn auf diesen Gedanken käme? Da versicherte er mir und schwor sogar darauf, daß ich während der letzten halben Stunde, die

Augen fest geschlossen hatte, und ich mußte ihm gestehen davon nichts zu wissen.«

»Bestimmt haben Sie nur so getan, als ob Sie schliefen«, sagte der Fürst.

Der Hofmeister schüttelte den Kopf. »Ich habe wirklich geschlafen«, sagte er.

»Sie haben doch gerade gesagt, daß Sie das gar nicht mehr wüßten«, sagte der Fürst und blickte zu dem Hofmeister auf. »Vielleicht hat Ihr Tischnachbar Sie angelogen.«

»Das glaube ich nicht«, sagte der Hofmeister. »Außerdem ist mir Ähnliches schon häufig widerfahren. Einmal...« fuhr er fort.

»Das will ich nicht wissen«, fiel der Fürst ihm ins Wort, »ich glaube Ihnen Ihre erste Geschichte schon nicht. Wie konnten Sie denn in ein Gespräch eingreifen, daß Sie bis dahin gar nicht gehört hatten?«

Der Hofmeister zuckte mit den Schultern. »Das frage ich mich auch«, sagte er, »ich muß es im Schlaf verfolgt haben.«

»Das geht nicht!«

»Da bin ich mir nicht sicher«, sagte der Hofmeister. »Es gibt sogar Menschen, die gehen im Schlaf spazieren und führen Aufträge aus, zu denen sie am Tag nicht mehr gekommen sind. Am nächsten Morgen stehen sie überrascht vor der fertigen Arbeit und fragen überall herum, wer sie ihnen abgenommen habe. Vielleicht sind Sie auch solch ein Mensch und haben schon geschlafen, als Sie nach mir läuteten.«

»Sie werden frech«, sagte der Fürst. »Im Gegensatz zu den Menschen, von denen Sie sprechen, kann ich mich an alles erinnern. Sie können mir nicht einreden, nur weil Sie sich insgeheim wünschen, alle, außer Ihnen, schliefen. Dann könnten Sie den ganzen Tag emsig im Schloß herumlaufen und jedem erzählen, was Sie wollen.«

»Das ist doch gar nicht mein Ziel«, warf der Hofmeister ein.

»Natürlich ist das Ihr Ziel!« schrie der Fürst ihn an. »Aber Sie irren sich. Ich bin nicht im Bett, weil ich müde bin.«

Der Hofmeister nickte. Der Fürst starrte wieder auf seine Hände. Der Hofmeister schwenkte das Kissen an einem Zipfel vor und zurück, atmete tief durch und legte dann alle Kraft in seine Stimme: »Ich habe Ihnen noch gar nicht berichtet, daß ich den neuen Verwalter in das Büro geführt habe.«

Der Fürst blickte auf. »Erzählen Sie«, forderte er.

»Das ist nicht leicht«, begann der Hofmeister. »Ich habe die ganze Zeit gewünscht, sie wären dabei gewesen. Es war überwältigend. Wir kamen in das Büro. Mir selbst, obwohl ich den Raum so gut kenne, erschien er jetzt noch prächtiger und ich muß Ihnen völlig recht geben, daß der Tisch in der Mitte vortrefflich steht.«

Der Fürst schlug auf das Bett. »Das will ich nicht hören«, sagte er. »Berichten Sie vom neuen Verwalter.«

»Ich weiß nicht, wo ich beginnen soll«, sagte der Hofmeister.

»Lassen Sie doch endlich das Kissen fallen«, unterbrach ihn der Fürst erneut.

Der Hofmeister beugte sich zur Seite und ließ das Kissen sachte zu Boden sinken.

»Sie sind also gemeinsam in das Büro gekommen«, drängte der Fürst.

»Ja«, sagte der Hofmeister, »und als wir eintraten sagte ich: ›Schauen Sie sich um, mein Lieber, das ist Ihr neues Büro.‹«

Wieder fuhr der Fürst dazwischen. »Sie haben den neuen Verwalter ›mein Lieber‹ genannt!« rief er, »wie konnten Sie so etwas sagen? Sie kennen ihn doch erst seit heute. Weil Sie mit dem alten Verwalter befreundet waren, müssen Sie es doch nicht mit dem neuen sein. Woher nehmen Sie diese Gewißheit. Er ist vielleicht noch nicht lange genug hier, um solche Anmaßungen zu durchschauen. Aber Sie können sich darauf verlassen, daß ich derartiges nicht dulden werde.«

»Ich bin mir gar nicht mehr sicher«, sagte der Hofmeister, »ob ich ihn wirklich ›mein Lieber‹ genannt habe. Vielmehr glaube ich, daß ich es eben unabsichtlich erfunden habe.«

»Ob mit oder ohne Absicht«, sagte der Fürst, »ich möchte nicht, daß Sie noch etwas erfinden. Was soll ich denn dann glauben? Erzählen Sie mir jetzt, was weiter geschehen ist.«

Der Hofmeister berührte mit den Fingern seine Schläfen. »Ich weiß nicht mehr, wo ich stehen geblieben war«, sagte er.

»Sie haben zu dem neuen Verwalter gesagt: ›Schauen Sie sich um, das ist Ihr neues Büro‹«, half ihm der Fürst.

266   Der Hofmeister senkte den Kopf. »Der neue Verwalter hat mich ganz erschrocken angeguckt«, fuhr er dann fort. »›Sie müssen sich irren‹, hat er gesagt. ›Durchaus nicht‹, habe ich geantwortet. ›Der Fürst selbst hat die Anordnung gegeben. Persönlich hat er diesen Raum für Sie ausgesucht.‹ ›Das kann ich kaum glauben!‹ rief der neue Verwalter nun. ›Was ist es für ein unglaubliches Glück, das mich zu diesem großzügigen Menschen gesandt hat. Für immer und ewig werde ich ihm dienen. Kein Tag soll vergehen, an dem ich nicht ausschließlich für ihn da bin.‹ So hat er gesprochen und er wäre sicherlich noch fortgefahren, wenn Sie mich nicht wieder zu sich gerufen hätten.«

»Das hört sich doch sehr wohlerzogen an«, sagte der Fürst. »Es gefällt mir, wie der neue Verwalter sich in dem Büro benommen hat.«

»Er macht einen sehr netten Eindruck«, sagte der Hofmeister.

»Das finde ich auch«, sagte der Fürst.

»Darf ich Ihnen jetzt das Kissen ins Bett reichen?« fragte der Hofmeister, nahm es vom Boden auf, trat zaghaft einen Schritt vor und hielt es dem Fürsten entgegen.

Der Fürst warf die Hände vor sein Gesicht und schnellte mit dem Kopf nach hinten. »Sie sind ein bösartiger Mensch!« schrie er und der Hofmeister wich zurück. »Erst lügen Sie mich an und dann quälen Sie mich die ganze Zeit mit diesem Kissen. Dabei habe ich es nach Ihnen geworfen. Legen Sie es sofort wieder hin und schauen Sie mich an.«

Der Hofmeister beugte sich zur Seite. »Ich kann mich gar nicht daran erinnern«, sagte er leise und legte das Kissen wieder auf den Boden. »Vielleicht bin ich Ihnen zu nahe gekommen«, fuhr er fort, »aber ich versichere Ihnen, daß ich kein bösartiger Mensch bin. Ich habe Ihnen doch nur das Kissen reichen wollen. Sicherlich war das ein Fehler und Fehler sind eine schlimme Sache, aber sie liegen in der menschlichen Natur. Wegen eines Fehlers ist ein Mensch noch nicht böse.«

Der Fürst senkte den Blick und nickte. »Es war nicht richtig von mir, Ihnen Bosheit vorzuwerfen«, sagte er. »Wir sind wahrscheinlich einfach verschiedene Menschen. Der Mensch aber braucht einen Vertrauten, jemand, der ihm ähnlich ist. Wissen Sie«, fuhr er fort und hob ein Bein aus dem Bett, »obwohl ich weiß, daß Sie mit dem alten Verwalter eng befreundet waren, muß ich sagen, daß es auch ein Glück ist, daß er gestorben ist. Nur diesem Umstand verdanken wir es, daß der neue Verwalter bereits eingetroffen ist. Erzählen Sie mir noch ein wenig von ihm. Sie haben mit ihm gesprochen. Ich habe das Gefühl, daß Sie mir bis jetzt noch sehr viel verschweigen. Versuchen Sie ihn zu beschreiben. Ich kann mir noch kein Bild von ihm machen. Ich weiß nur, daß er von seinem Büro überwältigt war. Das hatte ich erwartet.«

»Sie verlangen zu viel von mir«, antwortete der Hofmeister.

»Ich kann doch wohl von Ihnen verlangen, daß Sie einen Menschen beschreiben können«, sagte der Fürst. »Den alten Verwalter hätten Sie doch auch beschreiben können.«

Der Hofmeister nickte.

»Dann beschreiben Sie erst den alten Verwalter«, sagte der Fürst.

Der Hofmeister blickte sich kurz zur Tür um. »Sie kannten ihn doch ebenso gut wie ich.«

»Verweigern Sie sich nicht immer«, sagte der Fürst.

»Ich möchte den alten Verwalter nicht beschreiben«, sagte der Hofmeister, »das müssen Sie doch verstehen. Er ist erst so kurz tot.«

»Nein«, sagte der Fürst, »das verstehe ich nicht. Ich weiß auch nicht, was es daran zu verstehen gibt und verlange, daß Sie den alten Verwalter jetzt beschreiben.«

»Er war ein kleiner, vornehmer Mann, der immer freundlich war«, sagte der Hofmeister.

»Ist das alles?« fragte der Fürst.

»Ja«, sagte der Hofmeister.

»Wie konnten Sie mit einem Menschen befreundet sein, über den Sie so wenig zu sagen haben?« fragte der Fürst.

Der Hofmeister schwieg.

»Am Ende waren Sie vielleicht gar nicht mit ihm befreundet.«

Der Hofmeister schwieg noch immer.

»Wenn man so wenig über jemanden zu sagen weiß, kann man unmöglich mit ihm befreundet sein.«

Der Hofmeister trat einen Schritt zurück. »Ich möchte jetzt gehen«, sagte er.

»Sie können jetzt nicht gehen«, sagte der Fürst und stieg aus **268** dem Bett. »Sie bleiben und beschreiben den neuen Verwalter.«

Der Hofmeister wandte sich zur Tür, aber der Fürst sprang ihm nach und hielt ihn am Arm.

»Sie gehen nicht!« schrie er. »Sie beschreiben den neuen Verwalter.«

»Er ist krank«, holte der Hofmeister aus.

»Sie sind ein Lügner«, stieß der Fürst hervor, »das hätte doch in seinem Brief gestanden.«

»Wenn ich ein Lügner bin«, stammelte der Hofmeister, »dann ist der neue Verwalter ein noch viel schlimmerer.«

Der Fürst stieß den Hofmeister von sich. Der Hofmeister fiel auf die Knie, bedeckte das Gesicht mit den Händen und begann zu zittern. Der Fürst trat ans Fenster. »Er ist nicht krank«, sagte er und wandte sich wieder dem Hofmeister zu. Der Hofmeister hob das verweinte Gesicht. »Was machen Sie nur mit mir«, schluchzte er.

»Stehen Sie auf«, sagte der Fürst. »Was für eine Krankheit soll es denn sein?«

»Sein linker Arm ist gelähmt.«

»Hat er Schmerzen?«

Der Hofmeister schüttelte den Kopf. »Ich glaube nicht.«

»Dann ist es doch keine Krankheit«, sagte der Fürst und blickte auf den Hofmeister, der noch immer auf dem Boden kniete. Dann trat er auf ihn zu, beugte sich zu ihm hinunter und hob ihn an den Schultern zu sich hinauf. »Ich bitte Sie«, sagte er, »wenn der neue Verwalter keine Schmerzen hat, kann er nicht krank sein, und wenn er nicht krank ist, dann ist er auch kein Lügner. Wenn Sie sich mit einem Brief um eine Stellung bei mir bewerben würden, verschwiegen auch Sie, daß Sie ein alter Mann sind. Deshalb wäre ich Ihnen doch nicht böse. Ich hätte Erbarmen mit Ihnen. Das müssen jetzt auch Sie aufbringen. Versuchen Sie sich eine Welt ohne Mitgefühl vorzustellen. Weder Sie noch ich wollten darin leben und nun beruhigen Sie sich wieder. Ich brauche sie heute nicht mehr. Bereiten Sie alles für unsere Rückkehr vor. Ich werde gleich zu dem neuen Verwalter gehen. Er erwartet mich schon. Ruhen Sie sich ein wenig auf dem Bett aus. Sie wissen, alles in diesem Zimmer steht zu Ihrer Verfügung. Legen Sie das Kissen zurück, machen Sie was Ihnen gefällt, denn Sie sind nicht nur mein Hofmeister, sondern auch mein alter Freund. Umarmen wir uns also zum Abschied.«

Der Hofmeister hob die Hände und legte sie dem Fürsten

schwach an die Taille. Der Fürst griff nach den Händen, schob sie zurück, ging mit schnellen Schritten zur Tür und trat in den Gang.

Vor einem Fenster machte er halt und blickte in den Schloßhof hinunter. Dort stand schon die Kutsche. Der Fürst öffnete das Fenster in den warmen Tag, lehnte sich hinaus und klopfte an die Scheibe. Nichts rührte sich. Grau standen die Mauern um den sandigen Platz. Vom Gang her eilte ein Diener auf ihn zu. Der Fürst zog den Kopf zurück. Der Diener beugte noch im Lauf seinen Oberkörper vor, verneigte sich und fragte:

»Wünschen Sie etwas?«

»Nein«, antwortete der Fürst und blickte erneut zum Fenster hinaus. »Ich wundere mich nur, wo der Kutscher ist. Ich kann ihn nirgendwo entdecken. Eigentlich habe ich gehofft, daß er die Pferde schon angespannt hätte und auf der Kutsche warten würde. Vielleicht wollen wir bald aufbrechen. Weißt Du«, fuhr der Fürst fort und wandte sein Gesicht dem Diener zu, »ich werde unruhig, wenn der Kutscher nicht auf seiner Kutsche ist. Vergangene Nacht habe ich kaum geschlafen. Wenn ich die Kutsche sehe, wird mir ein wenig bange. Ich habe schon lange mehr keinen Auflug unternommen. Das letzte Mal war es sehr kalt. Die Kutsche versank tief in der Erde. Ich habe gebetet, daß wir überhaupt wieder nach Hause kommen. Die Pferde waren am Ende ihrer Kräfte. Eine Kutschfahrt ist keine Kleinigkeit. Auch wenn das Wetter so schön wie heute ist, kann man nicht sagen, was unterwegs geschehen wird. Einige Wolken genügen bei uns für einen kräftigen Regen.« Der Fürst beugte sich weit aus dem Fenster und blickte zum Himmel hinauf. Auch der Diener, der sich während der Rede des Fürsten nicht bewegt hatte, sah schräg zum Fenster.

Der Führst streckte den Arm vor und wies auf den Hof hinaus. »Siehst du die Wassertonne dort drüben an der Wand?« fragte er.

Der Diener trat einen Schritt vor und nickte.

»Vor ungefähr einem Jahr«, fuhr der Fürst fort, »lebte hinter dieser Tonne ein junger Hund. Niemand kümmerte sich um ihn und plötzlich war er verschwunden. Bestimmt weißt Du, wo er geblieben ist. Er war sehr scheu und kam nur nachts hervor.«

Der Fürst wandte sich wieder dem Diener zu. »Ich bin mir sicher, daß Du ihn gesehen hast«, fuhr er fort. »Sag mir, was mit ihm geschehen ist.«

»Es tut mir leid«, antwortete der Diener und trat einen Schritt zurück, denn der Fürst starrte ihn aus großer Nähe an, »ich weiß es nicht. Es kommen so viele Hunde aus dem Dorf hierher, daß wir Schwierigkeiten haben, sie zu vertreiben.«

Der Fürst richtete seinen Blick auf den Boden.

»Geh«, sagte er.

»Soll ich den Kutscher etwas ausrichten?« fragte der Diener.

»Er soll die Pferde anspannen und sich bereit halten«, sagte der Fürst, »verschwinde«, zischte er dem Diener hinterher und als er die Schritte im Gang verklingen hörte, fiel er an die Wand.

Es war vor einem Jahr, daß der Fürst, eines Abends, vom Fenster seines Arbeitszimmers aus, einen abgemagerten Hund hinter der Wassertonne hervorkriechen sah. Geduckt schlich er über den Hof und verschwand wieder hinter der Tonne. Am nächsten Tag kam er zur gleichen Zeit hervor und am dritten Tag ließ sich der Fürst eine Hühnerkeule hinauf in sein Arbeitszimmer bringen. Als der Hund am Abend erschien, öffnete der Fürst das Fenster. Das Geräusch erschreckte den Hund und er flüchtete in sein Versteck zurück. Der Fürst wartete, bis es dunkel war. Der Hund zeigte sich nicht mehr. Am folgenden Tag öffnete der Fürst sein Fenster schon am Nachmittag und vom frühen Abend ab wartete er, mit der Hühnerkeule, die er aufbewahrt hatte, auf den Hund. Nichts rührte sich auf dem Hof und da der Fürst müde wurde, warf er die Keule in die späte Dämmerung hinaus. Am nächsten Mittag, als der Fürst in sein Arbeitszimmer trat, war die Hühnerkeule nicht mehr da. Am Abend öffnete er wieder das Fenster. Der Wind wehte heftig. Der Fürst klappte den Kragen seines Hemdes hoch und sah den Hund hinter der Tonne erscheinen. Zielstrebig lief er zu der Stelle, wo gestern die Keule gelegen hatte, schnüffelte und hob den Kopf zum Fenster des Fürsten hinauf. Dann drehte er sich um und schlich hinter die Tonne zurück. Es wurde dunkel und schon erloschen alle Lichter. Der Fürst stand noch immer am Fenster. Seine Wangen wurden vom Wind immer kälter und dann von den Tränen, die über sie hinwegflogen, eisig und taub. Im ganzen Schloß war es jetzt still. Der Fürst schloß das Fenster, entzündete eine Kerze und schlich den Gang entlang, die Treppen hinunter, zum Hof hinaus. Schon der erste Windstoß blies die Kerze aus und der Fürst überquerte, die Arme vor sich gestreckt, mit winzigen Schritten, den Hof. Als er die Wassertonne ertastete, kniete er nieder und kroch zum Versteck des Hundes hin. Der Hund winselte, bebte vor Angst und versuchte noch tiefer in den Winkel zu kriechen. Der Fürst griff in sein Fell und riß den Hund zu sich hinauf. Dann schlich er zurück. Niemand bemerkte ihn. Der Hund lag regungslos an seiner Brust und hatte sich mit der Schnauze in die Armbeuge des Fürsten gewühlt. Der Fürst brachte ihn in sein Schlafgemach und setzte ihn auf den Boden nieder. Der Hund flüchtete unter das Bett und verendete am nächsten Abend. Wieder stieg der Fürst nachts die Treppen hinunter und legte den Hund hinter die Tonne zurück. Doch schon am folgenden Tag, schien es ihm unmöglich, daß der Hund wirklich tot war. Vom Nachmittag ab, stand er wieder am Fenster seines Arbeitszimmers. Fast war es schon dunkel. Plötzlich sah er, wie eine Pfote hinter der Tonne hervorkam. Vor Freude wagte er gar nicht mehr aus dem Fenster zu blicken. Als er ein paar Nächte später wieder in den Hof hinunter stieg, war der Hund verschwunden.

Der Fürst stützte sich von der Wand ab und trat zurück ans Fenster. Der Diener überquerte den Hof in Richtung Stall. Der Fürst zog den Kopf zurück.

Noch nie hatte er mit jemandem über den Hund gesprochen oder andere über ihn reden hören. Dabei wußte er, daß die Diener sich über alles, was im Schloß vorfiel, unterhielten.

Untereinander verbargen sie nichts. Über einen toten Hund hätten sie bestimmt oft gesprochen. Zufällig hätte er es irgendwann hören müssen. Daß sich häufig Hunde in den Hof verirrten, war eine Lüge. Der Fürst kannte den Hof zu genau. Ruhe, wie heute, war selten. Der Fürst hörte die Stimme des Dieners und lugte mit einem Auge aus dem Fenster. Der Diener stand mit dem Kutscher nahe an der Wassertonne und blickte zum Fenster des Fürsten hinauf. Der Fürst wich zur Seite, duckte sich, schlich unter dem Fenster hinweg und eilte den Gang hinunter, dem Büro des neuen Verwalters entgegen.

Norbert Niemann

Wie man's nimmt:

Auszug aus dem gleichnamigen Roman

»vielleicht ist auch das Nichtsein individuell?«
(Imre Kertész: Galeerentagebuch)

»Komm rein Karl ist nicht da aber da ist Post für dich liegt irgendwo zwischen den Zeitungen. Aufm Tisch. Wieder mal vergessen einzuwerfen laß bloß den Umschlag mit der Briefmarke da Kaffee?«

Dann Lisas Schritte in die Küche, ihr schlampiges Schlurfen, das Rauschen der Rohre in den Wänden, als sie den Hahn öffnet. Sie setzt Wasser auf. Schönlein hört wie die Düsen zischen und wie mit diesen typischen winzigen Explosionen schlecht geputzter Gasherde der Flammenring mehrmals hintereinander ausgeht, bis er endlich brennen bleibt. Kaum steckst du deinen Kopf durch ihre quietschenden verschmierten Haustüren, duzen und behandeln sie dich wie ihresgleichen. In diesem Fall eine an sich wunderschöne bleiverglaste Jugendstil-Schwingtür aus Kirschholz, die das oberste Geschoß des Treppenhauses abtrennt. Sofort quillen Schönlein Kinderspielzeug, schmutzige Wäsche und zerfledderte TITANIC-Hefte entgegen, als er den ersten Fuß hineinsetzt. Staksend manövriert er sich da durch, geduckt unter der auf das Gerümpel und ihn heruntertriefenden nassen Wäsche, die an einer Wäscheleine im Gang aufgehängt ist. Schon der affektierte Klang ihrer Stimme stößt dich ab – dieser sich laufend überschlagende Singsang, beim Versuch wer weiß welche verschiedenen Tonlagen wer weiß welcher unbewußten Klischees gleichzeitig hinzubekommen. Schon da gehst du davon aus, daß dir in wenigen Sekunden eine Art provinzielles Poplady-Potpourri gegenübertreten wird –

ihr Hauch von Postpunk (schwarz das Leder wie die Kajal-Augen), diese Spur Madonna (aber in Haut und Knochen), Ex-Szene-Coolness mit Kaugummi – ein Mensch wie ein mieser Amateur-Video-Clip. Natürlich muß er jetzt auch noch auf ein Quietschtier treten. Da kann Schönlein schon nicht mehr anders, als sich ein bißchen gedemütigt fühlen. Nicht sehr, aber genug, um der Voreingenommenheit gegen eine Frau wie Lisa den Filter seiner sonst so vorzüglichen Höflichkeit zu entziehen. Er weiß nicht warum, und es ist auch jetzt die Zeit nicht, darüber nachzudenken. Vielmehr darüber, was sie wohl gleich sagen wird, wenn sie den Kopf durch die Küchentür steckt, um ihn auszulachen: ›Du, wegen deinen Schuhen tut's mir echt leid. Hier ist so ein Siff, du liebe Zeit! Aber Putzen ist morgen. Ey. Sorry!‹ Und Schönlein könnte sich bei einem sehr lästigen visionären Vorstoß in die allernächste Zukunft brüllen hören: ›Hör auf – ich bin keine verdammten Siebzehn mehr, und verscheißern kann ich mich selber, ja!?‹ Wenn er sich nur etwas anstrengen, sich darauf einlassen würde, wenn er bloß ein bißchen mehr Zeit hätte.

Aber er hatte keine Zeit – so wie er jetzt für längere Zeit zu nichts anderem mehr Zeit haben wird, als auf die Ereignisse zu reagieren, die da ins Rollen kommen. Es ist wie ein neuer Film, der sich plötzlich als Wirklichkeit herausstellt. Es ist wie einer von diesen Träumen, die dich aus dem Schlaf auffahren lassen, weil du darin das Gefühl hattest: dieser Traum ist ja gar kein Traum! Denn da taucht aus dem lilalackierten Türrahmen heraus tatsächlich Lisa Arnolds Kopf auf und sagt:

»Heute Waschtag. Sorry.«

Ohne jede Ironie. Eher mit diesem ein wenig unsicheren Lächeln. Dem freundlichen Ausdruck eines Menschen, der spürt, daß ihn von seinem Gegenüber Welten trennen. Trotzdem für Schönlein natürlich ein scheußliches Lächeln in einem scheußlich glatten Durchschnittsgesicht von weiblichem Gutaussehen. Der häßliche Kopf einer süßen Barbiepuppe, aus dem statt der zu erwartenden hohen Flötentöne heisere Alptraummelodien herauskommen. Alles an ihr stößt ihn vom ersten Augenblick an ab. Warum aber dreht er dann nicht um jetzt? Er hat doch kein Wort bis dahin gesagt! Sie hat natürlich eine Antwort nicht abgewartet, als wäre es absolut eine Selbstverständlichkeit, als müsse alle Welt jederzeit Zeit zum Kaffee trinken haben. Dazu hätte Schönlein ja nun doch wirklich die Zeit heute – aber man nimmt sie sich doch nicht freiwillig zu Dingen, die einen anwidern! Also warum sagt er nicht: ›Wären Sie so freundlich und würden Karl ausrichten, er soll mich anrufen? Ich hätte Arbeit für ihn. Auf Wiedersehen.‹ Und wie geplant runter zum Steinchen schmeißen an den Fluß?

Schönlein geht zum Tisch im »Wohnzimmer« und beginnt in dem Haufen alter Zeitungen, Reklame und Post nach Karls Brief an ihn zu kramen. Tatsächlich findet er ihn sofort, wühlt aber blind weiter im Papier herum. Sich unauffällig in der Wohnung umsehen, in der er seit mindestens zehn Jahren nicht mehr gewesen ist, wie ihm plötzlich bewußt wird. Immer am Eingang alles erledigt. Karl, meistens verschlafen in Unterhose, hat die Schwingtür einen Spalt geöffnet, und wir haben immer alles zwischen Tür und Angel geregelt. Nichts! Da hat sich ja nichts verändert! – Schönlein hat tatsächlich den Eindruck, als wäre hier gar rein die Zeit stehengeblieben. Nicht einmal ein neues Plakat an der Wand, immer noch dieser eklige Dali-Christus, immer noch Lucky Luke-Comics auf dem abgewetzten Ledersofa, immer noch die kleine häßliche, mit rosa Pockenpünktchen verzierte Mozart-Büste auf dem bestimmt immer noch unbespielbaren Klavier. Nur noch kaputter das Ganze. Noch mehr Stockflecken, noch penetraner der Mief nach Fäulnis und dem kalten Zigarrettenrauch des starken, schwarzen Tabaks, den Karl schon immer geraucht hat.

»Hi«, Lisa kommt mit der Kaffeekanne und zwei von diesen dicken bunten Supermarkt-Tassen für 1 Mark 79 Pfennige.

»Hi«, antwortet Schönlein und tut so, als hätte er gerade endlich den Brief im Stapel entdeckt. Etwas linkisch sein Theaterblick (Schönlein ist das Lügen nicht gewohnt), heuchelt er jetzt natürlich volle Konzentration auf den Zeitungshaufen, und das gehört auch zu den Befremdlichkeiten, daß ich mich ganz genau an den blödsinnigen Satz erinnern kann, den ich dort unwillkürlich in einem Werbeprospekt gelesen habe. »Das soll uns mal einer nachmachen!« Keine Ahnung in welchem Zusammenhang. Absurd, vollkommen absurd!

Was reden jetzt? Peter Schönlein sieh Lisa Arnold ins stark geschminkte Gesicht hinein (Lippenstift, Wimperntusche, Puder. Aber die Haare unfrisiert, regelrecht verfilzt. Und dieser Schweißgeruch!), ringt sich einen freundlichen Ausdruck ab und weiß es nicht. Er schaut zur Kaffeetasse hinunter und entdeckt in ihr einen klebrigen Rand, wahrscheinlich vergorene alte Milch. Schönlein weiß, daß er Herpesblasen auf den Lippen bekommen wird, wenn er daraus trinkt. Er schaut in die Tasse und denkt, ich werde daraus trinken müssen, denkt, wenn ich nicht aufpasse, würgt es mich gleich. Da läßt Lisa auch schon einen dicken schwarzen Strahl viel zu starken Kaffees leicht überschwappend in sie herunterklatschen. Schönlein sieht zum Fenster hinaus. Das heißt, durch die nahezu vollständig verglaste Nordseite des Zimmers, die schräg zum Giebel hin abschließt. Karl hat es schon zu Gymnasialzeiten eingebaut. Gemeinsam mit Freunden. Damals, als Karl allen Ernstes glaubte, er würde ein genialer Maler werden. Schönlein hatte mitgeholfen, obwohl er Karls Selbsteinschätzung weiß Gott nicht teilte.

»Wo ist dein Kind?«

»Kindergarten.«

»Schon?«

»Felix ist fast vier.«

(Andererseits beim Reden das bestimmte Gefühl, wir würden uns eine Ewigkeit kennen! Wie deine kleine Schwester, die dir beim Frühstück gegenübersitzt. Der Slang gefällt dir nicht, den sie seit neuestem spricht, ihre immergleichen Mädchenprobleme öden dich an. Ihr neuer Boyfriend trägt die falschen Klamotten. Aber in der Nacht legst du dich doch zum Plattenhören zu ihr ins Bett...)

Der große Ast der kolosalen Haselnuß hinter dem Haus ist wohl vom letzten Sturm halb heruntergerissen worden. In die klaffende Wunde scheint weiß und gold die Sonne. Blendend weißer Riß. Da hüpft plötzlich ein kleiner Buntspecht im Bild hin und her, wirklich, es ist ein Buntspecht, heller Bauch, schwarz und rot...

Sie schweigen. Er trinkt. Lisa steckt sich eine Zigarette an.

»Milch? Zucker?«

Schönlein schüttelt den Kopf, sieht die Arnold über den Tassenrand an. Was nur mit der reden? Einer abgerissenen, vielleicht fünfundzwanzigjährigen Jugendkult-Nuß aus V. in Niederbayern? Alles, was er ihr sagen könnte, wären Abschätzigkeiten und Demütigungen. Etwa: ›Was tut so eine wie du bloß den ganzen Tag?‹ oder: ›Geh dich jetzt erst mal waschen. Du stinkst, daß mir gleich schlecht wird.‹ Unbegreiflich so ein Mensch für ihn. Unvorstellbar, mit so einer wie als Frau umzugehen.

»Kommt ihr über die Runden? Habt ihr genug Geld?«

»Doch, doch. Kein Problem...«

Und dann legt sie los. Zum Glück legt sie los, und erzählt und erzählt mit ihrer unangenehmen, kieksenden und verrauchten Stimme, die viel zu laut und viel zu durchdringend ist, mit ihrem unschönen Grinsen, das die braunen, nach innen stehenden Schneidezähne entblößt. Und Schönlein sitzt ihr gegenüber und ist endlich diesen Druck los, muß nicht mehr sprechen und nicht mehr Kaffee trinken und hört ihr zu und betrachtet sie, vertieft sich in ihr Äußeres, verliert sich in diesen Vertiefungen, hört ihr dann manchmal nicht mehr zu, hat nur noch das Lärmen einer unerfreulichen Stimme im Ohr. Und schließlich ist es doch ein bißchen wie am Fluß sitzen. Lisas unausgesetztes Labern ist das träg und trübe vorbeistrudelnde Wasser, und die Kiesel, ja die Kiesel, die Peter in der Wurfhand wiegt...

Lisa hat wirklich keine finanziellen Probleme, denn sie hat geerbt. Sie hat soviel von ihrem Großvater geerbt, dessen einziges Enkelkind sie ist, daß sie an sich von den Zinsen, die das Erbe abwirft, sehr gut leben könnte. Nein, sie hat es allerdings eigentlich nicht nötig, bei Karl rumzuhängen. In dieser Bruchbude. Sie könnte sich locker eine Vierzimmerwohnung leisten, wo sie Felix dann ein richtiges Kinderzimmer einrichten könnte, die müßte nicht einmal besonders billig sein. Mit Garten und Terrasse. Oder sanierter Altbau mit Hinterhof vielleicht. Manchmal denkt sie auch, daß sie überhaupt eine bessere Umgebung für Felix, für eine bessere Kindheit als die hier schaffen müßte. Mit dem versoffenen Karl, der irgendwann am frühen Nachmittag vom Hochbett runterkommt. Verpennt, mies gelaunt. Der erst einmal drei, vier Aspirin einwirft und dann stundenlang unansprechbar hier rumhockt, ab und zu das Kind anschnauzt, weil es ihm immer zu laut ist. Um sie irgendwann um fünfzig Mark anzupumpen, die sie ihm immer ohne jede Widerrede gegeben hat. Woraufhin der sofort abhaut, ohne sich noch jemals bei ihr bedankt zu haben. Ins Atelier sagt er. Ins Bräustüberl weiß Lisa. Du hast das Geld ja, sagt Karl. Lisa ist es egal, was er sagt.

Ich betrachte ihre Hände, diese langen, viel zu langen Spinnenfinger. Alle Finger hysterisch ausgestreckt und durchgedrückt, wenn sie an der Zigarette zieht. Dabei redet sie unausgesetzt weiter. Spricht in diese verkrampfte Hand hinein, daß bei dem, was dann zu hören ist, kaum noch von Sprache gesprochen werden kann. Stößt einzelne Wörter aus, während sie an der Zigarette zieht. Während mit den Lippen sämtliche Hautpartien drumherum ins Mundinnere hineingesaugt werden. Das zu küssen, sich einbilden. Ihre spitze, dünne Nase würde mir ein Loch durch die Backe stechen. Schau auf die Hände! Schon ins Dunkelbraune gehende Nikotinflecken an Zeige- und Mittelfinger. Die selbstgedrehte Zigarette: seitlich weggeknickt – mit solcher Verbissenheit drücken die Finger zu. Sich vorstellen, diese Hand zu streicheln. Wie es erschrecken würde, wenn sie die Zärtlichkeiten versuchen wollte zu erwidern. Denk dir nervöse, hektische, kratzige Stecken, wie von hinten, wie plötzlich von hinten auf der Haut deines Rückens...

Karl machte es wenigstens Spaß, sich zu betrinken. Behauptet er jedenfalls. Aber ihr, Lisa, würde nicht einmal etwas mit dem Saufen Vergleichbares einfallen, wenn sie mal einer fragen würde, was denn ihr persönlich so Spaß im Leben macht. Wie der Felix noch ein Baby gewesen ist, das war schon noch was anderes. Aber sie kann nicht ein Kind nach dem andern in die Welt setzen. Damit es denen dann allen so geht wie dem Felix jetzt. Der nervt sie inzwischen nämlich hauptsächlich. Nein, was sie meint ist: Warum sie sich auf den nächsten Tag überhaupt freuen soll. Die nächste Woche, das kommende Jahr und so weiter, die Jahre, dieser Alterungsprozeß – ich trau mich ja schon jetzt nicht mehr in den Spiegel schauen! – dieses ganze verfickte Leben als Verfall, das noch vor ihr liegt. Sagt sie: Kino, lügt sie. Das heißt, sie geht logisch schon gern ins Kino. Sie liest zwar selten, aber auch gerne mal ein gutes Buch. Oder Bilder, Bilder findet sie auch gut, so ab und zu Bilder anschauen. Ja und Picasso, logisch Picasso, mag sie logisch schon sehr. Oder Musik, eigentlich keine so bestimmte Richtung. Selber Musik machen findet sie theoretisch am besten. Eine Superidee. Saxofon zum Beispiel. Aber wo Lisa doch total unmusikalisch ist.

Wie sie den Kaffee schlürft. Wie sie die Tasse hält. Wie sie beim Reden mit den Füßen scharrt. Wie geschmacklos das T-Shirt, wie klein ihr Busen, wie ausdruckslos schwarz die Augen – zwei stumpfte Knöpfe! Wie ungeschickt sie gelegentlich die unappetitlich strähnigen Haare in den Nacken wirft. Mein Gott, wie sie ununterbrochen vergebens versucht, irgendeine Figur als Frau abzugeben! Was für einen Sinnmüll sie quasselt. Sie ist wirklich eine häßliche Plastikpuppe mit eingebautem Leerlaufprogramm. Ein billiger Witz-Automat – wenn du ihn antippst, sagt er seine Idiotensprüche auf. Ein Behälter, eine Schachtel, eine Hülle, die nichts zu verhüllen hat. Greif- und tastbares Stück Nichts. Glaub mir – sie ist das reinste Außenrum. Nimm sie in die Hände, schüttle sie, und nichts wird herausfallen. Mach das Ding doch mal auf! Es öffnen, reinschauen, es betreten und hinunterwerfen … – nichts. Nicht einmal ein Echo. Was kann man mit so einem Menschen anfangen …

Nein, kichert Lisa hinter vorgehaltener Hand, drückt die Zigarette aus und dreht sich eine neue, ist logisch alles gelogen, alles Show, alles Theater. Logisch kennt sie sich szenenmäßig voll aus. Ist doch klar, daß sie sich da voll auskennen muß. Schönlein soll sie doch bloß einmal genauer anschauen. Wenn eine Frau aussieht und ein Leben führt wie Lisa, sagt Lisa, dann muß sie sich logisch auch szenemäßig voll auskennen. Aber trotzdem. Ein Körnchen Wahrheit – wie die Spießer sagen – ist auch dabei, wenn sie die Spießer-Rolle »Kunst ist Geschmackssache – und ich habe keinen« spielt. Es wäre nämlich trotzdem gelogen, wenn sie sagen würde, daß sie das wirklich interessiert: Szene. Uuh! Ist doch dasselbe Banausentum in Bunt. Deswegen würde sie manchmal auch schon wieder lieber so sein, wie sie gerade versucht hat, sich darzustellen: Absolut durchschnittlich. Totales Mittelmaß. Wirklich von Chagall-Postkarten begeistert sein können. Oder von HIN&MIT-Wohnzimmern. Das würde wenigstens nicht lügen.

Kein Mensch – das gleichzeitige Rauschen aller Programme. Sie ist alles und jede. Sie ist nichts. Ein Fließen ohne Begrenzung. Kein Körper – eine Überschwemmung. Konturlos. Keine Frau – ein Empfänger. Die Regler bewegen sich aus purem Zufall. Die Stimmen schleifen an den Frequenzen entlang. Man müßte sie, diesen Stoff, dieses Ding, der Macht der Beiläufigkeiten entreißen. Die Hebel fixieren, den Klang modulieren, die Frequenzbreite drosseln. Man müßte mauern, Panzer bauen, das quallende breiige Etwas zurückstauen. Ihr den Körper wiedergeben. Sie zur Frau machen. Man müßte sie formen können. In diese glitschige Ekelhaftigkeit ihres Un-Wesens hineingreifen, Lisa berühren können, und Lisa formen.

Nein, das wird jemand wie er, Schönlein, logisch nicht verstehen können. Daß das ein Ziel sein kann für eine, die so vergammelt und exzentrisch aussieht wie sie: Gewöhnlichkeit. Logisch für einen Schönlein nicht nachvollziehbar. Das heißt, logisch geht es Lisa nicht wirklich darum, naive Geschmacklosigkeiten gutzuheißen. Das heißt, das ist es, warum sie hier bei Karl rumhängt und nichts tut. Sie muß endlich herausfinden, was sie eigentlich wirklich tun will. Sie will sich in einer Situation einrichten, in der das, was sie ist – nämlich genau die blasierte, abgefuckte, faule Jugendkult-Nuß, für die du mich hältst – ihr in jeder Sekunde in verkommenster Form sichtbar und spürbar bleibt. Um aus dieser Unerträglichkeit heraus den Sprung schaffen zu können. Den Sprung zurück in die – er solle nicht lachen über dieses Wort – Einfalt. Oder zurück zum ersten Menschen, der sie einmal gewesen sein könnte.

In meiner Einbildung stehe ich jetzt auf, so langsam und lautlos, wie es in Einbildungen möglich ist. Ich sträube mich dagegen, aber da bewege ich mich schon. Um den Tisch gehe ich, während der Schwall ihrer Wörter sich fortergießt, während sie ihre dritte Zigarette zwischen den Fingern quetscht. Ruhig und mit der sachlichen Aufmerksamkeit eines Ingenieurs schlage ich ihr mit dem Handrücken mitten ins Gesicht, so daß ihr Kopf seitlich nach hinten gegen die Stuhllehne knallt. In meiner Einbildung tut nichts weh – ihr der Kopf, mir die Hand nicht. Trotzdem beginne ich wirklich zu schwitzen. Ich weiß nicht, rührt es von der vorgestellten Anstrengung, rührt es vom Ekel vor dieser Anstrengung her. Und das Blut sickert sofort aus Lisas Nase, rinnt ihr zum Mund hinunter, der immerzu weiterspricht und weiterspricht, während die Zähne sich rot färben...

280 Dafür ist es hier geradezu der ideale Ort. Lisa wird von nichts abgelenkt. Sie muß auf nichts Rücksicht nehmen. Sie kann Felix jederzeit zu ihrer Mutter bringen. Lisas Mutter holt ihn sogar jeden Tag in der Früh ab zum Kindergarten. Sie bräuchte also nicht einmal aufzustehen. Felix zieht sich schon lange allein an. Aber Lisa steht mit Felix auf. Und dann frühstücken sie miteinander. Und dann ist Felix weg. Und Lisa sitzt am Tisch. Alles ist still. Nur Karl wälzt sich über ihr ab und zu im Hochbett. Da raucht sie dann immer erst mal eine. Und noch eine. Und saugt diese ganze widerliche und sinnlose Atmosphäre, die dieses Haus ausstrahlt, mit dem Zigarettenrauch förmlich in sich hinein. Sie spürt jeden Morgen wieder in aller Deutlichkeit, wie abstoßend und entleert so ein Leben sein kann, und wie abstoßend und unnütz speziell das ihrige, ihre Anwesenheit auf dieser Welt tatsächlich ist. Sie fühlt sich als Zentrum mitten in dieser Widerlichkeit hocken, fühlt, wie von ihr ausgehend der Raum um sie herum unentwegt vergiftet worden ist und weiter vergiftet wird, bis ihr wirklich schlecht vor Selbstekel geworden ist. Wenn sie so weit ist, dann raucht sie noch eine, und wartet in aller Stille darauf, ob sie da dann irgendeine Art Aufbäumen in sich entdecken kann. Ein Verlangen nach irgendwas. Eine kleine Nervosität wenigstens. Unbestimmter Bewegungsdrang. Manchmal fällt Lisa auch tatsächlich gegen alle Erwartung ein, was sie jetzt unbedingt tun muß. Heute zum Beispiel Waschen und Saubermachen. Aber das ist eher selten. Meistens sieht sie aus dem Fenster, denkt, dieser Blick aus dem Fenster, auf die alte Haselnuß, auf das Licht, die Vögel, den Wind, die dort spielen, das ist doch wunderschön, denkt, schau hin, hör auf zu denken und finde es wunderschön jetzt, aber sie kann es nicht. Denkt: Ich weiß, es ist schön, aber ich kann es nicht sehen. Lisa spürt es einfach nicht. Ab und zu, aber nur wenn sie ausnahmsweise was zum Frühstück gegessen hat, hat sie sich sogar schon wirklich übergeben müssen. Deshalb ißt sie seit einiger Zeit bis nachmittags gar nichts mehr.

Tack. Ich schlage ihr ins Gesicht und sie spricht. Immer öfter, immer rhythmischer schlage ich zu, während ihr Sprechen gleichmäßig weitergeht. Tack. Jeder Schlag ist wie eine Zäsur ihres Textes, dort wo sie kurz Atem schöpft. Am Ende jeder Sinneinheit fällt meine Hand in ihr schon aufquellendes, blutverschmiertes Gesicht. Tack. Der Kopf schlägt nach hinten gegen die Stuhllehne, und sie spricht weiter. Tack. Dann kommt der Hieb bei jedem Punkt. Tack, jedem Komma, tack. Meine

Hand tack markiert den Takt tack des metronomischen Pendels tack, der ihr tack Kopf tack ist tack tack tack. Ihre Stimme aber flutet unbeeindruckt darüber hinweg... Meine Hände greifen ihr unters T-Shirt. Ich packe ihre verdammten Titten wie die Zipfel zweier Müllsäcke. Ich weiß, in bin so böse, so schlecht, aber ich bin so fühllos. Schuld, die nicht nach Schuld schmeckt. Ich packe sie mit aller Kraft bei den Schultern und rüttle sie. Ich bin ein Dreckschwein, das weiß, daß es ein Dreckschwein ist, und trotzdem weitermacht. Meine Nägel graben sich so lange in ihr Fleisch, bis sie die klebrige Wärme des Blutes spüren. Es irritiert mich, daß mich sogar Blut nicht irritiert. Ihr strähniges fettiges Haar, das mir über mein Gesicht streift. Ein Geruch von kaltgewordenem Frittieröl. Wir fühlen keinen Schmerz. Es ist ein Ritual, eine Trance. Wir befinden uns in einem roten Raum ohne Töne. Ich bin dessen Architekt. Ich stemme sie brachial auf den Tisch, auf die Broschüren und Zeitungen. Sie redet. Dabei weiß ich, daß sie immer weiß, was ich will von ihr. Immer weiß sie, daß sie zu leben lernen muß, daß ich sie dazu zwingen werde, daß sie ihren Meister gefunden hat. Sie will es ja, ich bin sicher...

Sie ißt nichts und spürt nichts und sitzt nur da. Und sie weiß nicht, woher es kommt, aber oft muß sie ganz plötzlich an ihre Generation denken und an diese furchteinflößenden Generationen vorher. Die gesamte deutsche Nachkriegsgesellschaft grundsätzlich abstoßend und falsch finden müssen, denkt Lisa dann also. Logisch. Immer noch und immer wieder diese komische, radikale Mischung aus unbeholfener Verdrängung des Dritten Reichs und dennoch ungebrochen, nur in absonderlicher Gestalt in Erscheinung tretend: der Stolz Deutscher zu sein, wie Lisa sie noch bei den Großeltern erlebt hat. Aber genauso falsch und unerträglich – die ebenso komische und ebenso radikale Antwort darauf. Zum Beispiel die ihres Vaters. Begreifliche Anklage der eigenen Eltern und zugleich maßlose Selbstanklage. Abscheu gegen alles eigene Deutschsein, bis zum totalen Selbsthaß. Deutschland – Land der radikalen Übertreibung und radikalen Eitelkeit – eitel bis in den Ekel vor der eigenen Eitelkeit. Deutschland – eine Nation von Radikalen für sie: entweder sie sagen radikal ja oder radikal nein, entweder sie fühlen total oder total nicht, entweder sie feiern sich als Fußballweltmeister am besten und ausgelassensten auf der Welt, oder sie verweigern das Singen der Nationalhymne. Sie, Lisa, ist logisch auch Deutsche – genaugenommen auch Nachkriegsdeutsche, Tochter und Enkelin des einen übergreifenden Komplexes und Unvermögens. Das, was sie unter ›Nationale Identität der Deutschen‹ versteht. Aber sie hat die Schnauze voll. Ihr Vater, der 1977 nach der Schleyer-Stammheim-Sache im Haus herumgelaufen ist und allen sagte, daß er sich in Kürze aufhängen werde, bah! Ob sie es hören oder nicht hören wollte – auch der Tochter, auch der kleinen Lisa, die damals fünf oder sechs war. Identitätsscheiße. Er hat es logisch nicht getan, hat statt dessen eine Managementberatung gegründet und ein altes Bauernhaus mit zehn Hektar Land in Italien gekauft. Halbes Jahr Betriebssanierungen, halbes Jahr italienischen Bio-Käse ansetzen. Und das ist nämlich Lisas Geschichte, denkt Lisa dann, und sie denkt sogar manchmal, es ist eine exemplarische Geschichte. Denn welche Alternative bleibt einer 68er-Tochter und Nazi-Enkelin übrig, als sich radikales Mittelmaß, absolute Normalität zu wünschen? Wenn sie schon durch ihr Deutschsein als Nachkriegsdeutsche zur Radikalität gezwungen ist? Wenn im Laufe der letzten fünfzig Jahre schon der Stolz und der Haß aufs Deutschsein immer eine einzige Katastrophe der Übertreibung gewesen sind? Wenn sie sich als Jugendkult-Nuß schon unbedingt verweigern, im Fall ihrer Generation sogar der Verweigerung verweigern und Spießbürger werden muß?

Ich reiße ihr die Kleider in Fetzen und fessle sie damit. Ich versuche sie zu hassen, mich zu hassen. Ich ziehe den Gürtel ab und lege ihn ihr um den Hals. Ihr hilflos nackter Körper vor meiner Gemeinheit. Jetzt würge ich sie, bis ihr Gesicht erst weiß, dann blau wird. Wir fühlen und fühlen nichts. Mein sachliches Interesse ist unerschütterlich, dessen Vergeblichkeit vollkommen. Lisa spricht ihren Text.

Jedenfalls hat sie es heute immerhin geschafft, den Wunsch zu waschen und sauberzumachen bei sich aufkommen zu lassen. Ja, Lisa wäre manchmal einfach gerne Hausfrau. Und daß sie nicht damit fertig geworden ist, weil Peter Schönlein aufgetaucht ist, das findet sie jetzt auch nicht schlimm. Sie würde gerne eine adrette Hausfrau in einer adretten Wohnung sein, auf adrette Art einen Freund ihres Mannes bewirten, und sonst

gar nichts. Aber daß sie ihn vollalbern hat können, findet sie
jetzt auch okay. Nicht daß sie auf diese blöde Therapeuten-
und Softie-Nummer reinfallen würde. Um Gottes willen! Lisa
zündet sich eine Zigarette an. So ist es, ja. Ob Schönlein es sich
wohl vorstellen könne – sie als gepflegte Hausherrin? Oder mit
selbstgestrickten Mohairpullovern, wenn sie langsam kauend
ihre BRIGITTE-Diät ißt? Na, da müssen wir jetzt aber beide
lachen, was. Ja, was Lisa eigentlich nur die ganze Zeit sagen
wollte, ist, daß das momentan wirklich ihre Arbeit ist. Herausfinden wie das geht: normal sein. Daß sie also damit noch nicht
gerade weit vorangekommen ist, weiß sie logisch auch. Denn
daß es im Leben darauf ankommt, zu wissen, worauf es in
einem Leben ankommt, ist logisch absolut logisch. Aber daß es
nicht reicht zu sagen, daß dieses Leben ein normales Leben sein
soll, ist logisch absolut genauso logisch. Zugegeben recht bescheiden ihre Arbeitsergebnisse bisher. Äh, was sie einfach
meint: daß sie gut leben will, daß sie richtig leben will. Ja, das
will sie, das weiß sie. Aber nicht, was das auch nur ansatzweise
sein könnte: gut und richtig. Weshalb sie wahrscheinlich noch
eine ganze Zeit hier im trostlosen Kreiner-Haus sinnlos rum-
hängen und sich die Lungen kaputtrauchen wird. Denn logisch
ist eine Hippietochter eine Hippietochter, auch wenn sie mit
Hippievorstellungen wirklich längst nichts mehr am Hut hat.
Oder klingt ›gegen den Strom schwimmen‹, ›verrückt‹, ›spontan‹ sein, ›in keine Schublade passen‹, ›provozieren‹, ›Tabus
brechen‹, ein Witz wie ›ich bin Querdenker‹ und so weiter …
ich meine, ob das in seinen, Schönleins Ohren nicht auch absolut lächerlich klinge?

Dann lasse ich meine Hosen runter, dann weiß sie, was sie zu
erwarten hat, dann werde ich sterben wollen, dann wird sie
verstummen…

Ein verhalten verschämter Schluchzer, Lisas Hand mit der Zigarette zittert, die schwarze Schminke um ihre Augen ist jetzt
ein ganz verschmierter Brei.

»Ja«, sagt Peter Schönlein, steht auf und geht um den Tisch,
284 »ja«. Er steht und sie sitzt. Er sieht zu ihr hinunter, sie sieht zu
ihm hinauf, und sie schweigen. Dann legt er seine Hand sanft
an ihre Wange.

Sibylle Lewitscharoff

Pong

Auszug aus dem gleichnamigen Roman

Einem Verrückten gefällt die Welt wie sie ist, weil er in ihrer Mitte wohnt. Nicht irgendwo in irgendeiner Mitte, sondern in der gefährlich inschüssigen Mittemitte, im Zwing-Ei. Ein unbedacht aus diesem Heikelraum weggerücktes Haar brächte die Welt ins Wanken und dann auf Schlingerkurs Mond Sonne Milchstraße ade systemwärts é – é. Das alles weiß der Verrückte genau und hütet sich, zum Beispiel seinen Arm in eine zu hohe Grußstellung zu heben, damit nicht Unglücke geschehen, Felsbrocken herabstürzen, große Brocken auf kleine, noch größere auf schon stattliche, und die zarten Angeln zerbrechen, in denen die Welt hängt. Ihm, das versteht man ja leicht, sind nur winzige Bewegungen erlaubt, und es schmerzt ihn, wenn man ihn von einem Bett ins andre trägt oder in ein schiefes Zimmer stellt, denn er liebt die Welt wie sie ist, er liebt sie, er liebt sie. Und sonst? Noch irgendwelche Sorgen? Ja. Leider Sorgen die Menge.

Die Sorge, daß ein Knopf abspringt.
Die Sorge, daß man ihn bloß hingekritzelt hat.
Die Sorge, daß seine himmlischen Verbindungen verlorengehen.
Die Sorge, daß man durch seinen Nabel Frost einbläst.
Die Sorge, daß falsche Gemahlinnen ihn bei Gericht verklagen.

Der Mann besteht aber nicht nur aus lauter Sorgen und Vorsicht. Plötzlich bekommt er einen gewaltigen Appetit. Obendrein einen Durst, der ihn befähigt, den Pazifischen Ozean auszusaufen. Wieder was weggemacht, beglückwünscht er sich nach jedem Schluck und Bissen. Bald ist sein Leib geschwollen, weil schon die ganze Welt darin Platz genommen hat und ein vielfäustiges Herrenleben in ihm führt. Fliegt da noch irgendwo ein Mauersegler und stößt einen kleinen Mauerseglerschrei aus, tut der Mann den Mund auf, und damit gut. Warum also sollte er die Welt nicht lieben. Es gibt keinen Grund. Ihm gefällt aber nicht nur die Welt als Ganzes, sondern auch in ihren Teilen. Teilen, die womöglich schadhaft sind und trotzdem von ihm geliebt werden, ja gerade darum mit einem Herzen, das dringlich an die Innenwand des Leibes klopft, geliebt werden.

Es fängt damit an, daß der Mann erkennt, wie die Welt in allen ihren Einzelheiten, und bevorzugt in ihren kleinsten, eine Botschaft für ihn bereithält. Das Lindenblatt, das vor ihm im Wind glitzert, bekennt seine Mitschuld am Tod des Nibelungen Siegfried und fordert ihn auf, einmal mit dem Finger über es zu streichen und die kaum mehr zu tragende Schuld fortzuwischen. Er tut es und hat nun einen Tropfen fremder Schuld am Finger hängen. Als ein zu frischen Taten aufgelegter Schmerzensmann verläßt er den Garten.

Er läuft auf der Straße einer stark parfümierten Frau hinterdrein, die ein Kind mitzerrt und häßlich auf es hinunterredet. Heldenhaft macht sich der Mann daran, das ihm ekelhafte Parfüm, dessen verheerende Wirkung auf das Kind er fühlt, einzusaugen, damit ein reiner Luftraum entsteht, in dem das Kind atmen und einen Gedanken in Schönheit denken kann. Es fruchtet natürlich wenig, das ist dem Mann klar, aber eine Scheu, sein Vorhaben möchte falsch ausgelegt werden, hindert ihn, vor der Frau herzulaufen und dort ihr Parfüm wegzuatmen, wo es ja viel wirkungsvoller wäre. Er faßt sogar den Plan, das Kind bei der Hand zu nehmen und ein Stückchen mit ihm zu rennen, läßt es aber sein, weil er ihn abgeschmackt findet, den Wettlauf Gut gegen Böse. Bald darauf macht er sich Vorwürfe, daß es ihm an Mut gefehlt hat.

Derselbe, dem wir sein gutes Herz gleich angemerkt haben, befindet sich wenig später als Sitzperson im Taxi. Was ist mit dieser werten Person? Hat ihre Leibhülle ein Loch bekommen, vielleicht an dafür nicht vorgesehener Stelle? Ihre Hände jedenfalls haben jetzt Zitterfinger, zu nichts gut. Was geht im Kopf des Mannes vor? Warum sind seine Augen so starr? Es ist das Flimmerheer der tausend Zeichen, das seinen Kopf malefiziert, Kurfürstendamm, die breite Einfahrt zur Hölle, Blinkzeichen rechts ein Nebenabzweig zur Hölle, Blinkzeichen links dito, alle Zeichen dito, Fisch im Bikini dito dito, Befehle von überallher, Bleibtreu-Befehl, Uhland-Uhrzeigbefehl, Litzenfehl-Obachtbefehl, Fasanen-Rupfbefehl, zig zig Eisschleckbefehle, Bratbefehle, Ohrverderbbefehle, Lupf-die-Tassen-Befehle, Hosenplatzbefehle, Blutacker, ein schlimmer Haarbürstbefehl, Blutacker, ein Erbrechen von Grün ein Erbrechen von Gelb ein Erbrechen von Rosa, und Zähne und Lichter und wehendes Haar, die tückischen Verschwörer lächeln, und nirgends der felsige Pfad um die Biegung hinauf, und keine Mulde wohinein die Hände und kein Loch wohinein der Kopf und keine Grube dahinein der Leib. Seinen Schamhut stülpt der Verrückte über die ganze arme Person, Salpeterblumen brechen aus seiner kalten Haut, und gewiß wird er bald schreien, doch bevor er dies tut, wenden wir uns ab. Wozu sollte uns kümmern, daß jemandem die Welt nicht gefällt wie sie ist.

Es ist an der Zeit, den Mann mit Namen vorzustellen. Er heißt Pong. Nur Pong. Die, wie man sagt, äußere Erscheinung von Pong? Mittelgroß, nicht alt, nicht jung. Blond! Gewiß ein nicht unschöner Mann. Zumal er Ohren hat, die durch die Spitzen seiner dünnen Haare brechen, Ohren, mit denen er ängstlich auf alles hört. Sein Gesicht ist kein Haufen, auf dem alles wild durcheinanderwächst, es ist ein von hoher Hand geordnetes Experiment, und die Augen darin sind vollkommen. Ins Graue, ins Grüne spielende Augen. Unter ihnen ein Polster aus Drüsenflüssigkeit, aber nicht zart, nicht vom Weinen, nicht von Kummer geschwollen, sondern eher hart wie Schwielen.

Ist etwas an dem Mann, was das Ballhafte oder Fausthafte im Namen Pong rechtfertigt? Auf den ersten Blick nicht. Wenn man aber die Sprungbereitschaft des ganzen Körpers nimmt – nie kommt es allerdings zum Sprung –, dann ja. Pong könnte sich, wenn er den Ehrgeiz dazu hätte, wie ein Vollgummiball durch die Straßen bewegen, vielleicht nicht ganz bis zum Fenster des ersten Stocks hochschnellen, aber bei den Leuten blitzartig im Erdgeschoßfenster erscheinen, das schon. Was er aus

Rücksicht auf seine Umgebung nie tut. Die herrlichen Federn in seinen Gelenken ließen es aber zu.

Wem verdankt er diese Befähigung, die ihn so leicht berühmt und zu einem Liebling der Frauen hätte werden lassen können? Es heißt, der Mutter. Von dieser Mutter, noch weniger vom Vater, ganz gewiß nicht von irgendwelchen Geschwistern, die ihm gern angedichtet werden, möchte er etwas wissen, noch mit Vergleichen zwischen ihm und den Eigenschaften dieser sogenannten Familie belästigt werden. Er steht hier vor einer unlösbaren Aufgabe, denn das Abschütteln der Verwandten verlangt Kraft, Spitzfindigkeit, verlangt, daß man die Beine setzt wie eine Gemse, aber auch, daß im rechten Moment nach der Peitsche gegriffen und nicht etwa davor zurückgeschreckt wird, die Rücken der Verwandten damit zu bestreichen. Erlahmen die Kräfte auch nur für einen Augenblick, ist man einmal zerstreut, kleben sich die Verwandten unbemerkt wieder an einen an und spielen sich als unentbehrliche Lebensbegleiter auf.

Will er zum Beispiel ein paar Schritte tun, tritt er gut gelaunt, ausgerüstet mit Regenhaut, Stock und Hut vor die Schwelle seines Hauses, wird jeder weitere Schritt von einem Baum vereitelt, der sich ihm in den Weg stellt. Nicht schwer zu erraten, welcher Baum ihm diesen Tort antut. Es ist der vermaledeite Stammbaum, auf den sich die Verwandten geflüchtet haben, um ihn von hoch oben, wo sie anscheinend sicher in ihren selbstgebastelten Nestkörben hocken, auszuzanken. Natürlich wehrt er sich, hat aber nur eine Nagelschere zur Verfügung, mit der schneidet er Rindenstücke weg und vertieft die Ritze, die er dem Baum bei ihrer letzten Begegnung beigebracht hat. Während er unten mit unzulänglichem Werkzeug herumkratzt, treibt die Mutter im Wipfel ihr Unwesen und lacht.

Er übertreibt freilich, wenn er behauptet, daß ihm das Verwandten-Abschütteln so schwer falle. Im Grunde ist es ja im Gegenteil sehr leicht. Wenn man das Problem von Adam her durchdenkt, ergibt sich ein anderes Bild. Unter dem titanisch dicken, titanisch langen Arm des Erzvaters drängeln sich Millionen von immer kleiner immer dünner immer blasser werdenden Menschen, der Ausläufer des Arms ist ein schlanker, an seiner Spitze nurmehr fadendünner Zeigefinger, und das Ende dieses Fadens ist provisorisch mit einer Eiderdaune und etwas

Hühnerdung auf dem Kopf von Pong festgeklebt, eine ruckhafte Bewegung mit diesem Kopf, und er ist den alten Adam mitsamt den Adamskindern und Adamskindeskindern los. Dann möchte er das Lachen der Mutter hören! Dann möchte er erleben, ob sie noch den Mut hat, ihm fünf Geschwister anzuhängen! Er kommt sich mit einem Mal gewitzt vor, ist gleichsam ein Senffaß voll mit überscharfem Senf, den sich keiner mehr so leicht auf die Wurst schmiert.

Der Stammbaum wird in Zukunft einfach umgangen und links stehengelassen, die Gespensterverwandten werden nicht mehr mit Gedanken dickgefüttert, ihnen wird keine Gelegenheit mehr gegeben, durch Kalkül und Kommentar auf ihn einzuwirken. Aus dem Morgendämmer will er eine Genealogie heben, in der er sich herleitet; man soll dieses Wunder an Selbstverzweigung nur aufmerksam studieren und daraus seine Lehren ziehen.

Zuerst wird er die falsche Ahnenliste zerstören, die überall in den Rathäusern ausliegt, in denen seine gesammelten Scheinverwandten auf ihre Existenz pochen, ansonsten aber ein Bummelleben führen. Stempel, Papier, Unterschriften, alles gefälscht. Die Akten schmutzig vom Schweiß der Betrüger. Er frißt einen Besen, wenn auch nur die kleinste Angabe der Wahrheit entspricht. Rein sei Pong, rein was er denkt, rein was er berührt. Eine erste Ahnung dieser Reinheit teilt sich seinen Fingerspitzen mit, die in prickelnder Selbstgärung beginnen, sich von all dem angehäuften Schmutz zu befreien. Alles lenkt sich ins Weite, entstrickt sich, rafft sich zu einem Hoffen Möchten Können auf, von dem er bisher nichts geahnt hat. Er wird jetzt eine Brücke zu Gott schlagen, was sich im Sturzgold früher Sonnenstrahlen jauchzend bestätigt. Wolken mit schräggekämmtem Haarflor, hinter denen ER sich verbirgt und auf seinen Scheitel schaut, sind in den Himmel gehängt. Schnüre langen von ihm bis dahin. Seine Trostbändel! Aus himmelseingeborenem Stoff, helle flüssige schlenkerige Fragen hinauf-, klare kurze wohlgeletterte Response hinabschreibend. Eine Schule des Glücks und kein Gesudel.

Zunächst die Frage, wie kam Pong in die Welt. Eine so bedeutende Singularperson, wie sie ja Pong unzweifelhaft ist, kommt nicht durch gewöhnliche Vermehrung in die Welt, sondern auf dem Wege der Vermehrung durch Entzweireißen. Für die Hervorbringung von Pong wurde eine andere, nicht besonders bedeutende Person, bedeutend allerdings im Hinblick auf Pong, zerrissen. Diese Ursprungsperson mag gut und freundlich oder windig und launisch gewesen sein, es interessiert nicht. Was aber interessiert, ist, daß diese im Grunde eher gewöhnliche Person den Entschluß faßte, einmal, und sei es nur für eine Sekunde, ganz der Wahrheit zu leben. In diesem unerhörten Moment legte sich aller Radau. Aus der bisherigen Person, nennen wir sie ruhig Hanna Faiß, wurde alles Unnütze, nicht auf die Wahrheit, nicht auf Pong hinarbeitende, mittels Ausblasen vertrieben. Eine Stille, die allen Geschöpfen die Ohren lang machte, setzte sich wie leuchtender Rahm auf die Welt, und es begab sich der Große Ratsch.

Pong war da. Schon groß. Mit allen Zähnen, allem Haar. Konnte laufen, konnte sprechen. War gescheit! Ob ein Mensch durch normale Geburt oder durch den Großen Ratsch in die Welt kommt, erkennt man an seiner Oberfläche. Der Normalbürtige hat die erst glatte, später faltige Schlüpfhaut der Blutgeburt. Pong aber hat die Spezialhaut des Ratschbürtigen, eine dünne, durchlässige Haut, die über andere Methoden der Abstoßung und Aufnahme verfügt als die Normalhaut. Mit der Luft geht zum Beispiel ganz leicht die Wahrheit durch sie hindurch, während Lügen ihr Filtersystem nicht passieren können. Im Kampf mit der Lüge wird die Haut aber sehr beansprucht. Daraus folgt, Pong lebt in einer Spezialhülle und muß aus Gefährlichkeitsgründen den Abschluß gegen die übrigen Menschen suchen. Und er hat seine Methoden, um sich die Menschen vom Leib zu halten.

Was aber folgt daraus in puncto Ahnen? Es folgt daraus, daß es Ahnen im üblichen Sinn gar nicht gibt. Was gemeinhin als Ahnen bezeichnet wird, ist im Gegenteil dazu verurteilt, durch hypnotisches Hinstarren auf Pong die unbequemste Lage in seinem Grab anzunehmen. Je nach dem, wohin Pong sich bewegt, ist dieses arme Gesterbs gezwungen, sich herumzuwerfen, herumzudrehen, damit seine Augenhöhlen noch einen letzten Schimmer von Pong auffangen. Das Gesindel labt sich an Pong, obwohl nicht zu ermitteln ist, worin diese Labsal genau besteht. Vielleicht weil Pong so brandjung ist, daß seine verhohlenen

Strahlen selbst Aschen- und Knochenwesen in ihrer Schüchternheit erglimmen lassen. Das kann aber nicht bewiesen werden und wird vermutlich immer ein Geheimnis bleiben. Eines ist sicher: diese Art Ahnen zählt nicht, weil Pong an ihnen nichts hat, sie aber viel an ihm. Eine sehr einseitige Bedürftigkeit.

Anders liegt der Fall bei den übrigen Spezialpersonen des Großen Ratsch; über die gesamte Menschheit verstreut sind es noch nicht mal hundert. Von Ahnen zu sprechen wäre hier unangebracht. Ein Großer-Ratsch-Mensch geht nicht aus einem anderen Großen-Ratsch-Mensch hervor, sehr wohl kann man aber von einer Brüdergemeinde im Geiste sprechen. Zur Erläuterung sollen hier ein paar Brüder aufgezählt werden, von denen er mitunter Rat und Aufheiterung empfängt:

Da gibt es Wezel Commerius, die Phönixschwinge. 1612 in die Welt getreten zu Rotterdam. Ein kraftvoll in allen Sehnen und Muskeln modellierter Mann. In seinen Augen das Lackschwarz von Käferrücken. Ein großartiger Schlittschuhläufer, dessen Geist auch in versetzten Zügen über die Welt hinfuhr, manchmal in eine übermütige Kurve umbrechend. Von dessen eleganter Kraft ist etwas in seine Beine geflossen, wofür er Wezel Commerius dankt.

Ferner Reinhold Ephraim Anz. Verweltlichung 1709 zu Carlsta. Unbescholtenes Leben. Neun Eheanträge weggeschüttet, wie man saure Suppe wegschüttet. Dafür reger Elektrisier-Austausch mit Katzen. Von Anz zu Pong ist ein Funke übergesprungen, der bewirkt, daß ihn der Alltag nie zuschäumt, daß ihm Einblicke gestattet sind wie keinem Menschen sonst, daß er dünnen Boden gefahrlos überschleicht und Fühlung mit der Welt durch ein gedachtes Schnurrhaar aufnimmt.

Sodann Ägipp, römischer Wagenlenker zur Zeit des Seneca. Von ihm hat er gelernt, wie die fortstürmende Brust gelenkt werden muß, damit der Karren mit seinen Gebeinen nicht am nächsten Prellstein zerschellt.

Dann der Große Windelband, Potsdam 1802. Lockere dehnbare Ansichten von der Welt. Dinge, die zu dünn sind oder zu spitz, alles Widrige, Störende umwickelt und aus dem Blickfeld geschoben. Hatte nie einen Schlüssel in der Tasche. Türen in gut geölter Aufhängung erhalten, sie immer nur angelehnt und bei Bedarf mit zauberischen Fingerspitzen aufgeschubst. Windelband und das Weib? Viele angetupft, in Häfen aber nie eingelaufen. So auch Pong.

Schön und gut, melden sich da von irgendwoher Zungen, die mit etwas Leimigem beschmiert sind, wir wollen aber wissen, ob diese Herren gestorben sind wie alle anderen. Ob sie verdarben. Oder wurde Todesverschonung über sie verfügt? Oder hat man sie in jemand anderen zurückversenkt? Zugenäht und fertig?

Er mag diese Frage nicht. Er wird sie nicht beantworten. Bitte eine andere Frage.

Gehören dieser sonderbaren Bruderschaft nur Männer an?

Ja.

Aber zu ihrer Hervorbringung sind auch Frauen nötig?

Ja.

Geschieht es auf herkömmlichen Liebeswegen?

Er kann es nicht verneinen, will es aber auch nicht lauthals bejahen. Frauen sind so wenig wirkliche Geschöpfe, daß selbst ein Mann wie Pong, der sich darauf versteht, die Geheimnisse der Welt zu ergründen, kaum je dahinterkommt, woraus sie gemacht sind. Am ehesten ist noch auf die Methode Verlaß, den Wert der Frau in Mark und Pfennig zu bestimmen. Da gibt es die Zweitausenddreihundertvierundzwanzig-Mark-Frau, der er schon mehr als einmal begegnet ist, sogar die Dreihunderttausendundeine-Mark-Frau, von der er annimmt, daß es sie gibt, ohne ihr je begegnet zu sein, am unteren Ende der Skala die Zwanzig-Pfennig-Frau, wie sie sich zuhauf in den Straßen herumtreibt. Die Eine-Million-Mark-Frau gibt es nach Auffassung Pongs nicht, selbst Maria, Mutter Gottes, war allerhöchstens eine Neunhundertneunundneunzigtausendneunhundertneunundneunzig-Mark-Frau, und das nur, wenn man über gewisse Fehler, die im Johannes-Evangelium mehr angedeutet als ausgesprochen werden, großzügig hinwegsieht.

Leider gibt man keine Ruhe, löchert ihn mit Fragen nach dieser und jener Person, will wissen, ob die Aussicht gleich null sei, je eine passende zu finden. Obwohl er versichert, daß er jetzt nicht den Kopf dafür hat – draußen rauschen die Bäume, und er möchte über ganz andere Sachen nachdenken –, wird man nicht müde, ihn mit Sätzen zu quälen, die längst widerlegt sind.

Schade, sagen die Zungen, auch in einer Frau von bescheidenem Wert können gewisse Talente schlummern, will er das etwa leugnen? So eine Frau fliegt an den freien Arm des Mannes und geht mit ihm durch dick und dünn. Sie verscheucht seine Sorgen – die Knopfsorge, die Nabelsorge und all die anderen Sorgen, die mit seinen Pflichten in Verbindung stehen.

Er kennt seine Pflichten. Man braucht sie ihm nicht vorzusagen. Er betet sie täglich wieder und wieder her.

Die Pflicht, seine Beine zu bewegen –

Gilt momentan nicht, weil er im Schlafanzug steckt.

Die Pflicht, zwischen dem Ein- und Ausatmen zwei Sekunden der Ruhe verstreichen zu lassen –

Dazu braucht er keine Frau. Geatmet werden muß allein.

Die Pflicht, ein an der Jacke haftendes Haar zu entfernen –

Er gibt zu: Unter vorsichtiger Anleitung – vielleicht – eine Frauenaufgabe.

Die Pflicht, seine Zahnbürste mit dem Kopf nach unten übers Wasserglas zu legen –

Mag sein, daß eine Frau auch das beherrscht. Aber wenn es an die Schuhe geht, weiß die Kandidatin noch lange nicht, wie und wo die Doppelschleifen sitzen müssen.

Die Pflicht, seine Börse verschlossen zu halten –

Die läßt er sich nicht nehmen und beantwortet sie mit der Pflicht, sich zur Not eine Frau zu ersparen.

Terézia Mora

Der Fall Ophelia

Ich schwimme fünfzigmal quer. Das ist noch gar nichts, ruft die Schwimmbadputzfrau. Letztes Jahr, da war hier ein Mädchen, das schwamm fünfzigmal längs. Die Schwimmbadputzfrau ist dick wie ein Buddha.

Längs sind es fünfundzwanzig Meter, quer zwölf. Längs ist mir zu lang. Ich schwimme erst seit einem Jahr. Nach fünfzigmal Querschwimmen ruhe ich mich aus. Ich lege mich aufs Wasser, breite die Arme aus. Das ist noch gar nichts, ruft die Schwimmbadputzfrau, aber ich höre ihr nicht zu.

Ophelia hatte mich der Meister genannt. Ich mußte Meister zu ihm sagen. Ophelia, sagte der Meister, was schwebst du dahin? Ist das alles, was du kannst?

Die Bilder, die ich sehe, sind immer andere. Gesicht nach oben sind sie orange, gelb, dann grün, lila, wie die Sonne, wie Feueröfen, Brandflecke. Nach unten sind sie alles, was ich will. Silberne Schriftzeichen auf schwarzem Grund. Gebäude, Straßen, Tiere, die es nicht gibt. Nach unten liegt mein Gesicht im Wasser. Ich halte die Luft an: Mississippi eins, Mississippi zwei, Mississippi drei, … vier … Ich schwebe. Still. Das Wasser greift mir in die Ohren, drückt und hält mich fern vom Rand. Meine Arme und Beine fliegen wie Wasserpflanzen. Ich sehe, wie mein Herz unter dem Badeanzug schlägt. Ich höre die Luftblasen, die aus meinem Mund hinaufsteigen, an der Oberfläche zerplatzen und Kreise ziehen. Ihre Wellen kratzen hell an der Beckenwand. Der Wind stößt sie an, sie fallen in den Abfluß, in die Rohre zurück, gurgeln hinunter in die Kanalunterwelt. Ich sehe sie: silberne Spuren auf schwarzem Grund. Sie verlassen mich. Das Schweben schrumpft, fließt aus den Fingerspitzen, zieht sich zurück in die Brust. Die letzte Luftblase steigt aus meinem Mund. Ich drehe mich ihr hinterher. Hinter geschlossenen Lidern ist der Himmel rot. Kühl. Ich atme hinauf. Es schmerzt ein wenig. Ophelia, ruft mich der Meister, aber ich höre ihn nicht.

Eine Kneipe, ein Kirchturm, eine Zuckerfabrik. Ein Schwimmbad. Ein Dorf.

Niedrige, zweiäugige Häuser, grüne Tore, und hinter jedem der Tore ein Bastard an die Kette gelegt. Die Ketten sind unterschiedlich lang. Zehn Monate im Jahr Dauerregen, Wind und Melassegeruch, und Fabrikruß, der auf die Weißwäsche fällt. Der Rest ein weißer Sommer, Puderzuckerwinde und schmelzender Straßenteer. Frühmorgens, unterwegs zum Schwimmbad, gehe ich barfuß darüber. Am Ende der Straße kurz umgeschaut und unter dem Schlagbaum durch, die Abkürzung über die Bahnschienen nehmen, den Geranienbahnhof rot-weiß-grün rechts liegenlassen und mit hohen Knien über das ölige Gleisbett gestakst. Mein morgendlich schlanker Schatten springt stufig über das Schienenpaar. Ein Strichmännchen mit Knubbeln als Knie. Die Gleise teilen sich vor und hinter dem Dorf, hier gibt es nur zwei davon, wie es Züge gibt am Tag. Die Drähte neben den Schienen summen. Ich denke an Strom und hebe die Knie hoch. Meine Schattenhaare schweben wie Flügel um mich.

Wackersteine in die Taschen, sagte der Meister immer zu mir. Sonst bläst dich mir der Wind noch davon. Er konnte meine Knöchel mit zwei Fingern umfassen. Du solltest fliegen lernen, Ophelia, nicht schwimmen.

Sie ist zu schwach, sagte die Krankenschwester, als wir hierherzogen, und griff mir an Wangen, Augenlider, Waden, Brust. Irgendein Sport wäre gut.

Eine Kneipe, ein Kirchturm. Den Fußballplatz habe ich vergessen. Quadratisch neben dem Quadrat des Schwimmbads, je von einem genauen Viereck einreihiger Pappeln und einer Mauer umfaßt. Einmal zwei Fußballtore und einmal zwei Wasserbecken, einmal warm, einmal kalt, in genauen Quadraten aus Gras. Drüben die Jungs von Tor zu Tor, und hier ich von

Wand zu Wand. Quer. Frühmorgens bin ich mit dem Meister allein.

Ein Dorf. Ein Schwimmbad. Das hat mich dann doch überrascht.

Man bohrt nach Wertvollerem und findet Wasser. Es kommt gelb unter dem Moor hervor und riecht danach: Schwefel, Chlor, Salz, Kohlensäure. Wasserstoff. Vierzig Grad. Es heizt das warme Becken, fließt durch die Rohre unter uns, durch das Gewächshaus neben dem Bad. Hinter den niedrigen Fenstern dicht gedrängt fleischblättrige Pflanzen. In den Badepausen drückt das Dorf seine Gesichter an die Scheibe. Unbekannte Blüten atmen von innen, sie von außen die Scheibe feucht.

Schwefel, Chlor, Salz, Kohlensäure. Ich gehe nie ins warme Becken. Nichts für Leute wie wir, hat der Meister immer gesagt. Er ist ein Säufer, sagt man, aber Schwimmen habe er bisher jedem beigebracht. Im zweiten Becken ist Leitungswasser, Temperatur: vierzehn Grad. Ich schwimme darin fünfzigmal quer. Frühmorgens kalte Luft, mein Körper darin fühlt sich lau an, später heiß. Ohne Schweiß kein Preis, Ophelia, sagt der rotgesichtige Meister neben mir. Er sitzt, die Bierflasche steht am Beckenrand. Das beste Bier auf dem Kontinent. Aus unserem Wasser gebraut. Jetzt weiß ich auch, wieso es so gelb ist. Davon verstehst du nichts, Ophelia. Paß lieber auf, daß du mir nicht untergehst. Am besten, du hältst die Klappe, solange du schwimmst. Fünfzigmal quer, aber schnell. Die Füße des Meisters hängen ins Wasser, ich schlage neben ihnen an. Die letzten Tropfen aus der Flasche fallen auf seine Zunge, er zieht sie hinein. Jetzt komm mal wieder zu Atem, sagt er, ich hol mir ein neues Bier. Und geht.

Ich schwebe mit roten Augen himmelwärts, bodenwärts. Ich bin leicht und heiß. Das Wasser trägt mich kühl.

Scheiße schwimmt oben, sagt der Sohn der Krankenschwester zu mir. Er ist groß und weiß wie sie. Er kommt mit den Jungs über die Mauer geklettert. Er ist mein Feind.

So, sagt er, und preßt Zeigefinger und Daumen zusammen. So könnte ich dich zerquetschen. Der Apfelkern quillt zwischen seinen Nägeln hervor, stülpt sein weißes Inneres heraus. Er schnappt es mit den Lippen auf und zerkaut es. So, sagt er. Und weißt du auch, warum? Weil ihr Faschisten seid. Darum, sagt er.

In der Geschichtsstunde drehen sich alle um und starren mich an. Die Lehrerin hat es gerade erklärt: Wer spricht, wie man in meiner Familie spricht, ist ein Faschist. Wer bei meiner Mutter in die Privatstunde geht, lernt die Sprache des Feinds. Die muß man doch als erstes wissen, sagt meine Mutter. Und: Mach dir nichts daraus. Wir sind die einzige fremde Familie im Dorf, wenn man das eine Familie nennen kann, diese drei Generationen Frauen. Alle geschieden, erzählt man sich, kommen hier her, Kommunisten wahrscheinlich, christlich auf keinen Fall. Sprechen fremd und beten nicht. Man dreht sich um zu uns und ist ganz still.

Hier ist Ruhe, sagte Mutter, als wir kamen. Das brauchen wir. Eine Kneipe, ein Kirchturm. Ein Schwimmbad für den Sport.

Ich gehe barfuß hin. Der Straßenteer ist weich, er klebt in Flecken an meinen Füßen. Priester, Lehrerin und Postfräulein im voraus grüßen, hat Großmutter gesagt.

Guten Tag, sage ich zu Herrn Priester, aus Versehen in unserer Sprache. Er versteht es trotzdem, bleibt stehen, über mir. Und fragt mich, warum ich ihn denn nicht lobe, anstatt ihm einen guten Tag zu wünschen. Ich stehe vor ihm, mein Badeanzug ausländisch und lila, seine Soutane schwarz und schwer. Ob er wohl schwimmen kann? Wie mag es sein: sein weißer Körper mit dem ärmlichen schwarzen Haar, die dünnen Waden im Wasser. Der Glatzkopf wie eine Boje darauf. Der Teer unter meinen Füßen kocht, die Sonne über mir sehr weiß, Herr Priester trägt sie statt eines Kopfes auf dem Hals, und sein Hals ist kein Hals, nur ein Kragen, um die Soutane gelegt. Ich muß ihn loben dafür. Er drängt darauf. Ich verstehe nicht, sage ich in unserer Sprache. Guten Tag.

Das Geräusch, wenn sich meine Füße aus dem flüssigen Teer reißen. Bei jedem Schritt etwas weniger.

Schneller, Ophelia, ruft mir der Meister zu. Meine Teerfüße treten das Wasser. Der Meister grinst: Das hast du gut gemacht.

Mein Badeanzug ist ausländisch und lila. Im kalten Schwimmbecken bin ich damit allein. Umsonst hat der Meister alle schwimmen gelehrt. Das Dorf bevorzugt das warme Schwefelbad.

Sie kommen mit dem Gongschlag, im Puderzuckergeruch, im Laufschritt aus der Fabrik und über das Schienenpaar, ihrem kurzen Abendschatten hinterher. Schnell noch für eine Stunde in die Brühe, bevor das Becken geschlossen wird. Und Sonntags nach der Messe in aller Ruhe. Das Wasser frisch eingelassen bis Dienstag, und dann wieder bis Donnerstag. Wenn sie kommen, bin ich schon da und bin fünfzigmal quer geschwommen. Ohne Gebet. Ihr werdet in die Hölle kommen, sagt der Sohn der Krankenschwester und macht den Streichholztest mit mir. Denn nur gottesfürchtigen Menschen ist es gegeben, rotköpfige Streichhölzer an schwarzer Reibefläche zu entzünden. Zur Erschwerung hat sie der Krankenschwestersohn ins Wasser getaucht.

In Schwefel, Salz, Chlor, Kohlensäure, Wasserstoff.

Sie sitzen alle darin. Das Wasser ist gut, gut wie Hühnersuppe. Es hat die Farbe davon und den Geschmack. Der Geruch weht aus der Kantine der Fabrik herüber. Dünne, helle Suppe, man trinkt es wie Heilwasser hier.

Sonntags nach der Messe Picknick am Beckenrand: panierte Hühnerkeulen, saure Gurken und Quittenkompott. Die Männer fassen sich nur an den Fingerspitzen an, um genau einmal, schwingend, die Hand zu schütteln. Für nichts davon steigen sie aus dem Wasserleib. Eine große Familie, eine Familienbadewanne, alle in der Fabrik, alle zur Messe. Abends gehen alle Kinder mit Einkaufsnetzen: aus den Löchern aller Netze lugen Bierflaschenhälse. Warum ihr nicht? fragt mich der Junge, mein Feind. Warum müßt ihr alles anders machen, nicht in der Kirche, nicht im Bier, nicht in der Badewanne, fünfzigmal quer, fleißig, was Besseres.

Atmen, Ophelia, hat der Meister immer zu mir gesagt. Du mußt atmen, sonst machst du schlapp. Siehst du nicht, wie ich es mache? Luft aus dem Himmel beißen und hinunteratmen. So tief es geht. Los, fünfzigmal quer.

Das Wasser im Schwimmbecken ist azurblau. Es ist azurblau, weil man Boden und Wände des Beckens azurblau gestrichen hat. Jeden Tag blättert etwas mehr Farbe ab und sinkt hinunter auf den Grund. Das Becken schuppt sich, die Ränder seiner Abszesse zerschneiden einem Fingerkuppen und Fußsohlen. Ich schwimme trotzdem bis zum Anschlag, als wäre es ein Wettkampf. Ich sehe alles, was du machst, Ophelia. Bloß keinen Meter zuwenig, Hände und Füße fleißig an Rasierklingen legen und zurück. Und hinterher auf Hacken laufen, die blutenden Zehen in die Luft gereckt, meine blauen Finger hängen neben mir. Der Junge, mein Feind wartet schon mit Streichhölzern auf mich.
Du bist dämlich, sage ich zu ihm.

Ich weiß es von Mutter: Der Sohn der Krankenschwester hat kein Gehör, er kann keine Sprachen lernen. Die Worte kehren sich um in seinem Mund. Darüber lachen wir. Die Eingebildeten, sagt die Krankenschwester mit verzerrtem Gesicht und notiert meinen Atem literweise. Dürftig, sagt sie. Äußerst dürftig. Kein Wunder, diese alleinerziehenden Frauen.

Wenn's nur das ist, sagt der Meister, immer her damit. Ich werde deine Mutter heiraten. Sie macht sich nichts aus Männern, sage ich. Dann deine Großmutter, sagt der Meister, die paßt sowieso besser zu mir. Auch sie nicht, sage ich. Deshalb sind wir hier. Fünfhundert Seelen, ein Dorf. Wo die Auswahl klein ist, bleibt die Enttäuschung gering. Dann dich, Ophelia, sagt der Meister und lacht. Das wollen viele, sage ich.

Mein Badeanzug ist ausländisch und lila, an meinen Füßen Blasen und Teer. Ein Mann nimmt mich auf die Fahrradstange: Du bist die Schwimmeisterin, hab ich gehört. Er schafft es, zu fahren und mich dabei mit den Knien an den Schenkeln und mit den Armen an der Seite zu streicheln. Er fährt langsam und schafft es, daß wir nicht umfallen. Als ich absteige, verlangt er noch einen Kuß.

Die alte Schwuchtel, sagt der Meister. Und du, sagt er zu mir, bist dämlich, Ophelia. Los, schwimm mit den Füßen voran.

Bevor er mich anschiebt, seine Hand unter mir, biegt er, langsam und tief, den Daumen ein, dorthin, wo Platz ist, am Ende der Pobacken. Nochmal, sagt er. Nochmal. Schwimmen mit den Füßen voran. Langsam und tief.

Betrunkener alter Bock, schreit die Schwimmbadputzfrau. Sie hat die Ausmaße eines Buddha. Ihr Körper sitzt im geblümten Kittel in der Gluthitze unter einem Schirm. Die überreifen Aprikosen, die sie verkauft, faulen vor ihr im Gras. Und sie schreit nach mir. Ihre Stimme zersägt mich, und ich glaube nicht, daß sie mich mag. Aber irgendwie gehört sie doch dazu, zum Schwimmbad und allem. Sie ist so groß und laut, man kann sie nicht übersehen oder vergessen, man muß sie immer anstarren, ihren feisten Körper, dem stetig Hitze entströmt und ein Geruch nach Schweiß, Nylonkittel und Aprikosen. Und ihre Ellbogen, diese zwei rissigen Kreise in der Mitte ihrer Arme, die so schwarz sind wie der Teer an meinen Füßen. Die Frau, von der ich das erste Mal in meinem Leben das Wort bodymilk gehört habe. Komm her, schreit sie. Was ist das, was ihr da sprecht? Kroatisch? Ich sage ihr, es sei deutsch, und sie ruft: Das ist wenigstens eine anständige Sprache. Nicht so, wie was meine Kinder lernen müssen: russisch, die Sprache des Feinds. *Mir – eta nadjeschda narodov*, denke ich. Und Buddha von den Ausmaßen einer Schwimmbadputzfrau versichert mir, gegen Fremde wie uns habe sie nichts. Danke, sage ich. Ach was, sagt Buddha und lacht.

Wir sollten es vielleicht tun, hat Großmutter gesagt. Was auch die anderen tun. Das Abzeichen unter den Kragen gesteckt. Die Sprache des Feinds sprechen, die zuallererst. Der Zuckerrübensilo ist hellblau, der Kirchturm kanariengelb.

Herr Priester steht in der Mitte. Zwei große Schwingen sind an seine Schultern geklebt. Die Schwingen sind golden und weiß: sieben Ministranten im Meßgewand. Sie singen wie Engel, aus Kehlen wie Feueröfen, laut wie geschmolzenes Eisen. Es weht aus ihnen heraus, klingendes Erz, es weht über die

Köpfe der schwarzen Mütterchen hinweg, die sich mit zittrigen Stimmchen im Fluß des Engelsatems mühen, um mit ihm vorangetragen zu werden, vielleicht, zum Himmel. Ich schwebe.

Großmutter konnte sich an manches noch erinnern. Wie an das Vorausgrüßen der Dorfmächtigen aus der Kinderzeit. Aber die Worte kehren sich uns um im Mund, wir verfehlen das Gebet. Unter dem kanariengelben Turm drehen sich alle um.

Zur Hölle, sagt Herr Priester, zur Hölle werdet ihr alle fahren. Vor ihm und seinen Schwingen sind noch zwei goldglänzende Engel aufgestellt. Allein, sie sind aus Kupfer, und in ihre Rücken sind, zum Geradehalten, Holzpflöcke gerammt.

Himmelsakrament, sagt der Meister, aber nur leise. Warum gehst du da hin, wenn du nicht mußt. Sei froh, daß du Kommunistin bist. Bin ich nicht, sage ich. Ist auch egal, sagt er. Eins wie das andere.

Mutter winkt ab: Versucht haben wir es, was soll's. Versammlungsfreiheit gibt es bei uns nicht, aber Glaubensfreiheit sehr wohl, und Nichtglaubensfreiheit auch.

Der Herr Priester hat der größten Ministrantin zu seiner Rechten, der mit den blonden Engelslocken, einen roten Badeanzug geschenkt. Sagt man.

Hhhh, ein-n-n-s, zwa-a-a-a-i, hhhh ein-n-n-s, zwa-a-a-ai, hhhhh, eins, zwei. Und Luft beißen, wie es der Meister getan hat. Sein großer roter Mund. Zu einer Fratze verzogen steigt er aus dem Wasser. Luft aus dem Himmel abbeißen. So mache ich es auch. Herabbeißen und hinunteratmen. Vom Himmel in die Hölle.

Zwischen den Pappeln weht der Geruch von Schienen, Öl und Zuckerrüben herein. Die Fabrik liegt zwei Schritt über die Gleise. Über dem warmen Becken hebt sich die Wolke des Schwefeldampfs. Zwanzig Minuten nur, um das Herz zu betäuben. Hier hält man es tagelang aus. Für nichts verläßt man den Wasserleib. Hinter der Mauer die Stimmen der gruppenbildenden Jungs, zwischen den Häusern heiseres Hundegeheul. Wenn die Jungs nicht Fußball spielen, gehen sie die Bastarde quälen. Sie ärgern sie, bis sie sich erhängen an ihren Ketten. Manchmal geht es schnell und manchmal über Wochen hinweg: die Ketten sind unterschiedlich lang.

Das Wasser greift in meine Ohren, ich höre nichts von dem, was im Dorf passiert. Ich höre, wie mein Atem geht: von Wand zu Wand ist es unterschiedlich lang. Meine Arme heben sich, nochmal, nochmal, zäh. Der Himmel kriecht dahin. Die letzten zehn Längen vom Rücken endlich wieder auf den Bauch und kraulen. Noch zehn Längen, noch neun.

Atmen, Ophelia, sagte der Meister immer zu mir.

Mississippi eins, Mississippi zwei, Mississippi drei, … vier. Luftanhalten. Das Leitungswasser hat vierzehn Grad, aber es erwärmt sich schnell. Der Wasserspiegel im Schwimmbecken ist nicht gespannt. An den Seiten schwappt das Wasser durch kinderarmhohe Schlitze, in die Rohre hinunter, die kreuz und quer überall sind, ihr Inneres von scharfgelbem Schwefelstein überzogen, wie die Ränder des warmen Beckens auch. Gelb wie Urinstein, sagt der Meister und zwinkert mir zu. Wenn ich schwebe, höre ich sie, die Kanäle, ihr Leichenröhren dringt durch die Schlitze herauf. Mit Gesicht nach unten sehe ich sie genau: gelbes Geflecht auf schwarzem Grund. Ich werde flach, wie eine Comicfigur. Ungespannter Wasserspiegel. Ich schlüpfe mit ihm durch den Spalt.

Buddha schreit nach mir. Endlich, schreit sie. Ich dachte, du kommst nie. Sie steht in ihrem Kittel am Rand des Kanals. Ich treibe an ihr vorbei, die runde Decke des Abflußrohrs über mir. Oh, sage ich, wie komme ich hier wieder heraus. So, sagt Buddha und zeigt mit ihrem Mop in den Kanal. Plötzlich stehe ich neben ihr. Mit meinen Blasenzehen umklammere ich den Rand, um nicht hineinzufallen. Die Gruppe der Jungs kommt vorbei. Sie treiben auf dem Rücken im gelben Wasser auf dem Grund des Rohrs, winken uns zu. Buddha lacht und winkt zurück. So, sagt sie. Der Junge, mein Feind ist auch dabei. Er winkt mir und lacht, und dreht sich aufs Gesicht, wie ins Kissen, ins Wasser hinein. Luftblasen steigen auf, danach rührt sich nichts mehr. Die Gruppe der Jungs treibt unter einer Wand hindurch. Was ist draußen, frage ich die Frau neben mir, die Aufseherin, dick wie ein Buddha. Du weißt, was draußen ist, sagt sie. Die Belohnung. Das Leben. Sie ertrinken doch, sage ich. Ja, sagt sie. Hier ist es Ertrinken und draußen ist es Leben. Nun spring. Meine Knubbelknie zittern am Rand. Die Jungs fließen unten dahin. Unbeweglich unter der Mauer hindurch. Ich denke, das kann kein Wasser sein, was sie treibt. Das ist sicher Gift. Du hast nicht mehr viel Zeit, sagt Buddha neben mir. Ich kann nicht springen, sage ich. Der Meister ist enttäuscht von mir. Ich kann nicht zu Wettkämpfen, weil ich den Kopfsprung nicht kann. Ach, sagt Buddha, und fängt an, aufzuwischen. Kopfüber ist kein Gesetz, plump wie ein Stein ist eins so gut wie das andere. Meine Zehen umklammern den Rand des Kanals. Ich sehe, wie die letzten hinaustreiben, und daß das, was da unten fließt, ob Wasser oder Gift, langsam versiegt. Tja, sagt Buddha, so bricht sich der Feigling das Genick. Sie geht weg und läßt mich da stehen, alleine am Beckenrand, und ich würde so gerne ertrinken, wie die anderen, aber ich kann es nicht.

Was bist du für ein Schwächling, Ophelia, sagt der Meister. Das hätte ich nicht von dir gedacht. Jemand, den ich unterrichte. Los, hol mir ein Bier.

Achtundneunzig, neunundneunzig, Mississippi hundert. Luftanhalten ist wichtig. Ersticken ist der schlimmste Tod. Ich öffne die Augen: chlorrot.

So, hat der Sohn der Krankenschwester gesagt und den Kopf der Maus unter Wasser gedrückt. Ihre Füße traten vorne das Wasser, hinten die Luft, nur der Kopf war eingetaucht. Eine Pfütze voll Wasser reicht für eine Ratte aus, hat der Junge, mein Feind gesagt. Als sie tot war, ließ er sie los. Sie trieb in die Beckenmitte zu mir.

Die Nacht im Dorf ist lauter als der Tag und fast so hell. Die Lichter der Zuckerfabrik fallen durchs runde Akazienlaub, in die Schlafzimmer, zeichnen schattig die Bettdecken. Die Hunde bellen bis in die Früh. Die Jungs haben sich für die Bastarde etwas neues ausgedacht: ein Rohr, das, wenn man hineinbläst, Wolfsgejaul imitiert. Die Hunde werden verrückt davon, sie brechen sich die Zähne an den Ketten ab. Früher sind die Jungs nachts über die Mauer zum Schwimmbad geklettert. Aber das hat aufgehört: man ist vorsichtiger, seit die Sache mit dem Meister passiert ist.

Keine Zeit für dich, Ophelia, sagte er. Er schleppte hinkend einen Kasten Bier. Ich habe einen wichtigen Gast. Der Gast des Meisters soll ein berühmter Turmspringer gewesen sein, und der Meister sprang auch selbst: vom Startblock ins kalte, azurblaue Becken. Die Zuckerfabrik ist zwei Schritte über die Gleise, ihre Lichter hinter der Pappelreihe zeichnen wellig die Beckenwand. Alles nur Ausreden, sagte Buddha hinterher zu mir. Der alte Bock war betrunken, wußte nicht mehr, ob er wacht oder schläft. Es war die Nacht zum Dienstag, da wird nachts das Becken aufgefüllt. Es waren vielleicht zwanzig Zentimeter drin, als der Meister kopfüber sprang. Er hatte einfach vergessen, daß es Dienstag war, wie er mich oft vergaß. Ich schwamm dann alleine. Man sagt, der Halsstarrige hat es überlebt. Aber man sagt auch, er wird nicht mehr zurückkommen. Der betrunkene alte Bock, sagt die Schwimmbadputzfrau. Den würde ich auch nicht wieder zurücknehmen.

Ich nehme mich zurück. Ich schwebe. Ich bin flach wie eine Comicfigur.

In der Nacht, als die Jungs das erste Mal die Wölfe heulen lassen, gehe ich zum Schwimmbad. Die Knie hochgehoben über singende Schienen. Der Schatten meiner Mondhaare springt stufig über sie. Ich klettere über die Mauer.

In den Lichtern das Viereck der Pappeln, die Graskante, der Beckenrand scharf und kalt. Das Wasser im Schwimmbecken sieht wie Quecksilber aus. Gefährlich, blind. Ich stecke einen Finger hinein. Es fühlt sich zu leicht, zu samtig an. Eine Bettdecke, die im Fieber aus den Fingern läuft. Ich ziehe die Hand zurück: da traue ich mich nicht hinein. Der Wind fährt darüber, über Quecksilber, Pappeln und Gras. Ich rieche es wieder: Puderzucker und kaltes Hühnersuppenfett. Es weht aus dem Dorf herein, wo sie, ich höre es, schreiend umherrennen: sie jagen die Hunde, die Wölfe, die Jungs. Ich stecke den Fuß in die braunen Kräusel des warmen Beckens. Das Wasser wie ein stacheliger Ring um meinen Knöchel. Es brennt auf der

Haut. Heilwasser. Im Mondschein sieht man: kleine Teilchen schwimmen darin. Das Heil. Ich ziehe meinen Fuß wieder heraus.

Ihr seid Faschisten. Und Kommunisten. Ich habe versprochen, dich zu töten, sagt mein Feind.
Deine Mutter hat was mit dem Priester, sage ich. Ich habe es von Buddha gehört. Sein Gesicht verzerrt sich. Ich habe es versprochen, sagt er. Wenn du noch einen Fuß ins Schwimmbad setzt.

Eine Kneipe, ein Kirchturm, ein Bad. Wo die Auswahl klein ist, bleibt die Enttäuschung gering. Das Wasser ist gut, gut wie Hühnersuppe. Schwefel, Chlor, Salz, Kohlensäure, sonntags nach der Messe sitzen alle darin. Zwanzig Minuten, um das Herz zu betäuben. Der Schwefel krönt ihre Häupter mit Dampf. Ihre Glieder sind glitschig und weiß, gelb die Ablagerungen darauf. Sie sitzen nah bei nah und fassen sich unter Wasser an. Aus den Rohren rülpst die Quelle hoch, sie halten ihre Rücken darunter, lassen sich peitschen und schreien vor Glück. Herr Priester ist nicht dabei. Er hat seine eigene Badewanne. Ich bin im kalten Becken allein. Ich treibe auf dem Rücken. Ich höre Wellen in Rohre fallen. Ich höre meinen Herzschlag, eingeschlossen in meinem Kopf. Ich atme in den Himmel hinauf. Hinter meinen Augenlidern rot.

Und dann kalt und schwarz: das Wasser schlägt zusammen über meinem Gesicht. Ich habe dich gewarnt, sagt der Krankenschwestersohn. Meine Teerfüße treten das Wasser, ich höre, wie es spritzt. Ich winde mich an der Oberfläche, zehn Zentimeter Wasser nur über mir, aber für eine Ratte reicht's. Ich höre, wie die Luftblasen nach oben brechen und zertreten werden von mir, von den Jungs. Das Wasser greift in meine Ohren, drückt und hält mich fern vom Rand. Ich höre, wie die Wellen am Abfluß kreischen. Warum sinke ich nicht hinab. Warum nicht, wie in den Träumen, majestätisch ins Meer. Ich trete sie, ihre Körper verrutschen an mir. Die Kraft schrumpft, fällt zurück in die Brust, ins Herz. Meine Arme und Beine fliegen mir weg.

Einen Traum habe ich dem Meister vor seinem Sprung nicht erzählt. Ich lag auf dem Grund eines Sees und sah hinaus. Von unten war das Wasser süß und klar, ich konnte sie draußen sehen. Sie standen mit flachen Gesichtern über dem Wasserspiegel und sahen herab, aber sie sahen nur sich selbst. Sie ist tot, sagten sie und liefen weg. Und ich lag da, am marmeladeweichen Grund des Sees und atmete hinauf. Aber es war nur ein Traum.

Das Wasser hält mich fern vom Dorf, vom Geräusch. Die Jungs verschwunden, die Laute nach oben geschlüpft. Hier ganz schwarz und still. Silberne Zeichen auf schwarzem Grund. Häuser, Tiere, die es nicht gibt. Ich bin alleine hier. Frühmorgens, spätabends. Das Wasser ganz nah bei mir, meinem Körper, meiner Membran. Ich sinke, ich schwebe. Ophelia.

Hier ist es Ertrinken, da draußen Leben, sagt Buddha zu mir. Mit dem Kopf voran. Mit einem zögernden Klopfen auf den himmelblauen Boden kommen. Zuerst der Schädel, dann die Knie. Und dann das Sprunggelenk. Kein Kopfgesetz, aber die Freiheit des Instinkts. Ich stoße mich ab. Ich breche durch. Die Luft scharf, kalt und schmerzlich wie der erste Atemzug. Aus dem Himmel gebissen.

Ich tropfe vor die Füße meines Feinds. Ich sage zu ihm, und das Sprechen schmerzt in der Brust: Selbst dazu bist du zu blöd.

Er schaut mir hinterher, die ich barfuß über die geschmolzene Straße gehe. Im Puderzuckerduft. So schwach und dünn im weißen Sonnenschein, daß ich bald nur noch ein Strich vor seinen Augen bin, der über dem Teerspiegel schwebt.

Und Mutter sagt: Du hättest ihn nicht so erschrecken sollen.

Georg Klein

Auszug aus einem langen Prosatext

Barfuß tappte ich einen langen Gang hinunter; ich wollte ohne weitere Verzögerung in die Tiefen des alten Hallenbades, bis ins Kontor der Firma Hitzik dringen. Ein Hintergrundgefühl, vielleicht das Rauschen der Erfahrung, stimmte mich sicher, daß ich auf diesem letzten Wegstück das Glück auf meine Art erzwingen würde. Ich bog in einen neuen Korridor, die Schwüle nahm zu, die Luft war wie von Dampf geschwängert. Das Wasser, das an den verkalkten Knien der Rohre in Schwaden entwich, kondensierte auf den Wänden, hatte, unter den Estrich sickernd, die Dielen quellen lassen, sammelte sich in den welligen Verwerfungen des Bodens. Bis an die Knöchel sank ich in kalte Lachen. Der blättrig aufgesprungene Putz, die Schimmelkolonien, das Kupfer, Eisen oder Blei der dichtgereihten Rohre, alles vergeudete Aromen, gab salzigen Saft, Gase und feinste Partikel an die Atmosphäre. Das Chlor und seine keimtötenden Bruderstoffe, die mir die Augen tränen machten, hatten den Kampf gegen den Duft der Auflösung wohl längst verloren.

Im Schummerlicht einer von Sickerwasser überschlierten Lampe blieb ich stehen. Wie alle anderen Beleuchtungskörper war sie in ein Körbchen aus starkem Draht gebettet. Ich beugte mich in ihrem Schein und krempelte mir beide Hosenbeine hoch; der Anzug sollte im Endkampf dieses Auftrags keinen Schaden nehmen. Fast war ich froh, daß mir der böse Bademeister Unterwäsche, Hemd und Schuhe weggestohlen hatte. Barfüßig und mit nackter Brust, paßte ich besser in dieses Klima, und mein Geschlecht, das seit dem Moorbad juckende Pickel rahmten, war in der weitgeschnittenen Anzughose angenehm luftig aufgehoben. Schwungvoll wollte ich weiterschreiten, da machte mich ein wahres Unding stutzen. In dieser Stadt, die sich gern rühmt und sich noch lieber rühmen läßt, daß ihre Mauern Seltsamstes zu bieten hätten und die auch manche Kuriosität zu bieten weiß, hatte ich nie eine Installation wie diese, eine so widersinnig angebrachte Tür gesehen. Ihr eiserner Türstock, ihre Schwelle und ihr Blatt aus trübem Glas saßen parallel zum Boden des Korridors in dessen Decke. Von oben ragte die Klinke in meinen Weg, hing mir verlockend nah vor Augen – jedoch entdeckte ich kein Hilfsmittel, kein Höckerchen, nicht einmal eine Kiste, die mir, nach dem Öffnen der Falltür, den Aufstieg in den über mir gelegenen Raum ermöglicht hätte.

Ich trat unter ihr Blatt – es war mannslang, entsprach darin etwa der Höhe einer normalplazierten Tür – und konnte so eine ins Glas geschliffene Inschrift lesen:

Hitzik & Hitzik
Geschäfte aller Art

Das reichte aus, mich, ohne weitere Überlegung, handeln zu lassen. Ich wippte auf die Zehen, griff zu und ließ die Klinke schnappen. Die Tür kam mir, ich hätte es vorhersehen müssen, sofort entgegen. Entriegelt stürzte sie, nur noch gehalten von den Angeln, schräg auf mich nieder, die Klinke schrammte mir über die Stirn, bevor das Aufschwingen an meinem Schädel und meinen verspätet hochgeschnellten Händen sein Ende fand.

Auch ich stand still. Vom Schlag benommen, trat ich nicht unter der herabgekommenen Tür hervor, sondern starrte über den Ärmel meiner Jacke ins trübe Glas, das eingegossene Drähte kreuz und quer verstärkten. Als ich den Kopf bewegte, rutschte mir ein besonderes Fleckchen in den Blick. Gut bohnengroß und klar wie Wasser war eine Blase in die Scheibe eingeschlossen, und durch die Wölbung dieser einem Produktionsfehler entsprungenen Linse sah ich hinauf in einen Raum, der strahlend hell erleuchtet war. Wenn mich nicht alles täuschte, war das Licht zeitgleich mit meinem Unfall aufgeflammt.

Mein Zufallsguckloch ließ mich nicht viel vom nächsten Stockwerk sehen, aber der Blickwinkel war weit genug, mir einen Streifen prächtigen Deckenstucks zu zeigen. In seinem Gips kämpften Figuren. Götter oder Titanen drängten die prallen Muskeln aneinander, verrenkten sich die Glieder mit Ringergriffen und brachten Brust, Haupt und Gesäß in eindrucksvolle Posen. Ich kroch unter der Tür hervor, ihr Glas dröhnte gegen die Wand, und oben in den Gefilden der gesuchten und gefundenen Firma Hitzik erlosch das Licht, so daß ich aus dem Dämmer meines Gangs in nichts als Schwärze gaffte. Der ganze Prunk des eben noch geschauten Bildes, dieser Olymp, dieses Olympia der starken Männer, schien mit dem scheußlich fehlgestimmten Gong vergangen.

Der eigentliche Höhepunkt des Mißgeschicks, eine spezielle Schmach, stand mir jedoch, ohne daß ich es ahnen konnte, noch bevor. Vorsichtig meine Stirn betastend, spürte ich eine wulstförmig angeschwollene Stelle, jedoch kein Blut, und da der Schmerz schon abgeklungen war, glaubte ich mich imstande, die nächste Etage zu erobern. Ich hüpfte hoch, faßte mit beiden Händen den Türstock und wollte mich mit einem Klimmzug nach oben bringen. Aber die simple Turnerübung, die keinen Mann in die Verlegenheiten des Versagens bringen sollte, war nach dem Fasten der Auftragszeit, war nach dem schrecklichen Dürsten der letzten Stunden zu schwer für mich.

Ich zappelte, versuchte mit den nassen Fußsohlen Halt an der herabhängenden Tür zu finden, und selbst als mir die Kraft zum Strampeln fehlte, ließ ich nicht los, als könnten noch ungeahnte Kräfte in meine lahm werdenden Arme schießen. Statt dessen wurde ich von hinten gepackt. Während sich große, warme Hände um meine Waden schlossen, vernahm ich jenes rasselnde Einverleiben, jenes puffartige Ausstoßen der Luft, das mir an meinem fetten und, wie sich nun zeigen sollte, auch starken Bademeister aufgefallen war. Er stemmte mich mit einem Ruck empor, schon war ich mit dem Kopf im oberen Raum, aber dann hielt er mit dem Heben inne. Sein muskulöser, spürbar starkbehaarter Arm preßte meine Unterschenkel gegen das grobe Netzhemd, sein Bauch klopfte im Rhythmus schneller Atemstöße gegen meine Fersen – und schließlich mußte ich fühlen, daß seine freigewordene andere Hand damit begann, durch den zum Glück sehr dicht gewebten Hosenstoff, tastend, drückend, reibend und kneifend, Kontakt mit meinem Geschlechtsteil aufzunehmen.

So hängend, so gehalten, wußte ich nicht, wie ich weiter nach oben kommen sollte, zugleich war mir der Weg zurück verwehrt. Mit meinen Ellenbogen, die schon auf dem Türstock lagen, schlug ich wie mit gestutzten Flügeln, mit den Beinen, die der Griff des Bademeisters zu einer Flosse aneinander preßte, versuchte ich mich aufzubäumen, jedoch das Zucken der Gesäß- und Schenkelmuskeln verlor schneller an Kraft als das Zappeln eines an Land geworfenen Fisches. Zumindest wollte es den wurstigen Fingern meines Peinigers nicht gelingen, einen der Knöpfe, die meine Hose verschlossen, aus seinem Schlitz zu pulen.

Die Rettung griff, gerade als ich es wagen wollte, mich rücklings über ihn hinabfallen zu lassen, von oben aus der Dunkelheit. Hände packten mein Sakko, Hände fuhren mir unter die Achseln, und zwei sich abwechselnde Männerstimmen schimpften in einer mir unbekannten Sprache und in einem seltsam wehklagenden Ton nach unten, erreichten mit diesem Jammerschmähen, daß mich der Bademeister losließ und sich murrend, mit seinen Holzpantinen durch die Wasserlachen patschend, trollte. Über mir ächzten die unbekannten Helfer. Das Wenige, was noch an Höhe fehlte, um meine Brust über den Türstock zu ziehen, kostete sie ihre ganze Kraft. Zwischen ihr Atemholen zwängten sie Rufe, die mich in meiner Anstrengung befeuern sollten. Und nach und nach verstand ich, was sie mir da entgegenschnauften, denn ihr Appell an meine Willenskräfte enthielt, verballhornt aber doch verständlich, in großer Zahl, ja überwiegend deutsche Wörter.

Hinaufgezerrt, ins Türloch ragten nur noch meine nackten Zehen, lag ich auf meiner linken Seite, spürte ein schnelles, hartes Klopfen in meiner Brust. Ich sah, noch konnte ich den Kopf nicht heben, vor allem eine Kerze, ein Kerzchen bloß, schief auf ein Tellerlein geklebt. Der Schein umspielte die Schuhe meiner Helfer, dicksohlige, durch viele Ösen über Kreuz geschnürte Stiefeletten aus schwarzgefärbtem, grobgenarbtem Leder, altväterliches Schuhwerk, mit dem gewiß die denkbar längsten aller langen Wanderschaften durchzustehen waren. Selbst hier, im Büro der Firma Hitzik, war Unruhe in diesen Schuhen, sie schoben auf der Stelle, und auch das Reden meiner Retter gönnte sich keine Unterbrechung. Hoch über mir besprachen sie in aufgeregtem Ton etwas, was offenbar mit meiner weiteren Beförderung zusammenhing.

Ich drehte mich, noch immer unfähig, mich aufzurichten, auf den Rücken. Das Licht war schlecht. Ich sah zwei magere Hälse, ein Kinn war etwas günstiger erhellt. Das Fallen und Emporschnellen der dicken Unterlippe erinnerte mich an ein oft gesehenes Sprechen, und plötzlich löste das Hinschauen die Sperre vor dem hörenden Erkennen. Wie konnte ich die Stimmen dieser beiden alten Männer nur für fremd gehalten haben. Die beiden waren – mochte ich auch andere hinter dieser Tür erwartet haben – meine mir vielfach hilfreich zur Hand gegangenen Archivare, die Brüder Lionel und Arnold Ilbich.

Der Schock der Rettung machte mich erst das Ausmaß meiner Schwäche fühlen. Mein kaum handbreit erhobener Kopf fiel wieder auf die Dielen, aus meinem linken Augenwinkel sah ich den Kerzenstummel, langdochtig flammend, war er auf Daumennagelhöhe abgebrannt. Ach, hätten meine lieben Archivare, die ich erstmals außerhalb ihres Gebrauchttext-Fundus erleben durfte, doch nun den kleinen Finger einer Frage zu mir hinabgestreckt! Hätten sie sich in diesem gummiartig langgezogenen Augenblick nach dem Gewesenen erkundigt, es wäre mir vielleicht – wie eine akrobatische, aber mit müden und überdehnten Gelenken doch vollziehbare Verrenkung – ein Rückblick auf das Geschehene geglückt. Indes der Notstand der Beleuchtung zwang sie zu fliehender Betriebsamkeit. Aus ihrem Brabbeln glaubte ich zu verstehen, daß uns vollständige Verdunklung drohte, falls sich nicht ein Ersatz für das in seinen letzten Zügen liegende Stearinlicht fand.

Ich hörte die beiden in verschiedenen Ecken räumen, ich hörte Möbel rücken, Angeln quarren, Schubladen schaben und Gegenstände aneinander klicken, ich hörte die Brüder ihre Suche kommentieren. Ich glaube, Lionel war es, der dem ein Ende setzte. Für einen Satz in fehlerfreies Hochdeutsch fallend, versprach er uns, daß er im nächsten Handumdrehen das große alte Licht restituieren werde. Arnold stellte sein Scharren ein, auch ich fühlte mich von der Prophezeiung angerührt, ich krampfte Schulter- und Nackenmuskeln, und es gelang mir, das Kinn gegen die nackte Brust zu drücken. Und wirklich, Lionel hatte uns nicht zuviel versprochen, nach einem Schraubgeräusch und zeitgleich mit einem zarten Knacksen flammte das Licht von neuem auf.

Welch schwachen Abglanz hatte ich durch das dicke Glas erlinst! Jetzt sah ich, heftig blinzelnd, seinen Ursprung, sah einen Kronleuchter tief von der Decke hängen, sah viele starke Birnen auf jedem seiner Arme strahlen. Ich stützte mich auf einen Ellenbogen und überblickte, daß Lionel, der Lichtbereiter, in einem schmalen Wandkasten hantierte, während sein Bruder, den Oberkörper über die Schublade eines Schreibtisches gebeugt, mit verkniffener Miene zu den entflammten Bögen schaute. Es war, als traue er dem wiedergewonnenen Segen nicht. Und leider Gottes erwies sich seine brüderliche Skepsis als berechtigt. Kaum, daß es noch zu einem vorwarnenden Flackern kam. Erneut verging die Pracht, und das, was meine Augen als letztes faßten, der Deckenstuck, das Muskelspiel der ringenden Giganten, blieb, rot und grün, zu Ornament verallgemeinert, auf meiner Netzhaut stehen, hob sich in großer Schärfe ab von der nun absoluten Schwärze des Büros, denn ausgerechnet in der kurzen Phase der Erleuchtung, die uns Lionel beschert hatte, war jener Kerzendocht, der Notbehelf der Zeit davor, von allen unbemerkt, erloschen.

Noch heute lobe ich meine braven Archivare dafür, daß sie den Mut nicht sinken ließen. Mehr noch als ich waren sie fremd an diesem Ort. Gewiß hatten sie ILBICHS GEBRAUCHTTEXTFUNDUS, das stillgelegte Parkhaus, das ihre Schätze barg und wo sie selbst geborgen waren, zum erstenmal seit Jahren verlassen, nur um mir, ihrem Lieblingskunden, in einer Art von Außendienst voranzuhelfen. Wenn ich mich recht erinnere, wollte ich eben fragen, wie sie mich hier gefunden hätten. Mein ausgedörrter Schlund setzte gerade zu einem ersten Krächzen an, als sich ein kühler Flaschenhals an meine aufgesprungenen Lippen drückte. Lautlos war Lionel an mich herangetreten, er kniete hinter meinem Rücken, stützte mir meinen Nacken, und an die Brust des alten Mannes gelehnt, durfte ich lang, unfaßbar lang, den lang entbehrten Tee, meinen geliebten kühlen, gutgesüßten Kräutertee, in gierigen Zügen trinken.

Erquickt, dankbar wie nie zuvor in all den Arbeitsjahren, krähte ich laut, die gütigen Archivare sollten mir jetzt verraten, wie ich den jungen oder alten Hitzik finden könne. Denn ich war sicher, daß die Firma samt ihren Geldtransportern in Familienhand geblieben war. Statt einer schönen runden Antwort stieß mir ein flattriges Altmännerkichern in die Ohren, gefolgt von langgezogenen Freudenrufen aus der Kehle Arnolds. Zwei Kegel aus Licht, nicht stark, aber beständig, vermaßen die Finsternis von neuem zum Büro. Fast war ihr Funzeln wie ein Vorwärtstasten, zwei große Finger tippten sich voran, wiesen in alle Winkel, zeigten mir nach und nach das Mobiliar. So wie nun Arnold einen geflochtenen Papierkorb, den Buckel einer wuchtigen Rechenmaschine, das Zickzackmuster eines Kokosläufers und schließlich ein weit entferntes Stehpult mit schon bescheiden gewordenem Licht bestrich, so suchen sich wohl eingestiegene Diebe, die wahren Kenner unserer Wohn- und Arbeitsräume, ihre Beute.

Schließlich kippten die Kegel ineinander, um ihren Ursprung zu beleuchten. Ich sah die großen Hände Arnold Ilbichs zwei Taschenlampen gleichen Bautyps halten, fast prähistorisch ungetüme Exemplare aus unlackiertem, rostfleckigem Blech. Jetzt strahlte er sich ins Gesicht und sprach mit vorgestülpten Lippen, die theatralische Beleuchtung nutzend, langsam und überdeutlich meinen Namen aus, ergänzt um jene Silbe, die das Benannte zärtlich kleiner macht. Nachdem er mich so zwingend angerufen hatte, ließ er, zittrig und doch mit sicherem Gespür für meinen Blick, die Kreise der Taschenlampen über die Mauer gleiten, die sich wenige Schritte hinter ihm befand. Er wandte sich dazu nicht um, sondern lenkte, die Arme vor der Brust gekreuzt, die Lichtkegel über die Achseln hinter sich, als kenne er die Wand so gut, daß er sie nicht mehr anzuschauen brauche. Im Schein, der in den Raum zurückfiel, entging mir nicht, daß seine Backen heftig zuckten, daß seine Mimik mit dem Ansturm einer starken Empfindung kämpfte.

Im eigentlichen Feld des Lichts, in dem Oval, zu dem sich die beiden Kreise hinter Arnolds Kopf vereinten, zeigte sich mir ein merkwürdiges Möbel: Bis hoch zum Stuck war ein gut schulterbreites Wandstück von einem feinverschachtelten Regalbau eingenommen. Die Konstruktion glich jenen Kästen, die einst, nachdem der technisch überholte Bleisatz aufgegeben worden war, noch einige Jahre in den Küchen und Wohnzimmern unserer privaten Reiche zur Aufbewahrung hübschen Schnickschnacks dienten. Auch hier, im Büro der Firma Hitzik, glitzerte es in allen Fächern, und wenn ich die Worte meiner Archivare richtig verstand, waren die ausgestellten Dinglein eigens für mich versammelt worden. Auf allen vieren kroch ich hin zu dieser Wand.

Inzwischen hatte Arnold Ilbich eine der beiden Taschenlampen an seinen Bruder abgegeben. Schulter an Schulter stehend, hielten sich die alten Männer an den Hüften umschlungen und leuchteten mit siamesischer Geschicklichkeit auf das Regal. Sie folgten jedem Drehen und Beugen meines Nackens, als wäre ein solcher Dienst, die Unterwerfung unter die Willkür fremder Augenzüge, seit Jahr und Tag ihr täglich Brot. Die Setzkästen, vor denen ich kniete, enthielten mehrere hundert Exemplare einer speziellen Spielzeugautomarke, Modelle, deren Handlichkeit und gußeiserne Schwere ich als Knabe lang zu schätzen wußte – zu lang vielleicht, denn wenn ich mich nicht irre, war ich es, der als halbwüchsiger Bengel die eigene Sammlung mit einem Luftgewehr beschoß, so gründlich, so verbissen, bis keines der Autos, mit abgesprengten Rädern und zerschundener Lackierung, länger zum Spielen taugte.

Begierig, aber noch ohne den Fluchtpunkt meiner Lüsternheit zu kennen, begann ich, aufgestanden, die Reihen abzusuchen. Mühsam bändigte ich meine Hände, pfiff sie zurück, wenn sie, um sich ein Autochen zu grabschen, nach vorne zuckten. Ich hielt die Zügel angezogen, bis ich den Janus sah. Er stand, die Motorhaube schnabelartig über das Vorderrad gekrümmt, bestürzend wirklichkeitsgetreu in seinem streichholzschachtelgroßen Kästchen – so wirklich, unwiderstehlich wirklich, wie vielleicht stets allein Modelle dastehen können. Das Fach lag ungefähr auf Höhe meiner Brust, und deren hart gewordene Warzen schienen mir wie zusätzliche Augen auf den Dreiradlieferwagen, auf seinen grünlackierten Körper, auf das winzige Emblem der Firma Hitzik hinzustarren.

Fast wäre ich in eine ungesunde Trance verfallen, aber das Schweigen meiner Archivare – noch nie, seit ich sie kannte, waren sie so lange stumm geblieben – saß mir als zunehmender Druck im Nacken, ich spürte die Erwartung so arg, daß ich den Janus packte. Drei Finger meiner Rechten krampften sich klauenartig um das Autochen. Schon in der ersten Anspannung des Griffs bemerkte ich, daß es nicht freibeweglich stand, sondern befestigt war. Ich zog mit aller Kraft. Metallisch schnalzend sprang das Modell des Geldtransporters – es war als Kopf auf eine Stahlstange geschraubt – gut einen Viertelmeter aus der Wand. Ein Mechanismus setzte sich in Gang, ich hörte das Brummen eines Elektroaggregats, das Schaben von Riemen oder Seilen, und schon drehte sich das Regal samt einem Stück der Bodenbretter, samt mir, um eine unsichtbare Achse, langsam und doch so schnell, daß ich ins Schwanken kam. Mit einer Schulter fiel ich gegen die Kästen, hing unglückselig schief an der herausragenden Stange, und schaute in das Büro der Firma Hitzik, das ich, bevor ich es begriffen hatte, wieder verlassen mußte. Mit diesem letzten Blick und wilder Rührung sah ich meine verstummten Gebrauchttexthändler. Sie standen da, die Lämpchen an die Brust gepreßt, so daß der Schein, von unten, die schönen großen Altmännernasen konturierend, die ganze Länge der Gesichter überströmte. Festlich und abschiedsschwanger kam mir die Beleuchtung vor. Sogar den Stuck erreichte noch einmal Licht, ganz kurz glaubte ich dessen kraftvoll ringende Giganten mit meinen stillstehenden Archivaren zu einer quälend verwirrenden Figur verschlungen, und eh ich Gips und Fleisch von neuem auseinanderdividieren konnte, warf mich die Drehplatte mit starkem Schwung auf die andere Seite der Mauer.

In Filmen aus der Zeit des glücklich stummen Zelluloids, in frühen Filmen, deren verschrammte Kopien, auf Magnetband übertragen, mit Musik und witzelnden Erzählerstimmen nachgerüstet, an unzähligen Bildschirmnachmittagen abgeleiert wurden, war mir als kindlichem Zuschauer schon einmal eine solche Drehwand begegnet, wie sie mich nun in die letzte Etappe meines Auftrags geschleudert hatte. Vor meinen Füßen lagen die Spielzeugautos. Mein Blick suchte den Janus, aber die Stange, die ihn als Kopf getragen hatte, war samt dem Modell des Geldtransporters im Holz des Regals verschwunden. Es ging wohl nicht auf gleichem Weg zurück. Kurz war ich in Versuchung, auf die Knie zu sinken und Auto für Auto wieder in die Ordnung der Wand zu räumen. Aber die Spannung meiner Anzugjacke, die mir um meine nackten Schultern besser als je zuvor, vielleicht zum erstenmal wie angegossen saß, ihr feiner, gleichmäßiger Druck, brachte mich auf den Boden meiner Arbeit, brachte mich in den Freiraum meiner Arbeitszeit zurück.

Ich drehte mich und hob den Blick. Über mir wölbte sich eine weite, von mattem Licht durchspülte Saalbaukuppel. Von meinem Standort aus, von einer Balustrade, die den Saal umlief, konnte ich in das eischalenkrumme Dachgewölbe sehen. Es kam mir vor, als wäre dort ein riesiges Küken ausgeschlüpft. Allmählich, weil an das Grau in Grau gewöhnt, vermochte ich die Zackenlinien im Gewölbe besser zu deuten. Das Dach war stark beschädigt, Stahlträgerstummel ragten vor den nächtlichen Himmel. Ein Einschlag oder eine Explosion hatte die Kuppel aufgesprengt, die bloßgelegten Rippen ihres Korpus waren wohl schon lang den zermürbenden Kräften des Wetters preisgegeben. Die Nacht milderte mir den Eindruck dieser Destruktion, und wie um ich noch weiter mit dem Riß im schon Gewesenen zu versöhnen, wurde Helligkeit in das Loch geschwemmt. Strömende Schwaden verrieten, daß sie Wolken waren. Zügig zerstob das Schleierzeug, räumte den Himmelsfleck, den mir die Kuppelränder rahmten, und im gezackten Feld, wie aus dem Nichts herbeigehext, stand eine trübe, dennoch blendend helle Scheibe, hypnotisch linste sie auf mich herab, und ganz bestochen von dem Silberaug, fiel ich erst aus dem Bann der Anschauung, als ich an seiner zarten Marmorierung unseren Mond erkannte.

Michael Lentz

Neben dem Tod

Mutter verschwand am zwanzigsten august neunzehnhundertachtundneunzig gegen dreiundzwanzig uhr und fünfzig minuten. Am einundzwanzigsten august neunzehnhundertachtundneunzig gegen acht uhr und dreißig minuten rief Vater an und
teilte es mir mit: »Mutter ist gegen dreiundzwanzig uhr und
fünfzig minuten diese nacht gestorben.« Ich ging ins bett zurück und setzte die am abend zuvor unterbrochene lektüre des
entencomics fort. Mit dem verschwinden Mutters ist seit langem gerechnet worden. Mitte april des jahres neunzehnhun-
dertsiebenundneunzig rief Vater an und sagte, es könnten jetzt
jederzeit die organe aussetzen. Am neunzehnten august neunzehnhundertachtundneunzig ist Mutter dann ein letztes mal ins
wachkoma gefallen, nachdem sie tage zuvor bereits nichts mehr
gegessen hatte und nicht mehr das heißt endgültig nicht mehr
umhergelaufen war. Nur noch im bett liegen und scheinbar unaussetzlich die füße betrachten. Sie hatte einen blick in den
park hinaus, sie blickte aber nicht mehr hin. Meine fensterlose
Mutter! Nachdem sie wochen und tage meinen Vater beschimpft hatte, er komme nie pünktlich nach hause und die
kinder seien nicht artig am tisch, sagte sie plötzlich nur dann
und wann noch, »ach, da bist du ja« oder einfach nur »Vater«,
oder »Vater« auch fragend, wenn Vater ins krankenhauszimmer
trat und mit dem eintritt ins zimmer sie besuchte. Sie war jetzt
abgemagert und bettversunken. Sie hatte jetzt flecken überall.
Als Vater zwei tage vor der beerdigung fragte, ob ich sie noch
einmal sehen wolle, verneinte ich dies.

Am achtundzwanzigsten august neunzehnhundertachtundneunzig gegen zehn uhr morgens wurde mutter beerdigt. Ich
warf eine gelbe rose in den schacht. Die rose lag vorbereitet in
so etwas wie einer schachtel. Man greift in die schachtel hinein

und nimmt eine rose heraus. Dann wirft man die rose in den vorbereiteten schacht hinein. Es ist aber nicht so, dass man an ein hineingestoßenes leben denkt, man wirft die rose in den schacht und weint. Ich behalte Mutter mit freundlichen augen zurück. Sie sitzt aufrecht im bett mit einer weißen strickjacke gegen das frieren an. Sie fragt mich, ob es mir gut gehe, und ich bejahe dies. Sie sagt, sie komme wohl nicht mehr heim. Sie ist jetzt insgesamt überraschend klar. Sie ist von einer überraschenden klarheit. Sie ist plötzlich eine alte frau geworden, die sie niemals war. Sie altert jetzt täglich. Sie erinnert sich, dass ich längst nicht mehr zuhause wohne. Auch sie wohne nicht mehr zuhause, sagt sie, sie wisse aber nicht genau, wo sie jetzt eigentlich wohne, und ob sie überhaupt eine wohnung habe noch. Sie wohne halt hier und da. Als Mutter verschwand, und Vater anrief, Mutter sei diese nacht gestorben, ging ich ins bett zurück und zur lektüre zurück und den mäusen den enten dem geizigen dagobert. Onkel dagobert ist gerade wieder einmal dabei, seinen reichtum ins unermeßliche zu steigern. Die von ihm dafür aufgebrachte logistik ist die erbärmlichste. Zu dieser logistik gehören auch die neffen. Die es immer wieder im entscheidenden moment rausreißen. Immer hat es donald jetzt endgültig satt, wenn dagobert ihn unentgeltlich schuften läßt. So ist das. Ist donald das leben und dagobert der tod?

Jetzt kannst du nicht mehr anrufen und nach Mutter fragen, stellte ich fest. Und du bist nie mit Mutter ins kino gegangen und nie mit Mutter ins theater gegangen, stellte ich fest. Überhaupt bist du mit ihr immer nirgendwo hingegangen. Es gibt so viele letzte blicke, dass ich gar nicht mehr weiß, wann genau ich sie zuletzt gesehen habe. Es ist auf jeden fall so, dass ich Mutter am sechsten juli neunzehnhundertachtundneunzig gegen zehn uhr vormittags das letzte mal gesehen habe. Ich winke noch einmal zurück, und die schwere graue tür mit dem handschmeichelnden griff gleitet langsam ins sichere schloß. Auf dieser station liegt der gebrochene fuß neben dem tod. Hinaus geht alles den flur entlang. Mutter hat schwierigkeiten mit der zunge, ihre stimme aber ist unmitgenommen. Sie schluckt schlecht und muß künstlichen speichel trinken.

Das erste mal nach ihrer erstmals freiwilligen und zugleich letzten einlieferung besuchten wir sie pfingsten neunzehnhundertachtundneunzig. Sie ist in einem so erbärmlichen zustand, dass ich außerstande bin, anderes zu tun als stundenlang nur wortlos neben ihr zu sitzen. Selbst anschauen ist unmöglich. Auch die hand verstohlen auf die blaue wolldecke legen ist unmöglich. Barbara ist tränendurchschossen direkt aus dem zimmer wieder hinaus, kaum dass sie Mutter so daliegen und so erbärmlich sein und so fast verschwunden eingefallen vertrocknet und knochenschädelig so hat daliegen sehen sofort wieder aus dem zimmer raus. Was hätte ich Mutter sagen sollen? Dauernd zeigt sie mit dem fliehenden finger auf merkwürdige gestalten da an der wand oder hier auf dem tisch. Sie richtet dabei ihren kopf so gut es geht ein wenig auf und schaut angestrengt mit kleinen augen mitten hinein in ihr geisterreich. Hatte es sinn, ihr zu sagen, da sei nichts als eine blume ein seifenspender ein fleischfarbenes getier aus holz, das immer bei ihr war? Sie mochte es nicht glauben. Sie nämlich sieht fliegende vögel und gesichter. Als barbara wieder ins zimmer tritt, hat Mutter gerade etwas tee aus der schnabeltasse getrunken und erbrechen müssen. Barbara wischt das braune zeug, den gallentee, von ihrem mund und ihrem weißen jäckchen. Das sei ja ungehörig, schämt Mutter sich. Sie könne das nicht leiden, sie sei ihr ganzes leben ja immer so etepetete gewesen. Das weiße jäckchen sei jetzt wohl unbrauchbar, überhaupt könne sie das ganze hier nicht mehr leiden, und abends würden über ihr ausgelassene parties gefeiert mit sexueller belästigung und so. Still bewundert sie meinen silbernen ring, den sie gern für sich behalten würde. Ihr finger sei aber sicher zu dünn dafür. Zwischen den sätzen bekommt sie so momentane abwesenheiten, gesichtsstarre, durchblick. Pfingsten war Mutter so erbärmlich, dass mein ganzer körper wie ausgegossen neben ihr saß mit so etwas wie gefühlstaubheit. Mutter schien keine angst zu haben.

Ich werde wohl langsam alt, sagte sie plötzlich vor jahren. Oder sie sagte, ich werde alt, bis sie eines tages sagte, wir sind alt geworden. Sie sitzt zuhause auf dem sofa. Irgend etwas fällt ihr nicht ein. Sie erinnert sich genau, dass ihr ein name nicht einfällt. Doch, sagt sie, ich spüre genau, dass ich alt geworden bin. Es fällt ihr nicht ein. Pfingsten berichtete Mutter von nächtlichen begegnungen mit ihrem Vater, von nächtlichen erkundungen und bedenken, ob das hier alles mit rechten dingen zugehe, erblickte dann und wann eine sonderbare gestalt im zimmer, an der decke oder dicht neben ihr am bett, wollte dann und wann ihre sündhaft teuere wie sie sagte lieblingscreme gereicht bekommen, um sich die immer trockener werdenden hände einzureiben, die sie ja im gegensatz zu ihren beinen noch passabel bewegen könne, immerhin. Und was ihr keine ruhe ließ, war der verlust ihres silbernen und sündhaft teuren wie sie sagte diamantringes, der ihr spurlos abhanden gekommen sei. Das könne nur an ihren fingern liegen, die sind ja alle so dünn geworden, da falle ja alles ab, was jahrelang nicht draufgepaßt habe, schließlich fällt es ab. Jetzt endlich lege ich drucklos meine hand auf die decke, darunter ihre vollkommen abgemagerten beine stecken. Beine erahnen. Sie ist so mager, dass die sehnen des halses wie trockene äste aus ihrem körper wachsen so mager. Ihr kehlkopf ragt hervor als wolle er für sich sein. Die arme drohen plötzlich wegzuknicken, ihr ganzer körper ist eine regierungslose marionette, deren fäden jemand verworren hat. Sie zeigt mir ihre zeitschriften, die sie immer noch mitgebracht bekommen wolle, die sie aber nicht mehr lesen könne, nur bilderschauen. Das sei jetzt die kommende mode, und ob mir das gefalle. Ihr nicht, sagt sie. Ihre füße jucken, dagegen könne sie aber nichts machen, sie könne nämlich die beine nicht mehr heben und habe das auch schon lange nicht mehr versucht. Nach einigen minuten nur dasitzen daliegen wegdenken überkommt sie die vermutung, scheißen und kotzen gleichzeitig zu müssen, was sie so nicht sagt. Mir ist auf einmal undefinierbar schlecht, schießt es aus ihr raus. Die schwester wird geholt, wir staksen den flur auf und ab, bis es Mutter wieder besser geht. Ihr mattes haar liegt jetzt noch abgebrochener neben dem kopf, fällt mir auf. Macht euch keine sorgen, hatte Mutter gesagt, als ich sie nach ihrer ersten operation wiedersah. Jetzt sagt sie nichts dergleichen. Es ist ihr alles peinlich. Ohne fremde hilfe kann sie nicht aufs klo. Jedes mal werde sie auf einen stuhl gehockt. Früher sei das ja ganz anders gewesen. Sie wisse, dass sie völlig unwillig sei. Das hätte sie sich aber im leben nicht gedacht, dass es mal so kommen werde. Sie wünscht uns alles gute. Ob wir die balkontür ein wenig öffnen könnten, die luft sei unerträglich schlecht. Ob wir das nachempfinden könnten. Für kurze zeit fällt sie in schlaf oder dämmerung. Sie hat ihre große brille auf, durch die man unter ihrem linken auge einen fleck sehen kann. Deutlich zu sehen ist ein dunkelroter fleck. Ich habe sie nie gefragt, warum der fleck da unter ihrem auge ist. Fragt man sie geradeaus, wie es gehe, sagt sie stets, es gehe ihr gut. Sie sagt allen, es gehe ihr gut. Es geht mir gut, sagt sie allen, die sie fragen. Ich habe sie nie gefragt, ob sie bald zu sterben denke.

Als die krankheit in der leber war, gab's wohl keine hoffnung mehr. Zu niemandem hat sie gesagt, dass es das dann wohl gewesen sein werde. Keine mitteilung über den tod. Kein wort. Manchmal brach sie in tränen aus und tat dann so als habe sie sich verschluckt oder einen trockenen mund oder etwas merkwürdiges in der kehle. Vater sagt, sie habe nie über den tod gesprochen. Sie freute sich, wenn man sie besuchen kam. Sie klagte nicht, wenn man gehen mußte. Nur über Vater hat sie geklagt, ununterbrochen hat sie ihm und allen vorgehalten, er sei nicht für sie da, er komme und gehe wann und wohin er wolle, er lasse sie hier im stich, er sei immer unpünktlich, das habe es früher nicht gegeben, er halte die abmachungen nicht ein, er bleibe die meiste zeit einfach weg. Vater ertrug diese beschimpfungen stets mit ausgeharrter sanftmut.

Eine krankheit ist ja immer auch eine krankheit des bewußtseins. Das, auf was alles zusteuert. Zusammenfassung des lebens als mitteilung da ist krebs im darm. Dass da bereits eine fortschreitung ist, wird Mutter aber ganz und gar nicht direkt bekannt gemacht. Bis zu ihrem tod hat sie nur einen inneren bescheid, was sie so fürchterlich ahnte, als sie wochenlang nicht mehr scheissen konnte. Hatte unsägliche schmerzen, die sie genau lokalisierte, nämlich darmwärts. Eines tages geht sie zum arzt und sagt, da ist was. Das spüre sie seit monaten. Der arzt fertigt bilder an. Er tritt vor meine Mutter hin und sagt, da ist was. Kann es so etwas geben wie ein bewußtsein dafür, dass da etwas ist, fragt meine Mutter den arzt. Es ist absolut nicht unmöglich, dass Sie vorher wußten, was ich Ihnen jetzt bejahe. Und ob es schlimm sei. Dass es wirklich schlimm sei. Danach immer zusammenfassung zusammenfassung zusammenfassung. Ein vor augen stellen. Eine tägliche portion abschied. **321**

Am abend des zehnten januar neunzehnhundertvierundneunzig bin ich zum essen eingeladen. Ente acht kostbarkeiten.

Auf den kerzenlichtbestrahlten tisch hat die gastgeberin sich selber aufgedeckt. Sofort will ich ihr mit der zunge zwischen die schenkel langen. Telefon. Hier ist Vater. Mutter ist schwer erkrankt. Sendeschluß. Das war neunzehnhundertvierundneunzig. Da war das essen zuende. Schwer erkrankt klingt ja auch heute noch nach lebensende. Um nicht zu sagen liegt bereits im sterben. Acht kalte kostbarkeiten. Kein essen mehr. Seit neunzehnhundertvierundneunzig habe ich nicht mehr gegessen. »Ja mehr denn gantz verheeret!«

Es hat schöne gespräche gegeben in unserem leben. Aber wovon handelten die schon. Es sind wichtige dinge, vom wetter und vom essen zu reden. Mutter sprach gern vom wetter und vom essen. Setzt euch hin und redet nicht so viel über dinge die man nicht essen kann. Hätte von ihr sein können. Wetter war aber etwas, das in ihr drin war, das konnte sie spüren, das machte sie fertig oder froh. Mutter war nicht von dieser gesellschaft. Ich glaube, sie war aus dem krieg, und sie hat alles mit dem von aus dem krieg verglichen. Und da war wohl wenig deckungsgleich. Sie hat ihre kinder nicht auf der höhe der gesellschaft erzogen, ich meine, diese gesellschaft war ihr beim erziehen immer im weg, ich meine, diese gesellschaft war ihr immer im weg, will heißen, da gab es so voreingenommenheiten, so gegenseitig tote winkel, unlebbare versprochenheiten, sie ist ihren beschwerlichen fahrradweg zur schule gefahren, sie hat pharmazeutische dinge gelernt, danach, und dann kamen so umbrechungen, eine plötzlich so jäh hereinbrechende gegenwart, eine hinübergereichte indieweltstellung, sie ist eigentlich immer mit ihrem fahrradweg zur schule gefahren.

Auf ihrem letzten foto hat Mutter das kleid schon an, in dem sie später beerdigt wird. Das hat ihr immer gut gestanden, und weil das ihr letztes foto ist, sagt Vater. Vom tod gezeichnet, wie das so landläufig heißt, so schaut Mutter eindeutig neun monate vor ihrem tod. Als müsse sie in unvorbereitet kürzester zeit stellung beziehen, wo ihr doch schon die bloße anwesenheit die ärgste anstrengung war. Alles gerinnt zu einem sogenannten. Sie steht täglich vor mir. Träume ich, ist sie nicht tot. Ich weiß das in und auswendig. Ich gelange da nicht hin. Eben nicht zu vergessen Bas Jan Ader, der am 9. Juli 1975 von Cape Cod mit einem kleinen segelboot in see stach, um den atlantik

in richtung england zu durchqueren. Nix da! Eine halb ver-
faulte nußschale. Das wars. Kieloben treibend. So westlich von
Irland. Er selbst verschwunden. Aderlass. »Mein körper, das
ertrinken praktizierend«, hat er mal notiert. Und dann »I'm
too sad to tell you«, jener wunderbare sechzehn-millimeter-
film hemmungslosen weinens. Das ist es. Ein weltraum des
weinens. Und ob es danach einen moment der ruhe gibt. Ob
nach diesem weltraum alles raus ist. Manchmal ist das mit dem
eigenen weinen ja so, dass man es selbst nicht von einem film-
weinen unterscheiden kann. Man lernt und weint ein leben
lang.

Öl. Ein flüssiger kerzenschein eine fünftagesration ewiges
licht. Und wiederkommen. Und wiederdenken. Das gedächtnis
ist ein baum. Ein blumenstrauß. Angeflogenes, sofort wieder
unterbrochenes beten. Ein todestag als gedächtnisring. Eine
sprießende frühjahrsblüte mit wurzel. Eine schale. Und wiederkommen. Erde wenden. Und winter werden. Und daneben-
stehen. Immer mal da so hinkommen bis jemand zu dir kommt.
Auf grasnarbenfühlung auf touristenkurs. Vielleicht auch mit
diesem unsagbaren bild auf den lippen mit dieser verstarrung
oder nicht mehr unternehmbaren kopfbewegung. Da wie sie
daliegt. Wie sie nur noch wenig machen kann. So rumdrehen
zum beispiel eine unmöglichkeit. Verabschiedung unmöglich.
Kurzsichtig ohne wiedergruß. Kurzsichtig und voller raum im
gesicht. Betreten. Auf der einen seite stehen. Auf der anderen.
Das leben ist eine abgewöhnung. Und ein tod hilft ja auch dabei wie dieser. Liegt mutterseelenallein auf der sterbepritsche.
Vater fallen schon die augen zu. Der ihr seit stunden erwartete
tod der ihr aber seit tagen schon aus bleibt. Komatös mit nach
hinten gestrecktem kopf. Hat ein leibchen an. Keine letzten
überlieferten worte. Dagewesen weggegangen. Bloßheit. Und
wohin das führt. Vater fallen die augen zu. Er geht jetzt mal
nach hause. Ein mutterseelenmenschenleerer raum darin Mutter verschwindet. Sie sagt ja nicht, geh mal eben nach hause, ich
muß jetzt sterben. Hinübergehen. Abkratzen. Platte machen.
Platz machen. Sich ein leben lang verhört haben. Sich ein leben
lang fragen, habe ich das richtig verstanden. Und mal etwas
klarstellen wollen. Das betriebssystem Mutter überprüfte sozusagen lebenslänglich seine schnittstellen. Waren vielleicht ja

gar keine da. Ein selbst verglühender herd. Was aber schön ist, selig scheint es in sich selbst. Was da so trocken im laken verglüht. So unpolitisch am zwanzigsten august neunzehnhundertachtundneunzig. Wie wir da ins zimmer treten und denken uns trifft der schlag. Wie da plötzlich alles still steht. Wie wir im gehörten das hören hören. Vielleicht ist das ja etwas das nie aufhört, dieses STERBEN das nie aufhört. Dieses dünne ärmchen, das aus dem laken schießt. Diese unberingte hand, die nach einem ring sich sehnt. Dieser komplett untergeschossige körper, der es selbst nicht fassen mag. War doch gestern noch kompletter, sagt sich dieser körper abermals und gern. Was ist das denn plötzlich ernsthaft, dass das so nicht mehr geht.

Wiederholt verbucht sie so manches falsch. So zum beispiel das vehemente verneinen auch nur irgendeinen sohn gehabt zu haben. »Wieso mein sohn hat mich besucht!« Bis zuletzt gab's von Vatter für Mutter ausgesuchtes und zwar eine woche vorher ausgesuchtes mittagessen nämlich diesmal irgendsowas mit dampfsuppe fleisch und tirili. Diäthalber sterbenslangweilig verdaubar und abgangswürdig. Aber was willste machen. Alles auf der welt findet irgendwo in der welt ein katastrophales verständnis. Als Vater zwei tage vor der beerdigung fragte, ob ich sie noch einmal sehen wolle, verneinte ich dies. Ich hätte gern einmal verständnis dafür entwickelt, was da organisch so abgeht, was da so abfällt und aussetzt organisch. Es ist halt so, dass ich mit dieser tastatur sehr gerne mal in die eingeweide vorgedrungen wäre, aber es war nicht so, dass mir dies zu lebzeiten auch nur ausgesprochen gelungen gewesen wäre. Die deutsche grammatik versprüht immer so einen ausgestochenen verwesungsgestank. Diese permanent papstgesegnete deutsche sprache. Diese sparsprache. Diese philosophensprache. Diese pfandwertflasche. Dieses sterbekristentum. Dieses abtransportiertwesen. Dieser stolz: »Der wird mir unrecht thun/der meinen tod beweinet.« Ihr tod. Ein tod eine echtzeit und drum herum so etwas wie hermeneutik oder karlsruher karneval. »Es wird der bleiche todt mit seiner kalten hand« habe ich zwar gelesen erschrickt mich aber nicht.

324   Besuchten wir sie pfingsten neunzehnhundertachtundneunzig. Selbst anschauen war unmöglich. DAS jagte einen hinaus als wäre kein platz! Hatte sich aber noch kurz vor ihrem tod in einem unterwäschegeschäft unterwäsche gekauft in rauhen mengen und wollte immer einkaufen gehen. Einkaufen war für Mutter stets ein staatsakt. Der oberstadtdirektorvater, und Mutter geht jetzt für die oberstadtdirektorfamilie einkaufen. In diesem verschissenen Düren einkaufen gehen. In diesem geistig total vor den hund gekommenen Düren einkaufen gehen. Mit ausnahme des museums ist diese stadt bitte dringend zu schließen! Eine stadt die im krieg zu achtundneunzig prozent zerstört wurde, hätte besser nicht mehr aufgebaut werden sollen. Man hätte alles so stehen und liegen und verrotten lassen sollen. Dann hätte man noch fünfzig jahre nach dem krieg menschen und frauen aus aller herren länder da mal hinführen können mit dem satz: DAS ist der krieg. Bitte alle Düren schließen. Eine möchtegernstadt wie ein schweizer käse. Wenig gestalt um viel nichts. Das nichts scheint durch. Immer diese vorstellung des weniger werdens. Und hochschrecken nachts, weil im traum sitzt Mutter noch da, und es ist die rede von einem wunder. Dass sie jetzt wohl über den berg sei. Dass da nicht mehr viel passieren könne. Und da sitzt Mutter also und läßt es sich gutgehen. Nicht totzukriegen. Sitzt da vor sich hin. Besuch aus einer anderen welt. Redet plötzlich ganz anders als im leibhaftigen sinne. Abermals hochschrecken, weil die finte bemerkt wird. Sofort klarmachen, dass Mutter hinüber ist. Beruhigend zu wissen, sozusagen. Alles beim alten. Auch sie hatte vor den nächten angst. Sie wollte eigentlich die nächte gar nicht mehr haben. Nur noch im bett liegen und scheinbar unaussetzlich die füße betrachten. Sie hatte einen blick in den park hinaus, sie blickte aber nicht mehr hin. Dort im krankenhauspark steht eine skulptur. Einmal hat meine Mutter aus dem fenster in den park hinausgeschaut und da hat sie genau dieses ding da gesehen. Das ihr gut gefallen hat. Nachdem Mutter am zwanzigsten august neunzehnhundertachtundneunzig gegen dreiundzwanzig uhr und fünfzig minuten verschwunden ist, erteilt Vater dem skulpturenmacher den auftrag, eine schicke stele fürs grab zu machen. Ein sehr erdenfestes, ums zentrum verzwirbeltes oder verdrehtes gerät aus grauem stein ist es geworden. Hat mittlerweile schon moos angesetzt. Nein, meine Mutter hat mich nicht persönlich angerufen, mir zu

325

sagen, »ich habe krebs«. Ich bekam einige wochen nach Vaters meldung, Mutter sei schwer erkrankt, von ebensolchem Vater eine telefonnummer, mit der ich die bereits operierte und noch krankenhausbettlägrige Mutter besuchen konnte. Niemand von uns hatte eine gute gesprächseinstellung parat. Ihre stimme war eine starke schwäche. Nur kurz telefonieren, hatte Vater gesagt. Ein leben ist immer ja ein wunsch voneinander. Nein, das sind so verbrauchte sätze. Das ist kein ausgang. Den stil verbessern, heißt, die gedanken verbessern, sagte mal jemand. Man wählt diese nummer ja nicht nur einmal nicht ganz so durch, sondern immer nur bis zum anschlag, immer nur bis zur vorletzten nummer, immer nur bis höchstens zur letzten nummer, die aber schon nicht mehr ganz durchgeht, vielmehr längstens ein wenig angeläutet wird, dann schnell den hörer auf die schüssel. Man scheut die erste liebe wie den ersten tod. Es ist alles vermittelt und numerös. Hörer wieder abnehmen, weil es doch die eine einzige stimme ist, die zählt.

Einen einzigen brief gibt es von ihr. Sie kündigt darin an, meine hose aufzubewahren, die ich vergessen habe beim letzten besuch nach dem umzug und die sie mir schicken könne, vorerst. Das ist jahre her. Die mittlerweile längst aus der sogenannten mode gekommene hose hat sie mir höflich in einem karton geschickt. Ich habe ihr nämlich einen brief geschrieben, bitte schicke mir besagte hose, weil es wird kalt, und die hose fehlt mir. Hose ist mittlerweile verrottet, karton habe ich aufbewahrt. Und zwar liegt da so allerhand unzurechnungsfähiges zeug drin rum. Karton also aufbewahrt, aber nicht mehr reingeguckt. Die hose ist von anfang an schon zu kurz gewesen, ich steckte trotzdem mittendrin und nannte diese hose stets ›beinkleider‹. Zwischen dem verrecken einer naheliegenden person und dem verrecken einer fast identischen person liegt nur das anziehen einer hose. Oder das alphabet. Du ziehst eine hose an und Franz Papaver spricht von identität, die nur variierte wiederholung ist.

Es ist auf jeden fall so, dass ich Mutter am sechsten juli neunzehnhundertachtundneunzig gegen zehn uhr vormittags das letzte mal gesehen habe. Mutter hatte gerade gefrühstückt, was ihr diesmal anders als die tage zuvor freude zu machen schien, sagte Vater. Ich war mir völlig im klaren darüber, sie das letzte mal gesehen zu haben. Mit einem nochmaligen betreten des zimmers hätte dieses bewußtsein ein anderes werden können. Es hat aber ganz und gar keinen vorwand keinen deckmantel gegeben, den raum erneut zu betreten. Ich muß jetzt gehen, rief ich ihr zu, einmal noch winkend, und die schwere graue tür mit dem handschmeichelnden griff glitt langsam ins sichere schloß. Wohin aber gehen? Das zimmer verlassen, die station verlassen, das gebäude verlassen. Einmal noch notiz nehmen von dieser abgelegenheit. Von dieser reparatur-, heilungs- und beendigungsstätte. Felsenfest sagen, hier möchtest du bis an dein lebensende nicht mehr rein. So tun, als sei nichts gewesen. Auf andere gedanken kommen, so zu sagen. Aber wohin denn? Vorbei am alten abgerissenen schwimmbad, an all diesen wie aus dem hut gezauberten überanstrengungen vorbei, die Düren heißen. An diesem gesamten ensemble der notdurft vorbei. An der mittelstadt vorbei. Vorbei an dir selbst in jenen heruntergekommenen etablissements der innenstadt einen kaffee trinken. Das ist eine durch und durch vergessenswürdige kleinstadt. Sitzt plötzlich aufrecht im bett, nachdem sie bereits stunden zuvor keinen laut mehr von sich gegeben hat. Ob sie wohl wieder einem phantom nachjagt. Fragen, die sie stellt. Ob ich das gehört habe, was opa sagt. Es verwundere sie zutiefst, dass opa hier etwas vor allen leuten sage. Opa sage nämlich nur ihr allein immer was und zwar morgens im bad. Ich solle doch bitte die leute rausschmeissen. Dass es nicht stimme, was ich sage. Dass ich hier nicht allein mit ihr in diesem zimmer sei. Dass diese anderen leute böses im schilde führen. Dass sie manchmal nicht ganz aufmerksam sei. Sie habe wie sie sagt in ihren lichten momenten das gefühl zwar schon seit längerem regelrecht vor sich hin zu altern aber dieses ganze hier das habe doch mit gottes erlaubnis nichts mehr mit altern zu tun das sei doch was ganz anderes, und ob ich ihr da mal entgegenkommen könne mit einem hinweis was das denn genau nun sei, sie jedenfalls habe zwar vielleicht mal was davon gehört, es mittlerweile aber vergessen, jedenfalls habe sie anderes zu tun. Außerdem, das aber sei nicht dringlich, falle ihr dieses eine wort nicht ein. Das so etwas endgültiges sei. Fällt wieder ins bett zurück wie tot. So also sieht sie aus wenn sie tot ist vielleicht. Jetzt ist sie bereits zehn minuten tot. Ihre haut auf den wangen. Ihre glänzende stirn, die sie

mehr und mehr mit einer sagen wir hochprozentigen salbe ein-
reibt. Was ist aus uns geworden. Diese alltagsfrage dieser ge-
salbte schmerz. Die adern ihrer schläfen, die wie ein rinnsal das
gebirge hinunterdrängen. Ihr schlaf, der ein gebirge ist. Und
aus dem gebirge schaut sie plötzlich auf mit einem fast schon
versöhnlichen lächeln, das alles zu überblicken scheint. Sind
wir da denn hier noch bei zeiten? Ist das denn noch alles rechtzeitig?

Am achtzehnten august zweitausend teilt mir Vater mit, er
habe Mutters liebesbriefe wieder gefunden. Sie hätten in einer
keksdose gelegen. Jedenfalls in einer blechdose. Mutter und er
hätten damals die vernichtung ihrer liebesbriefe beschlossen.
Sie hätte SEINE liebesbriefe tadellos verbrannt. Jetzt finde er
wie zufällig in einem braunen karton und sei es auch nur eine
unbedeutende alte schachtel diese IHRE liebesbriefe, die er
dann wohl nicht wie es abgemacht gewesen sei vernichtet habe.
Er wundere sich wie von selbst. In einer dose hier in diesem
braunen karton sind sie dringelegen. Mutter habe alle seine liebesbriefe verbrannt, sagt Vater. Dies zeige sich, sagt Vater. Er
habe also aus dem schrank diese kiste hier raus genommen und
anstatt des vermuteten christbaumschmucks seien also diese
briefe hier drin gelegen. Während all der jahre muß er also und
zwar zuletzt an diesem ort ihre an ihn adressierten liebesbriefe
aufgehoben haben, während sie wie abgemacht seine liebesbriefe ordnungsgemäß verbrannt habe, mutmaßt er. Finde er
also in dieser keksdose Mutters liebesbriefe entferne er sogleich
sämtliche noch übriggebliebenen briefumschläge mit all den
wechselnden anschriften und adressen und schmeiße sie sofort
in den mülleimer, sagt Vater. Er zeigt mir einen aktenordner
mit sauber eingelochten handbeschriebenen papierseiten. Mutters liebesbriefe. Das darf doch wohl nicht wahr sein, entgegne
ich. Auf die frage, warum er denn die briefe eingelocht und die
umschläge weggeschmissen habe anstatt sie unversehrt in der
dose im karton aufzubewahren, erwidert Vater, er sei nur an
den briefen interessiert. Diese hätten jetzt zwar je zwei löcher,
er habe jedoch peinlich darauf geachtet, dass keine textstelle be-
328 rührt worden sei.

Die Autoren

Jürg Amann, geb. 1947 in Winterthur, studierte Germanistik, Europäische Volksliteratur und Publizistik in Zürich und Berlin. Nach seiner Dissertation über Franz Kafka arbeitete er als Literaturkritiker und Dramaturg. Seit 1976 lebt er als freier Schriftsteller in Zürich. Er veröffentlichte zahlreiche Gedichte, Erzählungen, Romane, Hörspiele und Theaterstücke. Zuletzt erschienen die Erzählung »Am Ufer des Flusses« (Innsbruck 2001) und »Bergell, Puschlav, Tessin. Ein Reisebuch« gemeinsam mit Anna Kurth (Hamburg 1999). Neben dem Ingeborg-Bachmann-Preis erhielt er viele andere Preise und Auszeichnungen, u. a. 1989 den Carl-Heinrich-Ernst-Kunstpreis der Stadt Winterthur und den Preis der Schweizerischen Schillerstiftung, der ihm im Jahre 2001 nochmals verliehen wurde.

Jan Peter Bremer wurde 1965 in Berlin geboren, wo er seit 1988 wieder als freier Schriftsteller lebt. Sein dritter Roman »Der Fürst spricht« erschien 1996 (Frankfurt/M.), ihm folgte im Jahr 2000 der Titel »Feuersalamander« (Roman, Berlin). Zahlreiche Arbeiten verfasste er für Literaturzeitschriften und Anthologien sowie für den Hörfunk. Vor dem Ingeborg-Bachmann-Preis wurde ihm bereits das Bertelsmann-Stipendium 1993 und das Stipendium des Atelierhauses Worpswede 1994 zuerkannt.

Hermann Burger, geboren 1942 im schweizerischen Menziken, studierte Architektur, Germanistik und Kunstgeschichte und habilitierte sich 1975 mit Studien zur zeitgenössischen Schweizer Literatur. Er lehrte als Privatdozent für deutsche Literatur an der ETH Zürich, in Bern und in Freiburg. Seine literarischen Arbeiten wurden mit zahlreichen Preisen ausgezeichnet, u. a. mit dem Conrad-Ferdinand-Meyer-Preis 1980, dem Hölderlin-Preis 1983, dem Aargauer Literaturpreis 1984. Er veröffentlichte Lyrik, Prosa, Essays und Romane. Zu seinen bekanntesten Publikationen gehören die »Kirchberger Idyllen« (Frankfurt/Main 1980), »Die Künstliche Mutter« (Frankfurt/Main 1982), »Ein Mann aus Wörtern« (Frankfurt/Main 1983), »Der Schuss auf die Kanzel« (Zürich 1988) und »Brenner« (Bd. 1: Frankfurt/Main 1989 und Bd. 2: 1992). Nach langem depressiven Leiden nahm er sich 1989 auf Schloß Brunegg das Leben.

Kurt Drawert, geboren 1956 in Henningsdorf/Brandenburg, ist seit 1986 freier Autor und lebt heute in Osterholz-Scharmbeck bei Bremen. 1982 bis 1985 studierte er am Institut für Literatur in Leipzig. Neben Förderpreisen und Stipendien erhielt er u. a. 1989 den Leonce-und-Lena-Preis, 1993 den Lyrikpreis der Stadt Meran sowie den Bremer Autorenpreis und 1994 den Uwe-Johnson-Preis. Bisher veröffentlichte er Essays, Gedichte, Hörspiele, Kritiken, Nachdichtungen und Romane. Zu seinen letzterschienenen Publikationen gehören »Fraktur. Lyrik – Prosa – Essay« (Leipzig 1994), »Alles ist einfach. Stück in sieben Szenen« (Frankfurt/Main 1995), »Steinzeit« (Frankfurt/Main 1999) und »Rückseiten der Herrlichkeit« (Frankfurt/Main 2001).

Franzobel, (eigentl. Franz Stefan Griebl) geboren 1967 in Vöcklabruck/Oberösterreich, studierte 1986 bis 1994 Germanistik und Geschichte in Wien und ist dort seit 1989 als Literat tätig. Bis 1991 arbeitete er auch als bildender Künstler. Nach 1992 wurde er vielfach mit Förderpreisen, Stipendien und Auszeichnungen geehrt. Erwähnenswert sind neben dem Ingeborg-Bachmann-Preis 1995 u. a. der Leonce-und-Lena-Preis 1997, der Floriana-Literaturpreis und der Kasseler Literaturpreis für grotesken Humor 1998. Die Satire »Krautflut« erschien 1995 (Frankfurt/Main), die Romane »Scala Santa oder Josefine Wurznbachers Höhepunkt« (Wien 2000) und »Shooting Star« (Klagenfurt 2001) gehören zu seinen letzten Publikationen, zu denen auch Lyrik, Grotesken und Theaterstücke zählen.

Reto Hänny wurde 1947 in Tschappina in der Schweiz geboren und wuchs auf einem Bergbauernhof auf. Heute lebt er nach mehrjährigen Auslandsaufenthalten und der Ausübung verschiedener Berufe als freier Schriftsteller in Zürich und Graubünden. Unter seinen Preisen, Stipendien und Auszeichnungen finden sich neben dem Ingeborg-Bachmann-Preis z. B. das Max-Frisch-Werkjahr der Stadt Zürich 1985 und der Preis der Schweizerischen Schillerstiftung 1991. Zu seinen wichtigsten Veröffentlichungen gehören »Zürich, Anfang September« (Frankfurt/Main 1981), »Flug« (Frankfurt/Main 1985) und »Am Boden des Kopfes. Verwirrungen eines Mitteleuropäers in Mitteleuropa« (Frankfurt/Main 1991).

330 *Wolfgang Hilbig,* geboren 1941 in Meuselwitz/Thüringen, arbeitete als Bohrwerkdreher, Heizer, Werkzeugmacher, Monteur, Tiefbauarbeiter und Hilfsschlosser, bevor er zunächst im Westen literarische Anerkennung erfuhr und nach 1979 auch in der DDR veröffentlichen konnte. Bereits 1983 erhielt er den Brüder-Grimm-Preis. Seit 1986 lebte er mit einem offiziellen Visum in der BRD. Nach dem Fall der Berliner Mauer verlegte er seinen Wohnsitz wieder in den Osten der Stadt. Unter seinen zahlreichen Publikationen befinden sich u. a. die Romane »Eine Übertragung« (Frankfurt/Main 1989), »Ich« (Frankfurt/Main 1993) und »Das Provisorium« (Frankfurt/Main 2000). Für sein Werk erhielt er neben vielen anderen Auszeichnungen den Berliner Literaturpreis 1992, den Bremer Literaturpreis 1994, 1997 den Lessing-Preis des Freistaates Sachsen, den Fontane-Preis der Berliner Akademie der Künste und den Hans-Erich-Nossack-Preis. 2001 wurde ihm der Stadtschreiberpreis von Frankfurt-Bergen-Enkheim verliehen und es erschien sein letzter Gedichtband »Bilder vom Erzählen«.

Gert Hofmann wurde 1932 im sächsischen Limbach geboren und starb 1993, knapp drei Wochen bevor ihm der Münchner Literaturpreis verliehen werden sollte, in Erding. Nach seiner Promotion im Jahr 1957 lehrte er als Philologe an zahlreichen ausländischen Universitäten (Toulouse, Bristol, Edinburgh, Yale, Berkeley, Austin und Ljubljana). Er verfaßte zunächst Aufsätze, Hörspiele und dramatische Arbeiten und begann erst später Erzählungen, Novellen und Romane zu schreiben. Sein Werk wurde mit vielen Preisen ausgezeichnet, u. a. erhielt er den Hörspielpreis der Kritik Prag 1968, den Prix Italia 1980, den Alfred-Döblin-Preis 1982 und den Hörspielpreis der Kriegsblinden 1983. Zu seinen letzten Veröffentlichungen gehören »Der Kinoerzähler« (München 1990), »Das Glück« (München 1992) und »Die kleine Stechardin« (München 1993).

Urs Jaeggi, geboren 1931 in Solothurn, wurde 1964 Professor für Soziologie in Bern. 1965 zunächst an die Universität Bochum berufen, ging er 1970/71 für ein Jahr an die New School for Social Research nach New York. Danach lehrte er bis zu seiner Emeritierung an der FU in (West-)Berlin. Seine politischen Schlüsselromane sind »Brandeis« (Darmstadt/Neuwied 1978) und »Grundrisse« (Darmstadt/Neuwied 1981). Außer durch seine umfangreichen literarischen Veröffentlichungen, zu denen Romane, Essays, Erzählungen und Theoretische Praxis zählen, machte er sich aber auch als Maler und Bildhauer ab 1985 mit Einzel- und Gruppenausstellungen einen Namen. Literaturpreise erhielt er z. B. 1963 (Literaturpreis der Stadt Bern), 1964 (Literaturpreis der Stadt Berlin), 1978 (Literaturpreis des Kantons Bern); 1998 bekam er den Kunstpreis K.N.O.T.E.N. Wien verliehen.

Gert Jonke, geboren 1946 in Klagenfurt, absolvierte eine Klavierausbildung am dortigen Landeskonservatorium und studierte ab 1966 u.a. Geschichte, Germanistik, Philosophie und Musikwissenschaft an der Universität Wien. Nebenbei besuchte er die Akademie für Film und Fernsehen. Seit den 70er Jahren erhielt er viele Preise und Auszeichnungen, zuletzt 1997 den Erich-Fried-Preis und den Franz-Kafka-Literaturpreis der Stadt Klosterneuburg. Er lebt in Wien, Klagenfurt und Graz. Sein Werk umfaßt Romane, Theaterstücke, Hörspiele und Arbeiten für das Fernsehen wie »Händels Auferstehung« (ORF 1980) und »Geblendeter Augenblick – Anton Weberns Tod« (ARD 1986). Zuletzt erschienen die »Himmelsstraße – Erdbrustplatz oder Das System von Wien« (Salzburg 1999) und das Theaterstück »Insektarium« (Salzburg 2000).

Georg Klein, geboren 1953 in Augsburg, lebt in Ostfriesland und in Berlin. Für seinen 1998 erschienenen Erstlingsroman »Libidissi« (Berlin) erhielt er den Hanauer Brüder-Grimm-Preis, es folgte der Erzählband »Anrufung des Blinden Fisches« (Berlin 1999) und »Barbar Rosa. Eine Detektivgeschichte« (Berlin 2000). Seit 1984 beteiligt er sich mit erzählender Prosa in Anthologien und schreibt für Zeitungen, Zeitschriften und für den Rundfunk.

Angela Krauß, geboren 1950 in Chemnitz, studierte zunächst an der Fachhochschule für Werbung und Gestaltung in Berlin Werbegrafik und danach von 1976 bis 1979 am »Literaturinstitut Johannes R. Becher« in Leipzig. Noch in der DDR wurde sie 1986 mit dem Hans-Marchwitza-Preis ausgezeichnet, dem Stipendien, Förderpreise und Literaturpreise folgten. U.a. erhielt sie den Berliner Literaturpreis und die Johannes-Bobrowski-Medaille (1996). Im Jahre 2001 wurde ihr der Thomas-Valentin-Literaturpreis verliehen. Außer Prosa veröffentlichte sie auch Hörspiele und den Fernsehfilm »Im Sommer schwimme ich im See« (1992). Der Erzählungsband »Glashaus« erschien 1988 (Berlin, Weimar); »Sommer auf dem Eis« (Frankfurt/Main 1998) und »Milliarden neuer Sterne« (Frankfurt/Main 1999) sind ihre letzten Werke. Seit 1980 lebt sie als freie Schriftstellerin in Leipzig.

Katja Lange-Müller, 1951 in Ost-Berlin geboren, erhielt 1984 eine Ausreisegenehmigung in die Bundesrepublik Deutschland und lebt seither in Berlin. Sie studierte nach mehrjähriger Tätigkeit als Schriftsetzerin, Bild- und Umbruchredakteurin und Hilfsschwester in verschiedenen Krankenhäusern Berlins von 1979 bis 1982 am »Literaturinstitut Johannes R. Becher«. Ihre Arbeiten wurden vielfach ausgezeichnet, u. a. mit dem Alfred-Döblin-Preis (1995) und dem Berliner Literaturpreis (1996). Im Jahr 2001 war sie gemeinsam mit Jürgen Israel Stadtschreiberin in Rheinsberg. Neben Romanen und Erzählungen verfaßt sie Hörspiele und Theaterstücke. Eine ihrer bekanntesten Erzählungen »Kasper Mauser – Die Feigheit vorm Freund« erschien 1988 (Köln), »Verfrühte Tierliebe« ebenda 1995. Zuletzt erschien von ihr »Die Letzten. Aufzeichnungen aus Udo Posbichs Druckerei« (Köln 2000). Für diesen Roman erhielt sie 2001 den Preis der SWR-Bestenliste.

Michael Lentz, der Ingeborg-Bachmann-Preisträger des Jubiläumsjahres 2001, wurde 1964 in Düren geboren, studierte in Aachen und München Germanistik, Geschichte und Philosophie und ist heute Autor, Musiker und Interpret experimenteller Texte und Lautgedichte. Er veröffentlichte eigene Prosa in Anthologien, Zeitschriften und in der »edition selene Alfred Goubran«, Wien, z. B. »Neue Anagramme« (1998) und »Lettrismus« (2001). Er wurde bereits mehrfach mit Stipendien und Förderpreisen ausgezeichnet, zuletzt mit dem Stipendium des Deutschen Literaturfonds Darmstadt (1999/2000).

Sibylle Lewitscharoff, geboren 1954 in Stuttgart, studierte Religionswissenschaften in Berlin. Nach längeren Aufenthalten in Buenos Aires und Paris arbeitet sie heute in einer Werbeagentur in Berlin und erstellt Rundfunk-Features und Drehbücher. Ihr Roman »Pong«, für den sie den Ingeborg-Bachmann-Preis erhielt, erschien 1998 (Berlin), das Kinderbuch »Der höfliche Harald« ist ihre letzte Veröffentlichung (Berlin 1999) .

Terézia Mora wurde 1971 in Sopron/Ungarn geboren und lebt seit 1990 in Berlin. Sie studierte Theaterwissenschaft und Hungarologie und machte an der Film- und Fernsehakademie Berlin ihr Drehbuch-Diplom. Der Erzählband »Seltsame Materie«, aus dem ihre mit dem Ingeborg-Bachmann-Preis ausgezeichnete Erzählung stammt, ist ihre erste und bislang einzige Buchpublikation (Reinbek 1999). Sie arbeitet als Drehbuchautorin und Übersetzerin literarischer Texte und bekam bereits 1997 den Würth-Preis für ihr Drehbuch »Die Wege des Wassers in Erzincan« und den Open-Mike-Literaturpreis der literatur-WERKstatt berlin für die Erzählung »Durst«. 2001 erhielt sie das erstmals vergebene Sylt-Quelle-Stipendium.

333

Sten Nadolny, als Sohn der Schriftsteller Isabella und Burkhard Nadolny 1942 in Zehdenick an der Havel geboren, wuchs in Oberbayern auf und studierte Geschichte in Göttingen, Tübingen und Berlin, wo er auch promovierte. Nach einer vorübergehenden Tätigkeit als Lehrer arbeitete er nach 1977 in der Filmbranche und lebt heute in Berlin. 1981 erschien sein erster Roman »Netzkarte« (München), der Roman »Die Entdeckung der Langsamkeit« (München 1983) wurde ein nationaler und internationaler Erfolg und in 17 Sprachen übersetzt. Den Ingeborg-Bachmann-Preis erhielt er bereits drei Jahre vor Erscheinen des Buches für das fünfte Kapitel, 1985 den Hans-Fallada-Preis für denselben Titel. 1986 wurde er mit dem Premio-Vallombrosa, dem höchsten italienischen Literaturpreis für ausländische Literatur ausgezeichnet. 1999 erschien sein letzter Roman »Er oder Ich« (München). Sten Nadolny ist Mitglied der Bayerischen Akademie der Schönen Künste.

Norbert Niemann, geboren 1961 in Landau an der Isar, lebt als Romancier und Essayist in Chieming. Er studierte Literatur- und Musikwissenschaft sowie Geschichte in Regensburg und München, war dann Musiker, Gitarrenlehrer und Redakteur der »Konzepte«. Er ist Mitinitiator und Sprecher der Autorengruppe *Treffen der 13,* in deren web-Forum die in digitab versammelten »Gedichte« verstreut erscheinen. 1999 erhielt er den Clemens-Brentano-Preis. Neben zahlreichen Veröffentlichungen von Prosatexten und Essays in Zeitschriften und Anthologien legte er bislang den Roman »Wie man's nimmt« (München 1998) vor, dem im Herbst 2001 ein weiterer unter dem Titel »Schule der Gewalt« folgte.

Emine Sevgi Özdamar, geboren 1946 in Malatya/Türkei, lebt heute in Düsseldorf. Sie absolvierte eine Schauspielausbildung in Berlin und Istanbul, arbeitete an der Volksbühne Ost-Berlin und hatte Engagements am Bochumer Schauspielhaus und in verschiedenen Filmproduktionen. Ihr erstes Theaterstück »Karagöz in Alamania« wurde 1986 unter ihrer Regie im Schauspielhaus Frankfurt uraufgeführt. Mit ihren Werken »Mutterzunge« (Hamburg 1990) und »Das Leben ist eine Karawanserei…« (Köln 1992) wurde sie zu einer bedeutenden Figur innerhalb der sogenannten »Migrantenliteratur«. Dem Roman »Die Brücke vom Goldenen Horn« (Köln 1998) folgte zuletzt der Erzählband »Der Hof im Spiegel« (Köln 2001). Nach diversen Stipendien und Auszeichnungen erhielt sie 1999 den Adelbert-von-Chamisso-Preis und den Preis der LiteraTour Nord.

Erica Pedretti, geboren 1930 in Sternberg/Tschechoslowakei, lebte nach dem Verlassen ihrer Heimat in Berlin und New York, bevor sie sich dauerhaft in der Schweiz niederließ. Sie arbeitet als Bildhauerin und Schriftstellerin. Auch heute noch ist sie in beiden künstlerischen Bereichen tätig. Schon in den 70er Jahren erhielt sie zahlreiche literarische Auszeichnungen, u. a. den Preis der Schweizerischen Schillerstiftung 1975. 1990 den Großen Literaturpreis des Kantons Bern, 1996 den Marie-Luise-Kaschnitz-Preis und 1999 den Vilenica-Preis vom slowenischen Schriftstellerverband und den Bündner Kulturpreis. »Valerie oder Das unerzogene Auge« (Frankfurt/Main 1986), »Engste Heimat« (Frankfurt/Main 1995), der Roman »Kuckuckskind oder Was ich ihr unbedingt noch sagen wollte« (Frankfurt/Main 1998), »Ein Text im Dialog« (Basel 2000) und »Heute. Ein Tagebuch« (Frankfurt/Main 2001) sind ihre zuletzt erschienenen Werke.

Ulrich Plenzdorf wurde als Sohn einer Arbeiterfamilie in Berlin geboren. Er studierte drei Semester Philosophie am Franz-Mehring-Institut in Leipzig und arbeitete anschließend als Bühnenarbeiter bei der DEFA, bevor er 1958/59 Soldat in der Nationalen Volksarmee wurde. Nach dem Studium an der DDR-Filmhochschule Babelsberg erhielt er ein Engagement als Szenarist und Dramaturg bei der DEFA. Sein Stück »Die neuen Leiden des jungen W.« wurde zu einem sensationellen Erfolg, auch in Westdeutschland. Es folgten zahlreiche Theaterstücke und Filme. Plenzdorf arbeitet bis heute erfolgreich als Drehbuch- und Fernsehspielautor und wurde mit vielen Preisen und Auszeichnungen geehrt. So wurde ihm beispielsweise 1973 der Heinrich-Mann-Preis der Akademie der Künste/DDR und 1982 gemeinsam mit Erich Loest der Jacob-Kaiser-Preis verliehen.

Friederike Roth, geboren 1948 in Sindelfingen, studierte Linguistik und Philosophie in Stuttgart und war nach ihrer Promotion von 1976 bis 1979 als Lehrbeauftragte für Anthropologie und Soziologie an der Fachhochschule für Sozialwesen in Esslingen tätig. Danach arbeitete sie als Übersetzerin und als Hörspieldramaturgin für den Süddeutschen Rundfunk. 1977 erhielt sie den Leonce-und-Lena-Preis (mit Anno F. Leven), 1982 den Literaturpreis der Stadt Stuttgart und 1985 den Hörspielpreis der Kriegsblinden. Sie veröffentlichte Erzählungen, Gedichte, Hörspiele, Theaterstücke und Drehbücher. »Wiese und Macht. Ein Gedicht« (Frankfurt/Main 1993) ist bislang neben »Wispel. Eduard Mörikes »Wispeliaden«, die sie zusammengestellt und mit einem Nachwort versehen hat (Berlin 1994), ihr letztes Buch.

Uwe Saeger, 1948 in Ueckermünde/DDR geboren, studierte Pädagogik in Greifswald und arbeitete einige Jahre als Lehrer in Ueckermünde. Seit 1976 ist er freischaffender Schriftsteller und in den unterschiedlichsten Genres tätig. Er schreibt Romane, Novellen, Erzählungen, Theaterstücke, Filmtexte, sowie Hör- und Fernsehspiele und Drehbücher. 1993 wurde er mit dem Adolf-Grimme-Preis ausgezeichnet und erhielt die Ehrengabe der Schriftstellerstiftung Weimar. 1996 bekam er den Kulturpreis des Landes Mecklenburg-Vorpommern. »Verkleidungen. Prosapassagen und dramatische Szenen« (Vastorf/Lüneburg 1998) und »Die schönen Dinge. 30 Gedichte« (Vastorf/Lüneburg 2000) sind seine neuesten Buchtitel. Er lebt und arbeitet heute in der Nähe von Greifswald.

Birgit Vanderbeke, geboren 1956 in Dahme in der damaligen DDR, lebte seit 1963 in Frankfurt am Main, wo sie Jura, Germanistik und Romanistik studierte. Anschließend ging sie als freie Schriftstellerin nach Berlin, heute lebt sie mit ihrer Familie in Südfrankreich. Seit ihrer ersten Erzählung »Das Muschelessen«, für die sie mit dem Ingeborg-Bachmann-Preis ausgezeichnet wurde, hat sie eine Reihe vielgelobter Bücher geschrieben, u. a. die Erzählung »Friedliche Zeiten« (Hamburg 1996), die Romanerzählung »Alberta empfängt einen Liebhaber« (Berlin 1997), »Ich sehe was, was du nicht siehst« (Berlin 1999) und »abgehängt« (Frankfurt 2001). Zuletzt wurde sie 1999 mit der Roswitha-Gedenkmedaille der Stadt Gandersheim und dem Solothurner Literaturpreis ausgezeichnet.

Alissa Walser, die 1961 in Friedrichshafen geborene jüngste der vier Töchter Martin Walsers, lebt nach dem Studium der Malerei in New York und Wien in Frankfurt am Main. Ihre ersten Texte entstanden angeregt durch ihre intensive Übersetzungstätigkeit zunächst unter Pseudonym. Ihr Debüt gab sie mit Erzählungen unter dem Titel »Dies ist nicht meine ganze Geschichte« (Reinbek 1994). Ihre Erzählung »Mein Soldat« wurde 1992 mit dem Bettina-von-Arnim-Preis prämiert. Im Jahr 2000 erhielt sie das Literatur-Stipendium der Märkischen Kulturkonferenz. Gleichzeitig erschien »Die kleinere Hälfte der Welt« (Reinbek 2000).